Peter von der Osten-Sacken
Evangelium und Tora

THEOLOGISCHE BÜCHEREI
Neudrucke und Berichte aus dem 20. Jahrhundert
Begründet von Ernst Wolf. Herausgegeben von Gerhard Sauter

Band 77
Neues Testament

PETER VON DER OSTEN-SACKEN

Evangelium und Tora

Aufsätze zu Paulus

CHR. KAISER VERLAG MÜNCHEN

1987

CIP-Kurztitelaufnahme der Deutschen Bibliothek

Osten-Sacken, Peter von der:
Evangelium und Tora: Aufsätze zu Paulus / Peter von der Osten-Sacken. –
München: Kaiser, 1987.
(Theologische Bücherei; Bd. 77: Neues Testament)
ISBN 3-459-01711-2

NE: GT

Umschlag: Christa Manner
Satz: Typo Schröder, Dernbach/Dierdorf
Druck: Wagner GmbH, Nördlingen
Bindung: Conzella Verlagsbuchbinderei München
Printed in Germany

INHALT

VORWORT

Die hier zusammengestellten Aufsätze zur Theologie des Paulus sind überwiegend im Lauf der letzten fünfzehn Jahre, z. T. an entlegener Stelle, veröffentlicht worden; zum kleineren Teil werden sie in diesem Band zum erstenmal publiziert. Wie die Gestaltung des Bandes zeigt, gruppieren sich die Beiträge in vier zentrale, sachlich selbst wiederum aufs engste zusammengehörige Themenbereiche der Lehre des Apostels: Evangelium – Apostel – Tora – Israel. Die Interdependenz dieser Themen bedingt es, daß dieser oder jener Aufsatz begründet auch einem der anderen Themenbereiche hätte zugeordnet werden können. Alte und neue Beiträge sind auch dadurch zusammengeschlossen, daß hier wie da im Anschluß an die historische Auslegung regelmäßig die theologisch-hemeneutische Frage aufgenommen und thematisiert ist.

Die bereits früher veröffentlichten Aufsätze sind für die erneute Drucklegung auf Versehen hin durchgesehen und an einigen wenigen Stellen in Text und Anmerkungen gekürzt worden – im wesentlichen um entbehrliche Auseinandersetzungen mit Sekundärliteratur, in einem Fall um einen Schlußteil, dessen Thema inzwischen an anderer Stelle ausführlicher bearbeitet worden ist. Im übrigen sind die Beiträge sachlich unverändert geblieben. So ist auch die Spannung beibehalten, daß in zwei der älteren Beiträge die „Auferstehung der Toten" in Röm. 11,15 auf Israel, in dem bisher unveröffentlichten letzten Aufsatz dieses Bandes jedoch, wie es mir inzwischen sachgemäßer erscheint, auf die Völker gedeutet ist. Im Rahmen der technischen Redaktion, die aufgrund des Neusatzes möglich war, sind bis auf eine einzige, andernfalls mißverständliche Stelle sämtliche hebräischen und griechischen Wörter bzw. Sätze transkribiert und einige wenige Verfahrensweisen in den Anmerkungsapparaten einander angeglichen worden. Doch sind auch hier die von Zeitschrift zu Zeitschrift wechselnden Usus im wesentlichen erhalten geblieben.

Der ursprüngliche Plan, dem Band mehr als drei noch nicht erschienene Beiträge einzufügen, mußte aus Gründen des Umfanges der betreffenden Studien zurückgestellt werden. Die Entscheidung ist um so leichter gefallen, als der Chr. Kaiser Verlag eine Publikation dieser Studien zum Römer-, Galater- und 2. Korintherbrief in absehbarer Zeit ins Auge gefaßt hat.

6

Dem Herausgeber spreche ich meinen Dank aus für die Aufnahme des Aufsatzbandes in die Reihe „Theologische Bücherei", dem Verlag für die sorgsame Betreuung der Drucklegung des Manuskriptes. Birgit Gerritzmann hat die Mühe des Korrekturlesens geteilt und die Autoren- und Stellenregister angefertigt. Für ihre zuverlässige Hilfe danke ich ihr herzlich.

Einen weit zurückreichenden Dank möchte ich abstatten, indem ich dies Buch Helmut Donner widme, dem unvergessenen Lehrer in Sprache und Geschichte Israels und Exegese des Alten Testaments.

Berlin, im August 1987   *Peter von der Osten-Sacken*

I. Das Evangelium

1. Das Evangelium
als Einheit von Verheißung und Gesetz
Grundzüge paulinischer Theologie[1]

I. Die Schrift: Verheißung und Gesetz

Paulus kennt kein „Altes Testament". Das, was christliche Theologie unter diesem dogmatischen Begriff versteht, ist für ihn „die Schrift". Sie besteht aus Gesetz und Propheten (Röm. 3,21). Beide zusammen bezeugen das Wort Gottes (Röm. 9,6). Dies Wort hat für Paulus zwei Dimensionen: Es ist Verheißung und es ist Gesetz. „Gesetz" (Tora) ist deshalb bei Paulus zum einen Bezeichnung der fünf Bücher Mose und in diesem Sinne Oberbegriff für „Verheißung und Gesetz". Zum anderen versteht Paulus, und dies ist der für ihn spezifische Gebrauch, unter „Gesetz" die von der Verheißung unterschiedene Forderung Gottes an den Menschen.

Die Verheißung läuft dem Gesetz voraus. Der Apostel bestimmt sie zentral als die Abraham zuteil gewordene Zusage einer Nachkommenschaft, die mit Isaak beginnt und schließlich alle Völker umfassen soll (Röm. 4; 9,6-13; Gal.3). Das Vertrauen Abrahams auf diese Verheißung Gottes bezeichnet Paulus als Glauben. Er wird Abraham zur Gerechtigkeit angerechnet. Der Glaube wird damit als das der göttlichen Zusage angemessene, rechte Verhalten zu Gott bestimmt. Solches Vertrauen oder solcher Glaube ist wesentlich „Hoffnung gegen Hoffnung". Denn Abraham glaubt dem göttlichen

1. Der Beitrag wurde ursprünglich für das von R. Rendtorff herausgegebene Arbeitsbuch zur EKD-Studie „Christen und Juden" (1975) verfaßt. Da aus Raumgründen nur Teil I und Teil IV aufgenommen werden konnten, wird der als Einheit erstellte Abriß – in Teil IV geringfügig ergänzt – hier geschlossen vorgelegt. (vgl. auch unten, Anm. 29). Für diese geschlossene Veröffentlichung ist nur eine knappe Anzahl von Literaturhinweisen ergänzt worden. Für eine ausführliche Besprechung anderer Auffassungen sei auf meine Arbeit „Römer 8 als Beispiel paulinischer Soteriologie" (1975) verwiesen, auf der der Abriß im wesentlichen aufbaut und die er hier und da weiterzuführen sucht, besonders, was das Verhältnis von Verheißung und Gesetz und das Verständnis von Gerechtigkeit (Gottes) bei Paulus betrifft.

Wort, obwohl die Wirklichkeit, der verwelkte Leib Sarahs, dagegen spricht, daß ihm von seiner Frau dem göttlichen Wort gemäß ein Nachkomme geboren wird (Röm. 4,16-22). Weil die Hoffnung, die im Glauben beschlossen ist, grundlos ist, was den Menschen betrifft, deshalb vermag die Verheißung, von der die Hoffnung bestimmt ist, nur von Gott selbst eingelöst zu werden.

Paulus kann verschiedene Sätze der Abrahamüberlieferung aufgreifen, um die Verheißung zu umschreiben. Ebenso kann er die Nachordnung des Gesetzes als der Forderung Gottes an den Menschen auf unterschiedliche Weise deuten. So stellt er einerseits heraus, daß die Tora vom Sinai 450 Jahre später gegeben ist als die Verheißung und diese nicht in ihrer bleibenden Gültigkeit umzustoßen vermag (Gal. 3,17). Andererseits hebt er hervor, daß Abraham die Verheißung empfing und als gerecht erklärt wurde im Stande des Unbeschnittenseins; die Beschneidung, die für Paulus das Gesetz vertreten kann, bildete erst sekundär das Siegel auf die bereits erfolgte Gerechtsprechung des Erzvaters (Röm. 4,9-11)[2].

Wie der Verheißung Gottes der Glaube als das angemessene Verhalten des Menschen korrespondiert, so dem Gesetz, der Forderung Gottes, das Tun des Menschen. Die Reihenfolge Verheißung – Gesetz ist für Paulus unumkehrbar[3]. Dasselbe gilt folgerichtig für die Abfolge Glauben – Tun. Wie die Forderung Gottes auf seiner Verheißung aufruht, so resultiert das Tun des Menschen aus dem Glauben an Gott. Da der Glaube durch die Zusage Gottes gestiftet wird und das Tun nichts anderes als die Praxis des Glaubens ist, bleibt das Handeln des Menschen in der Verheißung Gottes begründet. Es vermag sie zu bekräftigen, aber sie nicht in dem Sinne einzulösen, als sei dies eine menschliche, von Gottes Kraft abgelöste Möglichkeit. Wenn Gott verheißt und durch die Verheißung beruft, so ist darin alles gesetzt, bis hin zur Erfüllung des Verheißenen (Röm. 8,29f.).

Der Glaube ist mithin Annahme der Zusage Gottes und dergestalt Bezeichnung des rechten Verhältnisses zu Gott. Das Handeln, das Tun, kommt nach Paulus aus dieser Gottesbeziehung her. Es umschreibt aber nicht das Verhältnis zu Gott, sondern das Verhältnis zu den anderen Menschen. Es ist wesentlich Weitergabe der im Glauben angenommenen Gotteskraft an die Gemeinschaft, in der der Glaubende lebt, und zwar Weitergabe durch ein liebendes Verhalten (Gal. 5,6).

Das Tun resultiert aus dem von Gott gestifteten Gottesverhältnis und bewahrt es, begründet es aber nicht. Deshalb kann Paulus immer wieder

2. Vgl. E. Käsemann, Der Glaube Abrahams in Römer 4, in: Paulinische Perspektiven, 1969, S. 140-177, hier: S. 151.
3. Käsemann, ebd.: „Das Hören hat einen durch nichts ablösbaren Primat."

hervorheben, daß der Mensch nicht aufgrund dessen, was er tut, ins Verhältnis zu Gott, in die Gottesgemeinschaft, geführt wird bzw. – traditionell gesprochen – gerechtfertigt wird (Röm. 3,19f.28; Gal.2,16). Denn anders wäre er der Gebende und Gott der Empfangende, würde das Gottesverhältnis vom Menschen, nicht aber von Gott gestiftet. Das aber würde Gott in die Abhängigkeit vom Menschen führen, die Rollen von Schöpfer und Geschöpf vertauschen und letztlich nicht Hoffnung, sondern Hoffnungslosigkeit bedeuten. Denn der Mensch würde seine Möglichkeiten als das Maß aller Dinge festschreiben. Hoffnung, die über die Grenzen des Menschen hinausführt, ist vielmehr nur dadurch gewährt, daß der vom Menschen unterschiedene Gott für die Einlösung seiner die Verhältnisse wandelnden Verheißung einsteht (Röm. 11,29; 1. Kor. 1,9; 1. Thess. 5,24).

Der entscheidende Einwand liegt nahe. Ist denn Abrahams Glaube kein Tun, keine Aktion, wenn auch als Re-aktion? In der Tat ist es ein Handeln oder Verhalten. Aber Paulus insistiert an diesem Punkt bis zum letzten, daß es kein Tun ist, in dem der Mensch Gott etwas zu geben hätte (Röm. 4,1-13; Gal. 3,6-9). Denn in diesem Fall wäre die Verheißung nicht mehr Verheißung, sondern Gesetz, Forderung. Der Mensch würde Gott geben und nicht empfangen. Kennzeichen der Verheißung aber ist gerade, daß Gott allein der Handelnde, Gebende, Versprechende ist.

Damit treten folgende Urteile nebeneinander:

1. Der Mensch, der die Verheißung annimmt und lebt, verhält sich gottgemäß, steht in der Gottesgemeinschaft und ist gerecht bzw. gerechtfertigt.

2. Der Mensch, der die Verheißung ausschlägt und nicht glaubt, hat die Gemeinschaft mit Gott von sich gewiesen. Er widersetzt sich Gott und ist ungerecht, schuldig, unter der Sünde.

Somit ist die Ablehnung der Zusage Gottes nach Paulus Schuld, nicht aber die Annahme Verdienst. Denn mit der Annahme bejaht der Mensch das, was Gott und nicht er selbst zu seinem Frieden getan hat.

Von diesen Zusammenhängen her erklärt sich, inwiefern Paulus in gerade für ihn kennzeichnenden Sätzen sagen kann, daß aus dem Gesetz, der Forderung Gottes, keine Gerechtigkeit kommt. Die „Gerechtigkeit" ist die gnädig von Gott in Gestalt des Glaubens gewährte Gottesgemeinschaft, die Übereinstimmung mit dem Willen Gottes, aus der heraus der Mensch zu befolgen vermag, was das Gesetz gebietet. Dort jedoch, wo die Forderung Gottes von der auf Glauben zielenden Verheißung isoliert und zum Anlaß genommen wird, vor Gott durch Erfüllung der Forderung zu erwerben, was er allein zu geben vermag, dort wird dem Gesetz eine Rolle zugemessen, die ihm nicht zukommt. Weil die Gerechtigkeit angesiedelt ist in der Korrespondenz von Verheißung und Glaube, darum kommt nach Paulus aus dem Gesetz, das *fordert,* nicht aber bedingungslos zusagt wie die Verheißung, keine Gerechtigkeit.

Dies Verständnis der Schrift, von Verheißung und Tora, ist durchaus mit anderen jüdischen Deutungen der Bibel vereinbar.[4] Die Auffassung von Zusage und Gebot in der jüdischen Bibel entspricht in Grundzügen derjenigen von Verheißung und Gesetz bei Paulus, wie sie bisher dargelegt wurde.[5] Die Differenzen treten erst dort auf, wo in Gestalt weiterer Aussagen des Paulus die Grundlage des bisher entfalteten paulinischen Verständnisses der Schrift berührt wird.

Die Verheißung erschließt nach Paulus authentisch das Verhältnis Gottes zur Welt. Sie ist ihrem Wesen nach Rufen oder Berufen und darin Manifestation eines Heilshandelns, das seine Herkunft und Zukunft in Gott hat.[6] Denn wie die Berufung zurückgeht auf den vor allem menschlichen Handeln gefaßten göttlichen Beschluß, so ist die Vollendung des mit der Berufung den Menschen erreichenden Handelns Gottes unumstößlich gewiß, vom Menschen weder zu fördern noch aufzuhalten (Röm. 8,29f.; 9,12.16; 11,29).

Welchen Sinn hat dann aber das Gesetz, die Forderung Gottes an den Menschen? Entscheidendes Kennzeichen ist nach Paulus: Es bringt nicht etwa die Verheißung zur Erfüllung. Denn diese steht und wirkt für sich selbst. Der Mensch vermag deshalb auch nicht mit dem Gesetz, mit seiner Befolgung, die Verheißung zur Erfüllung zu bringen. Vielmehr – und hier vermag Paulus stets von neuem zu variieren: Das Gesetz ist um der Übertre-

4. Vgl. E. P. Sanders, Paul and Palestinian Judaism, Philadelphia 1977, S. 419ff. 511ff. 543ff., sowie unten, Anm. 27.
5. Vgl. A. Jepsen, Berith. Ein Beitrag zur Theologie der Exilszeit (1961), in: Der Herr ist Gott. Aufsätze zur Wissenschaft vom Alten Testament, Berlin-Ost 1978, S. 196-210. Er zeigt überzeugend auf, daß b^{e}rit – traditionell mit „Bund" übersetzt – in der biblisch zentralen Auszugstradition als Begriff für die Einheit von „Verheißung und Geheiß" zu verstehen ist und entsprechend am besten durch diese beiden Begriffe zu übertragen wäre. Jepsens Einschränkung: „Freilich darf man nicht b^{e}rit und Evangelium gleichsetzen und dann das Evangelium dem Gesetz vorordnen: es bleibt bei der Reihenfolge: Gesetz und Evangelium", kommt unvermittelt und verwehrt unbegründet den trefflichen exegetischen Erkenntnissen den Einlaß ins Haus der Dogmatik. Vgl. zur Sache ferner M. Barth, Die Stellung des Paulus zu Gesetz und Ordnung, in: EvTh 33 (1973), S. 496-526, hier: S. 503ff.
6. Vgl. meinen Beitrag: Befreiung durch das Gesetz, in: Richte unsere Füße auf den Weg des Friedens. Festschrift für H. Gollwitzer, München 1979, S. 349-360 = unten, S.197–209.

tungen willen gegeben (Gal. 3,19), es wirkt Erkenntnis der Sünde (Röm. 3,20; 7,7-24), ist deren Kraft (1.Kor. 15,56), wirkt Zorn bzw. Gericht (Röm. 4,15) und erweist damit das Schuldigsein aller Welt vor Gott (Röm. 3,19). Paulus kann alle diese Aspekte in dem Satz zusammenfassen: „Die Schrift (als Gesetz) hat alles unter die Sünde eingeschlossen" (Gal. 3,22). Sie hat mit der Forderung des Gesetzes die Gottlosigkeit des Menschen (Sünde) und damit seine Zukunftslosigkeit (Tod) festgemacht. Das paulinische Urteil gilt einschränkungslos: Die Forderung Gottes bringt nichts als die Sünden- und Todverfallenheit des Menschen an den Tag und hält ihn darin fest. In diesem ausnahmslosen Urteil unterscheidet sich Paulus zutiefst von allen anderen jüdischen Deutungen der Tora.[7]

In der Tat redet der Apostel in diesem Zusammenhang als jesusgläubiger Jude. Die Zeitform (die Schrift „*hat* eingeschlossen") und die Fortsetzung („damit die Verheißung aus Glauben an Jesus Christus gegeben werde den Glaubenden") verdeutlichen beide, daß der Grund seines Urteils über das Gesetz in der Bindung des Apostels an Jesus Christus liegt. In der in dem Zitat genannten Zweckbestimmung des Gesetzes bzw. seines Schuldspruchs deutet sich zugleich an, warum nach Paulus das Gesetz mit dieser seiner Funktion weder der Verheißung noch Jesus Christus entgegensteht. Denn die Schrift als Gesetz vollzieht ihr Werk, damit die Verheißung zur Geltung komme, und zwar in Gestalt ihrer Erfüllung in Jesus Christus (Gal. 3,23-29). Die Voraussetzungen, von denen her Paulus zu diesem Verständnis gelangt, liegen deutlich außerhalb der Schrift. Sie werden erkennbar in der von ihm erfahrenen und theologisch ausgelegten endzeitlichen Zuwendung Gottes zu Israel und den Völkern in Jesus Christus.[8]

II. Jesus Christus als Einheit und angeldweise Erfüllung von Verheißung und Gesetz

Leben und Wirken des Paulus als Pharisäer und dann als Bote Jesu sind keineswegs, wie er selbst als Apostel glauben machen will, nur durch Gegen-

7. Vgl. E. Jüngel, Das Gesetz zwischen Adam und Christus. Eine theologische Studie zu Röm. 5,12-21 (1963), in: Unterwegs zur Sache. Theologische Bemerkungen, 1972, S. 145-172, hier: S. 158f.; G. Schunack, Das hermeneutische Problem des Todes. Im Horizont von Römer 5 untersucht, 1967, S. 234ff., ferner die in Anm. 1 genannte Arbeit über Röm. 8, S. 167f., sowie Sanders (Anm. 4), S. 543ff.

8. Wie die verschiedentlichen Hinweise bereits haben erkennen lassen, tritt besonders deutlich in Gal. 3 zutage, daß sich für Paulus die Schrift durch Jesus Christus als Verheißung und Gesetz erschließt.

sätze bestimmt. Vielmehr gibt es eine Reihe tiefgreifender, wenn auch scheinbar rein formaler Gemeinsamkeiten in den verschiedenen Stadien des paulinischen Lebensweges. Hierzu gehört vor allem der jeweils unlösliche Zusammenhang zwischen Person und Theologie.[9] Der Intensität der Toratreue des Paulus als Pharisäer entspricht die Intensität seiner Christusbindung als Apostel. Der früheren zentralen Stellung der Tora entspricht die spätere zentrale Stellung Jesu Christi, auf den Paulus alle Wege der Tora zulaufen sieht.[10] Diese untrennbare Einheit von Person und Theologie

9. Vgl. hierzu zuletzt K. Haacker, Die Berufung des Verfolgers und die Rechtfertigung des Gottlosen. Erwägungen zum Zusammenhang zwischen Biographie und Theologie des Apostels Paulus, in: Theol. Beiträge 6 (1975), S. 1-19; O. Betz, Paulus als Pharisäer nach dem Gesetz. Phil. 3,5-6 als Beitrag zur Frage des frühen Pharisäismus, in: Treue zur Tora. Beiträge zur Mitte des christlich-jüdischen Gesprächs. Festschrift für G. Harder (Veröff. aus dem Institut Kirche und Judentum 3), Berlin 1977, S. 54-64, sowie meinen Beitrag: Paulus und das Gesetz, in: 17. Deutscher Evangelischer Kirchentag Berlin 1977. Dokumente, 1977 (nachgedr. in: Freiburger Rundbrief 29, 1977, S. 82-86, und in: Wegweisung. Jüdische und christliche Bibelarbeiten und Vorträge. 17. Deutscher Evangelischer Kirchentag Berlin 1977, Veröff. aus dem Institut Kirche und Judentum 8, Berlin 1978, S. 59-66). Haacker und Betz bringen den Zusammenhang zwischen Biographie und Theologie in dem Sinne zur Geltung, daß sie den Pharisäer Paulus und den Apostel Paulus schärfstens kontrastieren, und vermögen im Rahmen dieses Arbeitsganges eine Reihe wichtiger Beobachtungen zu machen. Demgegenüber sucht der zuletzt genannte Beitrag aufzuzeigen, wie das, was der Mann aus Tarsus selber und ihm nachfolgend christliche Theologie an dem Pharisäer Paulus negierte, sich in ganz ähnlicher Weise beim Apostel Paulus findet. Die Frage nach dem Verhältnis von Biographie und Theologie ist entsprechend differenzierter zu sehen. Um ein Beispiel zu nennen: Die „Intoleranz und Aggression", zu denen die angebliche „pharisäische Gesetzlichkeit und Selbstgerechtigkeit... bei dem jungen Saulus" geführt haben sollen (Haacker, S. 19), lassen sich unschwer im Umgang des Apostels mit seinen Gegnern wiedererkennen. Wie Saulus bereits in seiner Jugend Paulus hieß, so ist Paulus stets auch Saulus geblieben. Wenn dies nicht gesehen wird, wird im Prinzip lediglich das Bild wiederholt, das Paulus von sich in seiner Zeit als Apostel gezeichnet hat, d.h. die historische Analyse bleibt ansatzmäßig in den Geleisen der Nachzeichnung des paulinischen Selbstverständnisses. Ansätze zu dem in dem oben genannten Beitrag unternommenen Versuch, kritisch die Kontinuität zwischen dem Pharisäer und dem Apostel Paulus herauszuarbeiten und von dieser Kontinuität her den Zusammenhang zwischen dem Menschen Paulus und seiner Theologie zu kennzeichnen, sind in älterer Literatur, insbesondere bei folgenden Autoren zu finden: W. Wrede, Paulus (1904), in: K.H. Rengstorf (Hg.), Das Paulusbild in der neueren deutschen Forschung, 1964, S. 1-97, hier: S. 1ff.; A.D. Nock, Paulus, (dt.) 1940, S. 57ff.

10. So richtig U. Wilckens, Die Bekehrung des Paulus als religionsgeschichtliches Problem (1959), in: Rechtfertigung als Freiheit. Paulusstudien, 1974, S. 11-32. Im einzelnen ergeben sich freilich zu Wilckens' Sicht manche Rückfragen, insbesondere zu seinen Ausführungen über das vorpaulinische und das paulinische Gesetzesverständnis. Vgl. U. Luz, Das Geschichtsverständnis des Paulus, 1969, S. 218f.

kommt besonders eindrücklich in Übereinstimmung und Differenz zwischen dem paulinischen Verständnis des eigenen Weges und des Evangeliums, das der Apostel verkündigt, zum Ausdruck.

Paulus hat vermutlich bereits als Pharisäer Völkermission betrieben, d.h. „die Beschneidung gepredigt" (Gal. 5,11).[11] Im Wirken der frühen Jesusgemeinde, die den am Kreuz hingerichteten Jesus als von Gott auferweckten Messias verkündigte, sah er eine Mißachtung der Tora, die ihn, der stets zu Extremen neigte, zur Verfolgung der Gemeinde führte. Nach Maßgabe der griechischen Bibel (5.Mose 21,23; Gal. 3,13) war ein am Holz Gehängter verflucht, d.h. von Gott getrennt. Wie sollte dies der Messias sein, es sei denn, man annullierte das Wort der Tora?[12]

Noch in der Verfolgung der Gemeinde Jesu begriffen, sieht der ekstatisch veranlagte Paulus in einer Vision Jesus und wird nach seinen und der Apostelgeschichte Worten von ihm als Völkerapostel in Dienst genommen (1. Kor. 9,1; 15,8-10; Gal. 1,13-16; Apg.9; 22; 26). Diese visionäre Begegnung muß ihn, wie man treffend gesagt hat, „mit der vollen Kraft einer objektiven Tatsache" getroffen haben.[13] Entscheidend ist, daß Paulus das Ereignis prinzipiell in dem Rahmen der ihm bereits vorgegebenen Verkündigung von Jesus Christus gedeutet hat. Er hat die Begegnung als Erscheinung des auferweckten Jesus verstanden. „Sah" er vorher nur den schmählich am Kreuz Gestorbenen, so gewann er jetzt die Gewißheit, daß eben dieser Gekreuzigte von Gott auferweckt sei, als „Erstling der Entschlafenen" (1. Kor. 15,20). Das heißt: Mit der Auferweckung dieses Toten hatte die Endzeit, die eschatologische Zeit Gottes begonnen. Im Umkreis dieses Zusammenhangs liegt der Schlüssel zur Theologie des Apostels, die nichts als eine Entfaltung der beschriebenen Gewißheit in Auseinandersetzung sowohl mit den theologischen Auffassungen, die Paulus zuvor selbst vertreten hatte, als auch mit anderen Deutungen Jesu in den frühen Gemeinden ist.

---

11. Siehe u.a. G. Bornkamm, Paulus, 3. Aufl. 1977, S. 35.
12. Siehe hierzu G. Jeremias, Der Lehrer der Gerechtigkeit, 1963, S. 133ff.
13. Wrede (Anm. 9), S. 7. Dies suspendiert freilich nicht grundsätzlich von der Frage nach historischen Erklärungsmöglichkeiten dieses Tatbestandes. Neben der von ihm selbst dokumentierten visionären Veranlagung des Paulus (2. Kor. 12,1ff.) dürfte hier zu veranschlagen sein, was man „die Psyche des Verfolgers" nennen könnte, für die Saulus Paulus ein unverkennbares Beispiel bildet (vgl. die Hinweise in meinem Anm. 9 genannten Beitrag). Für die gesprächsweise Bekräftigung dieser Erwägungen danke ich Manfred Josuttis.

Der Schlüsselcharakter der paulinischen Kehre[14] geht am deutlichsten aus seinem Verständnis dessen hervor, was nach seiner Auffassung Evangelium ist und was er als Evangelium verkündigt. Wie Paulus in seiner Christusbegegnung die Gegenwart des auferweckten Jesus erfahren hat, so ist dieser im Evangelium gegenwärtig (Röm. 10,6-9). Wie der von Paulus geschaute Auferweckte identisch ist mit dem gekreuzigten Jesus, so bezeugt das Evangelium die Identität des Gekreuzigten und Auferweckten (Röm. 8,35-37; 1.Kor. 1,18-31)[15]. Wie Paulus in jener Begegnung zum Glauben an Jesus kommt, so stiftet das Evangelium, dessen Inhalt die Auferweckung des Gekreuzigten ist, den Glauben an den verkündigten Jesus (Röm. 1,16f.). Wie Paulus Jesus unmittelbar als „die Kraft Gottes" bezeichnen kann (1.Kor. 1,30), so auch das Evangelium, und zwar als „die Kraft Gottes zur Rettung für jeden Glaubenden" (Röm. 1,16). Wie Paulus von Jesus Christus unmittelbar als Offenbarung der Gerechtigkeit Gottes sprechen kann (Röm. 3, 21-26), so kann er das Evangelium als Medium der Offenbarung dieser Gerechtigkeit bestimmen (Röm. 1,17). Berufung des Apostels und Berufung der Gemeinde unterscheiden sich deshalb zwar dadurch, daß der Apostel in einer Vision beauftragt ist, während die Gemeinde durch das Evangelium in Dienst genommen wird. Aber beide Male ist es der auferweckte Gekreuzigte, durch den Gott beruft, und beide Male zielt die Berufung auf den Glauben an Jesus als das dieser Berufung gemäße Verhalten ab. Vision (Paulus) und Audition (Gemeinde) gehören verschiedenen Zeiträumen zu[16], sie sind jedoch theologisch von gleicher Qualität.

Paulus bezeichnet Jesus als Inhalt des Evangeliums – teils in Anknüpfung an vorgegebene Tradition, teils eigenständig – mit einer Reihe von Titeln und Prädikaten.[17] Er ist u.a. „Sohn Gottes", „Herr" (Kyrios), „Messias" (Christus), „Weisheit Gottes", „Kraft Gottes" und „Gerechtigkeit Gottes".

14. Er wird mit Recht von Haacker (Anm. 9) u.a. betont und besonders vom Inhalt der Botschaft als „Rechtfertigung des Gottlosen" her begründet. Die folgenden Beobachtungen gehen zwar über die etwa von Haacker getroffenen Feststellungen hinaus, bewegen sich jedoch grundsätzlich in derselben Richtung.
15. Von Röm. 8,35-37 und Gal. 2,20 her kann die Identität des Gekreuzigten und Auferweckten sachlich in seiner Agape gesehen werden. Vgl. die Anm. 1 genannte Arbeit über Röm. 8, S. 313f.
16. Nach 1. Kor. 15,8 ist Paulus der letzte, dem eine Erscheinung Jesu widerfahren ist.
17. Siehe hierzu vor allem W. Kramer, Christos, Kyrios, Gottessohn, 1963; F. Hahn, Christologische Hoheitstitel, 4. Aufl. 1974; M. Hengel, Der Sohn Gottes, 1975; G. Lindeskog, Anfänge des jüdisch-christlichen Problems. Ein programmatischer Entwurf, in: Donum Gentilicium. New Testament Studies in Honour of D. Daube, ed. E. Bammel/C.K. Barrett/W.D. Davies, Oxford 1978, S. 255-275.

Unter diesen Bestimmungen kommt dem Prädikat „Gerechtigkeit Gottes" nach Ausweis vor allem des Römerbriefes besondere Bedeutung zu. Das ist nicht zufällig, sondern resultiert daraus, daß Paulus das Evangelium in engstem Bezug auf die Schrift, auf Verheißung und Gesetz, entfaltet. Wo immer bei ihm Begriffe der Rechtfertigungslehre begegnen, dort erscheint alsbald auch die Größe Gesetz (Tora, Nomos) und umgekehrt.

„Gerechtigkeit" ist nach biblisch-jüdischer Tradition keine abstrakte Norm, sondern, wie seit langem erkannt ist, ein Verhältnisbegriff.[18] Trägt man dieser Erkenntnis Rechnung und übersetzt deshalb den mißverständlichen deutschen Begriff, so läßt sich „Gerechtigkeit" bestimmen als Rechtverhalten, das einer bestehenden Gemeinschaft mit einem anderen oder mehreren anderen Rechnung trägt und diese Gemeinschaft bewahrt.[19] Nach

---

18. H. Cremer, Die paulinische Rechtfertigungslehre, 2. Aufl. 1900.

19. Die Wiedergabe von *dikaiosynē theou* durch „Recht*verhalten*" sucht das semantische Element herauszustellen, das bei den gängigen Bestimmung (trotz Bejahung der Cremerschen Definitionen) uneingelöst bleibt, dem aber von dem Verständnis von *dikaiosynē* als *Verhältnis*begriff her besonderes Gewicht zukommt. Vgl. Cremer, ebd., S. 51: *dikaiosynē* ist „das bestimmte Verhalten innerhalb des Verhältnisses zu Gott und Mensch, welches den in diesem Verhältnis liegenden Ansprüchen gerecht wird". Oder ebd., S. 52: „..., daß der Begriff der Gerechtigkeit in der That (sic) ein Verhältnisbegriff ist, sich nicht auf das Verhältnis zu einer idealen Norm, sondern auf das Verhältnis zwischen zweien beziehend, welches Ansprüche mit sich bringt, deren Erfüllung die Gerechtigkeit ist". Gewiß ist im übrigen E. Käsemann (Gottesgerechtigkeit bei Paulus [1961], in: Exegetische Versuche und Besinnungen II, 1964, S. 181-193; vgl. auch P. Stuhlmacher, Gerechtigkeit Gottes bei Paulus, 2. Aufl. 1966) im Recht, wenn er betont, *dikaiosynē* sei bei Paulus vor allem Macht und Gabe, insofern – ganz abgesehen von allen religionsgeschichtlichen Fragen – der Machtcharakter der *dikaiosynē* dadurch gegeben ist, daß nach Paulus die Macht des Geistes die *dikaiosynē* herstellt (s. unten) und ebenso das die *dikaiosynē* wirkende Evangelium von ihm als „die *Kraft* Gottes" (Röm. 1,16) bezeichnet wird. Aber daß *dikaiosynē* als Macht und Gabe zugleich *Verhalten* ist, ist mit den beiden Begriffen noch nicht ausgesagt. Die Diskussion um das paulinische Verständnis von *dikaiosynē* scheint nach wie vor außerordentlich stark dogmatisch belastet zu sein. Diesen Eindruck vermittelt auch die jüngste Diskussion des Themas bei U. Wilckens, Der Brief an die Römer (Römer 1-5), 1978, S. 202-233 (Exkurs: Gerechtigkeit Gottes). Die in der Zusammenfassung (S. 221f.) vorgenommene Gegenüberstellung, in Qumran ziele die *iustificatio impii sola gratia* „auf eine Erneuerung radikaler Gesetzeserfüllung", bei Paulus hingegen „auf den Glauben, auf den allein die Gerechtigkeit des Gerechtfertigten begründet ist", trifft fraglos im wesentlichen zu. Wenn Wilckens dann freilich folgert, hieran zeige sich, daß Paulus die Rechtfertigung „radikaler" denke, nämlich „ohne Werke des Gesetzes", so unterstellt er Qumran, daß es im strengen Sinne doch keine Rechtfertigung des Sünders allein aus Gnade kenne, bzw. er ignoriert, daß umgekehrt auch für Paulus der ganze Bereich des „Gehorsams" konstitutiv zu seinem Rechtfertigungs-

biblisch-jüdischem Verständnis ist die Tora Weisung für das Rechtverhalten und damit zugleich dessen Norm. Paulus hat dies Verständnis geteilt. Wer sich den Forderungen des Gesetzes nicht unterordnet, steht im Verhältnis der Feindschaft, nicht der Gemeinschaft, zu Gott (Röm. 8,7). Wer sich hingegen dem Gesetz unterordnet, erweist damit, daß er der Gemeinschaft mit Gott entspricht, daß er mit Gottes Willen übereinstimmt und somit auch seine Zukunft Leben (mit Gott) ist. Freilich wären alle diese Sätze strenggenommen im Konjunktiv zu formulieren. Denn eben dies, dem Gesetz mit seiner Forderung gehorsam zu sein, wie es dem Willen Gottes entspricht, vermag der Mensch vor und ohne Jesus Christus nach Paulus nicht, auch wenn er der Tora mit seinem ganzen Leben zu entsprechen scheint (Phil. 3,4-11).

verständnis hinzugehört, einschließlich der Frage der Erfüllung des Gesetzes (Röm. 3,31; 8,4; 13,8-10; Gal. 5,14). Sehr viel angemessener ist der Sachverhalt dargestellt in dem von Wilckens (S. 202f., Lit.) nicht aufgenommenen Beitrag von O. Betz, Rechtfertigung in Qumran, in: J. Friedrich/W. Pöhlmann/P. Stuhlmacher (Hg.), Rechtfertigung. Festschrift für E. Käsemann, 1976, S. 17-36, hier bes.: S. 29ff. Betz arbeitet überzeugend heraus, daß erstens der Bedeutung des Glaubens bei Paulus in Qumran die der Umkehr korrespondiert und daß zweitens Qumran zwar keine „Rechtfertigung des Sünders *contra legem*" kenne (übrigens, so ist zu ergänzen, auch Paulus nicht!), jedoch auch „keine Gerechtigkeit durch Gesetzeswerke" (S. 36). Beachtung verdienen sodann die Erwägungen von K. Berger (Neues Material zur „Gerechtigkeit Gottes", in: ZNW 68, 1977, S. 266-275, hier: S. 272ff.), der mit Recht das auch bei Paulus in dem Begriff der *dikaiosynē theou* enthaltene Moment des Gerichts hervorhebt. Problematisch ist freilich die Unterscheidung zwischen „der Gerechtigkeit von Gott her", den Glaubenden angerechnet, und der „Gerechtigkeit Gottes" selber (S. 274f.), die der Begrenzung des Gerichtsmoments auf letztere dient. Demgegenüber ist die Einheit von Gnade und Gericht auch bei den „Gerechtfertigten" festzuhalten. Die Rechtfertigung, verstanden als Einsetzung ins Rechtverhalten in Gestalt des durch die Liebe wirkenden Glaubens, ist per se begnadender Gerichtsvollzug – zurück und zugleich potentiell gegenwärtig bleibt der gerichtete, d.h. getötete, „alte Mensch". Diese Einheit von Gnade und Gericht bei Paulus kommt freilich nur dann in den Blick, wenn der bleibende Bezug auch der „aus Glauben Gerechtfertigten" auf das Gesetz gesehen wird (vgl. unten, Teil III, und die Anm. 1. genannte Arbeit über Röm. 8, passim).

Anders als im deutschsprachigen Bereich kommt der mit dem Begriff der „Gerechtigkeit (Gottes)" verbundene Aspekt des Tuns in neueren englischen Beiträgen zum Thema in den Blick. Vgl. J.A. Ziesler, The Meaning of Righteousness in Paul, Cambridge 1972, und dazu die Besprechung von E.P. Sanders, Patterns of Religion in Paul and Rabbinic Judaism: A Holistic Method of Comparison, in: HThR 66 (1973), S. 455-478, hier: S. 476-478.

Dem oben gewählten Begriff „Rechtverhalten" kommt jetzt eine zentrale Stellung zu bei L. Goppelt, Der erste Petrusbrief, 1978. Er wird dort jedoch in engerem Sinne gebraucht, nämlich zur Umschreibung des in 1. Petr. für das Leben in den vorhandenen Ordnungen geforderten *agathopoiein*.

Diese neue Erkenntnis hat Paulus aus jener Grundgewißheit der Auferweckung des gekreuzigten Jesus gewonnen. Denn bezeugte Jesu Kreuzestod, daß er unter dem Fluch des Gesetzes stand, so bewirkte die Gewißheit seiner Auferweckung, seiner endzeitlichen Gemeinschaft mit Gott, die Überzeugung, daß er nicht um seiner eigenen Sünde willen hingerichtet worden sein konnte. Vielmehr war er, so vermochte Paulus aus dieser Überzeugung zu erschließen, um der Sünde anderer willen gestorben, hatte also den ihnen geltenden Fluch auf sich genommen. Denn der Sünder muß nach biblischer Überlieferung des Todes sterben und geht nicht ins Leben ein; er ist aus der Gemeinschaft mit Gott ausgeschlossen. War Jesus, wie seine Auferweckung bezeugte, ins Leben eingegangen, so mußte er dem Gesetz gehorsam geworden sein, denn nur, wer sich dem Gesetz gehorsam unterordnet, hat Anteil am Leben (Röm. 8,7). Da aber das Gesetz über ihn als Gekreuzigten den Fluch verhängt hatte, mußte er gerade so, mit dem Tod am Kreuz zugunsten der anderen, das Gesetz erfüllt haben, d.h. ihm gehorsam gewesen sein.[20]

Von hier aus erklärt sich, warum ins Zentrum der paulinischen Theologie „das Wort vom Kreuz" tritt (1. Kor. 1,18). Die Gewißheit der Auferweckung Jesu ist der Erkenntnisgrund für die Bedeutung der Kreuzigung (1. Kor. 15, 12-19), die Kreuzigung selbst aber ist der Realgrund der Rettung (2. Kor. 5,14 f.21; Gal. 3,13f. u.ö.). Auffällig ist, daß der Apostel den Tod Jesu als Tod nicht für die Sünde dieses oder jenes deutet, sondern für die Schuld aller Menschen. Wiederum ist die Auferweckung der Grund dieser Erkenntnis. Auferweckung der Toten zum ewigen Leben wird in biblisch-jüdischer Überlieferung als der zentrale Akt des endzeitlichen Handelns Gottes verstanden und hat das endzeitliche Gericht zur Voraussetzung. Ist Jesus Christus der „Erstling der Entschlafenen", der Anbruch der endzeitlichen Welt Gottes, dann beinhaltet dies, daß das endzeitliche Gericht Gottes stattgehabt und daß Gott in diesem Gericht nur diesen *einen* als gerecht erfunden hat. Deshalb kann Paulus sagen, daß mit der Verkündigung von Kreuz und Auferweckung Jesu offenbar wird, daß alle Menschen sündigten, das heißt, daß sie eben den Gehorsam und damit den Dank schuldig geblieben sind (Röm. 3,23). Weil aber alle als schuldig erwiesen werden, wird zugleich offenbar, daß sie nicht aus der Verheißung gelebt haben und daß sie ebenso nicht mit ihrem Umgang mit dem Gesetz Gerechtigkeit erlangt, sich im Verhältnis zu Gott recht verhalten haben. Indem sie vielmehr durch den Tod Jesu als Sünder aufgedeckt werden, tritt zugleich zutage, daß das heilige Gesetz

---

20. Vgl. hierzu ausführlicher die Anm. 1 genannte Arbeit über Röm. 8, S. 165ff.

(Röm. 7,12) Gottes sie lediglich hat in ihrer Sünde festhalten und sie mit der Verfluchung des Gekreuzigten schuldig sprechen können.

„Sünde" ist für Paulus die genaue antithetische Entsprechung zu „Gerechtigkeit". Sie ist Verfehlung des Rechtverhaltens, das der zugesagten Gemeinschaft Gottes mit dem Menschen entsprechen würde. Sie bedeutet Existenz des Menschen aus sich selbst anstatt aus der Gnade Gottes. Der Tod Jesu Christi „für uns" bringt nach Paulus nun zwar, insofern er stellvertretender Tod für alle ist, das Sündersein aller an den Tag. Aber als stellvertretender Tod ist er in erster Linie Heils- bzw. Rettungsgeschehen. Er ist nach Paulus Zeugnis der Zuwendung Gottes, indem er darauf abzielt, die Gemeinschaft zwischen Gott und Mensch so zu konstituieren, daß sie als heilsame Gemeinschaft zur Wirkung kommt. Im Glauben an Jesus Christus, in der vertrauenden Annahme seines stellvertretenden Handelns, wird der Mensch, der aus der Gemeinschaft mit Gott ausgeschert ist, in endzeitlicher Gültigkeit in diese Gemeinschaft integriert (Röm. 8,31-39).

Vor diesem Hintergrund wird deutlich, warum Paulus den gekreuzigten Jesus als „Gerechtigkeit Gottes" bezeichnen kann (Röm. 10,3; 1.Kor. 1,30). Die Auferweckung war ja Zeugnis dafür, daß sich der Gekreuzigte mit seinem gehorsamen Tode im Verhältnis zu Gott recht verhalten hatte, und zwar als einziger, im Unterschied zu allen anderen, für die er gestorben war (Röm. 5,18f.; Phil. 2,8). Sein Verhalten war somit jenes, das von Gott als der Gemeinschaft mit ihm konform anerkannt wird, es war „Gerechtigkeit Gottes" im Sinne jener Gerechtigkeit, die vor Gott gilt. Da aber der Tod Jesu solches Verhalten nur deshalb war, weil es aus der gänzlichen Übereinstimmung mit Gott, aus dem gänzlichen Leben aus seiner Kraft, resultierte, darum war es zugleich „Gerechtigkeit Gottes" im Sinne der Gerechtigkeit, die Gott schafft, im Sinne des Rechtverhaltens, zu dem er selbst befähigt (2. Kor. 5,18-21). So ist Jesus Christus nach Paulus deshalb die personifizierte „Gerechtigkeit Gottes", weil von ihm das Verhältnis des Menschen zu Gott so gelebt worden ist, wie es dem Willen Gottes entspricht. Es ist urbildliches, der Zuwendung Gottes zum Menschen entsprechendes, weil aus Gott selbst lebendes Rechtverhalten, durch das zugleich die Verheißung und das Gesetz Gottes zur Erfüllung kommen.

Kennzeichen des Rechtverhaltens Jesu Christi im Sinne uneingeschränkten Lebens aus Gott ist die Hingabe für andere (Gal. 2,20). In dieser Hingabe, die Erweis der Gefangenschaft der anderen in der Sünde und Eröffnung der Gnade Gottes für die anderen in einem ist, ist für Paulus beschlossen, was alle seine Briefe gleichermaßen durchzieht: Rechtverhalten zu Gott ist fortan und überhaupt nur in der Bindung an den gegeben, der gerade um der anderen willen gestorben und so selber das Rechtverhalten ist. Paulus bezeichnet diese Bindung als Glauben. Er ist Hingabe an das Evangelium, das Jesus Christus als die Kraft Gottes zur Rettung ausruft, nämlich zur Rettung aus dem Gericht, dem alle verfallen sind (Röm. 1,18-3,20). Indem der Mensch an Jesus bzw. an das Evangelium glaubt, sich ihm hingibt, lebt er aus dem Evangelium, aus der Liebe Gottes in Jesus Christus, aus der Kraft Gottes (Röm. 5,5). Deshalb, weil der Mensch im Glauben an das Evangelium von Gott selbst die Kraft empfängt, vor ihm und im Verhältnis zu ihm zu leben, ist der Glaube das Rechtverhalten, das der von Gott gestifteten Gemeinschaft zwischen Gott und Mensch entspricht. Die „Gerechtigkeit Gottes" ist also nicht etwas, was zum Glauben hinzukommt. Wenn Paulus von der „Gerechtigkeit Gottes durch den Glauben an Christus" (Röm. 3,22) spricht, so ist damit vielmehr gemeint, daß der Glaube an Jesus Christus die „Gerechtigkeit Gottes" selber ist. Er bezeichnet und ist eben das Rechtverhalten, durch das der Mensch der Zuwendung Gottes entspricht, indem er sein Verhalten zu Gott als von Gott selbst geschenktes lebt. In diesem Rechtverhalten sieht Paulus zugleich, wie sich zeigen wird, das Verhalten in den Verhältnissen mitgesetzt, in denen der Mensch als Begnadeter lebt, etwa das Verhältnis zur Gemeinde und zum Nächsten. Doch geht es dort, wo der Apostel vom „Glauben" spricht, zunächst um das Verhältnis zu Gott bzw. zu Jesus Christus.

In dem stellvertretenden Tod Jesu kommt für Paulus zum Ausdruck, was sein Evangelium kennzeichnet: Die endzeitliche Zuwendung Gottes zu Juden *und* Völkern. Denn wie der Tod Jesu Christi „für uns" die unterschiedslose Verhaftung aller an die Sünde offenbart, so macht sein Tod für alle zugleich die Liebe Gottes und Jesu Christi zu allen Menschen kund und lädt zum Glauben als der Annahme dieser Liebe ein. Weil Jesus Christus von Paulus als Kraft Gottes zur Rettung von Juden und Völkern verstanden wird, darum kann er seinen Tod als Erfüllung der Abraham gegebenen Verheißung auslegen: „In dir sollen gesegnet werden alle Völker" (Gal. 3,8.13f.). Insofernaber Jesus Christus Erfüllung dieser Verheißung ist, indem er, dem Gesetz gehorsam, den Fluch des Gesetzes für andere auf sich nimmt, ist er zugleich die Erfüllung des Gesetzes bzw. seiner Forderung. In dieser Weise kommen Verheißung und Gesetz in seinem Tod zur Einheit, wird also die Schrift als ganze erfüllt. Zu unterstreichen ist: Sie ist nach Paulus als ganze in Jesus Christus erfüllt, und das heißt im Blick auf die Welt als ganze: angeldweise.

Aufgrund dieses Zusammenhangs kann Paulus der Schrift ihren Platz im Rahmen des endzeitlichen Handelns Gottes anweisen. Sie ist in ihren verschiedenen Teilen Zeuge der endzeitlichen Offenbarung Gottes durch Jesus

Christus. Die „Gerechtigkeit Gottes durch Glauben an Christus" als Inhalt der Offenbarung wird „bezeugt von Gesetz und Propheten" (Röm. 3,21). Beide Zeugen, Tora und Propheten, legen nach Paulus dies Zeugnis ab als Verheißung und Gesetz. Das Zeugnis der Schrift als Verheißung findet Paulus, in Übereinstimmung mit den Ausführungen im ersten Teil (I), in der Abrahamüberlieferung: Dem „Vater aller Glaubenden" wurde sein der Verheißung trauender Glaube zur Gerechtigkeit angerechnet (Gal. 3,6; Röm. 4,5). Das Zeugnis der Schrift als Gesetz findet Paulus in solchen Zusammenhängen, in denen die Schrift die Sündenverfallenheit des Menschen feststellt (Röm. 3,10-18). Das zweifache Zeugnis der Schrift als Verheißung und Gesetz ist nach Paulus einhellig. Denn indem die Schrift als Verheißung den Glauben (Abrahams) als das angemessene Verhalten zu Gott beschreibt und als Gesetz den Menschen bei seiner Sünde behaftet, bezeugen beide, daß der allein auf Gott, nicht aber auf den Menschen bauende Glaube das dem Wort Gottes konforme Verhalten ist. Das Gesetz ist nicht gegen die Verheißungen, sondern schließt den Menschen in seiner Sünde ein, damit die Verheißung wirklich als Wort und Tat Gottes, nicht aber des Menschen zur Geltung komme. Und das heißt für Paulus: damit die Verheißung aus Glauben an Jesus Christus zum Ziel gelange (Gal. 3,21 f.).[21] All das zeigt, daß Paulus nicht geradlinig von der Schrift zu Jesus Christus kommt, sondern daß sein Verständnis von Tod und Auferweckung Jesu Christi und deren Bedeutung für Israel und die Völker für ihn die Schrift im Sinne der Korrespondenz von Verheißung und Gesetz erschließt.[22]

Das Herz des paulinischen Evangeliums kann im Verständnis Jesu Christi als Gerechtigkeit Gottes und im Glauben an Jesus Christus als Übereignung dieser Gottesgerechtigkeit an den Menschen gesehen werden. In dieser mit dem Begriff der Gottesgerechtigkeit gegebenen Entsprechung zwischen Jesus Christus und den Glaubenden ist es begründet, daß Paulus über Jesus Christus und die an ihn Glaubenden analoge Aussagen machen kann. Wie deshalb Jesus Christus die Erfüllung des Gesetzes zur Gerechtigkeit für jeden Glaubenden ist (Röm. 10,4), so wird durch den Glauben das Gesetz

21. Vgl. Luz (Anm. 10), S. 189, sowie die Anm. 1 genannte Arbeit über Röm. 8, S. 221ff. u.ö.
22. Vgl. Luz (Anm. 10), S. 134: „Christus ist der Grund, daß die Schrift und damit Gott zur heidenchristlichen Gemeinde spricht." In Käsemanns bedenkenswerten Ausführungen (Anm. 2, S. 158f.) über die Entsprechung von Verheißung und Evangelium findet das Gesetz keinen Platz, vermutlich, weil im Hintergrund die lutherische (nicht paulinische) Antithese von Gesetz und Evangelium steht. Siehe hierzu ausführlicher den Anm. 6 genannten Beitrag.

aufgerichtet (Röm. 3,31). Wie Jesus Christus die Forderung des Gesetzes erfüllt (Röm. 5,19), so geschieht das unter den Glaubenden (Röm. 8,4).[23] Wie Jesus Christus das Ja auf alle Verheißungen Gottes ist (2. Kor. 1,20), so kommt im Glauben die Verheißung zu ihrem Ziel (Gal. 3,22).

Freilich tritt mit dem Glaubensbegriff zugleich die fundamentale Differenz zwischen Jesus Christus und denen, die sich zu ihm bekennen, ins Blickfeld. Während Jesus „Erstling der Entschlafenen" ist und an der Seite Gottes herrscht (Kyrios), kennzeichnet seine „Knechte", daß sie an der endzeitlichen Gemeinschaft mit Gott teilhaben eben in Gestalt des Glaubens, nicht des Schauens. Der Glaube ist das ihnen in der Zeit gewährte, endzeitlich gültige Rechtverhalten zu Gott. Diese Teilhabe an endzeitlicher Wirklichkeit in der Zeit verleiht dem Glauben die Struktur der Hoffnung, sie spannt ihn aus auf die Zukunft hin, in der wie das Sterbliche ins Leben, so der Glaube ins Schauen verwandelt werden soll (1. Kor. 13,12; 2. Kor. 5,4.7). In dieser Zeit- oder Hoffnungsstruktur des Glaubens kommt zugleich zum Ausdruck, daß Jesus Christus nach Paulus die Erfüllung der Schrift nicht in statischem, sondern in dynamischem Sinne ist. Wie der Glaube auf das Schauen wartet, so ist der Tod vorerst im Glauben überwunden. Gott hat dem Menschen ein Verhalten zu ihm geschaffen, das durch den Tod nicht zerstört wird, vielmehr Angeld des Lebens ist, ohne daß jedoch der Tod selbst bereits ausgelöscht wäre (Röm. 8,31-39; 1. Kor. 15,50-58).

III. Verheißung und Gesetz im Leben der an Jesus Glaubenden

Wer an Jesus Christus glaubt, ist nach Paulus in die Gemeinschaft mit Gott zurückgerufen. Er verhält sich dieser von Gott gestifteten Gemeinschaft gemäß, indem er die in ihr begründeten Ansprüche in der Kraft Gottes erfüllt. Weil er aus der Kraft Gottes handelt, ist er von der Sünde, dem Leben aus sich selbst, frei; frei darum auch von der Anklage des Gesetzes, das den Menschen aufgrund solchen Lebens schuldig spricht (Röm. 8,3f.; Gal. 5,22-25).

Der Glaube an Jesus versetzt damit nach Paulus von einem Ort, aus einem Bezugs- und Herrschaftssystem in ein anderes, aus der Herrschaft der Sünde in die Herrschaft Jesu Christi. An diesem Herrschaftswechsel, der sich am

---

23. Vgl. zur Auslegung der Stellen im Römerbrief die Anm. 1 genannte Arbeit über Röm. 8, S. 245ff. 226ff. 250ff.

glaubenden Menschen vollzieht, wird vornehmlich erkennbar, daß der Glaube eine Verwandlung des Menschen bedeutet. Diese Dimension der Verwandlung tritt vor allem in den Zusammenhängen hervor, in denen der Apostel das Taufgeschehen auslegt. Die Taufe ist der rituelle Vollzug der Integration in den neuen Machtbereich. Als einmalige und manifeste Handlung der Gemeinde ist sie besonders geeignet, die mit dem Wechsel des Herrschaftsbereiches verbundene Umwandlung des Menschen auszusagen. Sieht man von der Einmaligkeit und Anschaulichkeit des Taufgeschehens ab, so macht Paulus über Taufe und Evangelium/Glaube die gleichen Aussagen: Wie in der Taufe wird so im Glauben an das Evangelium der Geist Gottes verliehen (1. Kor. 12,13; Gal. 3,2). Deshalb läßt sich ihr Verhältnis dahingehend bestimmen, daß der Glaube die Annahme der Verkündigung der rettenden Tat Jesu ist, während die Taufe die Hineinnahme in den durch diese Tat und ihre Verkündigung konstituierten Machtbereich ist.[24]

Der mit dieser Annahme bzw. Hineinnahme verbundene Wandlungsprozeß kann in dem Stichwort der Gleichgestaltung der Betroffenen mit dem Tode Jesu zusammengefaßt werden. Wie Jesus Christus durch seinen Tod für die anderen der Sünde gestorben ist, so sind die Getauften der Sünde abgestorben (Röm. 6,2.10). Und wie Jesus Christus mit seinem Tod der auf Gericht bzw. Tod lautenden Forderung des Gesetzes Rechnung getragen hat, so die Getauften. Denn der Vollzug des Todesurteils, das das Gesetz aufgrund der Sünde gefällt hat, bleibt dem Glaubenden nicht erspart: „Gott läßt sich nicht spotten" (Gal. 6,7). Die Forderung des auf Tod lautenden Urteils des Gesetzes muß erfüllt werden. Doch ist dieser Tod Rettungsgeschehen, weil er jetzt mit Jesus Christus gestorben und in diesem Tod jetzt das Gericht durchschritten werden kann in Richtung auf das Leben (Röm. 6,1-11). Die Kraft, die die Gleichgestaltung mit dem Tode Jesu Christi vollzieht, also den „alten Menschen", den Sünder, tötet und ihn zugleich damit der Sünde entreißt, ist dieselbe wie die Kraft des Glaubens. Es ist der Geist Gottes, der wiederum zugleich die Kraft der Auferweckung Jesu Christi oder auch der Geist Christi ist (Röm. 8,9-11). Wie deshalb das Evangelium mit seiner Verkündigung der Auferweckung des Gekreuzigten den Glaubenden an den gekreuzigten Jesus bindet, so führt der Geist Jesu Christi, in dem der Auferweckte gegenwärtig ist, den Getauften in die Gleichgestalt des Todes Jesu. Indem der Geist Gottes oder Jesu Christi den „alten", vom Gesetz verurteilten Menschen in der Taufe tötet, hält sich auch

---

24. Siehe hierzu F. Neugebauer, In Christus. Eine Untersuchung zum paulinischen Glaubensverständnis, 1961.

hier die grundlegende Gewißheit durch: Nicht der Mensch, sondern Gott selbst, der Geist, erfüllt das Gesetz, und er bringt es gerade dort, wo der Mensch darin zu Tode kommt, zu seinen Gunsten zur Erfüllung (Röm. 8,3f.). Denn die Tötung geschieht in der Gestalt, daß der Geist Gottes in den Menschen einzieht und nun das Verhältnis des Menschen zu Gott bestimmt. Es bleibt also auch im Rahmen dieser Aussage die Grundstruktur des Rettungsgeschehens bewahrt; Gott selbst bewirkt das endzeitlich gültige Verhältnis des Menschen zu ihm.

Der rettende Tod mit Jesus Christus in der Taufe ist einmaliges Geschehen, aber kein vergangenes. Es macht den Menschen zum „neuen Geschöpf" (2. Kor. 5,17; Gal. 6,15), zum Teilhaber der Endzeit, aber es verwandelt ihn als jemanden, der dennoch weiterhin in dieser Zeit und Welt lebt. Es stellt ihn in eine neue Gemeinschaft, aber auch diese bleibt in den alten Verhältnissen. Der Geist Gottes hat den „alten Menschen" getötet, aber dieser ist tot „im Glauben" und wird deshalb in Gestalt des vom Evangelium oder Geist gewirkten Glaubens im Tode gehalten. Die geschehene Verwandlung zum neuen Geschöpf, zum Glaubenden, wird deshalb nach Paulus in Gestalt eines Kampfes gelebt, des Kampfes des „Geistes" gegen das „Fleisch" (Gal. 5,13-24). Mit anderen Worten: Die geschehene Erfüllung des Gesetzes im Tod des „alten Menschen" wird ständig in Gestalt dieses Kampfes bewahrheitet und ist ständig in der Bindung an Jesus Christus zu bewahrheiten.

Der Ort dieses Kampfes sind eben jene Verhältnisse, in denen die Glaubenden leben. Es sind die Beziehungen, in denen sie untereinander als Gemeinde existieren, und es sind die Relationen, in denen sie zur Außenwelt stehen, etwa das Verhältnis zum Nächsten in und außerhalb der Gemeinde, das Verhältnis zu den politischen Behörden, zur Schöpfung, zum nichtglaubenden Ehepartner, zu Israel.

Das dem Glauben gemäße Verhalten in diesen Beziehungen ist nach Paulus die Liebe, die Agape. Wie der Glaube an Jesus nach Paulus die Aufrichtung, die Erfüllung des Gesetzes ist, so ist es die Liebe, durch die der Glaube wirkt (Gal. 5,6). So sieht Paulus im Liebesgebot, in Anknüp-

25. Vgl. P. Billerbeck, Kommentar zum Neuen Testament aus Talmud und Midrasch I, 1922, S. 507f.; J. Jeremias, Paulus als Hillelit, in: Neotestamentica et Semitica. Studies in Honour of M. Black, ed. E.E. Ellis/M. Wilcox, Edinburgh 1969, S. 88-95, hier: S. 89f.; H. Hübner, Gal. 3,10 und die Herkunft des Paulus, in: KuD 19 (1973), S. 215-231, hier: S. 226ff.

fung an jüdische Tradition[25], das ganze Gesetz zusammengefaßt (Röm. 13,8–10; Gal. 5,14). Entsprechend ist dies Gebot die Norm, an der er alle anderen Gebote mißt und an der er die genannten Beziehungen ausrichtet. Die Fülle von sogenannten „paränetischen", der Ermahnung dienenden Abschnitten in den paulinischen Briefen bezeugt dies auf mannigfache Art.

Die Erfüllung des Gesetzes durch die Agape, zu der Paulus aufruft, ist fest in den dargelegten theologischen Zusammenhängen verankert. Denn die Liebe, gewirkt durch den Glauben, ist für Paulus die erste Frucht des Geistes (Gal. 5,22). Mithin bleibt es der Geist, der das Gesetz für den Menschen erfüllt, also auch hier das Rechtverhalten und damit die Hoffnung auf Leben begründet. Die Erfüllung des Gesetzes durch die Liebe kraft des Geistes ist damit nichts anderes als die ständige Aktualisierung des Todes des „alten Menschen", die Praxis des Verwandeltseins (Röm. 6,11-14; 8,12f.). Am deutlichsten wird dies aus den paulinischen Beschreibungen des „alten" und des „neuen" Menschen. Während grundlegendes Kennzeichen des ersteren ist, daß er „begehrt", also das Seine sucht (Röm. 7,7-24), charakterisiert nach Paulus die Agape, zu der letzterer befähigt ist, daß sie nicht auf das Ihre, sondern auf das des anderen aus ist (1. Kor. 10,23f.; 13,5). Wie der Glaube wesentlich durch Hoffnung bestimmt ist, also nicht das Handeln Gottes in der Gegenwart erschöpft, so ist die Agape nach Paulus grundsätzlich unbegrenzt. Man kann dem Staat Zoll und Steuer zahlen und damit diese Pflicht erledigen, aber man bleibt stets Schuldner der Liebe (Röm. 13,7f.). So bleibt auch die Erfüllung des Gesetzes, wiewohl durch Jesus Christus heraufgeführt, zugleich unerschöpflich und währt, solange diese Welt besteht.

Paulus ist mit dieser Verortung des Gesetzes im Miteinander der an Jesus Glaubenden und in ihrem Verhältnis zur „Welt" keineswegs der in Teil I und II nachgezeichneten Sicht untreu geworden, hat sie vielmehr konsequent durchgehalten. Denn der Geist, der die Kraft der Liebe ist und das Gesetz erfüllt hat und weiterhin zugunsten der an Jesus glaubenden Menschen erfüllt, ist für den Apostel zugleich Inhalt der Abraham gegebenen Verheißung, durch die Juden und Völker zu endzeitlichen Kindern Gottes werden (Gal. 3,13f.; 4,4-6). Ist aber der Geist Gottes bzw. Jesu Christi sowohl die angeldweise Erfüllung der Verheißung als auch die angeldweise Erfüllung des Gesetzes, dann ist deutlich, daß nach Paulus im Leben der vom Geist Bestimmten wiederum Verheißung und Gesetz zur Einheit gelangen und damit das in der Schrift lautgewordene Wort Gottes zur Durchsetzung kommt.

IV. Israel im Zeichen der in Erfüllung gehenden Schrift

Vor dem Hintergrund dieser Gewißheit der Durchsetzung des göttlichen Wortes, wie es in der Schrift bezeugt ist, durch Gottes Handeln in Jesus Christus wird für Paulus notwendig Israel, sofern es nicht an Jesus Christus glaubt, zur großen und bedrängenden Frage. In Gestalt der Erzväter ist dieses Volk erster Empfänger der Verheißung. Doch jetzt, da sie in Erfüllung gegangen ist und zur Erfüllung kommt, versagt Israel sich. Ist Gottes Wort hinfällig geworden (Röm. 9,6)? Hat Gott sein Volk verstoßen (Röm. 11,1)? In einem gewaltigen theologischen Wurf beantwortet Paulus in Röm. 9-11 diese Frage mit einem eindeutigen Nein, das zugleich ein ebenso eindeutiges Ja zu Israel als bleibend geliebtem Volk Gottes ist.[26]

Neuerlich bewährt sich an diesem Zusammenhang das Verständnis des paulinischen Evangeliums als Einheit und angeldweise Erfüllung von Verheißung und Gesetz. Inhalt der in der Schrift lautgewordenen Verheißung ist die Berufung. Sie wird nach Paulus durch das Evangelium realisiert. Das Evangelium selber wird damit wiederum als Erfüllung der Schrift dargestellt (Röm. 9,25. 26ff.). In dieser Weise beschreibt Paulus in Röm. 9 vom Evangelium her mit dem Begriff der Verheißung das Verhältnis Gottes zu Israel, implizit auch das zu den Völkern. In Röm. 10, genauer in 9,30-10,21, hingegen deutet er das Verhalten Israels zum Wort Gottes, wie es im Evangelium begegnet. Israel hat nach Paulus danach getrachtet, mit Hilfe der Schrift als Gesetz dem Willen Gottes zu entsprechen, das heißt, Gerechtigkeit zu erlangen. Der Annahme des Wortes als Verheißung hingegen hat es sich versagt. Dies zeigt sich für den Apostel an der ablehnenden Stellung Israels zum Evangelium, insofern dieses ja die Schrift als Verheißung zur Geltung bringt. Wird aber das Leben aus der Verheißung als Leben vor Gott ausgeschlagen, so ist das Leben mit und unter dem Gesetz gewählt. Damit aber hat sich Israel als ungehorsam erwiesen. Denn es würde ja nur im Leben aus der Verheißung dem Willen Gottes, also auch seiner Forderung, wie sie im Gesetz kundgetan ist, Genüge tun. An der Stellung zum Evangelium entscheidet sich damit für Paulus die Stellung zur Schrift als Verheißung und als

---

26. Zu Röm. 9-11 s. vor allem K.L. Schmidt, Die Judenfrage im Lichte der Kapitel 9-11 des Römerbriefes, 1943; K. Barth, Kirchliche Dogmatik II, 2, 1942, S. 215-336; F.-W. Marquardt, Die Entdeckung des Judentums für die christliche Theologie. Israel im Denken K. Barths, 1967; Chr. Müller, Gottes Gerechtigkeit und Gottes Volk, 1964; Luz (Anm. 10); D. Zeller, Juden und Heiden in der Mission des Paulus. Studien zum Römerbrief, 1973; E. Käsemann, An die Römer, 1973; O. Kuß, Der Römerbrief, 3. Lieferung 1978.

Gesetz. Wer das Evangelium annimmt, an dem kommt die Schrift als Verheißung zur Erfüllung und damit auch das Gesetz in heilsamem Sinne – bezeugt doch das Gesetz selbst, daß der Mensch allein als Glaubender, das heißt, als die Verheißung durch das Evangelium Ergreifender, gerechtfertigt wird (Röm. 10,5ff.). Wird das Evangelium dagegen abgelehnt, so treten Verheißung und Gesetz zum Gericht des Menschen auseinander. Das Wort als Verheißung bleibt als ausgeschlagene Zusage auf der Seite Gottes, das Wort als Gesetz schließt den Menschen in den Ungehorsam ein. Während damit in der Annahme des Evangeliums Verheißung und Gesetz als je auf ihre Weise zur Rettung rufendes Wort Gottes zusammenfallen, treten in der Ablehnung des Evangeliums die Verheißung als unverfügbares und das Gesetz als den Menschen bei seiner Schuld behaftendes Wort auseinander. Die innere Einheit beider als je zur Rettung rufendes Wort wird dabei keineswegs angetastet. Denn in diesem Auseinandertreten verweist das Gesetz weiter auf die Verheißung als Lebensgrund.

Von hier aus ergeben sich die theologischen Perspektiven, in denen Paulus die Zeit Israels vor Jesus Christus sieht: Sie ist Zeit der unverbrüchlichen Verheißung Gottes und Zeit der im Ausschlagen der Verheißung begründeten Gefangenschaft im Gesetz. Diese Diskrepanz zwischen der Zeit Gottes und der Zeit Israels hält sich nach Paulus durch, solange Israel nicht zum Glauben an das Evangelium kommt.[27]

Das Wort als Verheißung geht nicht in die Macht des Menschen über. Deshalb kann Paulus die Verheißung sich nicht in der Gemeinde aus Juden und Völkern erschöpfen lassen, wie sie sich zu seiner Zeit darstellt. Die Verheißung für Israel bleibt Israels Charisma (9,4; 11,29), Gabe in dem Sinne,

---

27. Wie wenig mit dem paulinischen Motiv der „Gefangenschaft im Gesetz" jüdisches Verständnis der Tora erfaßt wird, verdeutlicht eindrucksvoll der die Tora als Medium des Lebens vergegenwärtigende Aufsatz von N.P. Levinson, „Wäre Deine Weisung nicht meine Freude". Bewahrung durch die Thora, in: Treue zur Tora (s.o., Anm. 9), S. 118-123. Siehe ferner von christlicher Seite den schönen Beitrag von E.P. Sanders, On the Question of Fulfilling the Law in Paul and Rabbinic Judaism, in: Donum Gentilicium... (s.o., Anm. 17), S. 103-126. In präziser Analyse bestimmt er den Stellenwert der Gebotserfüllung im rabbinischen Erlösungsverständnis und widerlegt überzeugend die seit Jahrzehnten in christlicher Theologie überlieferte und gepflegte Auffassung, im Zentrum des nachbiblisch-rabbinischen Judentums habe das angstvolle Aufrechnen von Gebotserfüllungen und Gebotsübertretungen gestanden. Als ein wenn auch besonders ausgeprägtes Beispiel unter vielen s. etwa H. Braun, Spätjüdisch-häretischer und frühchristlicher Radikalismus I, 1957, S. 1ff. Sanders verweist u.a. auf R. Bultmann, Das Urchristentum im Rahmen der antiken Religionen, 1949, S. 74 (engl. Ausg. 1956, S. 69).

daß sie bleibende Hoffnung für Israel begründet. Zu dieser Gewißheit führt das 11. Kapitel, das mit jener brennenden Frage einsetzt, ob denn Gott sein Volk aufgrund seines Ungehorsams gegenüber dem Evangelium verstoßen habe.

Schon deshalb kann nach Paulus keine Rede davon sein, daß Gott sein Volk aus dem Bereich seiner Liebe verwiesen habe, weil es mit dem Apostel selbst und mit den übrigen „Judenchristen" Juden gibt, die an Jesus Christus als Kraft Gottes zur Rettung glauben. Doch auch jeglicher Zweifel an der letztlichen Rettung des restlichen Israel oder aber jegliche Überhebung über Israel, sofern es nicht an Jesus glaubt, widerspricht dem Evangelium. Denn die Nichtannahme des Evangeliums durch einen Teil Israels ist zwar, was das Verhältnis zu Gott betrifft, Ungehorsam (Röm. 10); sie ist jedoch, was die zweifelnden oder überheblichen Völker betrifft, Rettungsgeschehen zu ihren Gunsten. Denn durch die Weigerung Israels ist das Evangelium zu den Völkern gelangt. So in der Schuld Israels stehend, haben die Völker nicht den geringsten Grund, sich über das Volk Gottes zu überheben. Zweierlei soll ihnen vielmehr Gottes Weg mit Israel vermitteln: die Mahnung, selber im Glauben zu verharren, um nicht dem Gericht anheimzufallen (Röm. 11,20-22), und die Gewißheit, daß Israels Zukunft „Leben aus Toten" sein wird (Röm. 11,15). Wenn die Fülle der Völker der Rettung teilhaftig geworden sein wird, dann wird die Fülle Israels folgen, die jetzt ungehorsam geworden ist, damit das Erbarmen Gottes zu den Völkern gelange. Sie wird deshalb Erbarmen finden, wenn das erbarmende Handeln Gottes an den Völkern abgeschlossen sein wird. So wird ganz Israel gerettet werden. Denn Gott steht zu seinem den Vätern und damit Israel gegebenen Wort (Röm. 11,25-32).

Nochmals blinkt die Einheit von Verheißung und Gesetz auf. Israel wird gerettet werden, wenn der Retter aus Zion kommen wird, um die Sünden des Volkes hinwegzunehmen (Röm. 11,26f.). Ist dies selber ein Wort der Verheißung (Jes. 59,20f.), so erfüllt es doch, wirklich geworden, zugleich das des Gesetzes. Denn dort, wo die Sünden vergeben sind, ist das Gesetz als Ankläger zur Ruhe gekommen – im Sieg der Verheißung, auf den es selber zielt.

In den ersten Versen von Röm. 9-11 wechselt Paulus nach der Beteuerung seines Schmerzes und nach der irrealen Selbstverfluchung zugunsten seiner Brüder in Israel zur Erinnerung an die Gaben und Verheißungen Gottes an Israel über und kann den ganzen Abschnitt nach dieser Erinnerung mit einem Lobpreis Gottes beenden (Röm. 9,1-5). Ebenso beschließt er nach der Beteuerung der Rettung ganz Israels den gesamten Zusammenhang Röm. 9-11 mit einem anbetenden Preis des Reichtums Gottes, den er als

Reichtum des Erbarmens den Völkern erwiesen hat und ganz Israel erweisen wird (Röm. 11,33-36).

Der hiermit skizzierte Argumentationsgang in Röm. 9-11 ist keine funktionslose theologische Erörterung, sondern zielt auf einen klar erkennbaren Zweck ab. Indem Paulus in diesen Kapiteln den Nachweis erbringt, daß das Wort Gottes an die Väter und damit an Israel nicht hinfällig geworden ist, will er die an Jesus Glaubenden aus den Völkern vor Hochmut gegenüber Israel bewahren. Das Ziel des Zusammenhangs ist damit die Ermahnung der Völker, evangeliumsgemäß im Verhältnis zu Israel zu leben. An die Stelle des Hochmuts will Paulus mit seinen Ausführungen die Festigkeit des Glaubens der Völker, welche die Furcht vor dem eigenen Fall einschließt, und zugleich die Gewißheit begründeter Hoffnung für Israel setzen. Diese im Evangelium begründete Gewißheit schließt Überheblichkeit aus und ist damit das dem Evangelium entsprechende Verhalten zum Volk Gottes.

Man hat mit Recht gesagt, daß man kaum ein anderes jüdisches Zeugnis aus jener Zeit finden wird, in dem die Gewißheit der Rettung des ganzen Volkes mit gleicher Intensität dargetan wird wie von Paulus in Röm. 9-11.[28] Versteht man Paulus historisch, beläßt man ihn also soweit wie möglich in seiner Zeit, so wird man schwerlich auch kritisieren können, daß nach dem Apostel das nicht an Jesus glaubende Israel erst in der Zukunft Erbarmen finden wird, gegenwärtig jedoch für ihn zu den Toten gehört (Röm. 11,15). Denn diese Zukunft ist kein St. Nimmerleinstag, sondern so nah, daß sich der Glanz des kommenden Erbarmens Gottes bereits über das Israel der Gegenwart ausbreitet: „So sind auch diese (Israel) jetzt ungehorsam geworden zugunsten des Erbarmens für euch, damit auch sie *jetzt* Erbarmen finden" (Röm. 11,31). Freilich – die Situation, aus der heraus Paulus schreibt, hat sich seit bald zweitausend Jahren grundlegend geändert.[29]

---

28. Luz (Anm. 10), S. 274. L. Goppelt (Christentum und Judentum im ersten und zweiten Jahrhundert, 1954, S. 312) urteilt analog und fraglos mit gleichem Recht, es habe „unter den Männern der Kirche während der ersten beiden Jahrhunderte, ja bis heute keiner mit solch leidenschaftlicher Liebe und solchem theologischem Tiefblick um Israel gerungen und seinen Weg gedeutet als den äußersten Erweis der Gnade, die bei den Letzten anhebt, um sich schließlich den Ersten als grundlose Liebe zu erzeigen".

29. In der Erstveröffentlichung dieses Aufsatzes schließt hier ein kurzer Ausblick an, der zu knapp, auch mißverständlich und durch eine umfangreiche Bearbeitung des zuletzt angedeuteten hermeneutischen Problems überholt ist: Grundzüge einer Theologie im christlich-jüdischen Gespräch, 1982. Zum Evangelium als Einheit von Verheißung und Gesetz s. auch unten, S. 199f.

2. Gottes Treue bis zur Parusie

Formgeschichtliche Beobachtungen zu 1. Kor. 1,7b-9[1]

I.

Die Schlußsätze V. 7b-9 im Proömium des ersten Korintherbriefes (V. 4-9) enthalten einige schon oft bemerkte Härten sachlicher und vor allem stilistischer Art. Auf die überschwenglichen Aussagen über den herausragenden Stand der korinthischen Gemeinde in V. 4-7a folgt der Partizipialsatz V. 7b „zu einiger Überraschung für den Leser"[2]. Er wird als „quite needlessly" empfunden[3], seine Anreihung als „hart"[4] bzw. „etwas hart"[5] oder doch zumindest als „scheinbar unvermittelt"[6] bzw. „scheinbar abrupt"[7]. Bei dem in V. 8 sich anschließenden Relativsatz ist unklar, wer Subjekt der Aussage ist. In unentschiedener Debatte wird das Relativum teils auf Jesus Christus, teils auf Gott gedeutet[8]. Spricht der unmittelbare syntaktische Zusammenhang (*Iēsou Christou hos*) für ersteres, so wird diese Möglichkeit durch die Schlußwendung „am Tage unseres Herrn ..." beeinträchtigt, in der man für diesen Fall das Personalpronomen erwarten würde. Doch selbst wenn deshalb Gott (V. 4) als Subjekt des Satzes bestimmt wird, bleibt das doppelte

1. Dieser Aufsatz stellt die in meiner Arbeit „Römer 8 als Beispiel paulinischer Soteriologie" (FRLANT 112), 1975, 81 Anm. 15 angekündigte Studie dar.
2. Ph. Bachmann, Der erste Brief des Paulus an die Korinther (KNT 7), [4]1936, 46.
3. A. Robertson – A. Plummer, A Critical and Exegetical Commentary on the Epistle of St. Paul to the Corinthians (ICC), [2]1914 (Repr. 1958), 7.
4. R. Baumann, Mitte und Norm des Christlichen. Eine Auslegung von 1 Korinther 1, 1-3, 4 (NTA N. F. 5), 1968, 37.
5. J. Weiß, Der erste Korintherbrief (KEK 5), 1910 (Nachdr. 1970), 9. Weiß nennt als Parallele („nur noch härter") den partizipialen Anschluß in Röm. 3,24 (an *hysterountai*... 3,23). Bezeichnenderweise greift Paulus, beginnend mit dem Partizip, in Röm. 3,24-26 geprägte Tradition auf. Vgl. R. Bultmann, Theologie des Neuen Testaments, [6]1968, 59.
6. H. Conzelmann, Der erste Brief an die Korinther (KEK 5), 1969, 42.
7. E. Synofzik, Die Gerichts- und Vergeltungsaussagen bei Paulus. Eine traditionsgeschichtliche Untersuchung, Diss. Göttingen 1972, 19.
8. Siehe die Aufstellung bei Baumann, a. a. O. 39 Anm. 67.

„unser Herr Jesus (Christus)" in V. 7f. als stilistische Härte, die freilich
angesichts der Formelhaftigkeit der Wendung „am Tage unseres Herrn ..."
in V. 8 angeblich „verschwindet"[9]. Was die Form dieser präpositionalen
Bestimmung in V. 8 angeht, wäre sodann *eis tēn hēmeran etc.* „doch kor-
rekter"[10]. In den Zusammenhang der mit dieser Wendung gegebenen
Schwierigkeiten gehört schließlich auch die Frage hinein, ob *heōs telous* in
V. 8 zeitlichen Sinn hat („bis zum Weltende"[11], „bis zur Parusie"[12]) oder
intensiv zu deuten ist („völlig", „ganz und gar"). Denn letztere Deutung
wird damit begründet, daß eine Zeitangabe bereits mit der Erwähnung des
„Tages unseres Herrn ..." erfolge[13]. Die teils angedeutete[14], teils unausge-
sprochene communis opinio der Exegeten zur Erklärung all dieser Schwierigkeiten hat Synofzik wie folgt zum Ausdruck gebracht: „Die feierliche
Tonart sowie der formelhafte Charakter der Ausdrücke lassen die stilistischen Härten kaum empfinden."[15] Weitere Beispiele für den „feierlichen
Gebetsstil" der Sätze sieht Synofzik in dem relativischen Anschluß in V. 8
(*hos kai*)[16] und in der „jüdischen Segensformel"[17] in V. 9 (*pistos ho theos*).

Freilich, selbst wenn jene Härten tatsächlich durch die Wirkung des
Textes auf den Hörer oder Leser abgeschwächt werden sollten, bleibt doch
zu fragen, ob die Annahme der Anlehnung an „traditionelle Ausdrücke der
christlichen Gebetssprache"[18] allein als Erklärung für ihr Zustandekommen
ausreicht. Diese Frage drängt sich um so mehr auf, als die Zahl der Eigentümlichkeiten, die sich in den fraglichen Versen beobachten lassen,
durchaus noch vergrößert werden kann. Weitere Besonderheiten treten vor
allem dann zutage, wenn man die gesamte Aussage V. 9 einbezieht. Alle
Indizien deuten darauf hin, daß Paulus in V. 7b-9 nicht nur einzelne traditionelle Elemente aufgreift, sondern sich eines fast unversehrt erhaltenen

 9. H. Lietzmann, An die Korinther, I. II (HNT 9), [4]1949 (erg. v. W. G. Kümmel), 6.
10. Lietzmann, a. a. O. 6. Vgl. Weiß, a. a. O.10; Conzelmann, a. a. O. 42f.
11. Conzelmann, a. a. O. 42.
12. W. Bauer, WB [5]1958, 1606.
13. Siehe z.B. Baumann, a. a. O. 41. Auch p[46] hat die doppelte Bestimmung anscheinend
    als problematisch empfunden und liest deshalb *teleious*.
14. Vgl. die oben erwähnte Erklärung Lietzmanns. Conzelmann (a. a. O. 42) verweist auf
    den „Proömien-Stil", Weiß (a. a. O. 11) spricht von „liturgisch-voller Stelle".
15. Synofzik, a. a. O. 20.
16. A. a. O.
17. A. a. O. 21.
18. A. a. O. 22. Die von Synofzik (a. a. O. 20) genannten Beispiele sind freilich weniger
    für Gebetsstil als vielmehr generell für formelhaftes liturgisches Gut kennzeichnend.
    Vgl. das Folgende.

Tradtionsstückes bedient, dessen Rekonstruktion zugleich seine formgeschichtliche Bestimmung erlaubt.

II.

Als Kennzeichen geprägter liturgischer Tradition gelten seit Nordens Untersuchungen Partizipial- und Relativstil[19]. Norden selbst hat bereits V. 8 als Beispiel formelhaften Relativstils aufgeführt[20]. Außerdem liegt relativischer Anschluß in V. 9 (*di' hou*) vor sowie in V. 7b ein Beispiel für Partizipialstil. Die Vermutung, daß Paulus mit diesem Partizipialsatz eine vorformulierte Wendung aufgreift, kann sich auf die verwendete Terminologie stützen: „Das Wort *apokalypsis* gebraucht Paulus sonst nicht von der Parusie Christi"[21], und das Verb *apekdechesthai* begegnet in seinen Briefen nur an Stellen, an denen er auf geprägte Tradition zurückgreift[22].

In V. 8 und V. 9 ist an stilistischen Eigentümlichkeiten die jeweilige Voranstellung des Verbs zu notieren, die als „charakteristisch für fast alle Formen und Formeln der neutestamentlichen Briefliteratur" gilt[23], sowie die Voranstellung des Prädikatsnomens und das Fehlen der Kopula in V. 9a[24]. In V. 8 fällt ferner das Adjektiv *anegklētos* als paulinisches Hapaxlegomenon auf[25]. Das Verb *bebaioun* bezeichnet in Röm. 13, 8 die Bekräftigung der Verheißungen Israels. Wie in 1. Kor. 1,8 ist es in dem als Tradition erkannten[26] Abschnitt 2. Kor. 1,21f. gebraucht. In 1. Kor. 1,6 könnte es im Vorgriff auf

19. E. Norden, Agnostos Theos. Untersuchungen zur Formengeschichte religiöser Rede, [4] 1956 (Nachdr. Darmstadt).
20. A. a. O. 383. Notierenswert ist, daß sich der Anschluß *hos kai* (V. 8) verschiedentlich gerade in überlieferten formelhaften Aussagen findet, z.B. Röm. 8,34 und Phil. 3,20.
21. Conzelmann, a. a. O. 42. Zur auch sonst traditionsgebundenen Verwendung des Begriffs im apokalyptischen Sinne durch Paulus s. v. d. Osten-Sacken, a. a. O. (Anm. 1) 81f.
22. Siehe v. d. Osten-Sacken, a. a. O. 81(ff.). Zu Gal.5,5 vgl. auch die Erwägungen von F. Mußner, Der Galaterbrief (HThK 9),1973, 38. 350.
23. H. Zimmermann, Neutestamentliche Methodenlehre. Darstellung der historisch-kritischen Methode, [2]1968, 197. Er verweist auf 1. Kor. 15, 3-5; 1. Tim. 3,16; Röm. 4,25 und 1. Petr. 3,18 als Belege.
24. Synofzik, a. a. O. 21 Anm. 2
25. Es begegnet erst wieder in deuteropaulinischen Briefen: Kol. 1,22; 1. Tim. 3,10; Tit. 1,6.7.
26. E. Dinkler, Die Taufterminologie in 2. Kor. 1,21f. (1962), in: Signum crucis. Ges. Aufs., 1967, 99-117.
27. Zu ähnlichen Vorgängen an anderen Stellen s. J. Jeremias, Die Abendmahlsworte Jesu, [4]1967, 96; U. Luz, Das Geschichtsverständnis des Paulus (BEvTh 49), 1968, 325 Anm. 30; v. d. Osten-Sacken, a. a. O. 42 Anm. 24; 88.

die in V. 7b-9 herangezogene Tradition verwendet sein[27]. Auf die mögliche Überschneidung der Bestimmungen *heōs telous* und *en tē hēmera etc.* in V. 8 wurde bereits hingewiesen. Die Wendung *heōs telous* begegnet noch einmal bei Paulus, in 2. Kor 1,13. Der Zusammenhang ist durch das Thema des Ruhmes von Apostel und Gemeinde am Tage des Herrn ebenfalls eschatologisch bestimmt (1,14). Windisch hat nachgewiesen, daß *heōs telous* auf die Parusie deutet, also nicht mit „völlig" zu übersetzen ist, daß die Wendung aber gerade so das Bedeutungselement der Vollendung impliziert[28]. Diese treffende Auslegung wird durch die Beobachtung gestützt, daß Paulus bei rein zeitlichen Verweisen auf die Parusie nicht *heōs*, sondern *achri* gebraucht[29]. Die von Windisch für 2. Kor. 1,13 begründete Deutung läßt sich mühelos auf 1. Kor.1,8 übertragen und bringt gerade in ihrer Ambivalenz die Aussage dieses Verses erst zur vollen Geltung. Sie verweist auf die Parusie und überschneidet sich insofern mit der Angabe „am Tage unseres Herrn ...", sie markiert aber zugleich mit dem Verweis auf die Ankunft Jesu das Ausstehen der Vollendung bzw. – positiv – ihr gewisses Kommen[30]. Angesichts dieses in seiner Ambivalenz präzisen Gebrauchs von *heōs telous* in 1. Kor. 1,8 und 2. Kor. 1,13, dem man am besten durch die wörtliche Übersetzung „bis ans Ende" entsprechen dürfte, wird man die Wendung schwerlich dem Apostel absprechen können. Schwieriger ist dagegen die Beurteilung der folgenden Angabe „am Tage unseres Herrn ...". Einerseits umschreibt die vermutete Tradition die Parusie bereits durch das Stichwort der *apokalypsis* in dem vorangehenden Partizipialsatz; außerdem ist die Wendung „der Tag unseres Herrn ..." gerade Paulus in dieser oder ähnlicher Form geläufig[31]. Andererseits macht die Annahme Mühe, daß die Bezeichnung der Parusie als „Tag des Herrn (Jesus)" erst von Paulus geschaffen sein sollte[32]. Der oben erwähnte, im strengen Sinne unkor-

---

28. H. Windisch, Der zweite Korintherbrief (KEK 6), 1924, 57ff., besonders 58f.: „Paulus rechnet noch mit einer kurzen Spanne, und in dieser Frist erwartet er, ..., daß die Erkenntnis der Kor. sich vollenden ... wird."

29. Röm. 11,25; 1. Kor. 11,26; 15,25; Gal. 3,19; Phil. 1,6.

30. Im Falle der Bedeutung „völlig", „ganz und gar" würde man eher eine der Formen erwarten, die in den Parallelen begegnen, die Baumann (a. a. O. 41 Anm. 77) als Belege für diese seine Übertragung anführt, d.h. ein entsprechendes Verb *(perisseuein*, 1. Thess. 5,12; Phil. 1,9; *pleonazein*, 1. Thess. 5,12; *plērousthai*, Phil. 1,11) oder Adjektiv *(holotelēs, holoklēros*, 1. Thess. 5,23). *heōs telous* bleibt singulär. *mechri telous* in der entfernten Parallele Hebr. 3,14 hat eindeutig den Sinn „bis zum Ende" im eschatologischen Verständnis.

31. 1. Kor. 5,5; 2. Kor. 1,14; Phil. 1,6. 10; 2,16; 1. Thess. 5,2. In 1. Kor. 1,8 und 2. Kor. 1,14 lautet die Wendung wörtlich gleich.

32. Unter der Voraussetzung des Verständnisses Jesu als Kyrios liegt diese Deutung der *hēmera kyriou* ausgesprochen nahe.

rekte Gebrauch der Präposition *en* (statt *eis*), mit der die Wendung ange-
schlossen wird, kennzeichnet dazu insbesondere tradierte, also Paulus vorgegebene Sprüche, z.T. solche, die mit 1. Kor. 1,8 sachlich verwandt sind[33].
Des weiteren fällt in diesem Zusammenhang auf, daß in V. 7b und V. 9
jeweils von „unserem Herrn Jesus Christus" bzw. von „Jesus Christus
unserem Herrn", in V. 8 dagegen nur von „unserem Herrn Jesus" die Rede
ist[34], eine Unausgeglichenheit, die ein Teil der Textzeugen flugs durch die
Hinzufügung von „Christus" behoben hat[35]. Läßt sich aus diesen Gründen
auch nicht ausschließen, daß die Nennung des „Tages unseres Herrn Jesus"
Paulus in den überlieferten Sätzen bereits vorgegeben war, so sprechen der
Tatbestand, daß sich die Bezeichnung nicht sicher über Paulus zurückführen
läßt, und die Überschneidung mit dem Parusiehinweis in dem überlieferten
Partizipialsatz doch eher dafür, daß die Erwähnung des Tages ebenfalls auf
den Apostel zurückgeht. Schließlich macht den Exegeten in V. 8 im jetzigen
Zusammenhang das *kai* nach dem Relativum zu schaffen. Heinrici faßt es als
Entsprechung zu *apekdechesthai* auf[36], nach Weiß bringt es eine „leise Mahnung oder Rüge zum Ausdruck"[37], Conzelmann postuliert mit Haenchen[38],
es dürfe hier wie sonst im Neuen Testament nach Relativum nicht übersetzt
werden[39] – übersetzt es jedoch selber[40]; wie sich zeigen wird, mit Recht.

V. 9 mutet auf den ersten Blick paulinisch an, da sämtliche Begriffe in den
Briefen des Apostels häufiger vorkommen. Immerhin mag festgehalten
werden, daß ältere Kommentare sich mit D*G an dem Anschluß mit *di' hou*
statt *hyph' hou* stoßen[41]. Die aus dem Aorist zu erschließende Erkenntnis,
daß Paulus hier mit Blick auf die Taufe redet[42], gibt Anlaß zu zwei Bemerkungen: Der Begriff *koinōnia* erscheint nur hier bei Paulus als Bezeichnung
für Taufvorgang und -ergebnis, und außerdem hat der Titel „Sohn Gottes"

33. Röm. 2,5 (s. dazu v. d. Osten-Sacken, a. a. O. 82 mit Anm. 15); 1. Thess. 3,13; 5,23 (s.
    dazu unten). Paulus selbst tendiert hingegen vielleicht eher dahin, *eis* an Stellen zu
    sagen, an denen man *en* erwartet: Phil. 1,10; 2,16.
34. So mit p[46] B.
35. H K D G pl. Der umgekehrte Vorgang der sekundären Streichung ist äußerst schwer
    vorstellbar. Wenn irgendwo, gilt hier die Regel *lectio brevior potior* .
36. G. Heinrici, Der erste Brief an die Korinther (KEK 5), [8]1896, 48.
37. Weiß, a. a. O. 10.
38. E. Haenchen, Die Apostelgeschichte (KEK 3), [6]1968, 108 Anm. 6.
39. Conzelmann, a. a. O. 42.
40. A. a. O. 39.
41. Vgl. Bachmann, a. a. O. 48 Anm. 1.
42. Vgl. z.B. Baumann, a. a. O. 42f.
43. G. Bornkamm, Das Bekenntnis im Hebräerbrief (1942), in: Studien zu Antike und
    Urchristentum. Ges. Aufs. II, [2]1959, 188-203, hier 190.

traditionell einen festen Sitz in der Taufüberlieferung[43]. Beides zeigt, daß der Annahme des Rückgriffs auf formulierte Tradition auch in V. 9 nichts im Wege steht. Schwerer wiegt jedoch der Sachverhalt, der sich ergibt, wenn man den Satz V. 9 als ganzen mit verwandten Aussagen und Formulierungen in den paulinischen Texten vergleicht. Die allenthalben zu dieser Stelle herangezogenen Parallelen sind rasch genannt:

1. Thess. 5,24: *pistos ho kalōn hymas, hos kai poiēsei.*
1. Kor. 10,13b: *pistos de ho theos, hos ouk easei …, alla poiēsei syn tō*
   peirasmō kai tēn ekbasin …
2. Kor. 1,18: *pistos de ho theos, hoti ho logos hēmōn … ouk estin …*
2. Thess. 3,3: *pistos de estin ho kyrios, hos stērixei hymas kai phylassei …*

Die Erwägungen zur Form dieser *pistos* -Aussagen, im folgenden kurz als „Treuespruch" bzw. „Treuesprüche" bezeichnet, haben eine bemerkenswerte Entwicklung durchgemacht. Nachdem van Unnik zu 2. Kor. 1,18 u.a. auf „den Segensspruch nach der Haphtara in der Synagoge" aufmerksam gemacht[44] und Robinson die *eucharistō* - und *eulogētos* -Danksagungen mit den jüdischen Formen der Hodaya und der Berakha in Verbindung gebracht hatte[45], arbeitete Sanders die These aus, der Treuespruch in 1. Kor. 1,9 ersetze „the conventional *eulogētos ho theos* of the Jewish beracha" am Ende eines Gebets[46]. Sprach Sanders noch von der „Ersetzung" („replace") der Eulogie durch den Treuespruch, so wurde daraus im Referat seiner These alsbald „die Wiedergabe der jüdischen berakha"[47] bzw. – noch wesentlich weitergehend – „die jüdische Segensformel *pistos ho theos*" [48], wiewohl es sich ganz eindeutig nicht um einen Segensspruch, sondern um eine Beteuerung handelt. Wenn sich Sanders auch präzise ausdrückt, so hat er doch selbst dazu beigetragen, daß die Konturen zwischen beiden Formeln zu

44. W. C. von Unnik, Reisepläne und Amen-Sagen. Zusammenhang und Gedankenfolge in 2. Kor. 1,15-24, in: Studia Paulina in honorem J. de Zwaan, 1953, 215-234, hier 221.
45. J. M. Robinson, Die Hodajot-Formel in Gebet und Hymnus des Frühchristentums, in: Apophoreta. Festschr. E. Haenchen (BZNW 30), 1964, 194-235. Der Beitrag wurde bereits 1960 in New York vorgetragen und wird in dem in der folgenden Anmerkung genannten Aufsatz von Sanders von 1962 herangezogen.
46. J. T. Sanders, The Transition from Opening Epistolary Thanksgiving to Body in the Letters of the Pauline Corpus, JBL 81 (1962), 348-362, hier 358.
47. Conzelmann, a. a. O. 43 Anm. 45.
48. Synofzik, a. a. O. 21.

stark verwischt worden sind, indem er die formale Verwandtschaft überbetonte und das Eigengefälle der Treuesprüche zu wenig in den Blick faßte.[49]

Folgende Merkmale der oben zitierten Texte sind gegenüber dieser zu schnellen Zusammenschau von Treuespruch und Benediktion herauszustellen: Zunächst hebt sich 2. Kor. 1,18 deutlich von den übrigen Stellen ab. Die Einleitung ist erhalten, aber statt des üblichen Relativsatzes folgt ein *hoti*-Satz, der im Präsens steht. Damit ist implizit gekennzeichnet, was die übrigen Beispiele miteinander verbindet. An die einleitende Formel schließt sich ein Relativsatz an, der durchweg futurisch formuliert ist. Ein weiteres Merkmal ist versteckter, aber dennoch deutlich zu erkennen. In 1. Thess. 5,24 folgt auf das Relativpronomen ein *kai* , das keineswegs unübersetzt zu lassen ist[50], sondern eine klare Funktion hat: Gott als der Berufende wird „es" auch ausführen, nämlich das, was er mit der Berufung intendiert, und das meint konkret im Zusammenhang der Stelle die Heiligung und Bewahrung der Gemeinde, die Paulus unmittelbar vorher in dem Gebetswunsch 5,23 erbittet[51]. Das *kai* hat also folgernden Sinn und zeigt den inneren Zusammenhang des göttlichen Handelns an. Es umschließt auch (*kai*) die Zukunft in heilvollem Sinne. Dies *kai* ist ebenfalls in 1. Kor. 10,13b zu erkennen, obschon es dort, bedingt durch die antithetische Form des Relativsatzes, vom Relativum selbst getrennt ist (*hos … poiēsei … kai tēn*). Wenn es sich in 2. Thess. 3,3 nicht findet, so aus klar erkennbaren Gründen. In diesem Abschnitt fehlt, anders als in 1. Thess. 5,24 und 1. Kor. 10,13, ein Begriff, auf den sich die Partikel sinnvoll beziehen könnte. Subjekt ist der Kyrios, also wahrscheinlich Jesus, und seine Treue wird durch den Relativsatz selbst bestimmt, während in den anderen beiden Beispielen vor der *kai*-Aussage jeweils ein Akt des göttlichen Handelns benannt wird, aus dem die für die Zukunft zugesagte Treue erschlossen wird[52]. In 1. Thess. 5,24 ist dies

---

49. So heißt es (a. a. O. 358) im Hinblick auf 1. Thess. 5,24: "Here the formal structure of the *beracha* is complete: *pistos* stands in the place of *eulogētos; ho kalōn hymas* stands in the place of *ho theos* ; and *hos* remains as the relative which regularly expands the prediction." Übrigens hat früher bereits P. Schubert (The Form and Function of the Pauline Thanksgivings, BZNW 20, 1939, 31) mit Bezug auf 1. Kor. 1,9; 1. Thess. 5,24 festgestellt, die Sätze hätten „the style of a benediction".

50. Vgl. oben, 180 mit Anm. 39.40. Haenchen (a. a. O.) hat zwar 1. Kor. 1,8 in die Aufzählung der Stellen aufgenommen, an denen *kai* nach Relativum nicht zu übersetzen sei, nicht jedoch 1. Thess. 5,24. Der Grund bleibt dunkel.

51. E. v. Dobschütz, Die Thessalonicherbriefe (KEK 10), 1909 (Nachdr. 1974), 230.

52. Bemerkenswert ist, daß nach v. Dobschütz (a. a. O. 307 Anm. 2) A 71 37 116 sy[ph] (mit Asteriscus) auch in 2. Thess. 3,3 nach dem Relativum *kai* lesen und damit anscheinend Gespür für die Struktur dieser Sprüche beweisen.

angesichts des Titels *ho kalōn* ohne weiteres evident. Entgegen dem Augenschein trifft es jedoch auch auf 1. Kor. 10,13b zu, insofern durch die Folgerung nicht nur die Überwindung der Versuchung, sondern diese selbst als
ein Moment des Handelns Gottes definiert wird[53]. Als Struktur der Treuesprüche ist deshalb zu fixieren:

pistos ho ..., hos kai ... + verbum finitum im Futur.

Vor diesem Hintergrund fällt an der hier vornehmlich interessierenden
Stelle 1. Kor. 1,9 zunächst folgende ungewöhnliche Abweichung ins Auge:
Ausgenommen den ohnehin schwer vergleichbaren Satz 2. Kor. 1,18[54], ist
der Relativsatz im Treuespruch 1. Kor. 1,9 als einziger nicht im Futur
gehalten. Vielmehr ist er aoristisch formuliert, und d.h. vor jenem Hintergrund: So, wie der Satz lautet, bleibt er das entscheidende Moment der
übrigen Treuesprüche schuldig, um dessentwillen sie überhaupt formuliert
zu sein scheinen, nämlich den Bezug der zugesagten Treue Gottes auf die
(Gegenwart und) Zukunft[55]. Dieser Sachverhalt ändert sich jedoch schlagartig, wenn man den vorangehenden Vers einbezieht, in dem alle vermißten
Merkmale des Treuespruchs vereint sind: der relativische Anschluß mit *hos*

53. Vgl. Weiß, a. a. O. 255.
54. Die einleitende Formel nähert sich fast dem Sinn „Gott ist Zeuge" (Synofzik, a. a. O.
    32 spricht von einer „schwurartigen Formel"), und der anschließende Satz redet in
    Übereinstimmung damit nicht vom Handeln Gottes, sondern des Paulus. Immerhin
    wirft diese Stelle auf die übrigen insofern ein gewisses Licht, als ihnen als Beteue-
    rungen der Treue Gottes in gewissem Sinne ebenfalls eidlicher Charakter beige-
    messen werden kann. Der Tatbestand, daß das Verb *bebaioun* von Hause aus Rechts-
    begriff ist (H. Schlier, ThWNT I, 600ff.; Dinkler, a. a. O. 103f. 114ff.), dürfte dies
    unterstreichen. Im Unterschied zu den anderen Aussagen (s. unten) läßt sich 2. Kor.
    1,18 im übrigen nicht aus dem Kontext herauslösen. Eher könnte man überlegen, ob
    die einleitende Formel einmal im Zusammenhang mit der in 1,21f. aufgenommenen
    Tradition gestanden hat. Doch ist die Aufnahme der Wendung durch das Thema
    „Verheißung" hinreichend motiviert (vgl. Hebr. 10,23). Ihr Sinn ist im vorliegenden
    Zusammenhang: Weil der Apostel mit der Verkündigung Jesu Christi als des Ja
    Gottes betraut ist, darum steht mit seinem Wort Gott selbst, seine Treue, auf dem
    Spiel. Weil es aber eben Gott ist, der durch den Apostel wirkt und durch ihn seine
    Treue bekundet, darum ist das Wort des Apostels nicht Ja und Nein. Vgl. zur Ausle-
    gung weiter van Unnik (a. a. O.) und F. Hahn, Das Ja des Paulus und das Ja Gottes.
    Bemerkungen zu 2. Kor. 1,12-2,1, in: Neues Testament und christliche Existenz.
    Festschr. H. Braun, 1973, 229-239.
55. Lietzmann (a. a. O. 6) hat dies deutlich gespürt, wenn er V. 9 mit den Worten para-
    phrasiert: „Gott hat euch berufen; so wird er euch auch weiterhelfen vgl. 1. Th.
    5,24..." und so eigenständig ergänzt, was tatsächlich fehlt.

kai , die futurische Verbform und damit die eschatologische Ausrichtung. Zusammen mit den zuvor gesammelten Beobachtungen zum Charakter der Verse 7b-8 legt sich damit die Annahme nahe, daß Paulus in V. 7b-9 eine geformte Tradition verarbeitet hat, die ursprünglich folgende Gestalt hatte:

(9) *pistos ho theos,*
  di' hou eklēthēte eis koinōnian tou hyiou autou (...)
(8) *hos kai bebaiōsei hymas* (...) *anegklētous* (...)
(7b) *apekdechomenous tēn apokalypsin tou kyriou hēmōn Iēsou Christou*[56].

In diesem Zusammenhang gewinnen beide Relativsätze in V. 8f. ihren klaren Sinn, indem sie miteinander die beteuerte Treue Gottes definieren und begründen. Die erfolgte Zuwendung Gottes in der Berufung, d.h. in der Taufe, wird sich ihrem eigenen Ziel gemäß in der Bewahrung der Berufenen bis zur eschatologischen Offenbarung Jesu Christi erweisen. Der folgernde Sinn des *kai* nach dem Relativum und der Bezug des Relativpronomens auf Gott treten ebenso klar zutage, wie sich der Partizipialsatz als genauere Bestimmung sowohl der gegenwärtigen Situation der Angeredeten als auch des eschatologischen Zeitpunktes, dem sie entgegenleben, glatt und ohne reale oder scheinbare Härte anschließt[57]. Es lösen sich mithin ohne gravierende Eingriffe in den Textbestand jene „stilistischen Härten" auf, die den Exegeten bei der jetzigen Textabfolge im Proömium zu schaffen machen. Die Annahme der engen Zusammengehörigkeit der Sätze als Tradition wird durch das Faktum gestützt, daß *bebaioun* in 2. Kor. 1,21f. in einer geprägten Tauftradition begegnet und dort das in der Taufe begründete gegenwärtige Handeln Gottes an den Getauften beschreibt[58]. Ebenso gewinnen die Wahl und der Sinn des Adjektivs *anegklētos* klarere Konturen. Bedeutet die Berufung in die Gemeinschaft mit dem Sohn Gottes in der

---

56. Die ergänzte Apposition *Iēsou Christou tou kyriou hēmōn* dürfte sich aus der Schlußstellung von V. 9 erklären. Vgl. F. Hahn, Christologische Hoheitstitel (FRLANT 83), 1963, 252 Anm. 2. Diese Titulatur wird in 1,10 wiederaufgenommen; sie verknüpft so das Proömium mit dem Folgenden.
57. Die Stellung des Partizipialsatzes in der vorpaulinischen Gestalt der Überlieferung hat eine Parallele in der verwandten Stelle Phil. 1,9f. (*peplērōmenoi* ..., 1,10). Wahrscheinlich arbeitet Paulus auch an dieser Stelle Phil. 1,9-11 „mit vorgeprägten Ausdrücken" (Synofzik, a. a. O. 23, mit Literaturhinweisen in Anm. 6).
58. *ho bebaiōn* (Präs.) im Unterschied zu den folgenden aoristischen Partizipien. Vgl. Dinkler, a. a. O. 103: „Das fortdauernde eschatologische *bebaioun* " ist der „Effekt" des durch die Partizipien im Aorist beschriebenen Heilsgeschehens.

Taufe wesentlich die Vergebung der Sünden[59], so verheißt der zweite Relativsatz mit der Festigung der Berufenen als „Vorwurfsfreie", d.h. als Menschen, gegen die keine Anklage erhoben werden kann[60], die Bewahrung vor den Sünden in dieser Gemeinschaft, insofern eben die Verfehlungen den Grund zur Anklage, zum Vorwurf, bilden würden. Sodann läßt sich die Wahl des Begriffs *apokalypsis* (z.B. statt *parousia*) als Entsprechung zur Umschreibung der Heilsgegenwart mit dem Begriff *koinōnia* verstehen. Weil die Berufenen bereits in der Gemeinschaft mit Jesus Christus leben, darum besteht das zukünftig-eschatologische Geschehen in der Aufdeckung dieser Gemeinschaft. Der Zusammenhang rückt damit in auffällige Nähe zu den Aussagen in Kol. 3,1-4, deren Unterschiede zu entsprechenden paulinischen Texten mehrfach aufgewiesen worden sind[61]. Schließlich weist der Gebrauch des Titels *ho hyios tou theou* im Rahmen der Taufaussage und des Titels *ho kyrios* im Rahmen der Zukunftsaussage in ein Überlieferungsstadium, in welchem diese Titel noch klar mit jeweils einem ihrer ursprünglichen Haftpunkte verbunden sind[62].

Die bisherigen Beobachtungen dürften ausreichen, um die Annahme zu begründen, daß Paulus in 1. Kor. 1,7b-9 nicht nur traditionelle Wendungen, sondern ein Traditionsstück aufgenommen hat, das in eine feste Form gefaßt ist. Die Intention dieses geformten Stückes geht dahin, göttliche Treue zuzusagen. Der auffällige Bezug auf die Taufe könnte an diesen Ritus als Sitz im Leben der Form denken lassen. 1. Thess. 5,24 und 2. Kor. 1,21f. (Taufe und *bebaioun*) scheinen in dieselbe Richtung zu weisen. Dennoch bedeutete eine solche Festlegung eine Verengung. 1. Kor. 1,7b-9 und ebenso 2. Thess. 3,3 sind, wie die entsprechenden Verweise in den Kommentaren andeuten und Synofzik zuletzt überzeugend gezeigt hat[63], mit einer Reihe von Segenswünschen durch einen „gemeinsamen Schatz von Gedanken und Stimmungen" verwandt, der nach Gunkel Merkmal von

59. Vgl. z.B. Kol. 1,13f. und, paulinisch modifiziert, Röm. 6,1 ff. und Gal. 2,15ff.
60. Vgl. W. Grundmann, ThWNT I, 258. Er verweist auf die Situation Röm. 8,33f.
61. Vgl. G. Bornkamm, Die Hoffnung im Kolosserbrief (1961), in: Geschichte und Glaube II. Ges. Aufs. IV (BEvTh 53), 1971, 206-213, hier 210f.; E. Gräßer, Kol. 3, 1-4 als Beispiel einer Interpretation secundum homines recipientes (1967), in: Text und Situation. Ges. Aufs., 1973, 123-151, hier 129ff.; E. Lohse, Die Briefe an die Kolosser und an Philemon (KEK 9,2), 1968, 192ff. 252f.; Helga Ludwig, Der Verfasser des Kolosserbriefes – Ein Schüler des Paulus, Diss. Göttingen 1974, 105ff. 174ff.
62. Vgl. zu „Sohn Gottes" Bornkamm, a. a. O. (Hebräerbrief), zu „Herr" Hahn, a. a. O. (Hoheitstitel), 95ff., besonders 110 mit Anm. 3; W. Kramer, Christos, Kyrios, Gottessohn (AThANT 44), 1963, 172ff.
63. Synofzik, a. a. O. 18ff. 33ff.

Texten ist, die in den Bereich einer gemeinsamen Gattung gehören[64]. In diesen Segenswünschen wird darum gebeten, Gott möge die Gemeinde „stärken" (1. Thess. 3,13), „heiligen und untadelig bewahren" (1. Thess. 5,23), „trösten und stärken" (2. Thess. 2,17) und „leiten" (2. Thess. 3,5; 1. Thess. 3,11). Schlier hat unter Verweis auf 2. Thess. 3,17 und Hebr. 13,9 die Nähe bzw. teilweise Austauschbarkeit des in diesen Aussagen begegnenden Verbs *stērizein* und des in 1. Kor. 1,7b-9 verwendeten Verbs *bebaioun* gezeigt[65]. Harder hat hervorgehoben, daß der Sinn dieses *stērizein* „aus parallelen Wendungen hervor(geht), wie *parakalein* ... (1. Thess. 3,2; 2. Thess. 2,17)"[66]. Von hier aus läßt sich die Funktion der Treuesprüche klar bestimmen. Sie vollziehen exakt das, was in jenen Segenswünschen erbeten wird, nämlich die Paraklese der Gemeinde durch Gott. Deutlich kommt dieser Zusammenhang in der Abfolge von 1. Thess. 5, 23.24 zum Ausdruck. Am Beispiel von 1. Kor. 1,7b-9 veranschaulicht, besagt er: Der Treuespruch, in dem das *bebaioun* durch Gott zugesagt wird, ist selbst ein Akt dieser Festigung. Die Zusage der Treue Gottes zwischen Taufe und Jüngstem Tag ist sprachlicher Vollzug dieser Treue und damit der Stärkung, deren die Gemeinde auf ihrem Wege bedarf. Die Bestimmung der Treuesprüche als parakletischer Form bewährt sich an den übrigen Beispielen[67] und dürfte am deutlichsten die Einheit von Form und Inhalt dieser Sprüche vor Augen führen. Sie erlaubt den Bezug der Form auf die Taufe als Sitz im Leben, beschränkt sie jedoch nicht auf diesen einen gottesdienstlichen Akt, sondern spricht für die regelmäßige gottesdienstliche Versammlung als Ort der Verlautbarung. Denn weil die Gemeinde die Gemeinschaft der Wartenden bleibt, bedarf sie stets von neuem des Zuspruchs der göttlichen Treue. Gerade der Zusammenhang mit den Segenswünschen dürfte dies unterstreichen. So wenig sich diese allein auf die Taufgemeinde beziehen lassen, so wenig auch die Treuesprüche, die den Inhalt der Segenswünsche in parakletischer Form darbieten.

---

64. H. Gunkel, Jesaja 33, eine prophetische Liturgie, ZAW 42(1924), 177-208, hier 182; ders., Die israelitische Literatur (1925), (Nachdr. Darmstadt) 1963, 57.
65. Schlier, a. a. O. 602.
66. G. Harder, ThWNT VII, 656.
67. Ausgenommen wiederum 2. Kor. 1,18; vgl. jedoch oben (Anm. 54) zum möglichen sachlichen Zusammenhang.

III.

Zu fragen bleibt, ob sich weitere Indizien finden lassen, die die Existenz dieses parakletischen, genauer: eschatologisch-parakletischen Treuespruches als eigener Spruch-Gattung bekräftigen. Auf folgende Sachverhalte ist hierzu aufmerksam zu machen:
Die Segenswünsche, die mit dem Treuespruch in dem angezeigten Zusammenhang stehen, sind allem Anschein nach nicht ad hoc formuliert, sondern weitgehend traditionell. So läßt sich zu 1. Thess. 3,11-13 der Hinweis von Dibelius präzisieren, daß der Schluß des Gebetswunsches „einen Grundgedanken allgemeiner Art in fast liturgisch zu nennendem Ton" bringe, indem Paulus „hier wohl wie 1,9.10 Ausdrücke (gebraucht), die in der kultischen Sprache des Urchristentums bereits fixiert sind"[68]: Der Segenswunsch beginnt mit dem traditionellen und unpaulinischen Einsatz *autos ho theos* [69], es schließen sich situationsbezogene Sätze des Paulus an, V. 13 (*stērizein*) wird der überlieferte Wunsch wiederaufgenommen[70]. Zu 1. Thess. 5,23 hat wiederum Dibelius auf die Verwandtschaft der Form mit 3,11 verwiesen und mit Blick auf den „trichotomischen Klang des Folgenden" vermerkt, daß Paulus sich hier „einem geläufigen (christlichen oder jüdischen) liturgischen Sprachgebrauch" anschließe[71]. Darauf deuten in der Tat die Wendung *autos*

---

68. M. Dibelius, An die Thessalonicher I. II. An die Philipper (HNT 11), [3]1937, 19.
69. Siehe dazu v. d. Osten-Sacken, a. a. O. 87f. Paulus selbst formuliert die Segenswünsche ohne vorangestelltes *autos* . Siehe Röm. 15,5.13.33; Phil. 4,9.19.
70. *kai ho kyrios hēmōn Iēsous* (eventuell schon *kai patēr hēmōn*) dürfte bereits paulinische Ergänzung sein. Die Wiederaufnahme in V.12 (hymas de ho kyrios) ruft im übrigen im Hinblick auf die Schlußformel *en tē parousia tou kyriou hēmōn Iēsou* (statt *autou*) eine 1. Kor. 1,7f. analoge Spannung hervor. Diese ist also beide Male nicht in der Formelhaftigkeit des Gutes selbst, sondern in dessen paulinischer Bearbeitung begründet (gegen Baumann, a. a. O. 40 Anm. 71). Da *kateuthynein* in V. 11 Hapaxlegomenon bei Paulus ist und außerdem in 2. Thess. 3,5 in einem anderen Segenswunsch begegnet, könnte der Gebetswunsch ursprünglich auch die Form gehabt haben: *Autos de ho theos ... kateuthynai tēn hodon hymōn ... kai stērixai ...* Der übertragene Gebrauch von *kateuthynein* und *hodos*, der dann vorläge, ist biblisch geläufig. Vgl. LXX Ez. 18,25; Ps. 5,9; 118,5; Prov. 4,26; 13,13a; 29,27 u. a.
71. Dibelius, a. a. O. 32. Erwähnenswert ist auch die entsprechende Formulierung in der zweiten Auflage (1925, 27), Paulus habe die betreffenden Ausdrücke „in einem vielleicht schon traditionellen Gebetswunsch verwendet". Auch E. Schweizer (ThWNT VII, 1057) spricht von einem „traditionellen Satz". Vgl. ferner L. G. Champion, Benedictions and Doxologies in the Epistles of Paul, (Diss. Heidelberg) Oxford o. J. (1934), 126ff.

ho theos und die Terminologie[72] des ganzen Spruches hin. Dem Vers geht
eine Paulus vermutlich vorgegebene und von ihm nur leicht bearbeitete Siebener-Reihe von Imperativen voran[73], und es folgt ein Treuespruch. Möglicherweise ist also der ganze Zusammenhang bereits in dieser Form von
Paulus übernommen worden. Der Gebetswunsch 2. Thess. 2,16 läuft in der
Form wiederum 1. Thess. 3,11-13 weitgehend parallel, er ist jedoch im
übrigen so eigenständig und mit formelhaftem Gut gesättigt (V. 16b), daß
man vermuten kann, der Verfasser des Briefes zehre hier unmittelbar von
der liturgischen Tradition seiner Gemeinde.

Was sodann die formgeschichtliche Parallele zu 1. Kor. 1,7b-9 in 1. Kor.
10,13b betrifft, so hat Weiß die Schwierigkeiten herausgestellt, die dieser
Satz im Kontext hervorruft. Er kommt zu dem Schluß: „Es bleibt nur übrig,
daß V. 13b aus einer anderen Stimmung geflossen ist, als der Ansatz, der in
V. 13a gemacht wird; und V. 14 kann erst nach einer Pause, jedenfalls mehr
im Blick auf V. 12 als auf V. 13 geschrieben sein."[74] Diese Beobachtungen
und Eindrücke von Weiß dürften ihren angemessenen Stellenwert erhalten,
wenn man davon ausgeht, daß sich Paulus in V. 13b eines überlieferten, also
vorgeformten Spruches bedient, der zwar durch das gemeinsame Thema
„Versuchung" in den Zusammenhang hineinpaßt und von Paulus auch
durchaus als Trostwort gesagt wird[75], der sich aber dennoch aufgrund seiner
ursprünglichen Eigenständigkeit, wie oft in solchen Fällen, nicht so glatt in
den Duktus des Kontextes einfügt, wie wenn Paulus hier selbst formulierte.
Das Verständnis von V. 13b als eines ursprünglich selbständigen Treuespruches kann sich dabei auf folgende weitere Beobachtungen berufen: Als
parakletischer Zuspruch kann dieser Satz in jeder Situation apokalyptischer
Versuchung sinnvoll gesagt werden, er steht also in diesem Sinne auf sich
selbst. Gleich drei seiner tragenden Begriffe sind paulinische Hapaxlegomena *(ean, ekbasis, hypopherein)*, und ein vierter wird nur noch ein weiteres

72. Vgl. Synofzik, a. a. O. 34. Champion (a. a. O. 127 Anm. 1) weist darauf hin, daß
Formen im Pass. Opt. sonst bei Paulus nicht belegt sind. Zum begriffsgeschichtlichen
Hintergrund s. P. A. van Stempvoort, Eine stilistische Lösung einer alten Schwierigkeit in 1. Thess. V. 23, NTS 7 (1960/61), 262-265. Er läßt in seiner Übersetzung freilich
wohl doch zu Unrecht *hymōn to pneuma* unübersetzt. Gerade die in den Adjektiven
holotelēs und *holoklēros* angezeigte Totalität, die von van Stempvoort überzeugend
herausgearbeitet ist, scheint das Motiv für die Wahl der erschöpfenden anthropologischen Begriffe in diesem Wunsch gebildet zu haben.
73. Robinson, a. a. O. 222.
74. Weiß, a. a. O. 256.
75. Zur Auslegung s. Conzelmann, a. a. O. 199f.

Mal von Paulus gebraucht (*peirasmos*, Gal. 4,14). Die mit dem Begriff *peirasmos* gegebene apokalyptische Ausrichtung des Spruches verbindet ihn mit den Parallelen 1. Kor. 1,7b-9; 1. Thess. 5 (23).24; 2. Thess. 3,3.

Auch diese letzte Parallele zu 1. Kor. 1,7b-9 im engeren Sinne, 2. Thess. 3,3, ist als selbständig überlieferter Spruch denkbar. Eine Andeutung in dieser Richtung macht Dibelius: „Wieder geläufige Wendungen; also kein Grund, literarische Abhängigkeit von I. 5,24; 3,13 anzunehmen"[76]. Hervorzuheben sind der feste Sitz des Begriffs *stērizein* in den sachverwandten Segenswünschen (1. Thess. 3,13; 2. Thess. 2,17) sowie Spuren einer Spannung zwischen Text und Kontext. Könnte man nämlich von den übrigen Treuesprüchen her geneigt sein, unter dem Kyrios Gott zu verstehen[77], so bestimmt der Kontext jedenfalls Jesus als Träger der Hoheitsbezeichnung. Unmittelbar vorher ist sodann von *ponēroi anthrōpoi* die Rede, der Spruch selbst sagt jedoch die Bewahrung *apo tou ponērou* zu, wobei offenbleiben kann, ob *ponērou* neutrisch oder maskulinisch zu verstehen ist. Wie bereits angedeutet, handelt es sich zudem wie bei den Parallelen um eine durch das Motiv der Bewahrung vor dem Bösen apokalyptisch gefärbte Aussage. 2. Thess. 3,3 rückt freilich im übrigen dadurch von den anderen Parallelen ab, daß Subjekt des Treuespruchs wahrscheinlich nicht mehr Gott, sondern der Kyrios, d.h. Jesus, ist.

Bei der Suche nach weiteren Indizien für die Existenz der Gattung des Treuespruchs lohnt auch ein Blick über die Grenzen des neutestamentlichen Kanons hinaus. Der Brief des Ignatius an die Trallianer endet mit der Beteuerung: *alla pistos ho patēr en Iēsou Christō plērōsai mou tēn aitēsin kai hymōn, en hō heuretheiēte amōmoi.* Es scheint zwar, daß Ignatius hier im wesentlichen selbst formuliert; auch ist die Differenz zu beachten, daß an die um den Namen Jesu Christi erweiterte Einleitung des Treuespruches kein Relativsatz mit futurischem verbum finitum, sondern zunächst ein Infinitiv-, dann ein Relativsatz angefügt ist, der über den Infinitivsatz zurück an die Einleitung anschließt. Der Satz beendet jedoch andererseits den ganzen Brief, steht also an der Stelle, an der traditionell geläufige Segenswünsche in Gemeindeschreiben aufgenommen werden. In dem Wunsch *heurethēnai amōmoi* erscheint ferner ein Motiv, das seinen festen Sitz in den Gebetswünschen hat, die traditionsgeschichtlich mit den Treuesprüchen zusammenhängen, und das in 1. Kor. 1,7b-9 in Gestalt des Adjektivs *anegklētos* vorliegt. Und nicht zuletzt ergibt sich dann, wenn man aufgrund dieser

76. Dibelius, a. a. O. 53.
77. So z.B. A D* G pc it vg^cl, die *theos* lesen.

Beobachtungen den ohnehin auf die Einleitung bezogenen, jetzt nachklappenden Relativsatz direkt an sie anschließt, ein Spruch, dessen Nähe zu den behandelten Beispielen offenkundig ist. Es ist deshalb vorstellbar, daß Ignatius an dieser Stelle aus der lebendigen liturgischen Tradition seiner Gemeinde schöpft. Die Form wäre allerdings im Verhältnis zu ihrer Gestalt im Neuen Testament bereits modifiziert, d.h. vor allem um den (gewiß von Ignatius) eingesprengten Infinitivsatz erweitert und in Richtung auf einen Gebets- oder Segenswunsch umformuliert (*heuretheiēte*). Möglicherweise ist also der Treuespruch Trall. 13,3 ein Indiz für das Weiterleben der rekonstruierten Gattung.

Schließlich verdienen insbesondere die Pastoralbriefe Beachtung, in denen fünfmal die Wendung *pistos ho logos* anzutreffen ist (1. Tim. 1,15; 3,1 4,9; 2. Tim. 2,11; Tit. 3,8), darunter zweimal mit dem Zusatz *kai pasēs apodochēs axios*. Dibelius und Conzelmann haben sie überzeugend charakterisiert[78]: Als „oft wiederholtes und in sich beziehungsloses Sätzchen" hat sie „als Formel zu gelten". Sie stellt regelmäßig die Richtigkeit eines Logos fest, der zuvor oder anschließend genannt wird. Der Inhalt dieses Logos geht jeweils über den Zusammenhang, in dem er steht, hinaus; er ist „fast immer … von allgemeiner Bedeutung und zeigt besonders feste Prägung". Die Formel stellt eine Beteuerung dar, die „erbaulich-bekräftigend" die Zuverlässigkeit des „in geprägten Wendungen vom Heil" ergehenden Wortes herausstellt und auf diese Weise „die aktuelle Anwendung für die Gegenwart" vollzieht. Dibelius und Conzelmann führen also die Verknüpfung der Formel mit dem jeweiligen traditionellen Logos auf den Verfasser der Pastoralbriefe selbst zurück.

Im Gegensatz dazu bietet sich aufgrund der bisherigen Beobachtungen und Überlegungen die Vermutung an, daß die Verbindung zwischen den traditionellen Heilsaussagen und der auffällig der Einleitung der behandelten Treuesprüche entsprechenden Formel *pistos ho logos* in den Pastoralbriefen dem Autor der Briefe zumindest teilweise bereits aus der gottesdienstlichen Überlieferung vorgegeben war. Wie Form und Inhalt der meisten der durch sie ein- oder ausgeleiteten Sätze, so weist die Wendung selbst durch ihre Formelhaftigkeit über den Kontext hinaus, in dem sie begegnet. Sieht man sie als festen Bestandteil der jeweiligen Traditionen an – und hierbei ist vor allem an 1. Tim. 1,15; 2. Tim. 2,11.12f.; Tit. 3,4-7.8 zu denken[79] – könnte sie anzeigen, in welcher Form solche Überlieferungen im

---

78. M. Dibelius-H.Conzelmann, Die Pastoralbriefe (HNT 13),³1955, 23f.
79. In Tit. 3,8 sekundär nachgestellt.

Gottesdienst tradiert worden sind. Sollte tatsächlich ein formgeschichtlicher Zusammenhang zwischen den zuvor besprochenen Treuesprüchen und denen der Pastoralbriefe bestehen, wären die zu beobachtenden Differenzen Indikator für eine erhebliche Veränderung der Form im Laufe der Zeit. In der Treueformel selbst steht in den Pastoralbriefen an der Stelle Gottes das Wort, das in der beteuerten Aussage als tradiertes Heilswort in Erinnerung gerufen wird und dessen Glaubwürdigkeit die Formel unterstreicht. Zugespitzt gesagt: Wird in der älteren Form das Wort selbst gesagt, indem Gottes Treue unter Verweis auf begonnenes und darum auch sich fortsetzendes Handeln zugesprochen wird, so wird in der hier begegnenden jüngeren Form das überlieferte Wort zum Gegenstand der Beteuerung. Dieser Unterschied findet seinen Ausdruck in der weitgehenden syntaktischen Unabhängigkeit von Formel und Logos. Während in der älteren Form das Prädikat *pistos* der Einleitungsformel durch die folgenden Aussagen überhaupt erst in seinem Sinn definiert wird, steht es in der jüngeren auf sich selbst, und das, was im folgenden bestimmt wird, ist der Wortlaut des Logos. Zu beachten bleibt freilich, daß sich im Rahmen und in Gestalt dieser Modifikationen ein wesentliches Element durchgehalten hat. Es scheint, als schimmere nahezu in allen fraglichen *logoi* der Pastoralbriefe die ursprüngliche und konstitutive eschatologische Orientierung der Form durch[80]. Dieser Tatbestand ist der Annahme eines formgeschichtlichen Zusammenhangs zwischen den *pistos ho theos* - und den *pistos ho logos* - Aussagen ausgesprochen günstig. Eingedenk der festen Verankerung der älteren Form im Kontext der Parusieerwartung dürfte deren Nachlassen einen der Gründe für die beschriebenen Modifikationen darstellen[81].

Dieser Zusammenhang der Form mit der Naherwartung der Parusie könnte möglicherweise sowohl erklären, warum sie nur kurze Zeit in der ursprünglichen Gestalt begegnet, als auch teilweise den Tatbestand erhellen, daß sich bisher keine direkten Vorbilder oder Parallelen in der Umwelt des Neuen Testaments haben auffinden lassen. Zwar begegnen

---

80. 1. Tim. 1,15: *sōsai* ; 2,15: *sōthēsetai* ; 4,10: *sōtēr* (vgl. auch 4,8 und zur Frage des Bezugs von 4,9 Dibelius-Conzelmann, a. a. O. 55); 2. Tim. 2,12: *syzēsomen* ...; Tit. 3,7: *klēronomoi genēthōmen kat' elpida zōēs aiōniou.*

81. In die Formgeschichte des Treuespruches im weiteren Sinne gehört schließlich vielleicht auch 1. Joh. 1,9. Die Treueformel ist dort um *dikaios* erweitert und zum bedingten Satz geworden. Ein Zusammenhang nicht form-, aber traditionsgeschichtlicher Art könnte zwischen Hebr. 3,14 und der in den Treuesprüchen verarbeiteten Überlieferung bestehen. Vgl. Weiß, a. a. O. 11. In anderer Form ist die den Treuesprüchen zugrundeliegende Gewißheit in der Überlieferung Röm. 8,29 ausgearbeitet. Vgl. dazu v. d. Osten-Sacken, a. a. O. 69ff. 279ff.

Prädikationen Gottes als *pistos* im Alten Testament[82], zwar läßt sich im Aufbau des Spruches eine gewisse Verwandtschaft mit der Berakha oder Eulogie erkennen[83], aber die biblischen Treueaussagen begegnen nun eben doch nicht in der eruierten überlieferten Form, und die Entsprechung zwischen Treuespruch und Eulogie hat die oben bezeichnete Grenze. Der von van Unnik aus dem synagogalen Gottesdienst beigebrachte, nach Abschluß der Haphtarenlesung gesprochene Spruch[84] entstammt zwar mit dem Motiv der Treue Gottes in Gestalt der Einheit seines Redens und Handelns derselben jüdisch-biblischen Tradition, aber weder handelt es sich um dieselbe Form, noch ist in den jeweiligen Gottesaussagen genaue inhaltliche Identität gegeben[85]. Eher noch scheint ein formgeschichtlicher Zusammenhang mit der jüdischen Tradition über Aussagen der rabbinischen Literatur herstellbar. Billerbeck hat zu 1. Kor. 1,9 darauf hingewiesen, daß in Sifra zu Lev. 18,2.4.5.6.19; 19,37 u.a. und im Midrasch zum Hohenlied 5,16 (121 b, 37.41) die Formel „Ich bin Jahwe" mit den Worten gedeutet wird: „Ich bin treu, Lohn zu zahlen"[86]. Es scheint nun, daß diese Formel in Aboth II, 16 in folgende Zusage aufgenommen bzw. umformuliert ist: „(Und) treu ist er, der Herr deiner Arbeit, der wird dir den Lohn deiner Mühe bezahlen"[87]. Ins Griechische übertragen würde der Satz lauten: *pistos autos ho kyrios tēs ergasias sou, hos apodōsei soi ton misthon tou ponou sou* . Zwar fehlt hier das *kai* nach dem relativischen Anschluß, im übrigen aber sind alle Merkmale der älteren Form des Treuespruches gegeben: die einleitende *pistos* - Formel mit der Charakterisierung des Kyrios, der relativische Anschluß und

---

82. Vgl. LXX Dtn. 7,9; 32,4; Jes. 49,7; Ps. 144,13a; 3 Makk. 2,11.
83. Vgl. oben, 36f. Die von Sanders (a. a. O. 38) beigebrachten Belege für die Form *baruk jhwh ascher* (er verweist auf das Achtzehngebet) sind insofern unzureichend, als sie erstens nicht in der 3. Pers. formuliert sind und zweitens jeweils partizipiale Gottesprädikationen, nicht aber Relativsätze (*sche–/ascher*) folgen. Vgl. jedoch (3. Pers. und Relativum) Gen. 14,20; 24,27; Ex. 18,20; 1. Sam. 25,32.39; Ps. 66,20; 124,6 u. a.; Taan. II, 4;Midd. II, 4 u. a. sowie (2. Pers. und Relativum) 1 QH XI, 27; XVI, 8; f IV, 15.
84. *ha-el ha-ne'eman ha-omer wĕ-ośeh* (van Unnik, a. a. O. 221).
85. Das *kalein* Gottes, das dem *amar* des Spruches am ehesten vergleichbar ist, ist mit seiner Konkretion in der Taufe bereits selbst Handeln (*aśah*). Es geht mithin in den älteren Treuesprüchen um die Zusage der Fortsetzung eines begonnenen Handelns.
86. P. Billerbeck, Kommentar zum Neuen Testament aus Talmud und Midrasch III, 1926, 321. Die Formel lautet: *ani ne'eman lĕ-schallem śakar*.
87. *wĕ-ne'eman hu ba'al mĕlaktĕka sche-jĕschallem lĕka śĕkar pĕ'ullatĕka*. Die Aussage ist von zwei ursprünglich wohl ebenfalls selbständigen Sprüchen umgeben: „Wenn du viel Tora gelernt hast, gibt man dir viel Lohn ... Wisse, daß die Gerechten die Gabe ihres Lohnes in der Zukunft erhalten."

die futurische Verbform; schließlich ist auch die eschatologische Ausrichtung des Spruches zu betonen. Mit alledem dürfte deutlich sein, daß in der Zusage Aboth II, 16 die nächste Parallele zum rekonstruierten Treuespruch außerhalb des Neuen Testaments vorliegt. Insofern ist nicht auszuschließen, daß sich die frühen Christen mit dieser Gattung eine Aussageform zunutze gemacht haben, die bereits im Judentum ausgebildet war.

IV.

Nach dieser Sammlung von Indizien für die eigenständige Existenz der Form des eschatologisch-parakletischen Treuespruches jenseits der protopaulinischen Schriften gilt es abschließend, der Frage nach den Motiven für die Aufnahme und Redaktion des Spruches 1. Kor. 1,7b-9 durch Paulus nachzugehen. Es handelt sich bei der paulinischen Bearbeitung vor allem um eine Umstellung der verschiedenen Sätze der Tradition, und zwar in chiastischer Form. Ist dafür ein Grund erkennbar?

Die Frage kann nur vom Kontext des Proömiums (V. 4-7a) und der Situation der korinthischen Gemeinde her beantwortet werden. Gezielt umschreibt der Apostel in den ersten Versen des Proömiums den Stand der korinthischen Christen. Sie sind in Jesus Christus reich gemacht an jedem *logos* und jeder *gnōsis*. Das Zeugnis von ihm ist unter ihnen gefestigt worden. Sie haben so an keinem *charisma* Mangel. Eben dieser Auffassung scheinen die Korinther selbst gewesen zu sein, freilich im Rahmen einer Gesamtauffassung christlicher Existenz, die der des Apostels stracks zuwiderlief. „Ihr seid schon geschmückt! Ihr habt schon Reichtum erlangt! Ohne uns seid ihr zur Herrschaft gelangt!", wirft Paulus ihnen in 4,8 vor[88] und gibt damit zu erkennen, daß die Korinther eben jene Begabung mit jedem Logos, jeder Gnosis, jedem Charisma als Ausdruck der uneingeschränkten Vollendung verstanden haben[89]. Im Rahmen eines solchen Selbstverständnisses wäre die einfache Zusage, Gott werde die Beschenkten stärken oder festigen, ebensowenig durchschlagend wie die bloße Auslegung der Gnade als unverfügbarer Gabe. Zwar sagt Paulus auch dies – in 1,4 charakterisiert er die *charis* als *hē dotheisa hymin* , in 4,7 hebt er die völlige Abhängigkeit

---

88. Die Sätze lassen sich auch als rhetorische Fragen verstehen, ohne daß dadurch der Sinn verändert würde. Vgl. Conzelmann, a. a. O. 106.

89. Vgl. Conzelmann, a. a. O. 107 zu 4,8: „Die Korinther verkennen die Situation: Zwischen die Gegenwart und das ‚Ziel' schiebt sich die Parusie und das Gericht – das sie in ihrem spiritualen Selbstbewußtsein hinter sich zu haben glauben."

der Gemeinde von Gott hervor. Aber dies allein reicht nicht aus. Wie vielmehr in 4,8 in Gestalt der zitierten Ausrufe und der anschließenden Darstellung der apostolischen Existenz die Grundlosigkeit der Annahme verdeutlicht wird, die Christen lebten bereits im Eschaton, so hält Paulus dieser Gemeinde, die ihre Begnadung in der beschriebenen Weise versteht, bereits im Proömium ein objektives Datum ihrer Existenz als Christen entgegen und damit das hier entscheidende Kriterium: *apekdechomenous* ... Angesichts des enthusiastischen Verständnisses ihres Christseins bedürfen die Korinther zunächst einmal keineswegs des tröstenden Zuspruchs der kommenden Vollendung, sondern der Erkenntnis ihrer objektiven, durch die Parusie Jesu Christi bestimmten Situation als Wartende. Deshalb schließt Paulus in V. 7b den Partizipialsatz an, der diese Situation mit Worten der Überlieferung kennzeichnet. Wenn es in Aufnahme der überlieferten Wendung abrupt geschieht, so dürfte gerade dies im Sinne des Apostels sein, der den Korinthern auf diese Weise zu heilsamer Ernüchterung verhilft[90].

Nachdem so die Lage gekennzeichnet ist, die die Korinther mit allen übrigen Christen teilen, kann Paulus sinnvoll V. 8 anfügen, der die Situation des Wartens im Zeichen des Beistandes Gottes bzw. Jesu Christi auslegt. Durch die Einfügung *heōs telous* unterstreicht der Apostel im Rahmen dieser positiven Aussage den Tatbestand, daß auch die Christen in Korinth noch keineswegs in der Vollendung leben, vielmehr auf sie zu. Eine ähnliche Funktion hat die Bestimmung „am Tage unseres Herrn Jesus", die wahrscheinlich ebenfalls Paulus zuzuschreiben ist. Sie bringt der Gemeinde das mit dem Tag des Herrn fest verbundene Motiv des Gerichts in Erinnerung, in dessen Verlauf erst über die Untadeligkeit befunden werden wird[91]. Indem die Wendung die in der Tradition ausgesprochene Erwartung der Offenbarung Jesu Christi unmißverständlich als Erwartung der Parusie im apokalyptischen Verständnis bestimmt, schließt sie zugleich die mögliche Deutung auf eine andere Form der Offenbarung aus.

Bildet damit die unmittelbar anschließende Intensivierung des Parusiehinweises ein wesentliches Motiv für die Umstellung von V. 8 und V. 9, so könnte ein weiterer Grund dafür in dem bewußten Bezug der Aussage V. 8 auf Jesus Christus anstatt, wie in der Überlieferung, auf Gott liegen. Zwar

90. Vgl. zur „antipneumatischen Tendenz" des ganzen Proömiums G. Friedrich, Christus, Einheit und Norm der Christen. Das Grundmotiv des 1. Korintherbriefs, KuD 9 (1963), 235-258, hier 239; C. K. Barrett, The First Epistle to the Corinthians (Black's New Testament Commentaries), 1968, 38f. Zur Funktion von V. 7b vgl. auch Baumann, a. a. O. 38.

91. Conzelmann, a. a. O. 43.

ist es denkbar, daß V. 8 von der Überlieferung her für Paulus als Gottesaussage
so feststand, daß ihm die Deutung auf ihn statt auf Jesus Christus als selbstverständlich erschien. Trotzdem läßt sich nicht von der Hand weisen, daß die
letzte ausdrückliche Erwähnung Gottes vier Verse zurückliegt und der Bezug
des Relativums auf Jesus Christus syntaktisch am nächsten liegt. Gewicht
gewinnt in diesem Zusammenhang die Beobachtung von Friedrich, daß die
ersten neun Verse von 1. Kor. gedrängt voll sind von Hinweisen auf Jesus
Christus – er wird insgesamt neunmal mit Namen genannt – und so ein ausgesprochen starkes Interesse an seiner Person als „Einheit und Norm der Christen" bezeugen[92]. Friedrich bestimmt von hier aus auch V. 8 als eine Christus-
aussage[93]. Diese Auslegung ist um so ernster zu nehmen, als Paulus in dem verschiedentlich herangezogenen Gebetswunsch 1. Thess. 3,11-13 ausdrücklich
darum bittet, „der Herr", also Jesus Christus, möge die Gemeinde bis zur
Parusie stärken. Der Gebetswunsch erweist damit die Möglichkeit, daß Jesus
Christus bei Paulus Subjekt solcher Aussagen wie der in 1. Kor. 1,8 sein kann.
Dem Beleg 1. Thess. 3,11-13 kommt dabei insofern besondere Bedeutung zu,
als hier allem Anschein nach Paulus selbst Jesus Christus zunächst neben Gott
(V. 11), dann sogar allein als Urheber des erbetenen Beistands nennt (V. 12)[94].
All das empfiehlt, den Relativsatz 1. Kor. 1,8 tatsächlich als Aussage über Jesus
Christus zu verstehen, die die „christozentrische Tendenz des Abschnittes"[95]
vestärkt. Das *kai* nach dem Relativum ist entsprechend im jetzigen Zusammenhang konkret weniger von V. 9 als vielmehr von den Christus-Aussagen in V. 4-
7a her zu deuten. Freilich macht das sachlich keinen gravierenden Unterschied
aus, da diese Verse umschreiben, was den Korinthern in der Gemeinschaft mit
Jesus Christus zuteil geworden ist, in die sie nach V. 9 berufen worden sind und
die Anlaß gibt, von der Treue Gottes zu sprechen. Ebenso wäre es verfehlt,
wollte man das christologische Verständnis von V. 8 theologisch gegen den
Bezug des Satzes auf Gott ausspielen[96]. Vielmehr gilt es, die Voraussetzung

---

92. Friedrich, a. a. O. 239
93. A. a. O. 235f.
94. Vgl. oben, Anm. 70.
95. Friedrich, a. a. O. 240.
96. In diesem Sinne ist Baumann zuzustimmen (a. a. O. 40), wenn er gegenüber Friedrich
    (a. a. O.) neben der christozentrischen die „theozentrische Gedankenführung des
    Abschnitts" betont, ohne daß deshalb seiner Konsequenz, das Relativum in V. 8 auf
    Gott zu deuten, gefolgt werden müßte. Denn charakteristisch ist für diesen Abschnitt,
    daß – sei es ausdrücklich (V. 4.9), sei es indirekt (Passiva) – ständig von Gottes Handeln
    gesprochen, aber dabei kontinuierlich dessen Ereignung „in Jesus Christus" hervorge-
    hoben wird. Daran zeigt sich, daß die Alternative „Gott oder Christus" hier letztlich
    unangemessen und deshalb interpretatorisch zu überschreiten ist. Vgl. das Folgende.

zu beachten, von der her Paulus einen Satz wie 1. Kor. 1,8 auch von Jesus Christus sagen kann. Nach V. 9 wird die Treue Gottes daran erkannt, daß er die Glaubenden in die Gemeinschaft mit seinem Sohn berufen hat. In dieser Gemeinschaft besteht das Heil. Wenn aber Jesus Christus in dieser Weise konstitutiver Heilsfaktor ist, sich Gottes Treue gerade durch ihn erweist, dann kann die Festigung der Glaubenden ebenfalls als Werk Jesu Christi bezeichnet werden, insofern sie nichts anderes ist als die fortdauernde Gemeinschaft mit ihm. Selbst wenn also Jesus Christus als Subjekt des Relativsatzes V. 8 bestimmt wird, schwingt auch hier das Verständnis der Festigung durch ihn als Akt der Treue Gottes mit, da sich diese Treue an Jesus Christus zeigt und in seinem Handeln manifest wird[97].

Der erste Teil des Treuespruches (V. 9) verbindet an seinem jetzigen Ort als Abschluß des Ganzen beide in V. 4-8 entfalteten Aspekte: die Beschreibung der gegenwärtigen Heilsteilhabe (V. 9b) und die Beteuerung der bleibenden Zuwendung, die jetzt von Paulus mit der Überlieferung unmittelbar als Zuwendung Gottes ausgesagt wird (V. 9a). In Gestalt der liturgischen Färbung des Spruches[98], aber auch dadurch, daß zum erstenmal nach V. 4 Gott direkt genannt wird, entspricht V. 9 in gewissem Sinne dem Beginn des Proömiums. Wie dort das zurückliegende Handeln Gottes als Anlaß zum Dank genannt wurde, so wird es hier in V. 9 als Grund für den Zuspruch seiner Treue vergegenwärtigt. Das Motiv der Gemeinschaft mit dem Gottessohn gewinnt dabei an seinem jetzigen Platz, d.h. vor den Ausführungen in 1,10ff., zugleich kritischen Sinn: Die Korinther sind durch die Taufe nicht in eine communio mit Paulus, Apollos oder Kephas geführt, sondern mit dem Sohn Gottes[99].

Mit der Aufnahme des in 1,4-9 verarbeiteten eschatologisch-parakletischen Treuespruches in das Proömium des Briefes ist seine Funktion partiell verändert worden. Von Hause aus reiner Zuspruch, ist er Teil eines gebetsartigen Passus geworden, der sog. Danksagung als stereotypen Teils der paulinischen Briefe. Er partizipiert damit an dem Charakter sowohl der übergeordneten literarischen Gattung „Brief" im allgemeinen als auch speziell des Gattungselements „Danksagung". Dies Gattungselement bedarf zunächst insofern einer genaueren Bestimmung, als es sich streng-

---

97. Vgl. dazu auch 2. Kor. 1,18ff., vor allem 1,20.
98. Vgl. Sanders' (a. a. O. 358f. 361f.) und Baumanns (a. a.O. 41) Hinweise zu den Abschlüssen der bzw. vieler Proömien.
99. Zur Erklärung von *Jēsou Christou tou kyriou hēmōn* aus der jetzigen Schlußstellung von V. 9 s. oben, Anm. 56.

genommen nicht um ein Dankgebet im wörtlichen Sinne handelt, vielmehr um die Erwähnung des Tatbestandes des ständigen Dankens. Klarer Adressat dieser Erwähnung ist nicht Gott, sondern die Gemeinde[100], der auf diese Weise die geistliche Verbundenheit des Apostels mit ihr selbst bekundet wird. In Gestalt dieses Einstiegs – also nicht des Dankens, sondern der Erwähnung des ständigen Dankens – bahnt der Apostel an, was seine „Danksagungen" bzw. Proömien durchweg kennzeichnet. Sie heben die Gründe für den Dank hervor, reflektieren das Verhältnis von Apostel und Gemeinde, deuten an, was der Gemeinde nottut, und nehmen so immer wieder auf ihre Situation Bezug[101]. Sie weisen in diesem Sinne erklärenden, fast etwas „bekenntnishaften" Stil auf. Durch diese Struktur der Proömien ist auch der überlieferte Treuespruch in 1. Kor. 1,7b-9 an seinem jetzigen Ort bestimmt. Er behaftet einerseits die Gemeinde mit der von ihr ignorierten Situation des Wartens. Ist diese Situation im Rahmen des tradierten Spruches das Problem, das in Gestalt des ganzen Spruches bewältigt wird, so wird sie im Rahmen des Proömiums als kritischer Faktor gegenüber einem falschen Verständnis christlicher Gemeinde geltend gemacht. Der Spruch bringt andererseits die Gewißheit der Treue Gottes in der Situation des Wartens zum Ausdruck. In dieser Hinsicht hat er seine ursprüngliche Intention gewahrt. In der Form unverändert aufnehmen aber konnte Paulus die Beteuerung *pistos ho theos* ... (V. 9), eben weil die vermeintliche Danksagung nicht Gebet, sondern eine Erklärung des Apostels über sein ständiges Danken und dessen Gründe ist. Im Rahmen einer solchen Versicherung kann – im Gegensatz zum formgebundenen Gebet im engeren Sinne – eine Beteuerung dieser Art ohne formale Schwierigkeiten ihren Platz finden.

Der eschatologisch-parakletische Treuespruch gibt als geprägte vorpaulinische Form weiteren Aufschluß über die liturgische Bewältigung des Lebens der frühen Christen im Horizont der Parusie. Conzelmann hat verschiedentlich darauf hingewiesen, daß die Parusieerwartung ursprünglich nicht Gegenstand des Bekenntnisses war, d.h. nicht in die frühen Bekenntnisformeln aufgenommen worden ist[102]. Die Tradition 1. Thess. 1,9f. belegt,

---

100. Vgl. Schubert, a. a. O. 37f. Robinsons (a. a. O. 201) Subsumierung der „Danksagungen" von Röm. 1,8; 1. Kor. 1,4f. u. a. unter den Titel „Dankgebete im frühen Christentum" leistet demgegenüber dem Mißverständnis als Gebete Vorschub. Unzutreffend auch Baumann, a. a. O. 40.

101. Vgl. Schubert, a. a. O. 27: „Their province is to indicate the occasion for and the contents of the letters which they introduce."

102. H. Conzelmann, Was glaubte die frühe Christenheit? (1955), in: Theologie als Schriftauslegung. Aufs.; 1974, 106-119, hier 118; ders., Grundriß der Theologie des Neuen Testaments, ²1968, 88.

daß sie hingegen Element der Missionsverkündigung war[103], 1. Kor. 11,26
und 16, 22 verdeutlichen die Aktualisierung der Erwartung im Rahmen des
Herrenmahls, und die – im wesentlichen traditionellen – Wünsche 1. Thess.
3,11-13 und 5,23 spiegeln die Aufnahme der Erwartung in den gottesdienstlichen Akt des Segens wider. Diesen Segenswünschen und den Treusprüchen als einer weiteren von der Parusieerwartung bestimmten Form ist
gemeinsam, daß sie die Zeit zwischen Taufe und Parusie und damit die
Frage der Bewahrung und Bewährung der Gemeinde ins Auge fassen.
Beide Formen antworten auf diese Frage, indem sie in Gestalt von Form
(Segenswunsch und parakletischer Zuspruch) und Begrifflichkeit
(*bebaioun, stērizein* usw.) jenes Handeln Gottes zum Ausdruck bringen, das
überhaupt die Zwischenzeit konstituiert hat: Gott wird dem Beginn des
eschatologischen Werkes getreu eben dies Werk zu seinem heilvollen Ende
bei der Parusie Jesu Christi führen[104].

Die Voraussetzungen für die Aufnahme der Gattung des Treuespruches
durch Paulus sind leicht erkennbar. Paulus teilt die in den Treusprüchen
begegnende Naherwartung der Parusie ebenso wie die in ihnen bezeugte
Auffassung vom Handeln Gottes. Besonders deutlich zeigt dies das Proömium des Philipperbriefes (1,3-11), wo Paulus die Situation der Gemeinde
in der durch Anfang und Ende des göttlichen Werkes bestimmten Zwischenzeit – vermutlich wiederum im Rückgriff auf Tradition[105], aber dennoch in größerer Eigenständigkeit – an verwandter Stelle und in verwandter
Weise intensiver herausarbeitet. Es ist aktuell christologisch modifizierte
und verifizierte urbiblische Gewißheit, die sich in den vorgegebenen Sprüchen wie in ihrer paulinischen Rezeption Geltung verschafft und die der
Hebräerbrief authentisch in die Wendung gefaßt hat: *pistos ho epangeila-
menos* [106].

Diese Treue Gottes ist, in Beziehung zu weitergreifenden Zusammenhängen der paulinischen Theologie gesetzt, das göttliche Verhalten, dem
menschlicherseits die *pistis* entspricht, indem durch sie die Treue Gottes
beim Wort genommen und als Lebensgrund gewählt wird. So ist der Glaube
Vollzug dessen, was Gott durch Jesus Christus in der Zeit zwischen der

---

103. Vgl. Hahn, a. a. O. (Hoheitstitel) 289f.
104. Vgl. Phil. 1,6. Hier könnte ebenfalls ein überlieferter Spruch aufgenommen worden
     sein (vgl. die Andeutung bei Synofzik, a. a. O. 23). Er läßt sich im übrigen mühelos
     in einen Treuspruch verwandeln: *pistos ho enarxamenos … hos kai epitelesei …*Die
     jetzige Einleitung (*pepoithōs auto touto*)geht sicher auf Paulus zurück.
105. Vgl. Synofzik, a. a. O. 22f.
106. 10,23. Vgl. 11,11 und 1. Clem. 27,1; 2. Clem. 11,6.

Taufe oder der Annahme des Evangeliums einerseits und der Parusie andererseits gewährt. Den Zusagen „er wird's vollenden", „er wird festigen" korrespondiert die Bitte, „daß eure Liebe ständig reicher werde an Erkenntnis und aller Einsicht, so daß ihr prüft, was das Beste sei" (Phil. 3,9f.), bzw. daß „der Herr euch größer und reicher mache an Liebe zueinander und zu allen" (1. Thess. 3,12). Beiden – jeweils von Paulus formulierten – Bitten folgen Wendungen im Stil von 1. Kor. 1,8. So kann in der Bitte um das Wachsen der Agape „zueinander und zu allen" das Spezifikum der paulinischen Auslegung der erbetenen und zugesagten Bewahrung und Festigung der Gemeinde gesehen werden. Vollzieht sich aber die Bewahrung nach Paulus nicht anders als in dieser Agape zueinander und zu allen, dann ist sie die vorrangige Manifestation der durch Jesus Christus wirksamen Treue Gottes bis zur Parusie. Dann ist diese Treue zugleich bezogen auf die konkreten Gemeindeverhältnisse, in denen sie sich eben in Gestalt der Agape erweist. So auch, in der Agape reicher gemacht, werden die Glaubenden nach Paulus am Tag des Herrn „vorwurfsfrei", „lauter", „unanstößig", „untadelig" sein. Denn die Tora als Anklägerin im Gericht ist nicht gegen die, die in der Agape als der ersten Frucht des Geistes leben (Gal. 5,22f.) und damit das Gesetz in der Kraft Gottes erfüllen (Gal. 5,14; 6,2; Röm. 13,8-10)[107].

Paulus bringt deshalb nicht nur dort, wo er in 1. Kor. ausdrücklich auf die Parusie Jesu zu sprechen kommt (3,13-17; 4,5f.; 11,26; 15,50-55), das Korrektiv ins Spiel, das er im Proömium mit dem Treuespruch einführt. Vielmehr argumentiert er auch dann von diesem Zusammenhang der Stärkung in der Zwischenzeit her, wenn er den im Proömium aufgegriffenen zentralen Begriffen der Gnosis und des Charisma den der Agape als deren Norm an die Seite stellt (Kap. 8-10; 13 im Rahmen von 12-14) und von hier aus die Anfragen aus der korinthischen Gemeinde beantwortet. In diesem Sinne ist der ganze erste Korintherbrief apostolischer Vollzug jener Festigung der Gemeinde, die der eschatologisch-parakletische Treuespruch als verläßliches Werk Gottes und die Paulus im Horizont der aktuellen Situation in Korinth als Handeln Jesu Christi verheißt, durch den die Treue Gottes erfahren wird. Die Praxis des Apostels wird so zum Ausdruck der in 1. Kor. 1,7b-9 bekundeten Gewißheit.

---

107. Vgl. hierzu v. d. Osten-Sacken, a. a. O. 256ff. Im übrigen ist z.B. auch der ganze Zusammenhang Röm. 9–11 nur von diesem Motiv der Treue Gottes (zu seinen Verheißungen und damit zu seinem Volk Israel) her zu verstehen.

Dieser von der Analyse der Traditionsverarbeitung im Proömium her unternommene Ausblick auf den weiteren Zusammenhang von 1. Kor. vermag deshalb nicht zuletzt die Grenzen der ausufernden Literarkritik dieses Briefes anzuzeigen. Die Ausgrenzung von Kap. 1-4 als einem angeblich ursprünglich eigenständigen Schreiben[108] könnte zwar noch dem Gewicht Rechnung tragen, das der Erwartung der Parusie in 1. Kor. 1,4-9 beigelegt wird. Sie verkennt jedoch, daß durch den Zusammenhang 1,10 - 4,21 von den das Proömium bestimmenden Begriffen nur der des *logos* erfaßt wird[109], nicht aber die beiden parallelen Begriffe *gnōsis* und *charisma*. Diese verweisen vielmehr auf die genannten Zusammenhänge Kap. 8-10 und Kap. 12-14 und verbinden diese Passagen aufs engste mit dem Proömium[110]. Jene literarkritische Sicht beraubt sich damit der Möglichkeit, die Ausführungen über Gnosis und Charisma in dem Bezugsrahmen auszulegen, den Paulus im Proömium mit der Aufnahme des tradierten Treuespruches selbst hergestellt hat.

---

108. So W. Schmithals (Die Korintherbriefe als Briefsammlung, ZNW 64, 1973, 263-288, hier 267) in Anlehnung an W. Schenk (Der 1. Korintherbrief als Briefsammlung, ZNW 60, 1969, 219-243), allerdings unter Ablehnung der von Schenk (a. a.O. 240f.) vorgenommenen Abtrennung des Proömiums von Kap. 1-4.

109. Vgl. 1,17.18; 2,1.4.13; 4,19.20. Angesichts dieses über den Begriff *logos* gegebenen Zusammenhangs erscheint die Abtrennung des Proömiums von Kap. 1-4 (s. Anm. 108) als unvertretbar.

110. *gnōsis* begegnet erst wieder und dann thematisch in 8,1.7.10.11, ferner in 12,8; 13,2.8; 14,6 *charisma* wird begrifflich erst in 7,7 und dann wiederum thematisch in 12,4.9.28.30.31 aufgenommen. Es handelt sich jeweils um durch *peri de* eingeleitete Abschnitte (7,1; 8,1; 12,1), deren unlösliche Zusammengehörigkeit mit dem Proömium darin zur Geltung kommt. Schenks Urteil (a. a. O. 240), *charisma* im Proömium könne angesichts der „Ungebrochenheit" des Begriffs an dieser Stelle nicht auf Kap. 12 vorausweisen, ignoriert den eschatologischen Vorbehalt, den Paulus unmittelbar an die Erwähnung der korinthischen *charismata* anschließt. Paulus gebraucht im übrigen im Proömium zwar den Singular, meint sachlich aber eine Vielfalt von Charismen („kein Mangel an irgendeinem Charisma"). Zum Anklingen der Briefthemen im Proömium s. auch Friedrich, a. a. O. 240; Baumann, a. a. O. 44.

3. Die paulinische theologia crucis
als Form apokalyptischer Theologie*

I.

Wie man in den Wald hineinruft, so schallt es zurück. Diese alte hermeneutische Erfahrung hat Gewicht auch im Zusammenhang unseres Themas. Unumgänglich entscheidet die Definition von Apokalyptik bereits im voraus darüber mit, wie das erfragte Verhältnis des Paulus zu diesem Phänomen im einzelnen wie im ganzen beschrieben wird. Kommt deshalb der Begriffsbestimmung höchste Bedeutung zu, so gilt es, in ihrem Rahmen insbesondere der Möglichkeit polemischer oder apologetischer christlich-theologischer Interessen gewärtig zu sein, die die historische Frage zu beeinträchtigen geeignet sind. Deshalb möchte ich „Apokalyptik" im Anschluß an den jüdischen Religionshistoriker Gershom Scholem bestimmen, der sich in der Erforschung des jüdischen Messianismus wie kaum ein anderer ausgewiesen hat. Zu seinen herausragenden Forschungsergebnissen gehört so etwa der Nachweis, daß die Apokalyptik im Judentum keineswegs bald nach der Zerstörung des Zweiten Tempels mit der Ausbildung des rabbinisch geprägten Judentums vorbei ist, sich vielmehr untergründig erhält und zu bestimmten Zeiten je neu als anarchischer Luftzug durch das geordnete Haus der Tora bzw. Halacha fährt. In seiner Studie „Zum Verständnis der messianischen Idee im Judentum" beschreibt Scholem „Apokalyptik" zunächst, indem er wesentliche und auch allenthalben gesehene Einzelmerkmale hervorhebt: die Bedeutung des Kommunikationsmittels Vision, die Relevanz von Offenbarung, die Geschichtsschau als Inhalt der Vision, die Vorstellung von den zwei Äonen, die Ausweitung der nationalen Antithese Israel-Völker zur kosmischen, Pseudonymität und Esoterik uam[1].

---

* Vortrag, gehalten in Berlin-Ost im Februar 1978 und vor der Theologischen Fakultät Göttingen am 11. Mai 1978, für den Druck um die Anmerkungen und Abschnitt IV erweitert.

1. *G. Scholem*, Zum Verständnis der messianischen Idee im Judentum, in: Über einige Grundbegriffe des Judentums (edition suhrkamp 414), 1970, 126ff; *ders.*, Sabbatai

Was wie eine Aufzählung unverbundener Elemente aussehen könnte und oft auch so verstanden wird, wird von Scholem wie folgt zur Einheit gebracht:

„Auf eine fast natürliche Weise ordnen sich in der messianischen Apokalyptik die alten Verheißungen und Traditionen und die neuen Motive, Deutungen und Umdeutungen, die an ihre Seite treten, unter den zwei Aspekten, die die messianische Idee von nun an für das jüdische Bewußtsein annimmt und erhält. Diese zwei Aspekte, die im Grunde schon in den Worten der Propheten selber angelegt und mehr oder weniger sichtbar sind, betreffen die katastrophale und destruktive Natur der Erlösung einerseits und die Utopie vom Inhalt des verwirklichten Messianismus andererseits. Der jüdische Messianismus ist in seinem Ursprung und Wesen, und das kann nicht stark genug betont werden, eine Katastrophentheorie. Diese Theorie betont das revolutionäre, umstürzlerische Element im Übergang von jeder Gegenwart zur messianischen Zukunft. Dieser Übergang selber wird zum Problem, indem das eigentlich Übergangslose an ihm gern hervorgehoben und unterstrichen wird ...“[2]. Und weiter: „Ich sprach von der Katastrophalität der Erlösung als einem entscheidenden Moment jeder solchen Apokalyptik, an dessen Seite dann die Utopie vom Inhalt der realisierten Erlösung tritt. Das apokalyptische Denken enthält immer das Element des Grauens und des Trostes ineinander verschlungen... (Die Erlösung ist) ein Einbruch der Transzendenz in die Geschichte, ein Einbruch, in dem die Geschichte selber zugrunde geht, in diesem Untergang sich freilich wandelnd, weil von einem Licht betroffen, das von ganz woanders her in sie strahlt“[3]. Schließ-

Sevi. The Mystical Messiah (Bollingen Series 93), Princeton 1973, 8ff; s. ferner bereits die treffenden Beobachtungen von *N. N. Glatzer,* Untersuchungen zur Geschichtslehre der Tannaiten, 1933, 14ff. Die Arbeit von Scholem über die messianische Idee, zuerst 1959 erschienen, ist früh rezipiert worden von G. Sauter, Zukunft und Verheißung. Das Problem der Zukunft in der gegenwärtigen theologischen und philosophischen Diskussion, 1965, 229ff. Eine ähnliche Sicht wie Scholem vertreten die beiden Beiträge von *O. Dilschneider,* Von den Quellen zum Wesen der Apokalyptik, in: Rechtfertigung, Realismus, Universalismus in biblischer Sicht (80-FS A. Köberle), 1978, 190ff, und: Geist als Vollender des Glaubens (GTB Siebenstern 270), 1978, 128ff. Unter den neueren Arbeiten zur Apokalyptik aus christlicher Feder verdient sodann besondere Beachtung der Aufsatz von *I. Willi-Plein,* Das Geheimnis der Apokalyptik, VT 27, 1977, 62ff.
2. *Scholem,* Idee, 129f.
3. AaO. 132f. Vgl. *Dilschneider,* Quellen, 194. Die zunehmende Bedeutung des Motivs der Vernichtung in der biblischen Prophetie verdeutlicht der Beitrag von *K.-D. Schunck,* Die Eschatologie der Propheten des Alten Testaments und ihre Wandlung in exilisch-nachexilischer Zeit, in: Studies on Prophecy. A Collection of Twelve Papers (Suppl. to VT 24), Leiden 1974, 116ff. Zum Zusammenhang zwischen Prophetie und Apokalyptik s. meine Studie: Die Apokalyptik in ihrem Verhältnis zu Prophetie und Weisheit (ThExh 157), 1969.

lich: „Wenn solcher Art die Erlösung nicht ohne Grauen und Untergang zu
realisieren ist, kann ihr positiver Aspekt nur mit den Akzenten der Utopie
versehen sein. Diese Utopie bemächtigt sich aller rückwärts gewandten
restaurativen Hoffnungen und schlägt den Bogen von der Wiederherstellung Israels und des davidischen Reiches als eines Reiches Gottes auf Erden
bis zur Wiederherstellung des paradiesischen Standes"[4].

Mit den Aspekten der Katastrophalität bzw. Destruktivität und der
Utopie der Erlösung hat Scholem das geheime Zentrum der Apokalyptik
aufgedeckt. In dem Stein von Dan. 2, der – die endzeitliche Gottesherrschaft symbolisierend – die Statue zerschmettert, treten Katastrophalität
und Destruktivität der Erlösung gleich in der frühen Apokalyptik unübersehbar vor Augen. Scholems Definition ergänzend ist dabei das Moment der
Totalität, das Destruktion wie Utopie innewohnt, besonders hervorzuheben, besonderes Augenmerk schließlich auch auf das von ihm genannte
„Problem des Übergangs" zwischen Gegenwart und messianischer Zukunft
zu richten. Veranschlagt man dies geheime Zentrum, so beginnen die paulinischen Briefe gerade zum Thema „Paulus und die Apokalyptik" in erstaunlicher Weise zu sprechen.

II.

1. Da, wie Eduard Lohse mit Recht in Erinnerung gerufen hat[5], die Christologie die Gretchenfrage des ganzen Themas ist, möchte ich mit einem Text
beginnen, der in die Mitte der paulinischen Christologie führt und von dem
Ernst Käsemann treffend gesagt hat, es gäbe keine apokalyptischere Perspektive als die von ihm vertretene[6]. Es handelt sich um 1. Kor. 15,20-28.

Was den Ursprung der paulinischen Theologie bzw. Christologie betrifft,
bietet dieser Text gleich zu Anfang den sachlich wichtigsten christologischen
Titel dar. Die Bezeichnung Jesu Christi als „Erstling (*aparchē*) der Entschlafenen" und damit als Auferweckten rückt die Voraussetzung in den
Blick, von der her Paulus Jesus mit dem beherrschenden Titel des Kyrios
bezeichnen kann. In der Auferweckung Jesu ist seine Stellung als Herr

4. *Scholem,* Idee, 137.
5. *E. Lohse,* Apokalyptik und Christologie, in: Die Einheit des Neuen Testaments.
   Exegetische Studien zur Theologie des Neuen Testaments, 1973, 125ff.
6. *E. Käsemann,* Zum Thema der urchristlichen Apokalyptik, in: Exegetische Versuche
   und Besinnungen II, 1964, 127. Ähnlich urteilt *U. Luz,* Das Geschichtsverständnis des
   Paulus (BEvTh 49), 1968, 358: Paulus erweise sich hier „als schöpferischer Apokalyptiker".

begründet. Dieser Zusammenhang ist aus Texten wie Röm. 1,3f und 10,9 bekannt, und er wird durch 1. Kor. 15,20-28 nachhaltig bestätigt, auch wenn der Titel „Kyrios" selbst hier nicht begegnet. In V. 23f umreißt der Apostel den Ablauf der Endzeit wie folgt: Auftakt dieser Zeit ist die in der Vergangenheit geschehene Auferweckung Jesu als Erstling. Ihr Abschluß besteht in der – im Terminus *aparchē* bereits begrifflich implizierten – Auferweckung der zu ihm Gehörenden bei seiner Parusie und in der Übergabe seiner Herrschaft an Gott nach der Beseitigung jeder anderen Macht. In den folgenden Versen 25-27 schließt Paulus eine christologische Deutung der Zeitspanne zwischen Auftakt und Abschluß an. Sie ist Zeit der Herrschaft Christi, genauer des Kampfes[7] gegen die Feinde mit dem Sieg über den Tod als letzten und für Paulus bedeutendsten Feind[8]. Der in V. 28 ins Auge gefaßte Schlußakt des Ganzen umfaßt die Rückgabe der mit der Auferweckung Jesu gegebenen Herrschaft und damit die Unterordnung des Sohnes, damit Gott sei alles in allem. In diesem Schlußakt verliert Jesus Christus die Funktion, die ihn als Auferweckten im Unterschied zu den an ihn Glaubenden kennzeichnet, nämlich das Wirken als Herr, der den Glaubenden als den Sklaven gegenübersteht. Mit der Auferweckung der Brüder bei der Parusie, die die positive Umschreibung der Entmachtung des Todes ist, tritt der Sohn in die Reihe der Söhne zurück. Das, was ihn als „Erstgeborenen unter vielen Brüdern" (Röm. 8,29) kennzeichnet, nämlich sein Herrschen (*basileuein*), sein Kyrios-Sein, hat ein Ende[9]. Dann gilt vielmehr, wie es, sei es im „Höre Israel" (Dtn. 6,4), sei es in Sach. 14,6, heißt, daß Gott der Einzige ist. Auch eine Szene wie die von Phil. 2,9-11 ist dann anscheinend vorüber[10].

7. So richtig *G. Münderlein,* Die Überwindung der Mächte. Studien zu theologischen Vorstellungen des apokalyptischen Judentums und bei Paulus, Diss. Zürich 1971, 88; *E. Schweizer,* 1. Korinther 15,20-28 als Zeugnis paulinischer Eschatologie, in: Jesus und Paulus (FS W. G. Kümmel), 1975, 308.

8. Dies – im Grunde das ganze Kapitel beherrschende – Motiv wird von Paulus noch einmal ausdrücklich in 15,50ff aufgenommen: Auferweckung und Verwandlung der zu Christus Gehörenden sind die positive Gestalt des Sieges über den Tod, insofern es nach diesem Eingang ins Leben heißt: „Verschlungen ist der Tod in Sieg!" (V. 54).

9. Gegen *Schweizer,* Zeugnis, 312: „Paulus meint auch nicht, daß Christus aufhöre zu herrschen." Vollends verwischt werden die Konturen bei *W. Thüsing,* Per Christum in Deum. Studien zum Verhältnis von Christozentrik und Theozentrik in den paulinischen Hauptbriefen (NTA N. F. 1), 1969[2], 239ff.

10. Vgl. *E. Käsemann,* Kritische Analyse von Phil. 2,5-11, in: Exegetische Versuche und Besinnungen I, 1960, 85, sowie auch *Luz'* (Geschichtsverständnis, 352) vor allem auf Röm. 11,33-36 sich stützende Beobachtungen zum „theozentrischen Grundzug der paulinischen Eschatologie". Desgleichen wird der sich in Röm. 5,17 bekundende Herrschaftswunsch und -wille durch 1. Kor. 15 relativiert, wenn nicht gebrochen.

Diesem ganzen Zusammenhang kommt um so größeres Gewicht zu, als er der nachpaulinischen Zeit nachweislich unbequem geworden ist, wie die christologischen Streitigkeiten der Alten Kirche und brennpunktartig das Bekenntnis vom Zweiten Ökumenischen Konzil 381 verdeutlichen. In striktem Widerspruch zu 1. Kor. 15 legt dies Bekenntnis alle Welt (bis heute hin) auf den antipaulinischen Satz fest: „des Herrschaft *kein* Ende hat"[11]. Die paulinische Auferweckungschristologie ist demgegenüber zeitlich strukturiert[12]. Es gibt einen Anfang und ein Ende der endzeitlichen Herrschaft Jesu. Sie erstreckt sich von seiner Auferweckung bis zu seiner Parusie, und diese Parusie wird zur Zeit des Paulus und von ihm selbst in allernächster Nähe erwartet. Nehmen wir diesen Tatbestand der Erwartung, die kaum mehr als den Zeitraum einer Generation umschließt, auf, so tritt die Funktion des Kyrios Jesus bei Paulus noch deutlicher zutage: Am Ende der Tage ist er mit seiner Auferweckung eingesetzt, um in einem nicht terminierten, aber dennoch äußerst kurzen Zeitraum endzeitliche Aufräumarbeit zu verrichten, das heißt, die gottwidrigen Mächte der Welt niederzukämpfen und damit die ganze Schöpfung in verwandelter Gestalt Gott als Bereich seiner reinen, ungetrübten Herrschaft zurückzugeben.

Dieser Grundriß ist durch und durch von Voraussetzungen der Apokalyptik bestimmt. Der endzeitliche Kampf mit den kosmischen Mächten, deren Überwindung, die Auferweckung der Erwählten und der Anbruch der alles umfassenden Herrschaft Gottes gehören zum Herzstück apokalyptischer Verkündigung. Freilich gibt es ein Spezifikum paulinischer Apokalyptik. Im Unterschied zu anderen Apokalyptikern weiß Paulus von einer *aparchē* zu reden, und seine apokalyptische Christologie bekommt dadurch die aufgewiesene Zeitstruktur. Zu dem von Jörg Baumgarten vertretenen Urteil, gerade diese Rede von Jesus Christus als dem „Erstling der Entschlafenen" bedeute den „radikalen Bruch mit der Apokalyptik", besteht jedoch kein Anlaß[13]. Vielmehr handelt es sich um eine singuläre Modifikation, begründet in der Gewißheit, Jesus sei – als einziger – geraume Zeit vor dem endgültigen Ende auferweckt worden. Trotz, ja mit dieser Differenz bleibt der Gesamtzusammenhang apokalyptisch orientiert. Denn die Auferweckung erfolgt kurze Zeit vor dem Ende, um eben dies Ende, den Zielpunkt

---

11. Vgl. *E. Schendel,* Herrschaft und Unterwerfung Christi. 1. Korinther 15,24-28 in Exegese und Theologie der Väter bis zum Ausgang des 4. Jahrhunderts (BGE 12), 1971, 187.

12. Gegen *J. Baumgarten,* Paulus und die Apokalyptik. Die Auslegung apokalyptischer Überlieferungen in den echten Paulusbriefen (WMANT 44), 1975, 226.

13. AaO. 234.

aller apokalyptischen Erwartung, heraufzuführen. Gemessen an Scholems Definition stellt der auferweckte Jesus damit ein Stück bereits realisierter Utopie dar (erstlingshaft) und eröffnet jene Phase, die er durch das Stichwort des Übergangs von der (heillosen) Gegenwart in die messianische Zukunft bezeichnet hat. Freilich bleibt der Auferweckte trotzdem in gewissem Sinne dem Bereich der Utopie zugeordnet, insofern die Kommunikation mit ihm zumindest zu Beginn in Gestalt von Visionen erfolgt. Wichtiger ist jedoch, daß der Text 1. Kor. 15 ein zentrales Kriterium der Scholemschen Apokalyptik-Definition, die Destruktivität der Erlösung, selten eindrücklich erfüllt. Das Herrschen Jesu Christi, das sein erlösendes Handeln umschreibt, wird von Paulus als *katargein*, als Beseitigung oder Vernichtung von jeder Herrschaft, jeder Macht und Gewalt bezeichnet, mithin als deren Destruktion. Das Moment der Totalität schlägt sich dabei gleich mehrfach nieder: in dem Begriff der *aparchē*, der per se eine pars pro toto bezeichnet, in dem wiederholten „alle Herrschaft", „alle Gewalt" (*pasa archē, pasa exousia*) sowie in der anschließenden ständigen (achtmaligen) Rede von „allem" oder „allen" (*pantes, panta*) in V. 26-28[14]. Allenfalls läßt sich sagen, daß das apokalyptische Moment der Katastrophalität des Endgeschehens zurücktritt bzw. nicht ausgearbeitet wird.

2. Das bisher Gesagte hat nun keineswegs – etwa im Sinne eines apokalyptischen Exkurses – nur Bedeutung für das behandelte kleine Textstück aus dem 1. Korintherbrief. Vielmehr sind die genannten Beobachtungen von kaum überschätzbarem Gewicht auch für die Erfassung der übrigen Zusammenhänge der paulinischen Theologie und mit ihnen für die Klärung der Frage nach dem Verhältnis des Paulus zur Apokalyptik. So spiegelt sich nahezu auf allen Seiten der Briefe des Apostels als Struktur des Lebens der Glaubenden wider, was an 1. Kor. 15,20-28 als zeitlich strukturierter Grundriß der paulinisch-apokalyptischen Christologie nachgezeichnet wurde.

Der Auferweckung Jesu Christi auf der christologischen Ebene entspricht die Taufe bzw. das Zum-Glauben-Kommen auf der ekklesiologischen; dem die Mächte vernichtenden Kampf auf der christologischen Ebene entspricht der Lebensvollzug der charismatisch Begabten auf der ekklesiologischen; der Parusie des Sohnes und der Vernichtung des Todes auf der christologischen Ebene entspricht die Darstellung bzw. Auferweckung der zu Jesus Christus Gehörenden auf der ekklesiologischen. (Vgl. 1. Kor. 1,7-9[15]; Phil. 1,3-11 uam.)

---

14. Auf die Betonung des *panta* hat *G. Barth* aufmerksam gemacht: Erwägungen zu 1. Kor. 15,20-28, EvTh 30, 1970, 523ff.
15. Vgl. hierzu *Baumgarten,* Paulus, 60ff, und meinen Beitrag: Gottes Treue bis zur Parusie, ZNW 68, 1977, 176ff = oben, 31–55.

Die Zeitspanne zwischen zurückliegendem Beginn und kommendem Ende ist die gegenwärtige Zeit von Gemeinde, Apostel und Jesus Christus, jene Zeit des Übergangs mit ihrem „revolutionären, umstürzlerischen Element", das den Einbruch des Messianischen ins Heillose kennzeichnet. Das heißt paulinisch: Sie ist Zeit des Kampfes, und zwar nicht nur christologisch, sondern auch ekklesiologisch. Dies tritt noch klarer hervor, wenn wir uns der paulinischen Pneumatologie zuwenden.

Den Begriff, den Paulus in 1. Kor. 15 zur Kennzeichnung Jesu als Auferweckten gebraucht, „Erstling" oder „Erstlingsgabe" (*aparchē*), verwendet er kennzeichnenderweise auch im Hinblick auf den Geist, das Pneuma. So schließt er sich und die angeschriebenen Römer zusammen als die, die „die Erstlingsgabe des Geistes", das heißt den Geist als Erstlingsgabe (*aparchē*), erhalten haben (Röm. 8,23)[16]. Die Verwendung desselben Begriffs deutet an, was vollends aus der Austauschbarkeit von Christus und Geist bei Paulus hervorgeht: Das Pneuma ist die Gegenwart des Auferweckten in der Gemeinde bzw. in den an Jesus Glaubenden (Röm. 8,9-11). Wie das Pneuma bereits von hier aus als apokalyptische Größe bestimmt wird, so auch durch etliche weitere Aussagezusammenhänge, in denen es eine zentrale Stelle einnimmt[17]. So ist der Geist der Inhalt der jetzt, in Jesus Christus am Ende der Zeit (Gal. 4,4), erfüllten Verheißung (Gal. 3,14). So ist er die Kraft, die jemanden „in Christus" (1. Kor. 12,13) und damit gut apokalyptisch „neue Schöpfung" sein läßt (2. Kor. 5,17; Gal. 6,15). Und wie die Gabe des Geistes den Anfang eines Christenlebens gewährt, so ist es das Pneuma, durch das Gott am Ende aller Tage die sterblichen Leiber, die die an Jesus Glaubenden sind oder noch sind, lebendig machen wird (Röm. 8,11). Wiederum ist freilich das Wirken des Geistes nicht auf jenen Anfang und dieses Ende beschränkt. Wie vielmehr der auferweckte Jesus in der Jetztzeit bis zum Ende hin kämpft, so ist das Wirken des Geistes zwischen endzeitlichem Anfang und endzeitlichem Ende von Paulus als Kampf beschrieben, nämlich als der fast sprichwörtlich gewordene Kampf des Geistes gegen das Fleisch (Gal. 5,17). Und da sich der Kampf des Geistes nicht von seinem Anfang in jedem Christenleben und von seinem Ende mit der Parusie Jesu trennen läßt, umgreift diese Kampf- bzw. Vernichtungsterminologie das Wirken des Geistes in Vergangenheit, Gegenwart und Zukunft.

---

16. Ähnlich formuliert Paulus in 2. Kor. 5,5 mit Hilfe des dasselbe intendierenden Begriffs *arrabōn*.
17. Da es hier um den Kontext der paulinischen Theologie geht, sei nur in zweiter Linie auf Belege für die traditionelle apokalyptische Erwartung der Gabe des Geistes an die Erwählten in der Endzeit verwiesen: Jub. 1,23; 4. Esr. 6,26; Test. Jud. 24,3; Test. Levi 18,11 uam.

Beginnen wir mit der Vergangenheit. Wenn Paulus in Röm. 6,6 mit Blick auf das Taufgeschehen sagt: „Unser alter Mensch ist mitgekreuzigt worden, damit beseitigt würde (*katargein*) der Leib der Sünde", so ist hier zwar nicht ausdrücklich vom Geist die Rede, aber doch ein Vorgang beschrieben, der nur als geistgewirkter verständlich ist und der auch an anderen Stellen mit der Macht des Geistes in Zusammenhang gebracht wird (1. Kor. 12,13)[18]. Ebenso ist die Aussage Gal. 5,24 zu verstehen: „Die zu Christus gehören, haben die Sarx mit den Leidenschaften und Begierden gekreuzigt." Hier redet Paulus unmittelbar vorher und nachher thematisch über das Pneuma. Dies zeigt, daß auch die Kreuzigungsaussage als solche über das Wirken des Geistes zu begreifen ist[19]. Es sind dies wenige Beispiele für viele, die das Resümee ergeben: Sämtliche Tötungs- und Vernichtungsaussagen, die das Mitsterben oder Mitgekreuzigtwerden der Menschen „mit Christus" zum Inhalt haben, sind Aussagen über das die alte Welt in Gestalt des sogenannten alten Menschen vernichtende Pneuma.

Das erlösende Vernichtungswirken des Geistes in der Taufe nimmt seinen Fortgang in der Zeit zwischen Taufe und kommender Vollendung: „Wenn ihr durch den Geist die Machenschaften des Leibes tötet, dann werdet ihr leben" (Röm. 8,13). Der mit dem Pneuma begabte Mensch wird als Vollzugsorgan eben dieses Pneuma in seinem tödlichem Kampf gegen das Fleisch gesehen und aufgefordert durchzuhalten, was in der Taufe an ihm geschehen ist. Ähnlich sind Aussagen wie 2. Kor. 4,16 aufzufassen: „Wenn auch unser äußerer Mensch zerstört wird, so wird doch unser innerer Tag für Tag erneuert"[20].

Diesem Verständnis vom Wirken des Geistes in Vergangenheit und Gegenwart entsprechen die Zukunftsaussagen. Das Lebendigmachen der sterblichen Leiber (Röm. 8,11) wird von Paulus an anderen Stellen als Verschlungenwerden des Todes vom Leben bezeichnet (1. Kor. 15,55; 2. Kor. 5,4), begründet in dem Angeld des Geistes (2. Kor. 5,5).

Bei allen diesen Zusammenhängen drängt sich Scholems Erkenntnis der Destruktivität der Erlösung in der Apokalyptik erneut auf. Denn sämtliche Tötungs- und Vernichtungsaussagen sind – und nur deshalb haben sie anzulocken vermocht – Aussagen über Erlösungsvollzüge.

---

18. Vgl. hierzu meine Arbeit: Römer 8 als Beispiel paulinischer Soteriologie (FRLANT 112), 1975, 187f.
19. Vgl. ferner Gal. 5,24 mit 5,16: *pneumati peripateite* ...
20. Vgl. zum Ganzen die in Anm. 18 genannte Arbeit passim sowie meinen Beitrag: Das Gesetz im Spannungsfeld von Eschatologie und Geschichte, EvTh 37, 1977, 567ff. 576f = unten, 159–196.

Bevor wir nach weiteren Analogien zu Christus und Pneuma als *aparchē* fragen, scheint eine kurze Einbeziehung der paulinischen sogenannten theologia crucis an der Zeit. Den Übergang kann Gal. 2,20 bilden. Die aus der Kreuzigung mit Christus gefolgerte Aussage: „Nicht mehr ich lebe, sondern in mir lebt Christus", umschreibt die Gegenwart des Geistes in Paulus. Sie wird von ihm mit den Worten erläutert: „Was ich aber nun im Fleisch lebe, das lebe ich im Glauben an den, der mir Liebe erwiesen und sich für mich dahingegeben hat." Für Paulus ist damit Leben in der Kraft der Auferweckung Jesu oder kraft der Gegenwart des Auferweckten gleichbedeutend mit Glauben an den gekreuzigten Jesus. Wie etwa die Auseinandersetzungen in Korinth zeigen, ist diese Bindung des Auferweckten bzw. des Geistes an den Gekreuzigten keineswegs ein selbstverständlicher Vorgang, diese Leistung als solche des Apostels deshalb auch nicht im geringsten anzutasten. Ob man aber tatsächlich mit Eduard Lohse die paulinische theologia crucis als Ausdruck tiefer Geschiedenheit von Apostel und Apokalyptik verstehen kann, scheint trotzdem fraglich[21]. Denn wie bereits die pneumatologischen Aussagen, die sich durchweg in theologia-crucis-Zusammenhängen finden, erkennen lassen konnten, ist die apokalyptische Macht des Geistes für Paulus konstitutives Moment seiner Kreuzestheologie. Und wenn denn für Paulus die Untrennbarkeit von Gekreuzigtem und Auferwecktem außer Frage steht, dann drängt sich auch von diesem christologischen Zentrum her der Eindruck auf, daß theologia crucis und Apokalyptik nicht von vornherein als Alternativen zu betrachten sind. Die Kreuzestheologie des Apostels trägt vielmehr gerade dem Rechnung, was Spezifikum christlicher Apokalyptik ist: daß nämlich überhaupt im Zusammenhang mit Auferweckung von einer *aparchē* gesprochen wird, nicht aber Auferweckung selbstredend als globales, diese Welt öffentlich und total abschließendes Geschehen erscheint. Die Bezeichnung des auferweckten Jesus als *aparchē* besagt zwar, daß er eine Totalität vertritt. Aber der Begriff entspricht zugleich christologisch dem Faktor der (andauernden) Zeit und erschließt die Realität und Bedeutung des Kreuzes[22]. Die Auferweckung des Gekreuzigten weist in diesem Sinne auf das Kreuz als das Medium, durch das in der Zeit die Macht der Auferweckung Jesu erfahren wird. So ist

---

21. *Lohse,* Apokalyptik, 135.
22. Wenn *Lohse* (ebd.) zur Kennzeichnung der Differenz zwischen Paulus und Apokalyptik formuliert: „Ursprung und Mitte der urchristlichen Theologie liegt vielmehr von Anfang an im Wort vom Kreuz", so kommt hierin nicht zur Geltung, daß das Kreuz selber nur im Horizont des urapokalyptischen Motivs der Auferweckung zu dieser Mitte hat werden können.

für Paulus der Glaube an den Gekreuzigten die Teilhabe am Auferweckten unter der Bedingung der Zeit. Christologisch kommt die hierin sich bekundende Einheit von Gekreuzigtem und Auferwecktem in dem Moment der Stellvertretung zum Ausdruck, das sein jeweiliges Handeln bzw. Erleiden kennzeichnet; denn wie sein Tod (durch die Auferweckung) als „Handeln für ...“ erschlossen wird, so impliziert seine Auferweckung als *aparchē* per definitionem die Totalität der anderen (1. Kor. 15,20; 2. Kor. 5,14). Ist für Paulus der Glaube an den „für uns“ Gekreuzigten die Teilhabe am Auferweckten als *aparchē* unter der Bedingung der Zeit, so bedeutet dies nicht nur im Sinne der Feststellung eines Defizits, daß Gott noch nicht die ganze Wirklichkeit einschließlich des Todes unter seine Herrschaft gebracht hat. Die Bestimmung Jesu Christi als „Erstling der Entschlafenen“ definiert vielmehr überhaupt erst die ganze Welt als verlorene und ist von Paulus so verstanden, daß Gott gerade durch diesen Erstling, in der Teilhabe an seiner Macht sub contrario, unter dem Kreuz, jenen Rückgewinn der ganzen Welt unter sein Regnum bewirken will[23]. So steht die theologia crucis des Apostels im Dienste der Durchsetzung der begonnenen, endzeitlichen Herrschaft Gottes, auf daß dieser am Ende sei wirklich alles in allem[24]. In diesem Sinne ist die paulinische Kreuzestheologie eine Form bzw. eine Konkretion apokalyptischer Theologie.

Der Kampf des auferweckten Jesus gegen die zu überwindenden Mächte geschieht nach Paulus in der umfassenden, geistgewirkten Hingabe der vom Evangelium Angesprochenen an den, der ihnen am Kreuz Liebe erwiesen hat. Deshalb wäre jetzt neuerlich und näher vom Kampf des Geistes gegen das Fleisch, von Hoffnung und Geduld im Leiden, vom Handeln in der Agape als Vollzügen dieser Hingabe zu sprechen, mithin vom weiten Bereich der paulinischen sogenannten Paränese, doch würde dies, im einzelnen dargelegt, zu weit führen.[25]

---

23. Vgl. *Käsemanns* treffende Formulierung (Thema, 127): Die Herrschaft Christi habe nach Paulus den einzigen Zweck, „der Alleinherrschaft Gottes Platz zu schaffen“. Siehe auch *Barth,* Erwägungen, 524.
24. Vgl. *Käsemann,* Thema, 130: „Gerade die Apokalyptik des Apostels gibt der Wirklichkeit, was ihr gebührt, und widersteht der frommen Illusion.“
25. Vgl. hierzu die in Anm. 18 und Anm. 20 genannten Beiträge: Römer 8, 245ff. 287ff; Gesetz, 569f; ferner: Befreiung durch das Gesetz, in: Richte unsere Füße auf den Weg des Friedens (FS H. Gollwitzer), 1979, 349ff = unten, 194ff. Zum Zusammenhang zwischen Apokalyptik (bzw. theologia crucis als Konkretion apokalyptischer Theologie) und Rechtfertigung bei Paulus s. *P. Stuhlmacher,* Gerechtigkeit Gottes bei Paulus, 1966[2], passim, sowie meinen Beitrag: Das Evangelium als Einheit von Verheißung und Gesetz, TheolViat 14, 1979, 87–108 = oben, 9–30.

3. Die Erörterungen über den Geist als *aparchē* haben Bereiche der paulinischen Ekklesiologie berührt, aber doch sehr viel stärker pneumatisch-anthropologisch orientierte Aussagen zum Gegenstand gehabt. Darum gilt es, den Zusammenhang von Ekklesiologie und Apokalyptik zumindest noch einmal in Kürze aufzunehmen. Das Evangelium, dessen Träger die Gemeinde ist, kann von Paulus im wörtlichen Sinne apokalyptisch ausgelegt werden: Es ist die Kraft Gottes zur Rettung für jeden Glaubenden, weil in ihm die neuschaffende und darin richtende Treue Gottes offenbart wird – *apokalyptetai* (Röm. 1,16f)[26]. Als Moment dieser Treue vermag Paulus im Rahmen der Explikation des Evangeliums sowohl im Römerbrief als auch im 1. Korintherbrief mit einem gut apokalyptischen Begriff und jeweils in gut apokalyptischem Zusammenhang ein Geheimnis zu enthüllen[27]. Apokalyptische Tradition kommt zur Geltung, wenn er die Gemeinden als „Heilige" und „Erwählte" und damit als endzeitliches Gottesvolk anspricht[28], apokalyptisch definiert wird, wenn es mit Blick auf die Gemeinde heißt: „Da ist nicht Jude noch Grieche, da ist nicht Sklave noch Freier, da ist nicht männlich und weiblich" (Gal. 3,28). Der im Zusammenhang mit dieser Aussage meistens verwendete Begriff des Enthusiasmus verdeckt allzu leicht ihre apokalyptische Prägung. Die verwandte Aussage Gal. 6,15, in der ausdrücklich der Begriff „Neuschöpfung" erscheint, und ferner ein Text wie das Sadduzäergespräch (mit seiner Ansage „sie werden sein wie die Engel")[29] zeigen jedoch, daß die Aussage über die Aufhebung aller Unterschiede einen Zustand der apokalyptischen Auferstehungswelt antezipiert.

Paulus gebraucht zwar nicht im Hinblick auf die Gemeinde den Begriff *aparchē* , nämlich in dem Sinne, daß sie selbst der erste Teil eines größeren Ganzen sei. Aber man mag fragen, ob das nicht eher zufällig oder situationsbedingt so ist. Denn sachlich scheint durchaus ein solcher Zusammenhang gegeben zu sein. Unmittelbar vor jener Aussage über den Geist als Erstlingsgabe in Röm. 8 handelt der Apostel von der Schöpfung (8, 19-22). Die

---

26. Siehe dazu *D. Lührmann,* Das Offenbarungsverständnis bei Paulus und in paulinischen Gemeinden (WMANT 16), 1965, 145f, ferner 98ff. 104ff.
27. Vgl. *G. Bornkamm,* Art. *mystērion,* in: ThWbNT IV (1942), 821ff. 829f, sowie den in Anm. 1 genannten Aufsatz von *I. Willi-Plein* .
28. *W. G. Kümmel,* Kirchenbegriff und Geschichtsbewußtsein in der Urgemeinde und bei Jesus, 1968[2], 16ff.
29. Siehe hierzu *M. Werner,* Was bedeutet für uns die geschichtliche Persönlichkeit Jesu? in: Der historische Jesus und der kerygmatische Christus. Beiträge zum Christusverständnis in Forschung und Verkündigung, hg. v. H. Ristow und K. Matthiae, 1961[2], 624.

Feststellung, daß die Schöpfung sehnsüchtig die Offenbarung der Söhne Gottes erwarte, ist zum einen begrifflich (*apokalysis, apokalyptesthai*) und sachlich apokalyptisch bestimmt[30]. Sie könnte zum anderen einen Zusammenhang zwischen bereits geschenkter, aber noch verborgener Gottessohnschaft der Söhne und durch sie angeldweise verbürgter Befreiung der ganzen Schöpfung andeuten[31]. Und dieser Eindruck wird dadurch bekräftigt, daß Paulus von den Menschen „in Christus" eben als von „neuer Schöpfung" spricht. Was sollte sie anderes sein als Angeld jener Befreiung der ganzen *ktisis*?

Wir kommen zu Röm. 9-11, wiederum auf Andeutungen beschränkt. Die apokalyptische Prägung des Zusammenhangs wird spätestens mit der Mitteilung des *mystērion* in 11,25ff enthüllt. Paulus steuert auf dies Geheimnis in Gestalt theologischer Argumentation zu, indem er zeigt, daß Israel um der Völker willen, zu ihren Gunsten, gestolpert und seine Zukunft Annahme ist, das heißt – wiederum gut apokalyptisch – „Leben aus Toten" (Röm. 11,15). Der Apostel fährt fort: „Wenn aber die Erstlingsgabe (*aparchē*) heilig ist, dann auch der Teig; und wenn die Wurzel heilig ist, dann auch die Zweige." Als Deutungshilfe bieten sich die Beobachtung zur endzeitlichen Prägung des Begriffs *aparchē* in den besprochenen christologischen und pneumatologischen Zusammenhängen und die Ausführungen über die Judenchristen in Röm. 11,1-10 als endzeitlichen Rest an. Beides spricht dafür, daß unter der Wurzel wie dann auch unter dem parallelen *aparchē* wohl doch die sogenannten Judenchristen zu verstehen sind, an denen nach Paulus die Abraham gegebene Verheißung zuerst in Erfüllung gegangen ist. Im Horizont der Auferweckung Jesu würden sie dann aus dem „Rest" zum „Erstling" und bildeten als solcher das Unterpfand für die Rettung von ganz (*pas*) Israel.

Der apokalyptische Charakter dieses ganzen Zusammenhangs ist nicht umstritten und braucht darum nicht weiter ausgeführt zu werden. Nur der Tatbestand, daß dies bzw. diese Kapitel ein nicht herauslösbares Kernstück des Römerbriefes bilden, kann nicht nachdrücklich genug betont werden. Denn die jahrhundertelange Nachgeschichte insbesondere von Röm. 11 ist anders verlaufen. Sein Aussagezusammenhang ist Theologie und Kirche ähnlich unbequem geworden wie der apokalyptische christologische Grund-

---

30. Vgl. *H.R. Balz,* Heilsvertrauen und Welterfahrung. Strukturen der paulinischen Eschatologie nach Römer 8 (BEvTh 59), 1971, 36ff.
31. Vgl. die in Anm. 25 genannte Arbeit: Römer 8, 263ff.

riß von 1. Kor. 15[32]. Beides hängt durchaus zusammen. Denn in Röm. 11 hält derselbe apokalyptische Theologe Israel die Treue, der in 1. Kor. 15 den letzten Kampf des Christus skizziert. In Übereinstimmung damit besteht ein innerer Zusammenhang zwischen dem Verlust Israels und dem Verlust der Apokalyptik bzw. der apokalyptischen Christologie im Vollzug der Neuformulierungen des Evangeliums nach Paulus. So deutet auch der Verlust Israels auf erhebliche Wandlungen im Christusverständnis der nachapostolischen Zeit hin.

Das Reservoir apokalyptischer Zusammenhänge bei Paulus ist mit dem Gesagten längst nicht erschöpft. Unberücksichtigt geblieben bzw. nur in Gestalt der Vernichtungsaussagen angeklungen sind die Passagen, in denen Paulus vom gegenwärtigen wie zukünftigen Gericht spricht (Röm. 2,1-10; 1. Kor. 5; 2. Kor. 5,1-10 u.ö.), das gleiche gilt von den Wendungen, in denen die Vorstellung von den zwei Äonen durchschimmert, ebenso von ihrer christologischen Auslegung in der Adam-Christus-Typologie (Röm. 5,12-21). Ausgespart ist – vorerst – ebenfalls der gewichtige Zusammenhang zwischen Apokalyptik und Ethik in 1. Kor. 7[33] sowie die apokalyptische Prägung der paulinischen „Erkenntnislehre", wie sie 1. Kor. 13,12 verdeut-

---

32. Zu Röm. 11 s. den instruktiven Beitrag von *H. Kremers,* Römer 9-11 in Predigt und Unterricht, in: Im Dienst für Schule, Kirche und Staat (Gedenkschrift f. A. Bach), hg. v. H. Horn und I. Röbbelen (Pädagog. Forschungen. Veröff. des Comenius-Instituts 45), 1970, 153ff.

33. Siehe hierzu *W. Schrage,* Die Stellung zur Welt bei Paulus, Epiktet und in der Apokalyptik, ZThK 61, 1964, 125ff. Vgl. im übrigen auch *ders.,* Leid, Kreuz und Eschaton. Die Peristasenkataloge als Merkmale paulinischer theologia crucis und Eschatologie, EvTh 34, 1974, 141ff. Beide Aufsätze gehören m. E. zum Besten, was anhand der Erörterung bestimmter Themen zur Frage „Paulus und die Apokalyptik" geschrieben worden ist – trotz der Einschränkung, daß Schrage von seinem (unapokalyptischen) Verständnis der paulinischen Christologie her die Verwandtschaft zwischen Paulus und der Apokalyptik nicht voll zum Durchbruch kommen läßt. Zum Verhältnis von Apokalyptik und Ethik bei Paulus s. auch *P. Stuhlmacher,* Christliche Verantwortung bei Paulus und seinen Schülern, EvTh 28, 1968, 165ff, sowie die jahrzehntealten, treffenden Beobachtungen von *H. Preisker,* Das Ethos des Urchristentums (1933), 1968[3], 168f: „Mit Jesu Kommen, Tod und Auferstehung ist ihm (sc. Paulus) der künftige Äon in die Zeit hineingebrochen, und die Christen leben eben aus dieser neuen weltüberlegenen Sphäre." Der Geist ist „für die Welt das Signal des Ansturms der künftigen Welt", alle „‚Ethik' nur Ausdruck der neuen Lebenshaltung ..., die Anbruch des anstürmenden Teloszeitalters ist." Schade nur, daß Preisker bei der Entfaltung seines Ansatzes nicht ohne das übliche verzerrte Bild vom Judentum auskommt.

licht[34]. Doch auch scheinbar unapokalyptische Zusammenhänge wie Röm. 1-3 und Röm. 7 haben, verdeckt durch das Vorzeichen der Christologie, ihre geheime Verwandtschaft mit apokalyptisch-theologischer Geschichtsdeutung[35]. Doch mag dies angedeutet bleiben, um nach einer kurzen Bündelung theologisch-hermeneutischer Erwägungen Raum zu geben.

Das Spezifikum paulinisch-apokalyptischer Theologie besteht darin, daß der Apostel im Rahmen seiner Briefe angesichts des apokalyptischen Ereignisses der Auferweckung des Gekreuzigten wesentlich jene Zeit theologisch reflektiert, die Scholem in seiner Beschreibung von Apokalyptik als „Übergang" bezeichnet und als deren Kennzeichen er das „revolutionäre, umstürzlerische Moment", das mit der Katastrophalität oder Destruktivität der Erlösung gegeben ist, herausgearbeitet hat[36]. In der kleinen Zeitspanne von kaum mehr als einer Generation unterwirft bzw. vernichtet der auferweckte Gekreuzigte im Auftrag Gottes im apokalyptischen Endkampf die Gott entgegenstehenden Mächte. Dies ist die christologische Definition der Übergangszeit seitens des Apostels in 1. Kor. 15[37]. Ihre gemeindebezogene Ausarbeitung im Sinne der theologia crucis ist die unverkennbare Signatur der paulinischen Theologie. Der Tatbestand, daß diese Kreuzestheologie Theologie des befristeten Übergangs ist, siedelt sie unverwechselbar in ihrer Zeit an und fordert zu weitreichenden hermeneutischen Erwägungen heraus, sofern es um die Frage ihrer möglichen Rezeption in nachpaulinischer Zeit geht. Dazu einige Erwägungen anhand von drei Beispielen.

34. Gemeint ist die Erkenntnis *ek merous* , die wohl in Analogie zum *aparchē* -Gedanken zu verstehen ist. Die Gegenüberstellung mit *to teleion* (V.10) und das Gewicht des Begriffs *katargein* (V. 8-11) bezeugen die apokalyptische Prägung des Zusammenhangs 1. Kor. 13,8-13.

35. So würde sich bei einem Vergleich, der die Spezifika der paulinischen Sicht in Rechnung stellte, vermutlich eine auffällige Verwandtschaft zwischen den in Röm. 1-3; 5,12-21 und 7,7-24 begegnenden Deutungen des Menschen ante Christum und den bekannten apokalyptischen Geschichtsabrissen ergeben – vor allem im Hinblick auf die jeweilige Funktion. Vgl. den Hinweis von *E. Käsemann*, Zur paulinischen Anthropologie, in: Paulinische Perspektiven, 1969, 48, sowie ebd. auch die Benennung weiterer apokalyptischer Motive bei Paulus.

36. *Scholem* selber (Idee, 147) hat treffend beobachtet, daß die „paulinische Freiheit der Kinder Gottes eine Form (ist), in der solch Umschlag aus dem Judentum herausgeführt hat".

37. Diese christologische Definition des „eschatologischen Jetzt" zeigt noch einmal, wie wenig Aussicht auf Gelingen besteht, Paulus als Kritiker der Apokalyptik und nicht als apokalyptischen Theologen selber zu begreifen. *J. Becker* (Erwägungen zur apokalyptischen Tradition in der paulinischen Theologie, EvTh 30, 1970, 593 ff), dessen Überlegungen diese Zielsetzung haben, verkennt die apokalyptische Prägung jener

III.

1. Von den berührten Zusammenhängen möchte ich als ersten Röm. 9-11 aufgreifen. Alles mündet hier in die Enthüllung der Rettung ganz Israels ein, daß heißt des jüdischen Volkes, sofern es nicht an Jesus als Christus glaubt (Röm. 11,15ff). Das Erbarmen, das Israel wie die Völker finden wird, ist zukünftig. Gegenwärtig gehört Israel nach Paulus zu den – um der anderen willen – Gestolperten und steht damit unter dem Gericht. Diese theologische Verortung Israels ist wirklich Evangelium und streng paulinisch verstanden theologisch nicht mißbräuchlich. Denn – und dies ist schlechthin entscheidend: Die Zukunft des Erbarmens meint kein beliebig-zukünftiges Datum. Vielmehr ist sie nach des Apostels Erwartung so hautnah, daß sich der Glanz des kommenden Erbarmens Gottes bereits gegenwärtig über Israel ausbreitet. Gerade mit Blick auf das nicht an Jesus als Christus glaubende Israel vermag Paulus der römischen Gemeinde als Evangelium zu sagen: „So sind auch sie jetzt ungehorsam geworden zugunsten des Erbarmens für euch, damit auch sie *jetzt* Erbarmen finden", nämlich bei der jeden Tag bevorstehenden Ankunft Jesu Christi, der sie herausreißen wird aus dem Gericht[38]. Sobald freilich diese Voraussetzung des täglich erwarteten Kommens nicht mehr gegeben ist, bleibt keiner dieser Sätze das, was er einmal war, und entsprechend bleibt auch das Ganze, einfach wiederholt, nicht mehr Evangelium. Denn je länger die erwartete Ankunft Jesu auf sich warten läßt und je später man sie darum erwartet, um so ferner muß jener Glanz des ursprünglich nahen Erbarmens Gottes in der Vorstellung der Glaubenden rücken. In gewissem Sinne folgerichtig und doch nicht evangeliumsgemäß verbreitete sich in christlichem Denken und Reden über Israel das Dunkel des Gerichts, unter dem das nicht an Jesus glaubende

---

„Zeitbestimmung des eschatologischen Jetzt", wenn er sie (609) als eines der Merkmale bestimmt, die den Apostel angeblich von der Apokalyptik unterscheiden. In der Begründung, diese Zeitbestimmung überbiete „das apokalyptische Schema mit seiner Entgegensetzung von Jetzt und Dann", geht verloren, daß sie zunächst einmal zutiefst von ihr abhängig ist. Historisch – nicht im Sinne einer theologischen Wertung wie bei Becker – dürfte der Begriff der Anwendung vorgegebener Auffassungen in concreto, hier angesichts der Auferweckung Jesu, dem Phänomen sehr viel gerechter werden als der der „Überbietung" oder ähnlicher Termini. Sachgemäß hingegen erscheint *Stuhlmachers* (Gerechtigkeit, 204f) Rede von einer „christologischen Verschärfung des apokalyptischen Schemas von den beiden Äonen", die darin zum Ausdruck komme, daß die Gegenwart aufgrund von Tat und Erleiden Jesu Christi erfüllt sei „von der eschatologischen Auseinandersetzung zwischen dem alten und neuen Äon".

38. Vgl. *E. Käsemann,* An die Römer (HNT 8a), 1973, 303.

Israel der Gegenwart ja nach Paulus stehen sollte. Exemplarisch wird dieser Prozeß etwa an der erzählerischen Gestaltung des Problems von Röm. 11 in Apg. 13,42ff oder aber auch an der handschriftlichen Überlieferung von Röm. 11,31 deutlich. Bekanntlich hat bereits ein Teil der alten Zeugen das „jetzt" (*nyni*)des Erbarmens gestrichen, ein anderer der eigenen Erwartung gemäß gelesen: „damit sie später Erbarmen finden"[39]. Die Dehnung der Zeit in Gestalt des Ausbleibs der Parusie und die Vertagung des Erbarmens hat für Israel zur Konsequenz, daß die paulinische Einheit von Zerstörung bzw. Gericht und Erlösung aufgelöst wird; für die durchlebte Gegenwart bleibt via Gerichtsaussagen allein die destruktive Seite der Erlösung übrig. Theologisch hat dies zur Folge, daß die Kirche ihren eigenen Gliedern ein evangeliumsgemäßes Reden über Israel schuldig bleibt, das heißt ein Reden, das vom Verhältnis Gottes zu Israel so im Zeichen des Erbarmens spricht, daß jeglicher geistliche Rausch christlicherseits wie einst bei Paulus (Röm. 11,20) ausgeschlossen bleibt. Eine Entfaltung des Evangeliums, die derjenigen des Apostels in der Unterschiedenheit der Zeiten entspricht, hat deshalb heute vom Glanz des Erbarmens Gottes über Israel auch ohne die Voraussetzung des Glaubens an Jesus als Christus zu reden. Nur dann dürfte sie ebenso glaubhaft und evangeliumsgemäß wie einst Paulus die an Jesus Glaubenden in ein Verhältnis zu Israel einweisen, in welchem die Gewißheit des nahen Erbarmens und nicht irgendeiner Überlegenheit bestimmend ist. Theologie und Kirche sind deshalb auf Israels Selbstzeugnis vom Erbarmen Gottes angewiesen, wollen sie in jener Unterschiedenheit der Zeiten entfalten, was die Beteuerung des Paulus meint: Sie *sind* Israeliten, und das heißt: Ihnen sind die Gnadengaben Gottes unverbrüchlich zugesagt bzw. gegeben (Röm. 9,4; 11,29).

2. Als zweites Beispiel möchte ich den ekklesiologisch-apokalyptischen Topos der Aufhebung aller Unterschiede wählen: „Da ist nicht Jude noch Grieche, da ist nicht Sklave noch Freier, da ist nicht ‚männlich und weiblich'[40]" (Gal. 3,28). Krister Stendahl hat überzeugend die unterschiedlich akzentuierte Behandlung der hier genannten drei Gruppen skizziert[41]. Die Aufhebung des Gegensatzes von Juden und Griechen durch und in Jesus

---

39. Siehe *Luz*, Geschichtsverständnis, 297, Anm. 133. Aufschlußreich sind auch die bei Luz zitierten Paraphrasen des *nyni* durch einzelne Exegeten.
40. *K. Stendahl* (The Bible and the Role of Women. A Case Study in Hermeneutics, Philadelphia 1966, 32) hat erkannt, daß es sich bei *arsen kai thēly* um ein Zitat aus Gen. 1,27 LXX handelt.
41. AaO. 32ff.

Christus – ekklesiologisch fraglos die leuchtende Mitte des paulinischen Evangeliums – ist für den Apostel keineswegs nur eine coram Deo gültige, unanschauliche Wirklichkeit gewesen. Vielmehr hat Paulus nachweislich seiner eigenen Praxis „alles in seiner Macht Stehende getan, um dies Prinzip in dem gegenwärtigen Leben seiner Gemeinden zur Anwendung zu bringen"[42]. Die Stellung des Apostels zur Sklaverei bewegt sich bei praktischer Anerkennung der vorgegebenen Struktur „Sklave-Freier" zwischen dem Wunsch, Philemon möge Onesimus freilassen, und der Aufforderung an die Sklaven, lieber im zur Zeit der Berufung vorfindlichen Stand zu bleiben (1. Kor. 7)[43]. Eine ähnliche, vielleicht noch größere Spannung zwischen christologisch begründeter grundsätzlicher Aussage und von der Ordnung der alten Schöpfung her limitierter Gemeindepraxis besteht bei Paulus in der Frage der Stellung der Frau im Gemeindeleben (1. Kor. 11,2-16). Man kann nun fraglos erklären, warum Paulus der praktischen Emanzipation von Sklaven und Frauen in der Gemeinde zurückhaltender gegenübergestanden hat als derjenigen von Juden. Man kann so z.B. seine Entscheidungen im Horizont seiner *hōs mē* -Ethik theologisch einsichtig machen. Unter der Voraussetzung, daß die Zeit zusammengedrängt ist und das Wesen der Welt rasch vergeht (1. Kor. 7,29), leuchtet es ein, daß das demnächst zur vollen Geltung kommende Neue, die Aufhebung der Unterschiede, unter befristeter Anerkennung der vorgegebenen sozialen Strukturen konkret gedacht und praktiziert wird. Nur so hat vermutlich in paulinischer Zeit die der Erlösung innewohnende prinzipielle Destruktion vorgegebener Verhältnisse heilsam bleiben und im Zeichen der Agape gelebt werden können. Die in der Verkennung der Zeit als Übergangszeit begründeten desolaten korinthischen Gemeindeverhältnisse weisen jedenfalls in diese Richtung.

Wiederum gewinnen freilich die Aussagen ein anderes Gefälle, wenn jene Voraussetzung der baldigen realen Aufhebung jener zur Destruktion bestimmten Verhältnisse hinfällig wird. Die Abwanderung des Neuen als einer *demnächst* sich machtvoll durchsetzenden Wirklichkeit in das ferne Irgendwann der Parusie sichert wider Willen dem Bestehenden, gerade Aufzuhebenden, die Zukunft – ähnlich wie die zwei Tage Parusieverzögerung in den Augen Gottes für Israel nach den Normen christlicher Theologie 2000 Jahre Existenz unter dem Gericht bedeuteten. Noch einmal möchte ich

---

42. AaO. 33.
43. Zur Auslegung von 1. Kor. 7,21 s. *H. Conzelmann*, Der erste Brief an die Korinther (KEK 5), 1969, z. St.

auf Krister Stendahl zurückgreifen, der den Vorgang ohne Rekurs auf den apokalyptischen Horizont wie folgt umschrieben hat: „Da sich das neue, ‚weder Sklave noch Freier' nicht in der Zeitspanne des neutestamentlichen Kanons in soziale Praxis umgesetzt hat, erschien es vielen guten Christen so, als stünde die Emanzipation von Sklaven im Gegensatz zur Schrift"[44]. Und dasselbe dürfte – teilweise bis heute hin – von der Gleichstellung der Frau gelten.

Wiederum stellt sich christlicher Theologie und Kirche wie im Falle Israels die Frage, wie die christologisch begründete Gewißheit der Aufhebung der Unterschiede so gesagt, entfaltet und praktiziert werden kann, daß sie wirklich als Evangelium, als befreiende Macht, Raum gewinnt. Ein entsprechender Versuch hätte wie im Falle Israels im Ansatz befreiende Anwaltschaft für die Betroffenen zu sein. Je mehr deshalb die Ankunft des Neuen geschwächt wird durch den Aufschub seiner endgültigen Durchsetzung, je mehr drängt sich der christlichen Gemeinde der Auftrag auf, die Realität des empfangenen Neuen durch dessen Praxis zu bezeugen[45]. Der Suche nach den Charismen der anderen und dem Versuch, Strukturen zu überwinden, die die Entfaltung solcher Charismen behindern, dürfte dabei besonderes Gewicht zukommen.

3. Mit all dem ist bereits implizit etwas zum dritten Beispiel gesagt, dem Verhältnis zur Schöpfung insgesamt. Untersuchungen der letzten Jahre haben bekräftigt, daß Entstehung und erste Ausprägung der antiken jüdischen Apokalyptik aufs engste mit den Hellenisierungsbestrebungen des seleukidischen Herrschers Antiochus III.[46] sowie – dieser Zusammenhang dürfte gültig bleiben – mit der politischen und religiösen Unterdrückung bzw. Verfolgung des jüdischen Volkes im 2. vorchristlichen Jahrhundert wenig später zu Beginn der Makkabäerzeit verbunden sind. Die apokalyptischen Zeugnisse lassen sich von hier aus als gewaltiger Schrei nach Erlösung verstehen. Dieser Schrei wird in dem Augenblick laut, da die Voraussetzungen angetastet bzw. zerschlagen sind, dem Gott Israels seinem Gebot gemäß als dem Einzigen dienen zu können. Er bricht im Vertrauen auf eben diesen Gott der Väter hervor und erhofft Befreiung als Durchbruch seiner Herrschaft allein von ihm. Menschliche Aktion kann allenfalls eine kleine

44. *Stendahl*, Bible, 36.
45. Zum Ort des praktischen Zeugnisses s. die Hinweise am Ende von Abschnitt II.
46. *S. K. Eddy*, The King is Dead, Lincoln 1961; *K. Müller*, Die Ansätze der Apokalyptik, in: Literatur und Religion des Frühjudentums, hg. v. J. Maier und J. Schreiner, 1973, 31ff.

Hilfe bedeuten. Die altgewordene und vom Bösen durchdrungene Schöpfung wird der Vernichtung preisgegeben. In diesem Rahmen vollzieht sich für die Getreuen Erlösung. In der paulinischen Verkündigung wird jener Schrei konzentriert laut als solcher nach der Erlösung vom Tode als dem entscheidenden, die ganze Schöpfung durchwaltenden Feind (Röm. 7,24 u.ö.). Die über die Faktizität des Sterbens hinausgehenden konkreten Lebensbedingungen, die zu ihm führen, werden dabei weniger deutlich. Seien es nun antike jüdische Apokalyptik im allgemeinen oder paulinisch-apokalyptische Verkündigung im besonderen – beide vertreten ein pessimistisches Verständnis der Schöpfung. Löst sich dies Verständnis von der Erwartung der unmittelbar bevorstehenden totalen Erneuerung, wird es aber dennoch kanonisiert, so vererbt es sich allein nach dieser seiner pessimistischen Seite hin und lädt kaum zu einem heilsamen, verwandelnden Umgang mit der Schöpfung ein. Es kann offen bleiben, wieweit das hier gespeicherte gebrochene Verhältnis zur Schöpfung Kirchengeschichte und so auch Geschichte gemacht hat. Unzweifelhaft ist freilich, daß menschliches Handeln in unserem Jahrhundert eine Destruktivität erreicht hat, die die Zerstörung wenn auch nicht der ganzen Schöpfung, so doch des Erdballs in den Bereich des Möglichen gerückt hat. Man kann hier füglich von apokalyptischen Ausmaßen sprechen, bleibt man eingedenk, daß sich die apokalyptische Antwort dennoch nicht wiederholen läßt. Denn die von Menschenhand betriebene Zerstörung der Welt als apokalyptisches Handeln Gottes zu interpretieren könnte heißen, Gott an die Mächte dieser Welt auszuliefern. Dem von Paulus christologisch bekräftigten solus Deus apokalyptischer Theologie dürfte vielmehr in unserer Zeit kaum anders entsprochen werden können, als daß dem menschlichen Zerstörungswirken die Gewißheit entgegengesetzt wird: Gott hat nicht Gefallen am Tod der Schöpfung, sondern daran, daß sie lebe – im Zeichen jener in die Zukunft weisenden Erstlingsschaft Jesu, die Verwandlung und Versöhnung als göttlichen Willen enthüllt hat. Vielleicht mehrt sich auf diesem hier und da begonnenen Wege der Dank. Dies wäre dann neuerlich eine apokalyptische Antezipation, sofern denn nach der Apokalyptik im allgemeinen wie nach Paulus im besonderen der Lobpreis das Ende aller (apokalyptischen) Wege Gottes ist. Alsbald sich meldende theologische Synergismusängste hingegen sind gleichermaßen durch das paulinische Evangelium und durch den fast ebenso alten Rabbi Tarfon überholt: „Es liegt nicht an dir, das Werk zu vollenden. Aber du bist auch nicht befugt, dich ihm zu entziehen"[47].

47. Abot II, 16.

IV.

Die bisher genannten Konsequenzen haben das Leben der ans Evangelium Glaubenden in den verschiedenen Verhältnissen dieser Welt betroffen. Es legt sich nach Freilegung der Zeitstruktur der paulinischen Christologie nahe, zumindest in groben Umrissen Folgerungen aus der historisch-theologischen Analyse auch für die christologische Diskussion anzudeuten.

Die dogmatischen christologischen Entscheidungen der Alten Kirche haben eine Christologie kanonisiert, die von der paulinischen zutiefst geschieden ist[48], ohne damit freilich ganz des Anhalts an neutestamentlichen Zeugnissen zu entbehren. Die Verbindungen laufen vor allem hin zu solchen Dokumenten, die von der historischen Forschung als Pseudepigraphen der nachpaulinischen Zeit erkannt worden sind, insbesondere etwa zum Kolosser- und Epheserbrief[49]. Brüche zwischen älteren und späteren christologischen Auffassungen begegnen damit im Bereich der im Neuen Testament zusammengefaßten Zeugnisse selber, so daß sich die Frage nach der Angemessenheit bestimmter christologischer Traditionsbildungen und damit das theologisch unbequeme und darum gern kaschierte Problem der Sachkritik bereits innerhalb des Neuen Testaments stellt.

Im vorliegenden Zusammenhang bietet sich das Beispiel des Epheserbriefes zu kurzer Erörterung an. Er enthält Elemente jener Überlieferungen, mit deren Hilfe Paulus den christologischen Grundriß von 1. Kor. 15,20-28 gezeichnet hat, bringt sie jedoch in spezifisch anderer Gestalt als der Apostel[50]. So ist für Paulus Jesus Christus zwar als Kyrios mit dem Amt des Herrschens inthronisiert; aber seine Herrschaft ist kein Regiment über befriedete Mächte, vielmehr Kampf und Niederzwingen jener Gewalten, über die er selber angeldhaft den Sieg davongetragen hat und die ihm, allen voran der Tod, diesen Sieg streitig machen, solange diese Welt besteht. Die Schriftzitate aus Ps. 110,1 und Ps. 8,7, die die Notwendigkeit der Herrschaft

---

48. Vgl. oben, Abschnitt II.
49. Die Authentizität des Epheserbriefes wird heute kaum noch vertreten. Die deuteropaulinische Herkunft des Kolosserbriefes ist überzeugend nachgewiesen durch *E. Lohse,* Die Briefe an die Kolosser und an Philemon (KEK IX, 2), 1968. Siehe zur Sache ferner *H. Ludwig,* Der Verfasser des Kolosserbriefes. Ein Schüler des Paulus, theol. Diss. Göttingen 1974. Zur Wirkungsgeschichte des Briefes s. *E. Schweizer,* Der Brief an die Kolosser (EKK), 1976, 183ff.
50. Möglicherweise nimmt der Verfasser sogar ausdrücklich auf 1. Kor. 15 Bezug. Vgl. *J. Gnilka,* Der Epheserbrief (HThK X, 2), 1977², 94.96.

Jesu Christi bis zur Machtrückgabe an Gott begründen, legen so auch keine vergangenen Ereignisse aus; sie beschreiben vielmehr Prozesse, die sich in der Gegenwart vollziehen, aber erst in der Zukunft zum siegreichen Abschluß kommen sollen. Diesem Ansatz entspricht es, daß ebenfalls erst für die Zukunft, für die Zeit nach Auferweckung und Verwandlung bei der Parusie, die Erfüllung des Schriftwortes Jes. 25,8 erwartet wird: „Verschlungen ist der Tod in Sieg!" (1. Kor. 15,54). Allenfalls in Gestalt hymnischer Rede vermag Paulus die Gewißheit der zukünftigen völligen Entmachtung der widergöttlichen Gewalten in das Bekenntnis ihrer bereits erfolgten Unterwerfung zu übersetzen (Phil. 2,9-11)[51]. Im Unterschied dazu fehlt eine derartige Unterscheidung im Epheserbrief[52]. Ob sein Verfasser nun hymnisch redet wie in der Eulogie 1,3-14, ob er im Briefkorpus das Evangelium expliziert (1,15ff; 4,7ff)[53], hier wie da steht für ihn fest, daß Jesus Christus alles vollbracht hat, auch wenn vorerst allein die Ekklesia der Ort ist, an dem die Siegesfülle des Allherrschers erfahren wird. So wird vom Verfasser ausdrücklich – und in deutlichem Gegensatz zu Paulus – vermerkt, daß Jesus zur Rechten Gottes eingesetzt sei „über jede Gewalt und Macht und Kraft und Herrschaft und jeden Namen, der genannt wird nicht nur in diesem Äon, sondern auch in dem zukünftigen" (1,20f). Und ganz in Übereinstimmung damit wird Ps. 8,7 als Umschreibung eines vergangenen Geschehens zitiert: Gott „hat ihm (bereits) alles unter seine Füße gelegt" (1,22f)[54]. Bei Paulus entspricht sodann der Kampfsituation Jesu Christi das theologische Bekenntnis, daß Gott durchaus noch nicht alle Bereiche der Welt seiner Herrschaft eingegliedert hat und unumschränkter Herrscher ist, vielmehr erst nach Abschluß des Kampfes des Messias und dessen Machtrückgabe alles in allem (*panta en pasın*) sein wird. Die abweichende christologische Auffassung des Epheserbriefes hat eine Änderung auch in

---

51. Im übrigen gilt für die Gegenwart Röm. 8,38f.
52. Im Brief an die Kolosser ist sie teilweise durchgeführt, jedoch keineswegs konsequent (gegen *Schweizer,* Kolosser, 73.217 u.ö.). Dies zeigt am eindrücklichsten die Wiederaufnahme der hymnischen Christologie in Kol. 2,9. Die Frage wird von Schweizer bei der Auslegung dieses Verses leider nicht wieder berührt.
53. 1,15ff sind zwar formal Danksagung, jedoch angesichts der fehlenden Abgrenzung nach hinten zugleich Teil des Briefkorpus, zumal die Stelle des Proömiums zuvor bereits durch die Eulogie ausgefüllt wird.
54. Zur Auslegung von Eph. 1,20-23 s. *Gnilka* , Epheserbrief, 93ff; *A. Lindemann*, Die Aufhebung der Zeit. Geschichtsverständnis und Eschatologie im Epheserbrief (StNT 12), 1975, 204ff, sowie zur Gesamttendenz der „Transformation der traditionellen Eschatologie in die Kosmologie" *E. Stegemann,* Alt und neu bei Paulus und in den Deuteropaulinen, EvTh 37, 1977, 528ff.

diesem Punkt zur Folge. Was für Paulus noch Zukunft ist, wird von seinem „Schüler" gezielt als gegenwärtige Realität behauptet: „Ein Gott und Vater aller, der über allen und durch alles hin und in allem (*en pasin*) ist" (4,6)[55]. Mehr noch, Jesus Christus selbst wird als der prädiziert, welcher „alles" bzw. „das All in allem" (*ta panta en pasin*) erfüllt (1,23)[56]. In diesem christologischen und theologischen Verständnis der Gegenwart hat eine Machtrückgabe des Messias keinen Platz mehr, und ebenso ist hier auch kein Raum mehr für die von Paulus mit solcher Vehemenz behauptete Zukunft Israels[57]. Zwar scheint der Verfasser des Epheserbriefes nicht das Gespür dafür verloren zu haben, was alles seiner hymnischen Christologie und Theologie entgegensteht. Er teilt die Rede vom Geist als *arrabōn* des Erbes (1,13f), prägt die theologisch gewichtige Wendung von der „Hoffnung der Berufung" (1,18; 4,4), gemahnt seine Gemeinde gut paulinisch: „Gnadenweise seid ihr gerettet durch den Glauben" (2,8), und beschreibt die Waffenrüstung, die gegen die Anschläge des – damit anscheinend doch noch nicht entmachteten – Teufels wappnet (6,10ff). Aber all dies steht nun doch unter dem Vorzeichen einer enthusiastischen Christologie und Soteriologie – wie der Christus bereits über alle Mächte herrscht, so hat Gott auch die Glieder des Leibes Christi nach dem Epheserbrief „mitauferweckt und mithingesetzt unter die Himmlischen" (2,6; vgl. 1,3). Die Glieder kämpfen zwar noch (6,10ff) – nicht mehr jedoch der Christus dieses Briefe, der anders als der paulinische, welcher eschatologisch durchhält, was ihn protologisch kennzeichnet (Phil. 2,6)[58], auch nicht mehr letztendlich ab- und zurückzugeben hat, was ihm für kurze Zeit übertragen ist.

Mit alldem wird exemplarisch deutlich, wie der Verfasser des Epheserbriefes in der Tradition des Schreibens an die Kolosser bewußt oder unbewußt die Erfahrung des Parusieaufschubs und des Andauerns der Zeit verarbeitet hat, wenn vielleicht auch diese Faktoren nicht allein von Bedeutung für den Wandel in der Auslegung des Glaubens gewesen sind. Die in diesem nachpaulinischen Brief – wie auch in anderen neutestamentlichen Zeug-

---

55. In den verwandten Formeln Röm. 11,36 und 1. Kor. 8,6 fehlt bezeichnenderweise die Bestimmung *en pasin* .
56. Siehe hierzu *Lindemann,* Aufhebung, 215ff, und die Deutung der Implikationen durch *Stegemann,* Alt, 531: „Das Eschaton, um es apokalyptisch zu wenden, ist also mit Christus schon gegenwärtig, ja es wird, wie Eph. 1,23 zeigt, in der Kirche, Christi *sōma* und ‚Medium' seines *plērōma,* gleichsam verwaltet."
57. *Lindemann,* Aufhebung, 253; *Stegemann,* Alt, 532f.
58. Das heißt, so wenig er zu Beginn die Gottgleichheit festhält und ausnutzt, so wenig am Ende die Herrschaftsübertragung.

nissen[59] – dargebotene Lösung mutet insgesamt wie eine Flucht nach vorn
an, in der kraft des Glaubens dem Christus gegenwärtig zugesprochen wird,
was ursprünglich Inhalt der Hoffnung war, deren Erfüllung man in nächster
Zeit erwartete. Dieser in seiner Tragweite kaum zu überschätzende Schritt
geht nachweislich des oben aufgezeigten Zusammenhangs zwischen der
Rede vom Gekreuzigten und vom Auferweckten bei Paulus und nachweislich des Epheserbriefes selber zu Lasten eben jener theologia crucis, die die
paulinischen Briefe kennzeichnet. So unangemessen es einerseits wäre, die
theologischen Aussagen des Epheserbriefes vom Phantom einer authenti-
schen Rekapitulation der paulinischen Verkündigung her zu beurteilen, so
wenig besteht andererseits ein Grund, die Christologie dieses Briefes von
vornherein apologetisch als legitime Fortsetzung der paulinischen verstehen
und auslegen zu müssen. Wem es um die Christologie des Apostels zumindest ebenso ernst, wenn nicht ernster ist als um die der altkirchlichen Sym-
bole, wird sich freilich schwer tun, dem christologischen hic Rhodos hic salta
des Epheserbriefes zu folgen und als gegenwärtige Realität zu glauben, was
doch gemäß der paulinischen Verkündigung dem Glauben als Inhalt der
Hoffnung und zugleich in modifizierter Gestalt verheißen ist. Es ist ja kein
einziger Grund ersichtlich, weshalb der auferweckte Jesus mit zunehmender
Dehnung der Zeit[60] mit mehr Macht versehen sein sollte als in den Tagen des
Anfangs. Vielmehr läßt sich der Tatbestand, daß er keineswegs innerhalb
des erwarteten kurzen Zeitraums jede Macht, Herrschaft und Gewalt und
als letzten Feind den Tod vernichtet hat, mit ungleich größerem Recht
dahingehend deuten, daß jener Kampf doch härter und langatmiger ist, als
eine hymnische Entfaltung des Evangeliums im Sinne einer Allmachtschri-
stologie wahrhaben kann und will, die hymnisch-antezipatorische Christus-
aussagen ihrem Sitz im Leben entfremdet.

Die Erkenntnis der Herrschaft Christi als eines unabgeschlossenen
Kampfes, an dessen Ende die Rückgabe verliehener Macht steht, unterstreicht deshalb im Horizont von Dehnung und Dauer dieses Kampfes
womöglich noch stärker, als Paulus selber es getan hat, die Identität von
gekreuzigtem und auferwecktem Jesus. Sie rückt den Gekreuzigten breiter
als in den Briefen des Apostels als Irdischen in den Blick und führt damit in
die Spuren des von den erstenm Evangelisten betretenen Weges, vom Auferweckten in Gestalt des Erzählens vom Irdischen zu reden und diesen damit

---

59. Vgl. z. B. Mt. 28,18–20
60. Diese Formulierung in antithetischer Entsprechung zur irrtümlichen Auffassung des
    Paulus, die Zeit sei „zusammengedrängt" (1. Kor. 7,29).

im Lichte der Gewißheit zu begreifen, er sei der Erstgeborene unter vielen Brüdern (Röm. 8,29). Christologisch rücken damit Kategorien wie die des Mittlers, welche – in Übereinstimmung mit Aussagen wie 1. Kor. 15,20-28 – nicht am Sein, sondern an der Funktion des Christus orientiert sind, in den Mittelpunkt und laden zur Entfaltung mit Hilfe des neutestamentlichen Zeugnisses ein.

Wie der irdische Jesus und wie die Schöpfung mit der Dehnung der Zeit notwendig stärkeres theologisches Gewicht gewinnen, so folgerichtig auch die Geschichte Israels sowohl in der Zeit post als auch in der Zeit ante Christum. Nicht nur ist zu fragen, inwieweit die Kinder Israels auf ihre Weise teilhaben am Kampf für die Herrschaft Gottes; vielmehr ist die Schrift als Altes Testament breiter zu erschließen, als es in vielen neutestamentlichen Zeugnissen der Fall ist: nämlich nicht nur in Gestalt der Frage nach dem, was erfüllt ist, und durch die Explikation solcher Erfüllung, vielmehr auch in der Suche nach dem, was nicht erfüllt ist, aber seiner Erfüllung harrt. Solche Suche ist zumindest partiell mit dem paulinischen Verständnis kommensurabel, wenn anders der Apostel zwar Jesus als Ja auf alle Verheißungen Gottes bezeichnet (2. Kor. 1,20), sich jedoch vor der Behauptung hütet, sie seien bereits alle durch und in ihm erfüllt. Doch muß – wie im Falle der Andeutungen zur Mittler-Christologie – eine Entfaltung dieser Perspektive Überlegungen an anderem Ort vorbehalten bleiben.

Das apokalyptische Gepräge des Evangeliums der Frühzeit wird solange die Signatur des von der Kirche verkündigten bleiben, solange die christliche Gemeinde ihren Ursprung in der Verkündigung der Auferweckung Jesu von Nazareth nicht verleugnet und eingedenk bleibt, daß sie sich einem apokalyptischen Geschehen verdankt und selber als Versammlung der Völker im Schatten der *aparchē* Jesus Christus ein apokalyptisches Phänomen darstellt. Das Verkennen dieses Zusammenhangs kann Theologie und Kirche nur zum Schaden gereichen, insofern es sie behindert, Folgerungen aus dem Tatbestand zu ziehen, daß sie jenem Evangelium und ihrer eigenen Herkunft verpflichtet bleibt, ohne doch die Situation derer zu teilen, in deren Kreis dies Evangelium zuerst laut geworden ist[61].

61. In Anm. 59 und 61 sind Verweise auf einen Aufsatz gestrichen worden, der in der leider eingestellten Zeitschrift „Emuna" erscheinen sollte.

4. „Ich elender Mensch..."

Tod und Leben als Zentrum der paulinischen Theologie

I.

In Jer. 23,7f. kündigt der Prophet an: „Siehe, Tage kommen, spricht der Herr, da wird man nicht mehr sagen: So wahr der Herr lebt, der die Kinder Israel aus Ägypten geführt hat, sondern: So wahr der Herr lebt, der den Samen des Hauses Israel aus dem Nordlande und aus allen Ländern, wohin ich sie verstoßen habe, herausgeführt und hergebracht hat"[1]. Freilich, solange man nicht in der hier verheißenen messianischen Zeit lebt, sondern noch ganz in der Kraft des Gedenkens an das geschichtliche Gotteshandeln, auf dem die gegenwärtige Existenz beruht, solange fällt es schwer, sich die Zukunft ohne Erinnerung an die bisher tragende, von Gott selbst gelegte Grundlage vorzustellen. Wer würde z.B. jemandem trauen und folgen, der in christlicher Variation des Spruches ankündigte, mit der Parusie des Christus würde man nicht mehr des Kreuzes gedenken? So ist es verständlich, daß die Rabbinen Ben Soma widersprachen, als dieser Jeremia beim Wort nahm, und daß sie entschieden, das Gedenken an die Rettung in der messianischen Zeit werde in dieser selbst zwar die Hauptsache sein, die Erinnerung an den Exodus jedoch als Nebensache gewahrt bleiben[2]. Anders verhält es sich indes, wenn Messianisches nicht vorerst allein erhofft wird, sondern wenn es da ist, wenn es erfahren und erlebt wird, welche Gestalt dies Erleben auch immer haben mag. Dann tritt nur zu leicht jene ebenso einfache wie eindrückliche Geschichte in Kraft, die bereits Schimon ben Jochai auf das Rettungsgedenken in der Gegenwart und in den Tagen des Messias bezog: das Gleichnis von dem Manne, der, von einem Wolf angefallen und errettet, die Geschichte vom Wolf

---

1. Übersetzung nach: Einheitsübersetzung der Heiligen Schrift. Das Neue Testament, Stuttgart 1979.
2. bBerachot 12b.

erzählte, später jedoch, aufs glücklichste einem Löwen entkommen, nur noch die Geschichte vom Löwen ...[3]

Von hier aus fällt – in angemessener Differenzierung – schlagartig Licht auf das Neue Testament und auf das ihm innewohnende Verhältnis zur heilsgeschichtlichen Vergangenheit, insbesondere aber auf Person und Lehre des Paulus in ihrem unlöslichen Zusammenhang miteinander und auch mit dem neutestamentlichen Zeugnis insgesamt. Gewiß hat Lukas, wie bereits die drei Versionen der Begebenheit in der Apostelgeschichte zeigen[4], die Überlieferung über das Damaskuswiderfahrnis des Paulus frei nacherzählt[5]. Die Andeutungen des Apostels selbst lassen jedoch erkennen[6], daß der Verfasser der Apostelgeschichte die außerordentliche Bedeutung dieses Geschehens sowohl für die Person des Paulus als auch für die Geschichte des frühen Christentums treffsicher erfaßt hat. Nicht zu Unrecht ist die in den lukanischen Erzählungen überlieferte Begebenheit geradezu zum Urbild unerwarteter Kehren geworden, so daß man bis in völlig nichtreligiöse Bereiche hinein toposartig davon spricht, jemand habe dann und dann „sein Damaskus“ gehabt. Was nun den Inhalt des paulinischen Widerfahrnisses bei Damaskus betrifft, so wird zwar immer die Spannung zwischen jenen ausgeführten Erzählungen des Lukas und den drei kurzen Sätzen bleiben, mit denen Paulus das zusammenfaßt, was sich einst ereignete: „Gott beschloß ..., seinen Sohn an (in) mir zu offenbaren (Gal. 1,15f.) – Zuletzt ... ist er (Jesus) auch mir erschienen (1. Kor. 15,8) – Habe ich nicht Jesus gesehen?“ (1. Kor. 9,1). Und zumal angesichts der Zurückhaltung des Paulus wird man gut daran tun, nicht allzuviel mehr wissen zu wollen, als er selbst zu erkennen gibt. Ungeachtet dessen steht jedoch nach beiden neutestamentlichen Zeugen fest, daß Paulus auf dem Weg in die syrische Wüstenstadt Jesus von Nazareth als Lebendigen geschaut hat und daß er von ihm in dieser Begegnung in Dienst genommen worden ist. Und wie immer man historisch über die Modalitäten dieses Schauens urteilen mag,

---

3. Mechilta de-Rabbi Jischmael, Par. Bo 16 zu Ex. 13,3 (Horovitz/Rabin, S. 59). Der Text ist aufgenommen bei P. Fiebig, Altjüdische Gleichnisse und die Gleichnisse Jesu, Tübingen/Leipzig 1904, 22f. Es handelt sich um eine Parallelversion zur erwähnten Überlieferung aus bBerachot 12b. Das Gleichnis begegnet auch in bBerachot 13a, dort jedoch zur Deutung der Leidenszeiten Israels und erweitert um eine Schlangenepisode.

4. Apg. 9,1-29; 22,3-21; 26,9-20.

5. Zur Frage nach dem Verhältnis von Tradition und Redaktion s. Chr. Burchard, Der dreizehnte Zeuge, Göttingen 1970; K. Lönning, Die Saulus-Tradition in der Apostelgeschichte, Münster 1973.

6. Gal. 1,12-16; 1. Kor. 15,8; Phil. 3,5-8.

fest steht ebenfalls, daß diese visionäre Begegnung auf den Mann aus Tarsus, wie Wrede nach wie vor unübertroffen formuliert hat, „mit der vollen Kraft einer objektiven Tatsache" gewirkt hat[7]. Sowohl nach Lukas wie nach Paulus selbst ist der in jener Begegnung Geschaute niemand anders als der Messias, d.h. der Christus, oder der (messianisch-königliche) Sohn Gottes. In diesem Sinne ist deshalb die Grundlage des ganzen weiteren Wirkens des Apostels ein messianisches Erlebnis oder Widerfahrnis. Es kennzeichnet die paulinische apostolische Rede, daß Paulus – zumindest in seinen Briefen – davon Abstand nimmt, „seine" Geschichte in der Art der lukanischen Damaskuserzählungen zu thematisieren. Doch wenn er auch seine Person, gemessen an diesen Erzählungen, bemerkenswert zurücknimmt, so dominiert doch die bei Damaskus gewonnene Gewißheit seine gesamte Botschaft und Lehre in schwerlich zu überschätzender Weise. Diese Dominanz erlaubt zum einen Rückschlüsse auf das, was im Sinne von Problem und Lösung im Zentrum des paulinischen Lebens, Denkens und Wirkens steht. Sie gibt zum anderen Anlaß, noch einmal neu über den Ort dessen nachzudenken, was gemeinhin, zumal in westlicher, lutherischer Tradition, einvernehmlich als Zentrum der paulinischen Theologie betrachtet wird: die Verkündigung der Rechtfertigung des Sünders oder des Gottlosen *sola gratia* und *sola fide* [8].

7. W. Wrede, Paulus (1904), in: K.H. Rengstorf (Hg.), Das Paulusbild in der neueren deutschen Forschung, Darmstadt 1964, 1-97, hier 7.
8. Die nachfolgenden Ausführungen knüpfen an folgende eigene Arbeiten an und führen die dortigen Ansätze weiter: Römer 8 als Beispiel paulinischer Soteriologie, Göttingen 1975, 160ff., bes. 167.175f.191f.221f.319ff.; Anstöße aus der Schrift, 1981,60. 68-78. Vgl. auch oben, 15f.58f.
   Die zentrale Bedeutung der Auferweckung des Gekreuzigten bzw. der Begegnung mit dem auferweckten Jesus für die paulinische Theologie ist im übrigen seit langem immer wieder mit Recht hervorgehoben worden. Vgl. an älteren Arbeiten z.B. Wrede, Paulus (A.7); W. Mundle, Das religiöse Leben des Apostels Paulus, Leipzig 1923; A. Schweitzer, Die Mystik des Apostels Paulus, Tübingen [2]1954. An jüngeren Untersuchungen s. J.C. Beker, Paul the Apostle, Philadelphia [2]1982; S. Kim, The Origin of Paul's Gospel, Tübingen 1981; E.P. Sanders, Paulus und das palästinische Judentum, Göttingen 1985, sowie zuletzt U. Luck, Die Bekehrung des Paulus und das Paulinische Evangelium. Zur Frage der Evidenz in Botschaft und Theologie des Apostels, in: ZNW 76 (1985), 187-208; Chr. Dietzfelbinger, Die Berufung des Paulus als Ursprung seiner Theologie, Neukirchen-Vluyn 1985, und E. Lohse, Was heißt es: Ich glaube an den auferstandenen Christus. Vom Zentrum einer Theologie des Neuen Testaments, in: BThZ 4 (1987), 53-67.

II.

Gefragt, wer der eine Gott sei, den er als Apostel Jesu Christi verkündige, hätte Paulus ohne Zweifel geantwortet: „der, der Jesus Christus von den Toten auferweckt hat". Als ein Beispiel unter vielen mag dafür der Anfang des Briefes an die Galater stehen. Paulus sieht sich genötigt, sich den verwirrten Gemeinden erneut vorzustellen, und er führt sich deshalb gleich zu Beginn mit den Worten ein: „Apostel nicht von Menschen und nicht durch einen Menschen, sondern durch Jesus Christus und Gott den Vater, der ihn von den Toten auferweckt hat" (Gal. 1,1). So beherrschend ist diese Gottesprädikation auch über diesen Zusammenhang hinaus, daß Gerhard Delling von ihr mit Recht gesagt hat, ihr komme im Rahmen der paulinischen Verkündigung der gleiche Stellenwert zu, den für das Alte Testament und für Israel die Prädikation Gottes als dessen habe, „der Israel aus Ägypten herausgeführt hat"[9]. Zwar schließt dieser Tatbestand keine reine Diskontinuität im Verhältnis zu diesem Datum und anderen der Geschichte Gottes mit seinem Volk Israel ein – Marcion jedenfalls hat den Zusatz „und Gott der Vater" in Gal. 1,1 allem Anschein nach gerade deshalb, weil er Kontinuität mit dem Gott Israels anzeigt, gestrichen[10]. Trotzdem bleibt der Tatbestand der beherrschenden Stellung jener Prädikation und wird durch eine Fülle weiterer Sachverhalte unterstrichen.

So kann Paulus in Röm. 10,9 Inhalt und Bedeutung des Evangeliums in dem denkbar kurzen Resümee zusammenfassen: „Wenn du mit deinem Munde (laut, in der Gemeinde) bekennst: Herr ist Jesus!, und wenn du in deinem Herzen glaubst: Gott hat ihn von den Toten erweckt – dann wirst du (im Endgericht) gerettet werden." Hier ist die Auferweckung Jesu durch Gott nicht nur der zentrale Bezugspunkt des Glaubens. Vielmehr bestimmt dies alles beherrschende Datum auch das Lautwerden des Herzens im Bekenntnis; denn Kyrios ist Jesus aus keinem anderen Grunde als dem, der zugleich den Grund des Glaubens bildet, eben seine Auferweckung durch Gott (vgl. Röm. 1,3f.; 1. Kor. 15,20ff.). Es gibt Anhaltspunkte für die Vermutung, daß Paulus in Röm. 10,9 auf geprägte Tradition zurückgreift[11]. Die

---

9. G. Delling, Geprägte partizipiale Gottesaussagen in der urchristlichen Verkündigung, in: ders., Studien zum Neuen Testament und zum hellenistischen Judentum. Ges. Aufs. 1950–1968, hg. v. F. Hahn/T. Holtz/N. Walter, Göttingen 1970, 401-416, hier 407. Vgl. auch unten, 263 mit A. 19.

10. Vgl. Nestle-Aland[26] z. St.

11. Vgl. W. Kramer, Christos, Kyrios, Gottessohn, Zürich 1963, 16f.28f.61; F. Hahn, Christologische Hoheitstitel, Göttingen 1963, 204.209f.; R. Deichgräber, Gotteshymnus und Christushymnus in der frühen Christenheit, Göttingen 1967, 112.114.

Formelhaftigkeit, in der die Prädikation Gottes als dessen, der Jesus von den Toten auferweckt hat, sowohl bei ihm[12] als auch in anderen neutesta-mentlichen Zeugnissen[13] erscheint, ist ein weiteres Indiz dafür, wie stark jene Tat das Gottesverständnis in der frühen Christenheit insgesamt geprägt hat. So kann sich Paulus mit Recht darauf berufen, er bringe in den Gemeinden allein das zur Geltung, was ihm selbst überkommen sei (1. Kor. 15,3-5). So eigene Wege er auch in der Entfaltung der Botschaft gegangen ist[14], in der Deutung seiner Begegnung mit dem lebendigen Jesus durch die apokalyptische Kategorie der Auferweckung ist er ganz der Verkündigung und dem Verständnis derer gefolgt, die er meinte verfolgen zu müssen, als er selbst noch nicht ihre Erfahrung teilte und in Dienst genommen war.

Jenes grundlegende Verständnis Gottes als dessen, der jetzt an Jesus Christus messianisch, endzeitlich, gehandelt hat, ist für Paulus die Keim-zelle alles dessen, was er im Rahmen der Entfaltung des Evangeliums zu sagen hat. Zwei, drei Beispiele mögen die Weite der sich hier eröffnenden Zusammenhänge in einem ersten Schritt andeuten. So erschließt Paulus von der Erfahrung des auferweckten Gekreuzigten her, daß bereits Abraham an den Gott glaubte, der die Toten auferweckt. Er rezipiert damit die Schrift im Horizont des geglaubten, jetzt erfolgten endzeitlichen Handelns Gottes (Röm. 4)[15]. Desgleichen bildet für ihn das Wissen, daß Gott Jesus von den Toten auferweckt hat, die Grundlage der Gewißheit, daß „er auch uns mit Jesus auferwecken wird" (2. Kor. 4,14). Oder aber er weiß, in reicherer Umschreibung desselben Zusammenhangs: „Wenn der Geist dessen in euch wohnt, der Jesus von den Toten auferweckt hat, (dann) wird der, der Chri-stus von den Toten auferweckt hat, auch eure sterblichen Leiber lebendig machen durch seinen in euch wohnenden Geist." Und damit steht für ihn als unverrückbares Ziel der Geschichte Gottes mit den Menschen fest, daß „das Sterbliche vom Leben verschlungen" werden wird (2. Kor. 5,5). So spannt sich der Bogen auf der Grundlage der Gewißheit des erfolgten end-zeitlichen Handelns Gottes zurück bis zu Abraham – und darüber hinaus – und voran bis an das Ende aller Tage. Anders als in der Voraussage Jere-mias und Ben Somas bezieht Paulus damit zwar ein wesentliches Stück der Geschichte in seine theologische Reflexion ein, *obwohl* er messianisch

---

12. Röm. 4,24; 8,11 (2x); 2. Kor. 4,14; Gal. 1,1. Vgl. auch Röm. 10,9; 1. Kor. 6,14; 15,15; 1. Thess. 1,10.
13. Eph. 1,20; Kol. 2,12; 1. Petr. 1,21. Vgl. auch 2. Tim. 2,8; Apg. 3,15; 4,10; 5,30; 10,40; 13,30.37.
14. Vgl. z.B. die Adam-Christus-Typologie Röm. 5,12-21.
15. Vgl. insbes. Röm. 4,17 mit 4,23-25.

berührt ist. Aber zum einen ist die messianische Zeit anders als in jener Voraussage noch nicht in ihrer Fülle gekommen; vielmehr überschneiden sich in der Gegenwart diese und jene Welt[16]. Und zum anderen wird die erinnerte Geschichte ganz und gar im Licht der gegenwärtigen messianischen bzw. endzeitlichen Erfahrung gesehen und rezipiert, so daß sich jene Voraussage in diesem differenzierten Sinne trotzdem bewahrheitet. So deutet sich bereits in diesen wenigen Beispielen an, daß sämtliche Fragen – mögen sie auf die Schrift bezogen sein, mögen sie die Erlösung in Gegenwart und Zukunft betreffen – von jener messianischen Urerfahrung her angedacht oder durchdacht sind. Die Antworten des Paulus auf jene Fragen sind deshalb als ein Aufdecken der Implikationen der Gewißheit zu verstehen, die er in dieser Urerfahrung der Auferweckung des Gekreuzigten gewonnen hat.

Am deutlichsten zeigt sich die Zentralität der Auferweckungsgewißheit an der Christologie. Denn wenn die entscheidende Tat darin besteht, daß Gott Jesus von den Toten auferweckt und zum Herrn gemacht hat, dann ist darin inbegriffen, daß christologisch eben die Auferweckung des Gekreuzigten das A und O ist und daß alle Reflexionsbewegungen von hier ausgehen und hierher zurückkehren. So dürfte auch unmittelbar klar sein, daß all das, was Paulus über den Gekreuzigten sagt, ganz und gar von der Gewißheit seiner Auferweckung getragen und bestimmt ist. Sie ist damit die stillschweigende Voraussetzung selbst solcher Sätze, in denen der Apostel das Gegenteil zu behaupten scheint – so, wenn er den ins Enthusiastische abschwirrenden Korinthern ins Gedächtnis ruft, er habe unter ihnen allein Jesus Christus zu wissen behauptet, und zwar als Gekreuzigten (1. Kor. 2,2)[17]. Paulus selbst belegt dies in demselben Brief mit aller wünschenswerten Deutlichkeit. In dem Augenblick, in dem er – irrtümlich oder nicht – davon meint ausgehen zu müssen, in Korinth werde die Auferstehung der Toten geleugnet und folgerichtig auch die Auferweckung Jesu Christi selbst bezweifelt, zieht er selber die radikale Konsequenz, daß dann wirklich *alles* umsonst und nichtig ist[18]. Gerade auch all das, was in der Verkündigung als Ertrag des Todes Jesu Christi ausgerufen wird, wie die alles entscheidende

16. Zwar begegnet bei Paulus der Begriff „kommende Welt“ nicht, doch sind Jesus Christus als „Erstling der Entschlafenen“ und das Pneuma als „Angeld“ deutlich als Manifestationen des kommenden Äons bzw. der neuen Schöpfung verstanden. Vgl. zum Ganzen Schweitzer, Mystik (A.8), bes. 96ff.

17. Vgl. hierzu ausführlich den oben (56–79) nachgedruckten Beitrag: Die paulinische theologia crucis als Form apokalyptischer Theologie.

18. Siehe 1. Kor. 15,12-19.

Befreiung von den Sünden bzw. von der Herrschaft der Sünde, ist für ihn unter dieser Voraussetzung hinfällig. Dies Beispiel allein würde, ungeachtet der von Bultmann in diesem Zusammenhang geübten Sachkritik[19], genügen. Darüber hinaus belegt ein Abschnitt wie Röm. 4,23-25 ganz ohne den polemischen Zusammenhang des 1. Korintherbriefes, wie wenig sich Auferweckter und Gekreuzigter bei Paulus trennen lassen: Wie Jesus Christus hingegeben worden ist „um unserer Sünden willen", so ist er – positive Umschreibung desselben Sachverhalts – auferweckt „um unserer Rechtfertigung willen" (Röm. 4,25). Wie die Glaubenden durch seinen Tod gerechtfertigt und versöhnt sind, so werden sie durch sein Leben gerettet werden (Röm. 5,9f.), obwohl doch Rechtfertigung und Versöhnung grundsätzlich bereits Rettung bedeuten. Noch sprechender als diese und weitere Einzelstellen, die sich nennen ließen, aber scheint der folgende bereits berührte und durch jede Zeile der paulinischen Briefe hindurchschimmernde Tatbestand zu sein: So wie die Auferweckung Jesu Christi in seine Inthronisation zum Kyrios mündet, so ist überall dort vom Auferweckten die Rede, wo Paulus ihn als Kyrios begrifflich oder sachlich zur Sprache bringt.

In jener alles bestimmenden Gewißheit: „Gott hat Jesus Christus von den Toten auferweckt", ist für Paulus wie das Fundament der Christologie so desgleichen der Grund der Pneumatologie gelegt. Aufschluß hierüber gibt insbesondere die bereits zitierte Zusage Röm. 8,11, wenn der Geist dessen, der Jesus von den Toten auferweckt habe, in der Gemeinde wohne, dann werde dieser totenerweckende Gott auch die Glieder der Gemeinde durch eben diesen Geist lebendig machen. Sie lehrt, daß die Kraft, durch die Gott die Toten auferweckt, das Pneuma, sein Geist ist. In Röm. 8,11 ist vorausgesetzt, daß dieser Geist so, wie er einst lebenschaffend wirken wird, bereits bei der Auferweckung Jesu Christi wirksam war. Ganz entsprechend heißt es in 1. Kor. 15,45, daß Jesus Christus als der letzte Adam zum lebendigmachenden Geist geworden, und in Röm. 1,4, daß er zum messianischen Sohn Gottes eingesetzt sei durch den heiligen Geist aufgrund (oder seit) der Auferweckung von den Toten. Auf derselben Linie liegt es, wenn der Apostel generell vom Pneuma sagt, es mache lebendig (2. Kor. 3,6), wenn er ihm Leben und Frieden als sein Trachten zuordnet (Röm. 8,6), wenn er in der

---

19. R. Bultmann, Karl Barth, „Die Auferstehung der Toten", in: ders., Glauben und Verstehen I, Tübingen 1933, 38-64. Exegetisch ist Barth (Die Auferstehung der Toten, München 1924) mit seiner Betonung von Kap. 15 als Zentrum des Briefes fraglos gegenüber Bultmanns Favorisierung von Kap. 13 im Recht, auch wenn sich beide Kapitel nicht gegeneinander ausspielen lassen.

Gabe des Geistes die Anwartschaft darauf begründet sieht, daß das Sterbliche vom Leben verschlungen wird (2. Kor. 5,5; vgl. Röm. 8 insgesamt), oder wenn er ihn als „Geist des Lebens" (Röm. 8,2) qualifiziert.

Da das Pneuma die Gabe Gottes schlechthin an die Gemeinde Jesu Christi ist, liegt auf der Hand, daß von daher das Thema „Leben" notwendig auch die gesamte Soteriologie, Ekklesiologie, Ethik und Eschatologie bestimmt. Für den Bereich der Soteriologie mag daran erinnert werden, daß das zur Rettung führende Bekenntnis „Kyrios Jesus" allein kraft des Geistes möglich ist (1. Kor. 12,3); für die Ekklesiologie, daß die Zugehörigkeit zur Gemeinde Zugehörigkeit zu dem heißt, der von den Toten auferweckt ist (Röm. 7,4), eine Zugehörigkeit, die durch die Gabe des mit dem Geist Gottes identischen Geistes Christi geschaffen wird und vor Gott die irdischen Differenzen aufhebt (Röm. 8,9f.; Gal. 3,28); für den Bereich der Ethik an den Aufruf zum Wandel im Geist (Gal. 5,25), in der Neuheit des Lebens (Röm. 6,5), und zum Säen auf den Geist mit dem Ziel der Gnadengabe des ewigen Lebens (Gal. 6,8); für die Eschatologie auf die bereits genannten Stellen Röm. 8,11; 2. Kor. 4,14; 1. Kor. 15. All dies ließe sich in aller Breite entfalten [20]. Doch genügt es hier, *ansatzweise* zu verdeutlichen, wie die Botschaft und Gewißheit der Auferweckung des Gekreuzigten jeweils die Struktur der Aussagen zu den einzelnen Fragebereichen bestimmt.

Besonders hervorzuheben ist allerdings ein Zusammenhang, der von solch grundsätzlicher Bedeutung ist, daß es zu Fehlschlüssen führen könnte, träte er nicht ausdrücklich ins Blickfeld. Zwar wurzelt die paulinische Verkündigung und Lehre biographisch in der dem Apostel bei Damaskus widerfahrenen Begegnung mit dem Auferweckten. Seine Verkündigung und Lehre sind jedoch nicht in der Weise mit diesem Ereignis verknüpft, als stünden und fielen sie in vordergründigem Sinne mit dieser biographischen Signatur oder als gewönnen sie, von ihr abgelöst, eine andere Qualität. Es bezeugt Intensität und Weite der Lehre des Apostels, daß Konsequenzen dieser Art bereits durch ihn selbst ausgeschlossen sind. In 1. Kor. 15,8 hat Paulus sich selbst unmißverständlich als letzten Zeugen einer in Gestalt des Sehens erfolgenden Begegnung mit dem Auferweckten bezeichnet. Aber dies besagt nicht etwa, daß Jesus Christus nach diesem Datum oder abgesehen von solchen Begegnungen nicht präsent wäre. Ort seiner Gegenwart ist vielmehr fortan allein die Verkündigung, die im Glauben auf- und ange-

---

20. Vgl. oben, 62ff., und zum Ganzen auch den Abschnitt „Die Gegenwärtigkeit des Lebens nach Paulus" von R. Bultmann, Artik. *zaō ktl.* E5, in: ThWNT 2 (1935), 868-871, sowie ders.,Theologie des Neuen Testaments, Tübingen [3]1958, 349ff.

nommen wird, unter Einschluß der Sakramente. Damit ändert sich zwar der Modus der Präsenz (Erscheinung/Evangelium) und der Modus ihrer Wahrnahme oder Erfahrung (Sehen/Glauben), nicht aber die theologische Qualität der Begegnung. Auf folgende Sachverhalte ist in diesem Zusammenhang zu verweisen: Wie Paulus in der visionären Begegnung mit Jesus Christus berufen und beauftragt wird, so geschieht die Berufung und Beauftragung jenseits dieses kontingenten Ereignisses durch das Evangelium. Wie Inhalt des Damaskusereignisses die Offenbarung des Sohnes Gottes ist (Gal. 1,15), so ist für Paulus das Evangelium solches vom Sohn Gottes (Röm. 1,1ff.). Wie Damaskus ein Offenbarungsgeschehen ist, so geschieht entsprechend im Evangelium Offenbarung (jeweils *apokalyptein*/-*testhai*). Beides ist gleicherweise wirkkräftige, sich machtvoll erweisende Kundgabe desselben Inhalts, so daß dann, wenn jemand zum Glauben an das Evangelium kommt, das geschieht, was Paulus seinerzeit bei Damaskus erfahren hat, nämlich die Offenbarung des Sohnes durch den Vater an dem so Betroffenen. Der Apostel schaut und sieht den lebendigen Jesus Christus, er hat deshalb gleichsam seinen Augen zu trauen und „nur", insofern er in der Begegnung angeredet wird, auch seinen Ohren; der Gemeinde hingegen begegnet der Auferweckte in der Verkündigung, sie hat deshalb gleichsam allein ihren Ohren Glauben zu schenken[21]. Und selbst diese Differenz zwischen beiden Begegnungsweisen wird von Paulus teilweise relativiert. In 2. Kor. 3,18-4,6 behauptet er so z.B. in einem hochpolemischen Zusammenhang und deshalb auch durch ihn mitveranlaßt, wer das Evangelium glaubend aufnehme, der sehe in ihm die Herrlichkeit Gottes auf dem Angesicht Jesu Christi (vgl. 4,6). Es gibt deshalb nach Paulus auch bei denen, die nicht in einer visionären Christusbegegnung berufen sind, einen Zusammenhang von Glauben und Sehen. Der Unterschied besteht darin, daß im einen Fall das Sehen vom Hören begleitet wird, im anderen das Hören zum Sehen führt.

Im vorliegenden Zusammenhang ist an all diesen Beobachtungen vor allem folgender Schluß von Bedeutung: Angesichts der Analogie zwischen einer Christusbegegnung wie jener des Paulus bei Damaskus und derjenigen, die im Vollzug der Verkündigung des Evangeliums geschieht, läßt sich nach Paulus füglich davon sprechen, daß jeder Glaubende theologisch von einer messianischen Urerfahrung herkommt. Sie entspricht derjenigen des Paulus ohne jede Einschränkung, insofern in dieser Begegnung der endzeitlich lebendige, auferweckte Jesus zum Kyrios des Glaubenden wird. Die

---

21. Vgl. hierzu auch oben, 16ff.

Urerfahrung ist deshalb auch hier die Erfahrung endzeitlichen Lebens in Gestalt dieses Kyrios.

Wie in einem Bündel findet sich alles Angedeutete – teils ausgearbeitet, teils implizit – noch einmal in Röm. 5,12-21 wieder, der sog. Adam-Christus-Typologie. Ihr Ausgangspunkt ist die Feststellung, daß durch einen Menschen die Sünde in die Welt gekommen sei und durch sie der *Tod* zu allen Menschen. Ihren dementsprechenden Zielpunkt bildet der Aufweis, daß jetzt um so mehr die, die den Überfluß der Gnade und des Geschenkes der Gerechtigkeit empfangen haben, *im Leben* herrschen werden durch den einen Jesus Christus (Röm. 5,17). Was sich hier in äußerster Verdichtung zeigt, das ließe sich analog an all den Passagen aufweisen, die über die Begriffe „Auferweckung“ und „Leben“ bereits berührt wurden. Wie das Wort „Leben“ das positive Schlüsselwort für alle erörterten Zusammenhänge ist, so das Wort „Tod“ dasjenige, das anzeigt, welche Realität durch Gottes Handeln an Jesus Christus und durch ihn bzw. seinen Geist siegreich angegangen wird. Der Tod ist bei Paulus nicht nur der letzte, sondern der entscheidende Feind und Jesus Christus *deshalb* für ihn Gewinn, weil Gott durch ihn diesen Feind endzeitlich angegriffen hat und weiterhin angreift (1. Kor. 15,20ff.), bis der Jubelruf erschallt: „Verschlungen ist der Tod in Sieg. Tod, wo ist dein Sieg? Tod, wo ist dein Stachel?“ (1. Kor. 15,55). Um noch einmal von der lehrhaften Ebene auf die stärker bekenntnishafte und persönliche zu wechseln: Von diesem Jubelruf her erklärt sich, warum Paulus Lust hat, abzuscheiden und bei Christus zu sein (Phil. 1,23) – eben weil für ihn Jesus Christus „Leben“ heißt (Phil. 1,21). Und es erklärt sich ebenso, daß der intensivste Elendsruf, der in den paulinischen Briefen laut wird, die Realität des Todes betrifft: „Ich elender Mensch, wer wird mich erretten aus diesem Todesleibe?!“ (Röm. 7,24). Es ist derselbe Ton, der laut wird, wenn Paulus in dem bereits gestreiften Zusammenhang 1. Kor. 15 ausführt: „Wenn wir nur in diesem Leben auf Jesus Christus unsere Hoffnung gesetzt haben, dann sind wir bemitleidenswerter als alle Menschen!“ (1. Kor. 15, 19). Die beiden in Röm. 7 und 1. Kor. 15 verwendeten Wörter *talaipōros* und *eleeinos* begegnen auch in Apk. Joh. 3,17 in enger Nachbarschaft[22] – und bei Paulus jeweils nur an dieser einen Stelle.

Gewiß leiht in Röm. 7 der Christ Paulus dem nicht durch Jesus Christus befreiten Menschen Erkenntnis und Stimme, so daß sich der Elendsruf 7,24 nicht im glatten Sinne biographisch verrechnen läßt. Und trotzdem legt sich,

---

22. Vgl. W. Bauer, Griechisch-deutsches Wörterbuch zum Neuen Testament, Berlin ⁵1958, 494.1590.

zumal angesichts von 1. Kor. 15,19, ein Zusammenhang zwischen dieser Stelle und der Art und Weise nahe, wie Paulus das menschliche Leben und so auch sein eigenes in der Zeit vor seiner Berufung zum Apostel gesehen hat. Nichts in den paulinischen Briefen läßt darauf schließen, daß Paulus als Pharisäer in besonderer Weise unter dem Sündersein des Menschen bzw. unter der Erkenntnis des eigenen Sünderseins gelitten hätte, geschweige denn unter dem Leben mit dem Gesetz. Alles weist vielmehr in die entgegengesetzte Richtung. Der Apostel bescheinigt sich bekanntlich in Phil. 3,6, daß er in jener Zeit „nach Maßgabe der Gerechtigkeit, die aus dem (Halten des) Gesetz(es) resultiert, untadelig" gewesen sei[23]. Seine Erkenntnis der Tiefe der Verlorenheit des Menschen und so auch seiner selbst ist entsprechend Teil der ihm zuteilgewordenen Offenbarung[24]. Wohl aber geht aus den Briefen des Apostels hervor, daß Paulus in besonderer Weise von Leiden betroffen gewesen ist, nicht nur von Betrübnissen in Ausübung seines apostolischen Amtes, sondern auch in Gestalt einer schwächlichen, anfälligen Konstitution[25]. Diese Leiden aber sind von ihm als Manifestationen des Todes verstanden worden[26]. So spricht einiges dafür, daß auch bereits für Paulus den Pharisäer der Tod, mit seinem Griff nach dem Menschen in Gestalt des Leidens, der größte Feind gewesen ist. Und ob sich dies nun tatsächlich aufgrund eigenen persönlichen Leidens oder aber unabhängig davon, etwa im Zusammenhang nachweisbarer Zeitströmungen[27], so verhalten hat, so ist wohl nur unter dieser Voraussetzung verständlich, warum der Apostel in dem Augenblick, da ihm in Jesus Christus hier und jetzt das Leben in endzeitlicher Gestalt begegnet, so reagiert wie jener Mensch im Gleichnis vom Schatz im Acker, der alles stehen und liegen läßt, nur um diesen Acker zu erwerben – oder eben wie jener Mann im Gleichnis vom Wolf und Löwen. Es ist eben doch etwas anderes, ob man auf dies Leben im Sinne des ganz und gar Ausständigen hofft oder ob man ihm

---

23. Vgl. zum Ganzen z.B. O. Betz, Paulus als Pharisäer nach dem Gesetz. Phil. 3,5-6 als Beitrag zur Frage des frühen Pharisäismus, in: Treue zur Thora. Beiträge zur Mitte des christlich-jüdischen Gesprächs. Festschr. f. G. Harder, hg. v. P. v. d. Osten-Sacken, Berlin ³1986, 54-64.
24. Vgl. G. Harder, Kirche und Israel. Arbeiten zum christlich-jüdischen Verhältnis. Eingel. u. hg. v. P. v. d. Osten-Sacken, Berlin 1986, 116.173.184.
25. Vgl. die Andeutungen 2. Kor. 10,10; 12,7-9; Gal. 4,12-15.
26. Vgl. z.B. Röm. 8,35ff. und dazu Römer 8 (A.8), 316ff., sowie zu weiteren Leidenstexten bei Paulus ebenda, 287ff. Zum Tod als „nichtigender Macht" im Neuen Testament einschließlich der paulinischen Briefe s. R. Bultmann, Artik. *thanatos*, in: ThWNT 3 (1938), 17f.
27. Siehe dazu z.B. H. Preisker, Neutestamentliche Zeitgeschichte, Berlin 1937, 118ff.

begegnet, und das heißt bei Paulus, mit ihm jetzt, unter den Bedingungen von Zeit und Geschichte, gleichsam zusammenprallt.

So dürfte ein Verständnis der paulinischen Theologie, das die Rechtfertigungsverkündigung zum unvermittelten Zentrum dieser Theologie erklärt, noch zu sehr von der aus Sündenbewußtsein und Gerichtsangst resultierenden Frage Luthers bestimmt sein, wie man einen gnädigen Gott erhalte. Der Tatbestand selbst ist insofern durchaus verständlich, als die zentrale Stellung der Rechtfertigungsverkündigung in protestantischer Tradition durch Luther vermittelt ist. Aber Paulus hat eben nicht unter der Frage gelitten, wie er einen gnädigen Gott bekomme, vielmehr hat ihn bewußt oder unbewußt jene andere bewegt, wenn nicht umgetrieben: Wer wird mich erretten aus diesem Todesleibe?

III.

Mit dieser Bestimmung von Tod und Leben als Zentralthema der paulinischen Verkündigung ist keineswegs bereits die Rechtfertigungsverkündigung im Gefolge einer bestimmten Auslegungstradition zur Randerscheinung der Lehre des Apostels erklärt[28]. Sie behält vielmehr das Gewicht, das sie bei Paulus hat: Unter den Zusammenhängen, mit deren Hilfe Paulus die Botschaft von der Auferweckung des Gekreuzigten in ihrer Bedeutung für die Menschen entfaltet, ist sie der am breitesten ausgeführte und gewiß auch am intensivsten durchdachte Teil seiner Lehre. In diesem Sinne partizipiert sie an der Zentralität des Themas „Tod/Leben“. Paulus hat sein Evangelium in den von ihm beantworteten Gemeindesituationen auch ohne begriffliche Aufnahme und Ausarbeitung der Rechtfertigungsverkündigung darbieten können. Wenn es jeweils trotzdem dasselbe und kein „anderes“ Evangelium ist, so deshalb, weil es von Mal zu Mal aus der Gewißheit der Auferweckung des Gekreuzigten und aus der Erkenntnis ihrer Konsequenzen gespeist wird.

---

28. Gemeint sind die bekannten Auffassungen Wredes und Schweitzers. Während Wrede (Paulus [A.7]) urteilt, man könne „das Ganze der paulinischen Religion“ (die Erlösungslehre, vgl. 46ff.) darstellen, ohne überhaupt von der Rechtfertigungslehre „Notiz zu nehmen“ (67), bezeichnet Schweitzer (Mystik [A.8], 220) sie als einen „Nebenkrater, der sich im Hauptkrater der Erlösungslehre der Mystik des Seins in Christo bildet“. Als „Kampfeslehre“ in der Auseinandersetzung mit Judentum und Judenchristentum vermag Wrede sie als „geschichtlich hochwichtig und für ihn (Paulus) selbst charakteristisch“ zu würdigen (67).

Die Zuordnung der paulinischen Rechtfertigungsverkündigung zur Botschaft vom Leben in Jesus Christus und ihre Relativierung, d.h. ihre Inbeziehungsetzung, in diesem Sinne liegt, ist sie erst einmal gesehen, so sehr auf der Hand, daß der Nachweis an einigen besonders sprechenden Stellen genügen mag. Aufschlußreich ist vor allem ein Faktum, das in geradezu systematischer Konsequenz im Römerbrief begegnet, wenn auch nicht nur dort. Wie bereits die angeführten Zusammenhänge gezeigt haben, ist vor allem in den Kapiteln 5-8 das Thema „Tod/Leben" geradezu der Leitfaden der Ausführungen. Und doch vermeidet es Paulus konsequent, in einem direkten Sinne von der Teilhabe der zu Christus Gehörenden an seinem Leben zu sprechen. Vielmehr wählt er als Schlüsselbegriff, der es ihm ermöglicht, indirekte, nicht direkte Teilhabe am Leben zuzusprechen, den der *dikaiosynē*[29]. So werden (Futur!) nach Röm. 5,17 die, die die *dikaiosynē* empfangen haben, in der *zoē* herrschen; so ist es durch die Rechtstat des Einen für alle Menschen zur *dikaiosynē zoēs* gekommen, und so ist der Nomos zwischeneingekommen, damit die Gnade durch die *dikaiosynē* zur ewigen *zoē* herrsche (Röm. 5,21). Entsprechend zeigt Paulus in Röm. 6,15-23 auf, daß denen, die der *dikaiosynē* gehorsam, d.h. ihre Knechte geworden sind, die *zoē aiōnios* als künftige Gnadengabe Gottes winkt, und verdeutlicht er in dem Augenblick, da er diesen Dienst als solchen in der Neuheit des Geistes darzulegen beginnt, daß der Geist *zoē* ist um der *dikaiosynē* willen (Röm. 8,10). Es braucht nur darauf hingewiesen und nicht im einzelnen ausgeführt zu werden, daß dem überall auf der Todesseite der Zusammenhang von *hamartia* und *thanatos* entspricht, getreu der bereits zitierten Definition, daß der Stachel, also die Kraft des Todes, die Sünde ist (1. Kor. 15,56)[30]. Der auf die Realität der *hamartia* bezogene Zuspruch der *dikaiosynē* ist damit die Art und Weise, in der Paulus gegenwärtig die Botschaft vom Leben sagt und zu sagen vermag. Denn daß die Botschaft von der Rechtfertigung aufgrund des Glaubens *Lebens*botschaft ist und sein will, zeigt ihre Bezogenheit auf die Sünde als die *Kraft des Todes* aufs allerdeutlichste.

Die Bestimmung der Sünde als Kraft des Todes ist in 1. Kor. 15,56 bekanntlich Teil einer Definition, die noch weiter greift und als drittes Phänomen das Gesetz (*nomos*) als Kraft wiederum der Sünde umspannt. Damit wird die Größe eingeführt, der für Paulus im Rahmen der Analyse des von der Sünde beherrschten Menschen eine Schlüsselrolle zukommt und auf die

---

29. Vgl. zum Folgenden ausführlicher Römer 8 (A.8), 172ff. 186f. 236.
30. Vgl. Römer 5,12-8,39 insgesamt.

entsprechend auch die positiven Aussagen über die *dikaiosynē* konstitutiv bezogen sind. Die Einbeziehung des Nomos in den Unheilszusammenhang von Sünde und Tod ändert freilich nichts an der Zentralität des Todes selbst als *des* Problems der paulinischen Verkündigung. Sie betrifft allein die Frage nach den Gründen für die Todverfallenheit des Menschen, und sie bezieht sich damit zugleich auf die ihr entsprechende Frage nach der Art und Weise, in der die gegenwärtige Teilhabe an dem in Jesus Christus realisierten endzeitlichen Leben ausgesagt werden kann. Aus den folgenden beiden – einander entsprechenden – Gründen kann Paulus von der Gabe der *dikaiosynē* als Angeld der *zoē* nur unter Bezug auf den Nomos reden: zum einen, weil die Sünde das Gesetz benutzt, um den Menschen zu betrügen und ihre Herrschaft zu etablieren (Röm. 7,7-24), Aussagen über die Befreiung von der Sünde damit zugleich solche über das Verhältnis zum Gesetz sind; und zum anderen, weil sich von *dikaiosynē* ohne Bezug auf das Gesetz Gottes *per se* nicht sprechen läßt[31]. Jedenfalls ist dies nach Paulus solange nicht möglich, wie die Selbigkeit des Gottes vorausgesetzt ist, der in der Zeit vor Christus durch Verheißung und Gesetz geredet hat und jetzt durch das Evangelium spricht. Wenn Paulus aber von der Gabe der *dikaiosynē* als Angeld der *zoē* nur unter Rückgriff auf das Gesetz sprechen kann, dann heißt das umgekehrt, daß der Apostel mit Hilfe des Gesetzes den Realitätsbezug des Evangeliums wahrt. Die Bestimmung und Durchleuchtung des Menschen als dessen, der vom Gesetz gefordert wird und der doch immer schon in der Konfrontation mit der Forderung Gottes Opfer des Herrschaftsbegehrens der Sünde geworden ist – nur diese scheinbar gnadenlose Aufdeckung des Menschen vermag ihn nach Paulus zum Ort der Herrschaft der Gnade, d.h. der gnädig gestifteten *dikaiosynē* werden zu lassen. Diese Aufdeckung, die theologisch Offenbarung des Menschen *coram Deo* ist, umschreibt damit die Voraussetzung, unter der der totenerweckende Gott jetzt am Menschen handelt[32]. Es ist nur die andere Seite desselben Sachverhalts, wenn die Unterscheidung von *dikaiosynē* und *zoē*, die Paulus mit Hilfe des Gesetzes trifft und durchhält, den Realitätsbezug des Evangeliums gerade auch im Hinblick auf das zentrale Problem „Tod/Leben“ wahrt. *dikaiosynē* als endzeitlich qualifizierte Gabe schließt ein, daß es keine endzeitliche Verurteilung für die gibt, die in Jesus Christus sind (Röm. 8,1).

---

31. Dies zeigen sowohl der Galater- als auch der Römerbrief, in denen die Rechtfertigungsthematik dominiert. Besonders aufschlußreich sind die Ausführungen in Röm. 8,1-13. Vgl. dazu Römer 8 (A.8), 226ff.
32. Siehe dazu Bultmann, Theologie (A. 20), 266.268.

Man kann deshalb die *dikaiosynē* bzw. *dikaiosynē theou* bei Paulus als *endzeitlich* gültiges, von Gott selbst gestiftetes Verhältnis zu ihm *in der Zeit* bezeichnen, d.h. im Angesicht des Todes, der gerade deshalb theologisch seinen Schrecken verloren hat, weil seine Kraft, die Sünde, durch die Stiftung dieses Gottesverhältnisses überwunden bzw. der Mensch ihrer Herrschaft entrissen ist. Dies Gottesverhältnis wird nach Paulus dort zuteil, wo dem Evangelium, der Christuskunde, getraut wird. Das ist der Sinn der paulinischen Rede von der „Gerechtigkeit aus Glauben". Ihre Hinordnung auf das endzeitliche Leben zeigt sich vielleicht am eindrücklichsten an dem zuletzt in Erinnerung gerufenen Zusammenhang: Indem die Glaubensgerechtigkeit Freiheit von endzeitlicher Verurteilung gewährt, nehmen die in Jesus Christus gestiftete Gerechtigkeit und der Glaube, der aus ihr lebt, nach Paulus dem Leiden und dem Tod den Stachel. Und ebenso ist die Glaubensgerechtigkeit und die mit ihr gegebene Gewißheit die Gestalt, in der das Leben im Angesicht des Todes gegenwärtig ist.

Der Bezug der zuletzt erörterten Aspekte der Rechtfertigungsverkündigung auf das Generalthema „Tod/Leben" läßt sich in Rückkehr zum Anfang auch wie folgt umschreiben: Wenn Paulus alles daran setzt, die Realität von Leiden und Tod, von Zeit und Geschichte, nicht zu leugnen, so hält er darin wiederum die Struktur seiner messianischen Erfahrung durch und bewahrt sie im Vollzug seiner Verkündigung und Lehre. Wie er sich seinerzeit von seiner Vergangenheit als Pharisäer lossagte, weil ihm hier und jetzt in dem von ihm geschauten und gehörten Jesus Christus endzeitliches Leben begegnete, so ist für ihn das Evangelium Freude auslösende, befreiende Kunde deshalb, weil mit ihm in die Welt des Todes, unter den Bedingungen von Zeit und Geschichte, endzeitliches Leben hineingestiftet ist und an diesem Leben vorschußweise Anteil gegeben wird, ohne Leid und Tod zu überspielen, vielmehr im Gegenteil so, daß zum Standhalten ihnen gegenüber ermächtigt wird.

IV.

Die bisherigen Ausführungen haben den Zusammenhang zwischen paulinischer Urerfahrung, Rechtfertigungsverkündigung und Lebensgewißheit aufgezeigt und ihn als erlösende Antwort auf die (Leidens- und) Todesfrage durchsichtig zu machen gesucht. Sie sind unter dem Vorzeichen erfolgt, daß zwischen den Voraussetzungen Luthers und denen des Paulus bei ihrer jeweiligen Lehre konsequent zu unterscheiden ist, weil nur so die historische Interpretation zu ihrem Recht kommt und die spezifischen Akzente der Botschaft beider erkennbar werden. Die Erkenntnis, daß Paulus und Luther andere Voraussetzungen mitbringen und die Situation, auf die Jesus Christus die befreiende Antwort ist, bei beiden verschieden ist, hat freilich keineswegs bereits notwendig ein angemessenes Verständnis des paulinischen Evangeliums und seiner Implikationen zur Folge. Ein Beispiel dafür ist die jüngste Monographie zur Sache aus der Feder von Christian Dietzfelbinger[33].

Der Autor legt bei seiner Auslegung des Damaskuserlebnisses alles Gewicht auf die Feststellung, daß Paulus dem Gekreuzigten begegnet sei. Während er vorher dessen Gemeinde verfolgte, weil sie sich um einen vom Gesetz Verfluchten versammelte (Gal. 3,13), habe sich dieser im Damaskusgeschehen als Messias enthüllt und Paulus damit in eine grenzenlose Krise geführt. Mit Hilfe von Gottfried Benn legt Dietzfelbinger diese Krise als nihilistische Erfahrung aus. So sei mit der Offenbarung des vom Gesetz getöteten Jesus als Messias für Paulus die Welt der Tora zusammengebrochen, und in diesem Sinne sei er bei Damaskus „dem Nichts“ begegnet[34]. Erst nachdem Dietzfelbinger diese Sicht breit entfaltet hat[35], thematisiert er, daß die Begegnung eine solche mit dem Lebendigen ist[36]. Mit dieser Folge – erst Destruktion, dann Konstruktion – scheinen die Dinge freilich auf den Kopf gestellt. Die Deutung des Paulus mit Hilfe Gottfried Benns kann im Rahmen historisch-theologischer Arbeit nur als anachronistisch bezeichnet werden[37]. Sachlich trägt sie alle Merkmale eines Transfers von Luthers Verzweiflung an Sünde und Gericht im Gewande nihilistischer Erfahrung in die Begegnung mit Jesus bei Damaskus.

Dietzfelbinger vermag seinen ganz um die erwähnte Tora-Krise zentrierten Entwurf darüber hinaus nur durchzuführen, indem er wesentliche Aussagen des Apostels über das Gesetz wegläßt. So heißt es in Röm. 3,21, jetzt sei „ohne das Gesetz“ die Gerechtigkeit Gottes offenbart worden. Dietzfelbinger urteilt unter Berufung auf diese Aussage, daß Gott seine Gerechtigkeit „an der Tora vorbei“ (Röm. 3,21) „und d.h. auch: gegen die Tora realisiert“[38]. Paulus fährt freilich in demselben (!) Vers – also schwerlich zu übersehen – fort: „*bezeugt aber* von *Gesetz* und *Propheten*“ – also gerade *nicht* „gegen die Tora realisiert“. Erstens ist damit eine Feststellung wie die Dietzfelbingers unmöglich, wenn man die ganze Aussage wahrnimmt, und zweitens ist bei solchem Umgang mit paulinischen Aussagen schwerlich zu erwarten, daß man der Auffassung des Apostels ansichtig wird.

33. Berufung (A.8).
34. Ebenda, 102ff.
35. Ebenda, 90ff.
36. Ebenda, 120ff. 126ff.
37. Bezeichnend ist die Anlehnung an ein Zitat J. Blanks, in dem es heißt: „Gewinn wurde Verlust, Verlust überschwenglicher Gewinn“ (ebenda, 90). Gewiß kann man dies so sagen, will man jedoch beschreiben, was Ursache und was Wirkung ist, so ist die Erfahrung des lebendigen Jesus, d.h. der Zugang zum Leben in ihm, die Schlüsselerfahrung, die Deklaration der Vergangenheit als Verlust hingegen eine Konsequenz aus diesem Gewinn als dem ständigen Prae alles anderen.
38. Ebenda, 118.

Die falsche Weichenstellung, die in Dietzfelbingers Umgang mit Röm. 3,21 deutlich wird, erfolgt bei ihm bereits mit der ersten von ihm nachvollzogenen Reflexion des Paulus im Rahmen des Damaskusgeschehens: „Die Tora hatte – daran war nicht zu zweifeln – an Jesus das Werk der Vernichtung getan. Sie hatte damit den, der in Wahrheit der Kyrios und Christus ist, nicht nur getötet. Sie hatte sich gegen ihn exemplarisch durchgesetzt und ihn zum Verworfenen und Nichtigen gemacht. – Die Macht aber, die den Sohn Gottes verwirft und verflucht, kann unmöglich Macht des Lebens, Instrument Gottes sein."[39] So gängig eine solche Sicht der Tora auch ist, so klar ist sie von der des Paulus unterschieden. Denn nach *seiner* Auffassung ist das Gesetz auch dort, wo es den Fluch verhängt, Wort Gottes, und entsprechend wird der Tod Jesu unter dem Fluch des Gesetzes von Paulus in Gal. 3,13 mit einem Wort der Schrift begründet (Dtn. 21,23). Dieser Fluch ergeht theologisch zu Recht, insofern er sich in Jesus Christus auf die der Sünde verfallenen Menschen bezieht, ein Aspekt, der aufs klarste in dem von Dietzfelbinger vernachlässigten Motiv der *stellvertretenden* Übernahme des Fluches („für uns", Gal. 3,13) zum Ausdruck gebracht ist. Wie abwegig es ist, die Tora in diesem Zusammenhang gegen Gott auszuspielen, läßt sich besonders klar an der verwandten Aussage 2. Kor. 5,21 erkennen, wo das Fluchgeschehen des Kreuzes in anderer Begrifflichkeit *ausdrücklich* als Handeln Gottes benannt ist: „Er hat den, der von keiner Sünde wußte, für uns zur Sünde gemacht." Entscheidend ist hier (2. Kor. 5,21) wie dort (Gal. 3,13) das „für uns", mit welchem der heilvolle Aspekt der einander entsprechenden Aussagen zur Geltung gebracht wird: daß der Sohn durch das Gesetz zum Fluch wird bzw. daß er durch Gott zur Sünde gemacht wird. So wie dies in 2. Kor. 5,21 direkt von ihm ausgesagte Handeln Gottes ein deutliches soteriologisches Gefälle hat, so desgleichen das in Gal. 3,13 unter Bezug auf das Gesetz ausgesagte[40].

Dietzfelbinger hat solches Verständnis von Gal. 3,13 eine „beispielhafte Verzeichnung der paulinischen Toraauffassung" genannt[41]. Gegenüber solch starken Worten scheint es nicht unangebracht, auf die Implikationen seiner Auslegung hinzuweisen. Würde man 2. Kor. 5,21 so auswerten, wie Dietzfelbinger Gal. 3,13, so käme man unvermeidlich zu der Aussage: ‚die Macht aber, die den Sohn Gottes zur Sünde macht, kann unmöglich Macht des Lebens, Instrument Gottes sein – und um wieviel weniger kann sie Gott selbst sein', der aber nach 2. Kor. 5,21 dennoch gerade diese Macht ist[42]. So scheinen Paulus doch mehr

---

39. Ebenda, 96.
40. Vgl. zum Ganzen den Abschnitt „Die paulinische Gesetzeslehre in Röm. 5-7 als Funktion der Soteriologie des Apostels" in der oben (A.8) genannten Arbeit über Röm. 8, 221–225.
41. Berufung, 100, A. 20. Er bezieht sich hierbei auf den unten (159–196) abgedruckten Aufsatz des Verfassers.
   Anstelle des ebenfalls nicht begründeten Pauschalurteils, dem jüdischen Gesprächspartner werde – bei anzuerkennendem Ethos im christlich-jüdischen Gespräch – hier ein Apostel „vorgesetzt", „der mit dem vom Damaskuserlebnis herkommenden Paulus wenig mehr zu tun hat" (ebenda), hätte Dietzfelbinger lieber vermerken sollen, daß der von ihm kritisierte Beitrag bereits vor ihm gerade das Damaskuserlebnis als Schlüssel für das paulinische Gesetzesverständnis zu begreifen gesucht hat. Vgl. auch unten, A. 43.
42. Wie wenig es sich bei dem angeführten Beispiel um einen Einzelfall handelt, zeigt der sachverwandte Tatbestand, daß Paulus das Einschließen in die Sünde bzw. in den

theologische Aussagen möglich zu sein, als manchem seiner Ausleger lieb ist, und von hier aus mag dann auch nachprüfbar sein, wie stabil das Fundament ist, von dem her jenes weitreichende Urteil gefällt ist[43].

Dietzfelbinger kann – nach den zitierten Sätzen überraschend – gelegentlich andeuten, daß die Fluchwerdung Jesu am Kreuz etwas mit Gottes Handeln zu tun hat[44]. Doch geschieht dies erst, nachdem Gott und Gesetz längst auseinandergerissen sind bzw. ohne Reflexion dieses Aspekts auf seine Bedeutung für das Verständnis des Gesetzes. Desgleichen kann Dietzfelbinger, nachdem er jene Basisaussagen über die Tora getroffen hat, später durchaus sachgemäß andeuten, daß nicht die Tora, sondern der von der Sünde mittels der Tora beherrschte Mensch der Ort des Unheils ist[45]. Aber dies hat eher appendixhaften Charakter, insofern die skizzierte Auffassung bereits steht und auch nicht mehr hinterfragt wird[46].

V.

Die Skizze der zuletzt vor dem Exkurs berührten Zusammenhänge dürfte hinreichend belegt haben, daß auch da, wo Paulus thematisch die Rechtfertigung aufgrund des Glaubens entfaltet, alles auf das Thema „Tod/Leben“ hingeordnet ist, die Aussagen über den Nomos eingeschlossen. Auch wenn sich jeder einzelne Aspekt sehr viel breiter darlegen ließe, kann deshalb im folgenden das Augenmerk einigen Konsequenzen gelten, die sich aus dem beschriebenen Verhältnis von Rechtfertigungsverkündigung und Auferweckungs- und Lebensbotschaft ziehen lassen.

> Ungehorsam einerseits als Handlung der Schrift bzw. des Gesetzes (Gal. 3,22f.), andererseits als Handlung Gottes bezeichnen kann (Röm. 11,32). Umgekehrt ist das bei Dietzfelbinger ungeklärte Nebeneinander von „Macht des Lebens, Instrument Gottes“ höchst mißverständlich. Nach Paulus ist das Gesetz zwar nicht gegeben, um lebendig zu machen (Gal. 3,21), doch es bleibt gerade in seiner in die Sünde einschließenden Funktion „Instrument Gottes“.

43. Angesichts der ja keineswegs geringfügigen Invektive Dietzfelbingers scheint es besonders bedauerlich, daß er den Leser nicht auch wissen läßt, daß der von ihm beigezogene Beitrag das Resümee einer Auslegung von Röm. 7 enthält, von der sich seine eigene kaum unterscheidet.
44. Vgl. ebenda, 132.134.
45. Vgl. ebenda, 133f.
46. Dies scheint auch schwerlich möglich, wenn man dekretiert, daß für Paulus „die Tora, die Jesus vernichtet hatte, und Jesus, in dem Gottes Gerechtigkeit geschichtsmächtig wurde“ *„endgültig auseinander getreten* waren“ (ebenda, 118). Wie man so formulieren kann, nachdem man kurz zuvor angesichts der Aussage Röm. 3,31 („Wir richten die Tora auf...“) selbst gesagt hat, mit dem Glauben an Jesus Christus entspreche man „dem ursprünglichen Willen der *Tora*“ und setze „ihn *in Geltung*“ (114), bleibt das Geheimnis Dietzfelbingers (Hervorhebungen von mir).

1. Die griechisch-orthodoxe Kirche wahrt traditionell eine gewisse Zurückhaltung gegenüber der Ausprägung des Evangeliums in juridischer Begrifflichkeit, wie sie sich im Rahmen sowohl der katholischen als auch der evangelischen Rechtfertigungslehre vollzogen hat. Diese Zurückhaltung ist theologiegeschichtlich in der neutestamentlichen Exegese der griechischen Kirchenväter begründet[47]. Deren Akzentuierung des Themas „Tod/Leben" als Mitte des Evangeliums stimmt mit dem leitenden Interesse der paulinischen Verkündigung und Lehre überein. Dies läßt es in der Tat als unangemessen erscheinen, wenn die Rechtfertigung des Sünders *sola gratia* und *sola fide* isoliert zum *articulus stantis et cadentis ecclesiae* gemacht wird[48]. Die Rechtfertigungslehre ist nichts in sich Ruhendes, gewissermaßen kein Selbstzweck, sondern sie steht ganz im Dienste der Botschaft von der Auferweckung des Gekreuzigten, indem sie sie soteriologisch unter den Bedingungen von Zeit und Geschichte entfaltet. Fraglos ist bei Paulus, insbesondere nachweislich des Römerbriefes, aber implizit auch z.B. nach Ausweis des 1. Korintherbriefes, die Rechtfertigungsverkündigung Kriterium für eine angemessene Auslegung des Evangeliums von der Auferweckung Jesu und seiner Inthronisation als Kyrios. Gerade aufgrund dieses Zusammenhangs ist jede Rezeption der Rechtfertigungsverkündigung umgekehrt mit der Frage konfrontiert, inwieweit sie jener Botschaft von Christus als „Erstling der Entschlafenen" (1. Kor. 15,20) dient.

2. Die entfalteten Zusammenhänge und die mit ihnen verbundenen Reflexionen gelten auch von der paulinischen Darlegung des Evangeliums in Gestalt der Botschaft von der Versöhnung des Menschen mit Gott[49]. Mit Hilfe des Begriffs der Versöhnung (und des damit gegebenen Friedens mit Gott) vermag der Apostel wie mit Hilfe von *dikaiosynē* die Realität des Lebens in Jesus Christus auszusagen, ohne den Menschen vorbehaltlos an diesem Leben teilhaben zu lassen und die noch andrängenden Realitäten von Leiden und Tod zu verdrängen. Rechtfertigungs- und Versöhnungsaussagen sind auch insofern zusammengeschlossen, als auch im Falle der Versöhnung die überwundene Wirklichkeit die der Sünde(n) ist und damit auch

---

47. Diese Hinweise danke ich Johannes Karavidopoulos/Thessaloniki. Die Untersuchung von Karl Hermann Schelkle (Paulus-Lehrer der Väter. Die altkirchliche Auslegung von Römer 1-11, Düsseldorf 1956) ist sehr stark von kontroverstheologisch bedeutsamen Fragen geleitet, so daß der oben erwähnte Aspekt verdeckt bleibt.
48. Als Beispiel dafür ist etwa die Confessio Augustana mit ihrer – aus der Situation heraus erklärlichen – Konzentration auf die Rechtfertigungsproblematik zu nennen.
49. Siehe hierzu insbes. Röm. 5,6-11; 2. Kor. 5,17-21.

hier der Zusammenhang von Sünde und Gesetz im Hintergrund steht. Zutage tritt dieser Zusammenhang z.B. dann, wenn als Maßstab der Feindschaft, die mit der Versöhnung beendet wird, das Verhältnis zum Gesetz genannt wird (Röm. 8,7). Weitere Möglichkeiten, die Botschaft vom Leben in Jesus Christus zu entfalten, zeigt der 1. Korintherbrief mit den den Oppositionen „Sünde/Gerechtigkeit“, „Feindschaft (Sünde)/Versöhnung“ entsprechenden Kategorien „Schwäche/Stärke“ und „Torheit/Weisheit“[50]. Insbesondere im Zusammenhang mit der Opposition „Weisheit/Torheit“ tritt an die Stelle des Nomos als Mittel zur Analyse des vom Evangelium betroffenen Menschen die seit eh offenbarte Weisheit Gottes (1. Kor. 1,21). Doch bleibt auch hier immerhin zu fragen, ob nicht Ermöglichungsgrund für diese Analogie bei Paulus die im antiken Judentum gängige Identifizierung von Tora (Nomos) und Sophia ist[51]. Im Rahmen der Aufnahme von „Schwachheit/Stärke“ hingegen laufen wiederum deutliche – wenn auch verschlungene – Fäden hinüber in die Bereiche der Rechtfertigungsverkündigung[52].

Im Zusammenhang mit den verschiedenen Entfaltungsmöglichkeiten bleibt zwar die Struktur des paulinischen theologischen Denkens gleich. Die Flexibilität des Paulus in der Aufnahme sehr unterschiedlicher tragender Begriffe bzw. Begriffspaare zur Aussage des Evangeliums ermutigt jedoch zu einer vergleichbaren Freiheit heute. Und dies dürfte um so wichtiger sein, als für einen nennenswerten Teil der Zeitgenossen die Begrifflichkeit der Rechtfertigungsverkündigung wohl doch erst nach einem langen Lernprozeß aussagekräftig wird, während es sich mit dem übergeordneten Thema „Tod/Leben“ ungeachtet aller Todesverdrängungen doch anders verhält.

3. Die Erkenntnis des Themas „Tod/Leben“ als Zentralfrage des paulinischen Evangeliums hat nicht zuletzt erhebliche Bedeutung für die Sicht des christlich-jüdischen Verhältnisses und insbesondere für christliche Rede vom Umgang Israels mit dem Gesetz. Die beherrschende Auffassung läßt sich dahingehend zusammenfassen, daß Israel das Evangelium ablehne, weil es „aufgrund von Werken des Gesetzes“ gerettet werden wolle, d.h. aus

---

50. Vgl. bes. 1. Kor. 1-4. Die Opposition „Schwäche/Stärke“ wird von Paulus im übrigen insbesondere in Leidenszusammenhängen aufgenommen (vgl. 1. Kor. 4,10; 2. Kor. 12,9f.; 13,4f.). In diesen Zusammenhängen rückt neben den Begriff des Lebens (als Opposition zu Tod) theologisch gleichwertig der der Herrlichkeit (als Opposition zum Leiden), vgl. Römer 8 (A.8), 55, A.10. 84. 308f. u.ö.

51. Siehe etwa das bekannte Beispiel Jes. Sir. 24.

52. Vgl. Röm. 5,6; 8,3. Zum Zusammenhang mit der Leidensthematik s. oben, A.50.

eigener Kraft in Befolgung der ihm gegebenen Gebote. Darstellungen des antiken Judentums sind demgemäß mehr oder minder stark von dieser Auffassung bestimmt[53], wobei teilweise so unterschiedliche Auseinandersetzungen wie die Polemiken in den Evangelien und die paulinische Darstellung miteinander vermengt werden[54]. Auf dem Hintergrund des erörterten Zusammenhangs von Rechtfertigungsverkündigung und christologisch bestimmter Botschaft vom Leben stellt sich der Sachverhalt freilich noch einmal differenzierter dar. So wie sich die Rechtfertigungsverkündigung nicht von dieser Botschaft als Ursprung, Ziel und Zentrum ablösen läßt, so läßt sich die Kategorie „Gerechtigkeit aus Werken des Gesetzes" nicht unter Absehen von dieser Botschaft theologisch angemessen verstehen. So wenig Paulus von der Erkenntnis eines Defizits im Umgang mit dem Gesetz zum Glauben an Jesus Christus gekommen ist, so wenig läßt sich die Kategorie „Rechtfertigung aufgrund von Werken des Gesetzes" empirisch als Grund des jüdischen Neins zum Evangelium verifizieren. Die Aussage, Israel wolle aufgrund von Werken gerechtfertigt werden, ist, wie z.B. der gesamte Zusammenhang Röm. 7 zeigt, Teil der Offenbarungserkenntnis, und sie will *als solche* erklären, warum sich Israel zu dem Zentrum des Evangeliums, der Verkündigung der Auferweckung des Gekreuzigten, ablehnend verhält. Die Wahrheit dieser Deutung des Neins Israels mit Hilfe bestimmter jüdischer Umgangsweisen mit dem Gesetz belegen zu wollen käme theologisch dem Versuch gleich, die Wahrheit der Auferweckung Jesu z.B. mit Hilfe des leeren Grabes „historisch" beweisen zu wollen. Aus der Perspektive Israels und durchaus auch aus der des christlichen Glaubens gesehen ist deshalb das Nein in erster Linie ein Nein zur Verkündigung Jesu als des vom Tode Auferweckten und damit als dessen, der über Lebende und Tote Herr (Kyrios) sein soll (Röm. 14,9)[55].

53. Vgl. u.a. K. Hoheisel, Das antike Judentum in christlicher Sicht, Wiesbaden 1978; K. Müller, Das Judentum in der religionsgeschichtlichen Arbeit am Neuen Testament, Frankfurt/Bern 1983.

54. So z.B. in dem wirkungsträchtigen Kapitel „Das Leben unter dem Gesetz" bei E. Schürer, Geschichte des jüdischen Volkes im Zeitalter Jesu Christi II, Leipzig [4]1907, 545-579. Mit Recht haben die Herausgeber der neuen englischen Ausgabe dies Kapitel einer beträchtlichen Neubearbeitung unterzogen: E. Schürer, The History of the Jewish People in the Age of Jesus Christ, rev. and ed. G. Vermes/F. Millar/M. Black, Edinburgh 1979, 464-487 („Life and the Law"; vgl. 464, A.1).

55. Vgl. hierzu meine Arbeit: Katechismus und Siddur. Aufbrüche mit Martin Luther und den Lehrern Israels, Berlin/München 1984,264ff., bes. 267.

Derselbe Zusammenhang zeigt sich auf der pneumatologischen Ebene. Der Bereich außerhalb des Leibes Christi wird nach dem paulinischen Evangelium deshalb als – per se pneumalose - *sarx* offenbar, weil der endzeitliche Geist jetzt in der Bindung an Jesus Christus ausgegossen wird. Weil der Geist Gottes aber hier seinen Ort nimmt, darum wird alles jenseits dieses Bereiches als Sarx bestimmt. Dieser Prämisse gemäß kann deshalb alles Verhalten außerhalb der Herrschaft des Geistes nur zu Manifestationen der Sarx führen, zu denen für Paulus damit auch die Werke des Gesetzes unvermeidlich gehören. Nur gerät mit diesen Inklusionen allzuleicht aus dem Blick, daß Israel selbst über sich und sein Gottesverhältnis ganz andere Aussagen zu machen vermag und daß es sich *deshalb* nicht zur Teilhabe an der paulinischen bzw. christlichen Sicht gedrängt sieht, weil es jene alles begründende, im Evangelium dargebotene Urerfahrung nicht teilt – die Gewißheit der Auferweckung des Gekreuzigten bzw. der Ausgießung des Geistes als Manifestation seiner lebendigen Gegenwart. So könnte die Wahrnahme von „Tod und Leben“ als Zentralfrage im dargelegten Sinne auch dazu verhelfen, die jeweiligen Voraussetzungen im christlich-jüdischen Verhältnis angemessener zu bestimmen.

4. Weil das totenerweckende Handeln Gottes an Jesus Christus das Zentrum des paulinischen Evangeliums ist, darum erschließt sich von hier aus auch die Differenz zwischen jüdischem und christlichem Gottesverständnis. Die bereits gewährte volle Teilhabe Jesu Christi an der *zoē aiōnios* Gottes ist das, was ihn dem Evangelium des Paulus nach, aber auch z.B. nach dem Zeugnis des Johannesevangeliums, unverwechselbar und am stärksten mit Gott verbindet[56]. Deshalb ließe sich analog zur Rede vom *isos theō* -Sein Jesu in der Präexistenz[57] im Hinblick auf diese Teilhabe am Leben Gottes in der „Postexistenz“ von einem Gottgleich-Sein sprechen und deshalb auch am ehesten von hier aus in systematischer Reflexion eine Linie zum *homoousios* der altkirchlichen Christologie ziehen, ohne die bleibenden Differenzen zu verwischen. Und weil im Vollzug des totenerweckenden Handelns der Geist Gottes die lebenschaffende Kraft ist, darum ließen sich in dieser Perspektive entsprechende Fäden hin zur altkirchlichen Trinitätslehre entdecken. Jedenfalls dürfte im Rahmen einer Vermittlung sowohl von altkirchlicher Christologie als auch von altkirchlicher Trinitätslehre mit dem paulinischen Gottes-, Christus- und Geistverständnis jenem Datum der Auferweckung des Gekreuzigten und der darin manifestierten *zoē*

---

56. Die Bedeutung dieses Zusammenhangs im Johannesevangelium zeigt sich wohl am deutlichsten in den in vieler Hinsicht zentralen Kapiteln 5 und 11.
57. Phil. 2,6.

Gottes eine Schlüsselrolle zufallen. Indem Israel nun jene Erfahrung offen-
barten endzeitlichen Lebens nicht als seine Erfahrung zu bezeugen vermag,
ist darin bereits mitentschieden, daß es ebenso Christologie und trinitari-
sches Gottesverständnis nicht als Ausdrucksformen seiner Gotteserfahrung
zu sehen oder anzunehmen vermag. Um so bedeutsamer ist es, daß Juden
ungeachtet dessen im Evangelium eine den Völkern geltende Offenbarung
des einen Gottes zu sehen vermögen[58].

5. Das Ausmaß, in dem dies geschieht, hängt fraglos von der Intensität ab, in
der Christen ungeachtet ihrer Gotteserfahrung in Jesus Christus der Geschichte
Gottes mit seinem Volk vor dem Kommen Christi, seit den Tagen Abrahams,
gedenken. Dies Gedenken ist theologisch in dem Tatbestand begründet, daß
sich verheißenes endzeitliches Handeln Gottes in Zeit und Geschichte begeben
hat, ohne diese selbst zu beenden. Auch wenn die Verheißung notwendig von
der endzeitlichen Gotteserfahrung her begriffen wird, so ist diese doch umgekehrt auch nicht ohne die Verheißung zu erfassen. Und wenn weiter desgleichen auch das Gesetz, die Tora, im Lichte jener endzeitlichen Erfahrung verstanden wird, so ist doch die Situation des Menschen vor Gott „zwischen den
Zeiten" nicht ohne das Gesetz zu verstehen und bliebe diesem Menschen „zwischen den Zeiten" ohne das Gesetz unbekannt, was der Gott, der schenkend an
ihm handelt, zugleich von ihm will[59]. So ist jüdisches und christliches Gottesverständnis, auch was das Verhältnis zur Schrift als Tenach bzw. Altem Testament
betrifft, wesentlich durch jene Differenz geprägt, daß hier endzeitliches Handeln Gottes als geschehen geglaubt *und* erhofft, dort vorerst erhofft wird. Und
doch werden die Brücken erst dort abgebrochen, wo wie im Falle Marcions
weder der Verheißung noch des Gesetzes gedacht und das vom Evangelium her
begriffene Treuewort Gottes an Israel geleugnet wird. Gegenüber solcher
Leugnung sowohl der Identität des Gottes Israels und des Vaters Jesu Christi als
auch von Zeit und Geschichte ist im Gegenzug zu fragen, ob nicht das
Gedenken an Gottes Handeln seit Abraham eine um so gewichtigere „Nebensache" ist, je länger sich die Zeit „zwischen den Zeiten" dehnt.

---

58. Wie wenig selbstverständlich dies ist, belegen die Ausführungen von L. Jacobs, A
    Tree of Life. Diversity, Flexibility, and Creativity in Jewish Law, New York 1984,
    91ff., bes. 93, A.12.
59. Selbst wenn Paulus die Forderung der Tora im positiven Sinne im Liebesgebot
    zusammengefaßt sieht, so läßt sich dies doch allein schon deshalb nicht im Sinne
    einer Alternative Tora – Wille Gottes in Jesus Christus interpretieren, weil es nun
    doch ein Gebot eben der Tora ist, das das Liebesgebot enthält und das von Paulus
    ausdrücklich als solches zitiert wird (Röm. 13,8; Gal. 5,14; gegen Dietzfelbinger,
    Berufung [A.8], 113f.).

5. Charisma, Dienst und Gericht

Zum Ort des einzelnen (*hekastos*)
in der paulinischen Theologie

I.

„Die entscheidende Geschichte ist nicht die Weltgeschichte, die Geschichte Israels und der anderen Völker, sondern die Geschichte, die jeder Einzelne selbst erfährt"[1]. „Das wahre Heil ist die Gerechtigkeit und damit die Freiheit. Das Reich Gottes ist ‚Gerechtigkeit, Heil und Freude im heiligen Geist' (Röm. 14,17). Das heißt, daß die Auffassung von Heil bestimmt ist durch das Heil des Einzelnen, der in Christus ein neues Geschöpf ist (2. Kor. 5,17)"[2], und ebenso sei auch die Hoffnung „am Heil des Einzelnen orientiert"[3]. Die Auffassung vom einzelnen, wie sie in den zitierten Sätzen zum Ausdruck kommt, ist in der neutestamentlichen Theologie in wesentlichem Maße durch Rudolf Bultmann heimisch geworden. Schüler Bultmanns haben sie weiter akzentuiert. So hat Hans Conzelmann im paulinischen Glaubensverständnis eine „radikale Individualisierung" erkannt, die sich darin manifestiere, daß die Botschaft den einzelnen treffe und ihn isoliere[4]. Ähnlich hat sich Günter Klein geäußert[5], und beide zusammen haben diese Sicht bekräftigt, obwohl Ernst Käsemann bereits Jahre zuvor im Rahmen seiner Untersuchung der paulinischen Charismenlehre nachgewiesen hatte, „daß eine bloß individualistische Interpretation der Rechtfertigungslehre

1. R. Bultmann, Geschichte und Eschatologie im Neuen Testament (1954), in: ders., Glauben und Verstehen III, Tübingen 1960, 91-106, hier 102.
2. Ebenda, 101.
3. Ebenda, 102. „Die einzige Stelle, die über diese individuelle Hoffnung hinausgeht", ist nach Bultmann (ebenda) Röm. 8,15-25.
4. H. Conzelmann, Grundriß der Theologie des Neuen Testaments, München 1967, 193.
5. G. Klein, Individualgeschichte und Weltgeschichte bei Paulus. Eine Interpretation ihres Verhältnisses im Galaterbrief, in: ders., Rekonstruktion und Interpretation, München 1969, 180-224.

vom Apostel her nicht legitimiert werden kann"[6]. Käsemann wiederum, derselben Schule entstammend, hat ungeachtet dessen, daß sein Aufsatz „Amt und Gemeinde im Neuen Testament" zu den Perlen seiner exegetischen Arbeit gehört, in diesem Beitrag schwerlich den ganzen Paulus zu Wort kommen lassen, wie sich alsbald zeigen wird[7]. In dieser Situation, in der sich mit der Bearbeitung der Frage nach Ort und Stellung des einzelnen in der paulinischen Theologie teilweise ganze theologische Programme verbinden[8], scheint es lohnend, noch einmal neu zu beginnen, d.h. nicht sogleich diese oder jene grundlegende Definition aus einem vermeintlichen paulinischen Glaubensbegriff zu deduzieren, vielmehr jene Zusammenhänge näher ins Auge zu fassen, in denen Paulus expressis verbis von „jedem einzelnen" spricht. Das Augenmerk soll deshalb dem paulinischen Gebrauch von *hekastos* = „jeder, jeder einzelne" gelten.

Bereits ein erster Blick in die Konkordanz bekräftigt nachhaltig die Sachgemäßheit der Fragestellung. Von 82 Belegen für *hekastos* im Neuen Testament begegnen allein 33 in den paulinischen Homologoumena (7 weitere in den Antilegomena Eph., Kol., 2. Thess.)[9]. Auffälligerweise finden sie sich nicht, wie man vielleicht erwarten könnte, mehr oder weniger gleichmäßig über die Briefe verstreut, vielmehr konzentriert sich knapp die Hälfte (15 Belege) auf drei Zusammenhänge im 1. Korintherbrief (Kap. 3; 7; 12). Läßt allein schon diese Beobachtung einen gezielten oder qualifizierten Gebrauch des Pronominaladjektivs erwarten, so gewinnen auch die übrigen Belege dadurch Kontur, daß sie zum großen Teil den Verwendungsarten entsprechen, die sich in jenen drei Zusammenhängen erkennen lassen. Deren Erörterung kann partiell an den knappen Artikel von F.G. Untergaßmair im „Exegetischen Wörterbuch zum Neuen Testament" anknüpfen; denn während *hekastos* im „Theologischen Wörterbuch zum Neuen Testament" unberücksichtigt geblieben ist, hat es in jenes dankenswerterweise Aufnahme gefunden[10]. Ausgehend von Blass-Debrunners Unterscheidung zwischen *pas* vor artikellosem Substantiv = „jeder beliebige" und *hekastos* = „jeder einzelne" (§ 275.3) sieht er in *hekastos* einen Hinweis „auf die ein-

---

6. E. Käsemann, Amt und Gemeinde im Neuen Testament, in: ders., Exegetische Versuche und Besinnungen I, Göttingen 1960, 109-134, hier 119.
7. Siehe unten, 109ff.
8. Vgl. außer Bultmanns Aufsatz und dessen Ausarbeitung in Gestalt des Buches: Geschichte und Eschatologie, Tübingen 1958, bes. G. Klein, Weltgeschichte.
9. Siehe K. Aland (Hg.), Vollständige Konkordanz zum griechischen Neuen Testament I/1, Berlin/New York 1983, 86f.
10. F.G. Untergaßmair, Artik. *hekastos*, in: EWNT 1 (1980), 980f.

zelnen Teile einer Gesamtheit" und eruiert die „direkte Betroffenheit als Grundbedeutung", die sich insbesondere im paulinischen Schrifttum zeige: „Paulus spricht alle in seinen Gemeinden an, mit Hilfe von ἕ. (sc. *hekastos*) jeden einzelnen aber für sich." Diese relativ allgemeine Bestimmung wird von Untergaßmair wie folgt weitergeführt: „Das so im NT verwendete ἕ.(sc. *hekastos*) dürfte im Rahmen der σῶμα Χριστοῦ (*sōma Christou*)-Vorstellung (vgl. 1. Kor. 12,18) zu besonderer Bedeutung gelangt sein: Von seiner Grundbedeutung war es für Paulus besonders geeignet, den Gedanken von der Berufung und Verantwortung des einzelnen, jedes einzelnen im Blick auf das Ganze, die Gemeinde, auszudrücken." Mit dieser Fortführung hat Untergaßmair im ganzen zutreffend die Richtung bezeichnet, in der sich der Gebrauch des Pronominaladjektivs bei Paulus vornehmlich bewegt. So wie freilich die Soma-Vorstellung für Paulus nur eine von mehreren Möglichkeiten darstellt, die Gemeinde als ganzes zu beschreiben, so lassen sich die Beobachtungen Untergaßmairs zum *hekastos* -Gebrauch des Apostels in verschiedener Hinsicht weiterführen und präzisieren – in ähnlichem Sinne wie die Käsemannsche Interpretation der paulinischen Charismenlehre.

II.

Tatsächlich begegnet *hekastos* im Rahmen der Leib-Christi-Vorstellung im strengen Sinne ein einziges Mal, nämlich an der bereits genannten Stelle 1. Kor. 12,18: „Nun aber hat Gott die Glieder – ein jedes von ihnen – (so) an den Leib gefügt, wie er es wollte", mit der Konsequenz, daß kein Glied ohne das andere auskommt oder sich über es zu erheben vermag, vielmehr alle zu einer Gemeinschaft des Leidens, der Freude und der Ehre zusammengeschlossen sind (12,19ff.). Der Glaube isoliert gerade nicht, vielmehr wird in demselben Moment, in dem der einzelne Glaubende als *hekastos* erfaßt wird, seine unlösliche Teilhaberschaft am Ganzen herausgearbeitet, die eine umfassende Ergehensgemeinschaft darstellt (12,26). Am stärksten findet dieser Zusammenhang darin Ausdruck, daß der Leib in seinem Verständnis als Leib Christi dem einzelnen vorgegeben ist: Er wird in ihn durch den Geist hineingetauft (12,13)[11].

1. Kor. 12 bietet freilich über den Leib-Christi-Zusammenhang hinaus gleich zwei weitere Belege für *hekastos*. Indem Paulus ab 12,1 die Frage

---

11. Vgl. E. Käsemann, Anliegen und Eigenart der paulinischen Abendmahlslehre (1947/ 48), in: ders., Versuche I, 11-34, hier 14f.

nach dem Stellenwert der Pneumatika oder nach der Stellung der Pneuma-
tiker in der Gemeinde aufgreift, stellt er als erstes heraus, daß der ganzen
Gemeinde der Geist zuteil geworden ist – man könne deshalb zwar von verschiedenen Gnadengaben, Diensten und Kraftwirkungen reden, diese seien
aber jeweils Manifestationen desselben Geistes, desselben Herrn bzw. desselben Gottes. In Gestalt des Pneuma, des Kyrios und Gottes ist jeweils die
Einheit der Verschiedenheit, das Ganze dem Teil vorausgesetzt. Die Unterscheidung von Geist, Herr und Gott (12,4-6) wird von Paulus dann in der
Gliederung des ganzen 12. Kapitels wieder aufgenommen, indem er dasselbe Thema der Rolle des einzelnen nacheinander pneumatologisch (12,7-
11), kyriologisch (12,12-27) und theo-logisch (12,28-31) verhandelt. Weil in
Fragen des Pneuma in Korinth Mißhelligkeiten bestehen, stellt der Apostel
die Erörterung dieses Themas an den Anfang. In sachlicher Anknüpfung an
die in V.4 festgestellte Verschiedenheit der Gnadengaben (*charismata*)
heißt es gleich im ersten Satz (12,7), in gewissem Sinne alles weitere bestimmend: „Jedem (*hekastō*) aber wird die Offenbarung des Geistes (sc. seine
Zuteilung oder Manifestation, das Charisma) zum Nutzen gegeben", nämlich für die Gemeinde, zu ihrem Aufbau (*oikodomē*). Ist damit die eigenmächtige oder eigennützige Handhabung der Gaben ausgeschlossen, so
möglicherweise noch nicht ihr Verständnis im Sinne unterschiedlicher
Rangstufen, die durch sie konstituiert werden könnten. Deshalb schließt
Paulus diesen ersten Zusammenhang ab, indem er nach einer Aufzählung
der Vielzahl der in der Gemeinde wirksamen Gnadengaben wie zu Beginn
noch einmal generell das Verhältnis von einzelnem und Pneuma bestimmt:
„Dies alles wirkt der eine und selbe Geist, der einem jeden (*hekastō*) zuteilt,
wie er es will" (1. Kor. 12,11). Wie dann in 1. Kor. 12,18 in der Aussage über
das Verhältnis von Gott und Leib (mit seinen Gliedern) wird bereits hier die
Möglichkeit eines Selbstruhms (*kauchasthai*) des einzelnen ausgeschlossen.
  Diese Beobachtungen zu 1. Kor. 12 erlauben folgende Zusammenfassung
und erste Auswertung: Der einzelne gewinnt nach Paulus seinen unver-
wechselbaren Platz in der Gemeinde aufgrund seines Charismas. *hekastos*
und *charisma* sind damit in gewissem Sinne einander wechselseitig interpre-
tierende Begriffe. Wie Charisma Manifestation des Geistes ist, so ist der einzelne von vornherein in seiner Bestimmtheit durch das Pneuma gesehen. Er
verdankt sich ihm als einzelner und ist deshalb mit allem, was ihn als einzelnen kennzeichnet, von vornherein in den Dienst an der von demselben
Geist gewirkten Gesamtheit gestellt. Bündig zum Ausdruck gebracht ist
dieser Zusammenhang zwischen *hekastos* und *charisma* in dem zweiten, eingangs hervorgehobenen Textstück aus dem 1. Korintherbrief (Kap. 7),

wenn Paulus dort (V. 7) feststellt: „Jeder hat sein eigenes Charisma von Gott".

Näher liegt freilich im Anschluß an die Erörterung von *hekastos* in 1. Kor. 12 zunächst der thematische Einbezug von Röm. 12. Sprache, Vorstellungswelt und Intentionen sind denen von 1. Kor. 12 verwandt. „Wie Gott einem jeden das Maß des Glaubens zugeteilt hat" (Röm. 12,3), so soll der Wandel der Christen in Rom erfolgen. Was der Apostel unter dem „Maß des Glaubens" versteht, verdeutlicht der Kontext. Nach dem Rekurs auf Bild und Vorstellung vom einen Leib und den vielen Gliedern, die auch hier Einheit und Verschiedenheit der Gemeinde bzw. ihrer Glieder einander zuordnen, hebt Paulus auf die Verschiedenheit der Charismen in der Gemeinde ab (Röm. 12,5a), indem er katalogartig Beispiele nennt (Röm. 12,5bff.). Auch hier wird der einzelne im Kontext der Leib-Christi-Vorstellung thematisiert. Der Verbindung mit dem Begriff *charisma*, in Röm. 12,3 vertreten durch *metron pisteōs*[12], in Röm. 12,5 dann direkt genannt, kommt wiederum besonderes Gewicht zu.

III.

Eine auffällige Nähe zum Gebrauch von *hekastos* , wie er in 1. Kor. 12 und Röm. 12 vorliegt, weisen die vier Belege auf, die in dem kurzen Abschnitt 1. Kor. 7, 17-24 gehäuft begegnen und zu denen die bereits berührte Aussage 1. Kor. 7,7 sachlich hinzuzurechnen ist. Doch sind zugleich nennenswerte Unterschiede zu beobachten. Die Gemeinde stellt eschatologische Realität in der alten, vergehenden Welt dar. Hat sie dieser Realität nicht in der Weise Rechnung zu tragen, daß sie aus der alten Welt überkommene Lebensformen überschreitet? Paulus antwortet mit dem nun schon fast formelhaft anmutenden Satz: „Vielmehr wie es einem jeden (*hekastō*) der Herr zugeteilt hat, (d.h.) wie Gott einen jeden (*hekaston*) berufen hat, so soll er wandeln (V. 17) ... Ein jeder (*hekastos*) bleibe in eben der Situation, in der er berufen worden ist (V. 20) ... Ein jeder bleibe in eben dem, Brüder, worin er berufen worden ist (V. 24)." Die drei ähnlich, ja teilweise wörtlich gleich lautenden Aufforderungen bilden mit ihrer Stellung zu Anfang, Mitte und Schluß des Abschnittes das Gerüst des Ganzen. Monoton prägen sie mit allgemeinen Formulierungen ein, was der Apostel in den Zwischenteilen am Beispiel zweier oder dreier Kasus konkret darlegt. Weder soll sich der

12. Vgl. E. Käsemann, An die Römer, Tübingen 1973, 320.

Beschnittene eine Vorhaut machen noch der Unbeschnittene sich be-
schneiden lassen noch der Sklave seinen Herrn im Stich lassen. Zwar stellt
für den Apostel keines dieser drei Phänomene für sich genommen ein Charisma dar. Wohl aber bilden sie den Zustand, in dem der Geist Gottes bzw.
seine *charis* die betreffenden Gemeindeglieder erreicht und den die Gnade
damit als Ort, an dem sie zum Zuge kommen will, gewissermaßen versiegelt
hat. Jede Änderung dieses Ortes erscheint Paulus als Mißachtung des Tatbestandes, daß die Glieder der Gemeinde gerade *in* ihrem jeweiligen Stand
durch Christus losgekauft und in die Wirklichkeit der Gnade hineingelangt
sind. Die Zuteilung der Gnade an einem bestimmten Ort impliziert damit
für Paulus die charismatische Gestaltung des Lebens an diesem Ort. Sein
eigenes Beispiel kann dies Verständnis am besten veranschaulichen. Er ist
als Unverheirateter berufen und lebt diesen Zustand als *sein* Charisma,
indem er die Freiheit von der Sorge um die Frau als um so intensivere Mühe
um die Angelegenheiten des Kyrios lebt (vgl. 7,1-7. 32-34). Es fällt freilich
auf, daß Paulus in 1. Kor. 7 keineswegs konsequent ist. Jene wiederholten
Mahnungen, im Stande der Berufungssituation zu bleiben, umschließen die
beiden oder drei Kasus Beschnitten- sowie Unbeschnittensein und Sklaven-
schaft, auffälligerweise aber nicht den der Ehe, den Paulus im ganzen
übrigen 7. Kapitel verhandelt und für den er dort gerade die Möglichkeit des
Standeswechsels einräumt. Dies Abweichen von der Norm „ein jeder, wie
es ihm der Herr zugeteilt hat" lenkt noch einmal den Blick auf die Frage
nach dem Verhältnis des Gebrauchs von *hekastos* in 1. Kor. 12 und Röm. 12
einerseits, 1. Kor. 7 andererseits.

Gemeinsamkeit und Differenz zeigen sich am klarsten am Anfang des
Abschnittes 1. Kor. 7,17-24: *hekastō hōs ēmerisen ho kyrios* (V. 17). Ähnlich
wie hier gleich zu Beginn formuliert Paulus in 1. Kor. 12,11.18; Röm. 12,3
sowie auch in 1. Kor. 3,5. Während er es an diesen Stellen jedoch bei dieser
Formulierung bewenden läßt, interpretiert er in 1. Kor. 7,17 die sich einer
festen Wendung nähernde Aussage „wie es der Herr einem jeden zugeteilt
hat" durch den Zusatz „wie Gott einen jeden berufen hat". Im Vordergrund
steht damit weniger die Gabe, das Charisma, als vielmehr eben der Ort, an
dem ein jeder von ihr mit Beschlag belegt worden ist. In diesem Sinne lehrt
1. Kor. 7 eine weitere Möglichkeit paulinischen Interesses am einzelnen in
seiner Unterschiedenheit von anderen kennen. Wie ein jeder sein spezifisches Charisma als Teil der Gemeinde Jesu Christi hat, so existiert ein jeder
auch jenseits der Gemeindeversammlung in spezifischen sozialen Zusammenhängen, die ihre Gültigkeit behalten, solange diese Welt besteht, und
die die Realitäten darstellen, in denen sich der Glaube und das heißt die

Zugehörigkeit zur Gemeinde bewährt. Während jedoch das Charisma in seiner Herkunft vom Pneuma und in seiner Ausrichtung auf den Aufbau der Gemeinde konstant ist, ist die Lebenssituation des einzelnen, was Volkszugehörigkeit, soziale Lage oder Familienverhältnisse betrifft, konstant und variabel zugleich. Paulus mahnt, im überkommenen Stande zu bleiben, kann jedoch das Verlassen einräumen, sofern dies – das wird aus 1. Kor. 7 insgesamt deutlich – die Bewährung der Gnade im Einzelfall fördert.

IV.

Auch der dritte der eingangs genannten Zusammenhänge, in denen Paulus mit fünf bzw. sechs Belegen[13] in besonderer Dichte von *hekastos* spricht, erwähnt als erstes den Grundsatz „Ein jeder, wie es ihm der Herr zugeteilt hat" (1. Kor. 3,5), eröffnet dann aber noch einmal eine weitere Perspektive. Insbesondere im Hinblick auf dies 3. Kapitel ist der sachliche und literarische Zusammenhang von Bedeutung. Ab V.1 steuert Paulus erneut unmittelbar auf das Thema zu, das er zu Beginn in 1,10ff. angesprochen hat. Es gibt Cliquen in der Gemeinde von Korinth, die sich jeweils unter Berufung auf herausragende Gestalten der frühchristlichen Diaspora gegenseitig und auf Kosten der Gemeinde den Rang abzulaufen trachten. Streit und Eifersucht zerreißen die Gemeinschaft, für den Apostel beides Zeichen dafür, daß sie erneut jenseits ihres Anfangs steht. Denn wo Zank und Streit zu finden sind, indem sich die einen als Paulus-, die anderen als Apollosanhänger hervorkehren, erweist sich die Gemeinde als „fleischlich" – ihr Wandel ist an Menschen, nicht an der Gabe des Pneuma orientiert (vgl. 3,1). Aus diesem heillosen Zustand sucht der Apostel die Christen in Korinth herauszuführen, indem er sie darüber aufklärt, wer jene sind, denen sie sich verschworen haben: „Diener, durch die ihr zum Glauben gekommen seid" – freilich, wie Paulus fortführt: „ein jeder (*hekastos*) (so), wie es ihm der Herr gegeben hat" (3,5). Auch für Paulus gibt es, wie anscheinend für die einzelnen Gruppen in Korinth, Unterschiede zwischen den verschiedenen Missionaren, mit denen die Gemeinde zu tun hat. Aber diese Unterschiede werden nicht nur dadurch relativiert, daß er selbst und Apollos Diener Christi sind, vielmehr in gleicher Weise durch den Tatbestand, daß das, was die Unterschiede konstituiert, Gabe des Herrn ist, dem der eine wie der anderen verpflichtet ist. Dies schließt von vornherein jedes andere Rühmen

---

13. 1. Kor. 3,5.8.10.13 (2x). In den Umkreis dieser Stellen gehört auch 1. Kor. 4,5. Der Beleg wird deshalb anschließend besprochen.

als das des Herrn (vgl. 3,21; 1,31) aus, und zwar um so mehr, als Gott nicht nur der Geber der Gabe des Dienstes ihrer Herkunft, sondern auch ihrer gegenwärtigen Wirkkraft nach ist: „Ich habe gepflanzt, Apollos hat begossen, doch Gott hat wachsen lassen" (3,6). Von dieser Gewißheit her kann der Apostel sowohl folgern, daß weder der, der pflanzt, noch der, der begießt, etwas ist (3,7), als auch, daß beide eins sind (3,8). Doch scheint für ihn weder in der einen noch in der anderen Bestimmung das Verhältnis zwischen der Arbeit der Diener und dem Tun Gottes hinreichend definiert zu sein, vielmehr erst in der folgenden, die verschiedenen Missionare nochmals egalisierenden Selbstbezeichnung: „Denn wir sind Gottes Mitarbeiter" (3,9).

Ungeachtet dieser Gleichstellung bzw. Vereinheitlichung im Negativen wie im Positiven bleibt die Unterschiedenheit der Dienste bestehen. Allerdings thematisiert Paulus in 1. Kor. 3 eine andere Dimension des je eigenen Dienstes als in 1. Kor. 12. Stand dort das – auch in 1. Kor. 3 (V.8) anklingende – Motiv der Einheit aller Dienste sowie deren Praxis zum Nutzen der Gemeinde im Vordergrund, so dominieren in 1. Kor. 3 die zusammengehörigen Motive Bewährung – Gericht – Lohn: „Der, der pflanzt, und der, der begießt, sind eins, ein jeder (*hekastos*) aber wird den eigenen Lohn empfangen gemäß der eigenen Mühe" (3,8), nämlich auf dem Acker bzw. am Bauwerk Gottes (3,9). So hält Paulus es den Korinthern in dem Augenblick vor, da er zum zweitenmal in Kap. 3 den einzelnen ins Auge faßt. Wie sehr ihm in 1. Kor. 3 an diesem Zusammenhang liegt, verdeutlicht der Tatbestand, daß er ihn in 3,10ff. in drei weiteren *hekastos* -Aussagen einprägt: Der Apostel hat den Grund gelegt, „jeder", so fährt er warnend fort, „soll sehen, wie er darauf aufbaut" (3,10). Worauf auch immer jemand baut, „eines jeden Werk wird offenbar werden" (3,13), denn am endzeitlichen Tag Gottes „wird das Feuer (des Gerichts) prüfen, wie beschaffen eines jeden Werk ist" (3,13). Wessen Werk bleibt, der wird Lohn empfangen (3,14; vgl. 4,5), wessen Werk verbrannt wird, der wird bestraft werden, wenn er auch selbst – sola gratia – „wie durch Feuer" gerettet werden wird (3,15). Zwar scheint Paulus in der Konsequenz seines theologischen Ansatzes diese Einschränkung vermerken zu müssen. Wie wesentlich jedoch für ihn in 1. Kor. 3 die Dimension des Gerichts ist, zeigt noch einmal die Drohung im Anschluß an die Erinnerung, daß die Gemeinde der Tempel Gottes ist und der Geist Gottes in ihr wohnt (3,16): „Wenn einer den Tempel Gottes zerstört, diesen wird Gott zerstören" (3,17).

Es ist vor allem dieser Zusammenhang 1. Kor. 3, um dessen Aussagen das von Käsemann und Untergaßmair skizzierte Bild zu ergänzen ist. Paulus thematisiert in seinen Ausführungen über die Charismen der Gemeindeglieder und damit über den einzelnen Empfänger der Gnadengabe nicht nur die Herkunft der Charismen und ihre Bewährung in der Gegenwart im Dienst für die Gemeinde (*pros to sympheron*) und am Ort der Berufung, sondern – ausgehend von der Bewährung – desgleichen die Zukunft, wie sie sich im Umgang mit den Gnadengaben entscheidet, sei es in Gestalt von Lohn oder von Strafe. Wie jeder einzelne in der Gemeinde mit einem spezifischen Charisma begabt ist, so ist er als dieser einzelne im Gericht Gottes für die Art des mit dem Charisma aufgetragenen Dienstes verantwortlich, und so wird er von Gott in diesem apokalyptischen Geschehen strafend oder belohnend zur Rechenschaft gezogen.

Es bleibt mithin dabei, daß Paulus den einzelnen über den Begriff des Charismas ins Auge faßt. Aber das von diesem Begriff geleitete Interesse am Glaubenden als Individuum richtet sich auf keinen Ausschnitt seines Lebens, sondern umfaßt seine ganze Existenz in Herkunft, Gegenwart und Zukunft. Wie dabei im Begriff des Charismas als Manifestation des auf alle zielenden Geistes bzw. der auf alle zielenden Gnade der Bezug der Gabe auf das Ganze der Gemeinde von vornherein gesetzt ist, so hält sich diese Orientierung bis hin zum endzeitlichen Gericht durch. Denn wie das Charisma sich in der gegenwärtigen Diakonie im Nutzen für die Gemeinde bewährt, so zielt die Frage im Gericht, die über Lohn oder Strafe entscheidet, allein auf diese Bewährung des Teiles zugunsten des Ganzen: Sie gilt dem Maß der Förderung der Gemeinde, ihres Aufbaus auf dem ein für allemal gelegten Grunde Jesus Christus (1. Kor. 3,11). Das Interesse am einzelnen, so wie es im Gebrauch des Pronominaladjektivs *hekastos* bei Paulus zutage tritt, ist damit das Interesse am Dienst des einzelnen für die Gemeinde.

Wie wenig es sich bei dem in 1. Kor. 3 von Paulus nachhaltig herausgearbeiteten Zusammenhang zwischen einzelnem Charisma und Gericht um ein Nebengleis seiner Verkündigung handelt, verdeutlicht der Tatbestand weiterer Belege für den Gebrauch von *hekastos* in Gerichtsaussagen seiner Briefe. So schließt der Apostel den in 1. Kor. 4, 1-5 folgenden Abschnitt, in dem er seinen eigenen Dienst dem Gericht von Menschen entzieht und dem Urteil Gottes anheimstellt, ganz in Übereinstimmung mit 1. Kor. 3 mit der Ankündigung: „Dann – bei Parusie und Gericht – wird einem jeden von Gott das Lob zuteil werden" (1. Kor. 4,5). In Röm. 2,6 zitiert Paulus zustimmend Ps. 62,13, Gott werde „einem jeden nach seinen Werken vergelten", in Röm. 14,12 formuliert er dieselbe Gewißheit mit eigenen Worten: Nach der Mahnung, jeder solle in seinem eigenen Urteilsvermögen (für sich selbst) zur Fülle kommen, ruft er ähnlich wie in Röm. 2 dem, der andere richtet, in Erinnerung, daß vor dem Richtstuhl Gottes „jeder von uns über sich selbst Rechenschaft ablegen wird" (Röm. 14,10). Wie hier mahnt er auch in 2. Kor. 5,10 unter Aufnahme des Motivs vom Richtstuhl zur „Furcht des Kyrios"[14]: „Wir alle müssen offenbar werden vor dem Richtstuhl Christi, damit ein jeder empfange, was er durch sein *soma* getan hat, sei es gut oder schlecht." In Gal. 6,4f. veranschaulicht Paulus in zwei *hekastos* - Aussagen die Konsequenz solcher Gerichtsgewißheit in der Gegenwart: „Jeder aber soll sein eigenes Werk prüfen, und dann wird er im Blick auf sich selbst und nicht auf den anderen Ruhm haben. Denn jeder wird (dann) seine eigene Last tragen." Wie der einzelne im Gericht für sich selbst Rechenschaft abzulegen hat, so wird er, wie insbesondere Röm. 14, 5.12; Gal. 6,4f. zeigen, im Horizont dieses Gerichts von Paulus auf sich selbst zurückgewiesen, sobald er sich zum Richter über den anderen aufzuwerfen sucht. Der in Gal. 6 alsbald folgende Aufruf, sich nicht darüber zu täuschen, daß Gott sich nicht spotten lasse, weil der Mensch das, was er säe, auch ernten werde (Gal. 6,7), benennt die theologische Erkenntnis, von der sämtliche Gerichtsaussagen und so auch die über Charisma (bzw. *ergon* als dessen Resultat) und Gericht bestimmt sind. Der Tun-Ergehen-Zusammenhang hat durchaus nicht nur in der Zeit ante Christum Gültigkeit, sondern steht prinzipiell auch in der Gemeinde Jesu in Kraft. Wo freilich wie bei Käsemann u.a. Jesus Christus, vermeintlich mit Paulus, undialektisch als Ende des Gesetzes ausgelegt wird, müssen folgerichtig auch die Gerichtsaussagen des Apostels zum Adiaphoron werden, wenn anders auch hier gilt: Wo kein Kläger, da kein Richter[15].

In den vorangegangenen Ausführungen über 1. Kor. 3; 7 und 12 ist bereits ein Teil der *hekastos* -Aussagen mitbehandelt worden, die sich außerhalb dieser Texte finden. Auch wenn die übrigen Stellen das gewonnene klare und geschlossene Bild nicht modifizieren, sollen sie zumindest berührt werden. Die Situationsschilderungen in 1. Kor. 1,12 („Ein jeder von euch sagt: ,Ich bin des Paulus' usw.") sowie in 1. Kor. 11,21 („Ein jeder nimmt sein eigenes Mahl vorweg beim Essen") benennen illegitime Vereinzelungen, deren die Gemeinde spaltende Tendenzen Paulus gerade nötigen, das angemessene Verständnis des Verhältnisses von einzelnem und Gemeinschaft im 1. Korintherbrief zu entfalten. Wie diese beiden Stellen so gehören auch die Aufforderungen in 1. Kor. 10,24 und Phil. 2,4, „ein jeder" solle „das des anderen suchen" bzw. „auf das des anderen bedacht sein", in den Umkreis der erörterten Zusammenhänge. Sie nehmen paränetisch auf, was in 1. Kor.

14. Das Motiv der „Furcht des Herrn" wird in unverkennbarer Aufnahme (s. *oun*) von V. 10 in 2. Kor. 5,11 genannt.
15. Zu Gal. 6,1ff. s. auch unten, 203.

12,7 thetisch zum Ausdruck gebracht ist: „Einem jeden wird die Offenbarung des Geistes zum Nutzen (sc. der anderen, der Gemeinde) gegeben." Ähnliches gilt von der Feststellung (oder vielleicht doch eher der Aufforderung) in 1. Kor. 14,26: „Wenn ihr zusammenkommt, hat ein jeder ein Lied, eine Belehrung ..."; denn das, was der einzelne zu geben hat, wird sofort angemessen dem Ganzen zugeordnet: „Alles soll im Dienst der Erbauung (bzw. des Aufbaus, *oikodomē*) stehen." In 1. Kor. 16,2 und 2. Kor. 9,7 spricht Paulus jeden einzelnen in der Gemeinde auf seine Beteiligung an der Kollekte hin an, gewiß nicht nur um der Höhe des Ertrages willen, sondern vor allem, um ihr Verständnis als Werk der ganzen Gemeinde einzuprägen. In 1. Kor. 7,2 empfiehlt er, daß zur Vermeidung von Hurerei jeder Mann seine eigene Frau, jede Frau ihren eigenen Mann haben solle; jede andere Regelung des Sexuallebens stellt für ihn eine Versündigung am Leib Christi dar, dessen Glieder durch die Gemeinde dargestellt werden (vgl. 1. Kor. 6,12-21). Auch hier ist also der Zusammenhang zwischen dem einzelnen und der Gesamtheit durch den Kontext erkennbar.

Lediglich an drei Stellen tritt dieser Zusammenhang zurück: in der Aufforderung 1. Thess. 4,4, „jeder" solle „sein eigenes Gefäß (sc. Frau)[16] in Heiligkeit und Ehre zu bewahren wissen", in der Erinnerung 1. Thess. 2,11 an die seelsorgerliche Tätigkeit des Paulus an „jedem einzelnen" in Thessaloniki sowie in der Bestimmung 1. Kor. 15,23, „jeder" habe am Auferweckungsgeschehen „in seiner eigenen Ordnung" teil. Doch stellt *hekastos* schwerlich ein solches Ausnahmewort dar, daß einige wenige Belege dieser Art *nicht* zu erwarten wären. So wenig sie das gezeichnete Gesamtbild zu beeinträchtigen vermögen, so sehr wird es noch einmal durch einen Blick über die paulinischen Briefe hinaus bestätigt, ja sogar in einigen Details erhellt.

V.

Spuren eines Gebrauchs, der dem paulinischen verwandt ist, führen sowohl in die synoptische Tradition als auch in die nichtpaulinische Briefliteratur hinüber. In Röm. 2,6 zitiert Paulus Ps. 62,13, um das Motiv des Gerichts nach den Werken eines jeden zum Ausdruck zu bringen. In mehr oder weniger enger Anlehnung an die Psalmstelle ist es mehrfach in der Apokalypse des Johannes aufgenommen (Apk. 2,23; 20,13; 22,12), außerdem in 2. Tim. 4,15 und – in kaum mehr erkennbarem Zusammenhang mit jener Schriftstelle – in 1. Petr. 1,17. Unter den Synoptikern hat Matthäus Ps. 62,13 der Zitation für wert erachtet, indem er die markinische Erwähnung der Ankunft des Menschensohnes „in der Herrlichkeit seines Vaters mit den heiligen Engeln" (Mk. 8,38) um den Zusatz ergänzt hat, er werde dann „einem jeden nach seiner ‚Praxis' vergelten" (Mt. 16,27).

16. Siehe hierzu T. Holtz, Der erste Brief an die Thessalonicher, Zürich/Neukirchen-Vluyn 1986, 156ff.

Man mag diese Parallelen zur paulinischen Zusammenschau von *hekastos* und Gericht zwar aus der gemeinsamen Verwendung von Ps. 62,13 erklären. Aber es fällt nun doch auf, daß ein Teil der zitierten Zeugnisse auch Belege für die paulinische bzw. eine ihr entsprechende vorzugsweise Rede vom einzelnen im Zusammenhang mit der ihm von Gott gegebenen Gabe bietet. Die größte Nähe ist hierbei zwischen Paulus und dem 1. Petrusbrief zu beobachten. Dies Schreiben verwendet das Pronominaladjektiv überhaupt nur zweimal. Das erstemal in der erwähnten Prädikation Gottes als dessen, der unparteiisch „gemäß dem Werk eines jeden richtet", das zweitemal in der Mahnung 1. Petr. 4,10: „Wie ein jeder ein Charisma empfangen hat, so dient einander damit als gute Haushalter der vielfältigen Gnade Gottes." Allem Anschein nach ist hier – wofür auch die Fortsetzung 1. Petr. 4,11 (vgl. Röm. 12,3ff.) spricht – paulinische Tradition aufgenommen, dazu in selten unversehrter, authentischer Gestalt. Zusammen mit der Gottesprädikation in 1. Petr. 1,17 spiegelt sie die wesentlichen Züge wider, in denen Paulus den einzelnen thematisiert: Charisma, Diakonie und Gericht.

Neben dem 1. Petrusbrief ist sodann das Matthäusevangelium zu erwähnen. Eine Wendung, die der Ankündigung 16,27, der Menschensohn werde vergelten „einem jeden nach seiner Praxis" (*hekasto kata tēn praxin autou*), sprachlich verwandt ist, begegnet beim ersten Evangelisten im Rahmen des Gleichnisses von den Talenten: Der Eigentümer gibt „einem jeden nach seinem Vermögen" (*hekastō kata tēn idian dynamin* ; Mt. 25,14). Mehr noch als diese Wendung sind freilich der erzählte Vorgang selber und der Fortgang des Gleichnisses von Interesse. Mit den Talenten werden ja, in paulinischer Begrifflichkeit gesagt, nichts anderes als *charismata* ausgeteilt, und die Vergeltung des Eigentümers bei seiner Wiederkunft bemißt sich allein daran, wie der einzelne mit dem ihm übergebenen besonderen Betrag seinen Dienst versehen hat: Er „vergilt einem jeden nach seiner Praxis". Daß Matthäus tatsächlich dieser Zusammenhang zwischen der in 16,27 mit Hilfe von Ps. 62,13 formulierten Gewißheit und der Parabel 25,13ff. vor Augen gestanden hat, geht aus dem Kontext mit hinreichender Klarheit hervor. Sein Thema ist über Kap. 24 und 25 hin die Parusie des Menschensohnes und sein Gericht. Die beiden Kapitel sind damit – weithin gleichnishafte – Veranschaulichung dessen, was Matthäus Jesus in 16,27 ankündigen läßt. So deutlich dieser Zusammenhang matthäisch geprägt ist, so sehr hat der Evangelist hier selber aus der Tradition zehren können. Zum einen ist ihm die Parabel von den Talenten bereits aus der Überlieferung überkommen, zum anderen hat das darin enthaltene Motiv der unterschiedlichen Begabung und des verschiedenen Dienstes auch in anderem Überlieferungsgut seinen Niederschlag gefunden. Dies ist z.B. der Fall, wenn es in Mk. 13,34 zwar ohne ausdrücklichen Verweis auf das Gericht, aber doch mit ausgesprochenem Hinweis auf die Parusie heißt: „Gleich einem Mann, der verreiste, sein Haus verließ und seinen Knechten Verfügungsgewalt gab, einem jeden seine Arbeit (*hekastō to ergon autou*) ..." Es besteht keinerlei Veranlassung und dürfte auch ein müßiges Unterfangen sein, Abhängigkeiten zwischen Paulus und der synoptischen Tradition in dieser oder jener Richtung festzustellen. Gerade wenn man jedoch hier und da eine voneinander unabhängige Ausprägung der direkten oder gleichnishaft verschlüsselten Aussagen über den einzelnen unter den Aspekten von Begabung, Dienst und Gericht voraussetzt, liegt der Schluß nahe, daß sowohl die Synoptiker, d.h. insbesondere Matthäus, als auch Paulus von jüdischen Traditionen zehren, die ihnen vorausliegen[17].

VI.

Paulus spricht pointiert vom einzelnen (*hekastos*) in solchen Zusammenhängen, in denen es um dessen spezifischen, pneumatologisch begründeten, d.h. charismatischen Beitrag zum Ganzen der Gemeinschaft geht. Wie er ihn von seinem Charisma her identifiziert, so sind die Frage der Bewährung dieses Charismas im Dienst an der Gemeinde und das Endgeschehen des Gerichts nach Maßgabe dieses Dienstes die beiden weiteren Aspekte, unter denen er den einzelnen in seiner Individualität in den Blick faßt. So sehr dieser hier jeweils als Individuum vor Gott gesehen ist – spezifisch begabt, spezifisch verantwortlich und spezifisch gerichtet –, so wenig ist er freilich auch nur einen Moment von den anderen isoliert gedacht oder dargestellt, vielmehr stets als unlöslicher Teil der Gemeinde: um ihretwillen begabt, zur Bewährung am Dienst an ihr berufen und nach Maßgabe dieser Bewährung zu ihren Gunsten im Gericht beurteilt. In dieser konturierten Stellung des einzelnen in der paulinischen Theologie, in dem in ihr sich spiegelnden, deutlich begrenzten Interesse des Paulus am Individuum, kommt klar zum Ausdruck, daß die Gemeinschaft der Ekklesia aus Juden und Griechen, Män-

---

17. Abgesehen von Ps. 62,13 selbst dürften Konturen eines verwandten Verständnisses z.B. in den Aussagen der Qumrantexte greifbar werden, nach denen sich der Standort des Gemeindemitglieds jeweils „nach seiner Einsicht und seinen Werken" bemißt (vgl. z.B. 1QS 5,21.23; 6,14.18).

nern und Frauen, Herren und Sklaven für den Apostel mehr ist als die Summe ihrer Glieder und dem einzelnen deutlich vor- und übergeordnet. Eine Gerichtshandlung wie die Exkommunikation des sog. Blutschänders (1. Kor. 5), die um der Gemeinde und ihrer Heiligkeit willen das endzeitliche Gericht Gottes „nach den Werken eines jeden" kirchlich vorwegnimmt, ist hierfür ein weiterer, besonders eindrücklicher Beleg unter vielen.

Alternativen wie die eingangs zitierte Bultmannsche – „nicht die Weltgeschichte, die Geschichte Israels und der anderen Völker, sondern die Geschichte, die jeder Einzelne selbst erfährt" – oder auch Behauptungen einer „radikalen Individualisierung" wie die Conzelmanns haben, obwohl sie sich auf Paulus berufen, an den Briefen des Apostels keinen Anhalt. Sie verkennen, daß der einzelne – gerade als sog. neues Geschöpf – bei Paulus stets von vornherein als Teil eines ihm vorgegebenen Ganzen, als Glied der Gemeinde Jesu Christi, gesehen, verstanden und ausgelegt ist. In diesem Verständnis des Verhältnisses von einzelnem und Gemeinschaft ist der Apostel durchaus der jüdischen Sicht beider Größen treu geblieben, nach der Israel früher da ist als der einzelne Israelit, dessen Stellung stets im Sinne einer Zuordnung zur Gemeinde bzw. zum Volk Israel, nie im Sinne einer Alternative „einzelner-Gemeinschaft" bestimmt wird. So unpaulinisch wie die in Erinnerung gerufene Alternative Bultmanns ist damit auch die Folgerung, die er aus ihr zieht, daß nämlich „die Auffassung vom Heil" bestimmt sei „durch das Heil des Einzelnen". Dies mag von den korinthischen Enthusiasten gelten, um deren Anschauungen und Verhaltensweisen willen Paulus sich in seinem ersten Brief an die Gemeinde wie in keinem sonst gerade jenem Thema des Verhältnisses von einzelnem und Gemeinschaft zuwenden muß. Am wenigsten trifft es jedoch für den Apostel „für alle Völker" (Röm. 1,5) zu, der eben jene korinthischen Heilseinzelgänger sei es durch die Frage, sei es durch den Vorwurf in die Schranken weist: „Ihr seid schon geschmückt, ihr seid schon reich – ohne uns seid ihr zur Herrschaft gelangt" (1. Kor. 4,8). Denn für Paulus läßt sich von Heil, besser von Rettung, d.h. von *sōteria* , vorerst allein im Modus der Hoffnung reden und uneingeschränkt erst dann, wenn beide dabei sind, „die Vollzahl der Völker" und „ganz Israel" (Röm. 11,26)[18].

18. Siehe hierzu unten, 294–314.

II. Der Apostel

1. Erwägungen zur Abfassungsgeschichte und zum literarisch-theologischen Charakter des Römerbriefes*

Über Ort und Zeit der Abfassung der Römerbriefes ist man sich im wesentlichen einig. Nach seinen eigenen Angaben in 15,14-33 betrachtet Paulus seine Wirksamkeit im Osten des Römischen Reiches als beendet, er schickt sich an, die Kollekte der Gemeinden in Griechenland für die Gemeinde in Jerusalem zu überbringen, und will dann über Rom nach Spanien reisen. Diese Angaben passen am besten in die Situation des letzten, dreimonatigen Aufenthaltes des Apostels in Griechenland/Korinth (Apg. 20,3) Mitte der fünfziger Jahre.

Nach wie vor umstritten ist jedoch die Frage nach dem Abfassungszweck des Briefes. Die allein in den letzten Jahren erschienene Literatur würde einen stattlichen Band füllen[1]. Der Feder von Günter Klein entstammt der Beitrag, der das wohl stärkste Echo gefunden hat[2]. Die Beobachtungen Kleins und seine aus ihnen resultierende These fordern in der Tat zur Reaktion heraus. In 15,20 teilt Paulus der Gemeinde in Rom mit, er habe bei seiner missionarischen Arbeit seinen Ehrgeiz darein gesetzt, „das Evangelium nicht (dort) zu verkündigen (*euangelizesthai*), wo Christus (bereits) ausgerufen wurde", damit er nicht „auf fremdem Grundstück" baue. Zu dem hier formulierten Prinzip der Nichteinmischung steht der Römerbrief selbst in krassem Widerspruch. Denn das, was Paulus mit diesem Brief vollzieht, ist nichts anderes als Explikation seiner Verkündigung (*euangelizesthai* 1,15, vgl. 1,5) gegenüber einer bestehenden und nicht von ihm gegründeten Gemeinde. Wie ist dieser Widerspruch zu erklären? Klein postuliert

---

* Der nachstehende Aufsatz ist bei seiner Erstveröffentlichung Rudolf Bohren gewidmet worden.
1. Vgl. die Literaturangaben bei W.G. Kümmel, Einleitung in das Neue Testament, 17. A. 1973, 266f.
2. G. Klein, Der Abfassungszweck des Römerbriefes, in: Rekonstruktion und Interpretation. Ges. Aufs. z. NT, 1969, 129-144.

mit Recht, daß die Entstehungsverhältnisse des Römerbriefes so lange nicht abgeklärt sind, wie die Antwort auf diese Frage aussteht[3].

Kleins eigene Lösung[4] ist ebenso markant wie einfach: Wenn Paulus die Nichteinmischungsklausel ausdrücklich anführt und dennoch den Römern das Evangelium verkündigt, dann dokumentiert dies, daß der römischen Gemeinde nach des Apostels Auffassung bisher die apostolische Grundlegung fehlt. Sie entbehrt der „apostolischen Signatur"[5]. Der Brief hat wie der in Aussicht gestellte Besuch deshalb die Funktion, das apostolische Fundament in Rom allererst noch zu legen. Von daher erklärt sich nicht nur, daß der Brief weithin den Charakter einer theologischen Abhandlung hat, sondern auch die Beobachtung, daß Paulus die Gemeinde im Praeskript nicht als *ekklesia* anspricht.

Peter Stuhlmacher ausgenommen, der eine positivere Beurteilung angedeutet hat[6], haben die Kritiker die These Kleins durchweg abgelehnt. Die vorgebrachten Gegenargumente weisen unwiderleglich die engen Grenzen seiner Annahme auf, Paulus habe die Gemeinde in Rom gleichsam als Christen zweiter Klasse angesehen, denen der apostolische Grund und Boden unter den Füßen gefehlt habe. Paulus redet die Gemeinde als „Berufene Jesu Christi", „Geliebte Gottes", „berufene Heilige" an (1,6f.), also nicht als christliche Individuen, sondern als Glieder des eschatologischen Gottesvolkes. Er sagt Dank, daß von ihrem Glauben in der ganzen Welt erzählt wird, und erhofft sich, in Rom durch eben diesen Glauben der Römer gestärkt zu werden (1,8.12). Er vermag das Dasein der Gemeinde mit Hilfe der Anschauung vom Leib Christi zu deuten und setzt dabei voraus, daß es in der Gemeinde verschiedene Charismen gibt (12,4ff.). Er bestätigt den römischen Christen, daß sie mit aller (christlichen) Erkenntnis erfüllt und selbst zur Ermahnung befähigt sind (15,14)[7].

Auffällig ist nun allerdings, daß die Kritiker Kleins auf dessen entscheidenden Ausgangspunkt, das Problem der Nichteinmischungsklausel (15,20), entweder gar nicht[8] oder nur unzureichend eingehen. So interpre-

---

3. Klein, a. a. O. 132.
4. Klein, a. a. O. 138-144.
5. Klein, a. a. O. 141.
6. P. Stuhlmacher, „Das Ende des Gesetzes". Über Ursprung und Ansatz der paulinischen Theologie, ZThK 67 (1970), 14-39, hier: 26 A. 26.
7. Vgl. zum Ganzen G. Bornkamm, Der Römerbrief als Testament des Paulus, in: Geschichte und Glaube. Zweiter Teil. Ges. Aufs. IV, 1971, 120-139, hier: 129.
8. So G. Eichholz, Die Theologie des Paulus im Umriß, 1972, 5; E. Lohse, Die Entstehung des Neuen Testaments, 1972, 48; O. Kuß, Paulus. Die Rolle des Apostels in der theologischen Entwicklung der Urkirche, 1971, 196-199; Kümmel, a. a. O. 274.

tieren Günther Bornkamm[9] und Ernst Käsemann[10] 15,20f. einerseits als Motivierung der später angesprochenen Spanienreise, andererseits – anhand von V. 22 – als Begründung für die Verzögerung des Rombesuches. Im ersten Fall heben sie damit auf den Aspekt ab, daß Paulus jetzt im Osten keinen freien Raum mehr sieht und, um nicht auf fremdem Feld zu arbeiten, sich nach Spanien wendet. Im zweiten Fall sehen sie in V. 20f. die Aussage intendiert, Paulus habe bisher zu viel zu tun gehabt bzw. sei ständig auf Hindernisse gestoßen. Das entscheidende Moment der Nichteinmischungsklausel, die Aussparung des Missionsgebietes anderer, kommt hier also überhaupt nicht mehr zur Geltung, vielmehr werden V. 20f. ausgelegt, als stünde dort, Paulus habe es sich angelegen sein lassen, stets dort zu verkündigen, „wo Christus noch nicht genannt worden" sei. V. 20 aber lautet eindeutig, es sei sein Prinzip, *nicht* zu verkündigen, wo Christus (bereits) ausgerufen wurde", und daß diese Stellung der Negation streng beizubehalten ist, dokumentiert gerade die im anschließenden Finalsatz als Ziel vermerkte Nichteinmischung. Bornkamm und Käsemann interpretieren somit V. 20f. einmal nach Maßgabe der Aussage V. 20, zum anderen nach Maßgabe des Schriftzitats V. 21, die beide, nimmt man sie je für sich, in der Tat in ihrem Sinn nicht übereinstimmen. Diese Zerreißung von paulinischer Aussage in V. 20 und Schriftbeweis in V. 21 erscheint jedoch äußerst fraglich, insofern das Zitat aus Jes. 52,15 den in V. 20 ausgesprochenen Grundsatz als biblisch begründet erweisen, nicht aber ihm einen anderen Sinn unterlegen soll. Hätte Paulus in V. 20 das sagen wollen, was das für sich genommene Schriftzitat ausdrückt, so hätte er durch Umstellung der Verneinung und Auslassung des Finalsatzes entsprechend formulieren können; die Spanienreise wäre selbst dann noch hinreichend motiviert. Gibt er V. 20 die vorliegende Gestalt, so zeigt dies, daß der Ton auf der Aussage des Finalsatzes liegt, V. 20f. also streng in diesem Sinne zu deuten sind. Die Folgerung in V. 22 (*dio*) ist deshalb konsequent auf V. 20f. zu beziehen[11].

Im Gegensatz zu Bornkamm und Käsemann und m.W. als einziger hat Walter Schmithals die von Klein gezeigte Spannung voll anerkannt[12]. Seiner

9. Bornkamm, a. a. O. 138 A. 47.
10. Käsemann, Der Brief an die Römer, 1973, 377. 379; ähnlich wie Bornkamm und Käsemann auch K.P. Donfried, A Short Note on Romans 16, JBL 89 (1970), 441-449, hier: 442.
11. Klein selbst (a. a. O.) ist im übrigen nur an 15, 20 interessiert und verzichtet auf eine Exegese des Zusammenhangs 15, 20-24.
12. W. Schmithals, „An das Wort gebunden", Rez. von Kleins Ges. Aufs. z. NT (s. A. 2), EvKomm 2 (1969), 609.

Forderung, das Problem müsse auf literarkritischem Wege gelöst werden, ist allerdings Klein selbst im voraus bereits durch die Feststellung begegnet, daß sich „dem Exegeten an diesem Punkt der Griff nach der Schere" verbiete[13]. Dies gilt zumindest so lange, wie sich andere Möglichkeiten zur Bewältigung der Aporie darbieten. Damit ist die Aufgabe gestellt: Wie ist der von Klein herausgestellte Widerspruch zwischen Nichteinmischungsprinzip und Romkontakt des Paulus zu deuten, wenn sich einerseits seine eigene These nicht halten läßt, andererseits literarkritische Operationen nur ultima ratio sein können und sachliche Vermittlungsversuche wie die von Bornkamm und Käsemann ebenfalls nicht zu überzeugen vermögen?

Eine Antwort läßt sich von der Beobachtung her anbahnen, daß sich der von Klein ins Zentrum gestellte Widerspruch zwischen paulinischer Theorie und Praxis noch schärfer und zugleich modifiziert darstellt, sobald der angezeigte Zusammenhang zwischen V. 20f. und V. 22 einbezogen wird. Paulus erläutert in V. 22: „Deshalb bin ich auch so oft gehindert worden, zu euch zu kommen." Nimmt man diesen Zusammenhang in der Weise ernst, daß V. 22 die Verse 20f. in ihrer durch V. 20 bestimmten Bedeutung aufnimmt, so gewinnt die Folgerung den Sinn: Weil der Apostel nach dem Grundsatz verfährt, fremde Missionsgebiete auszusparen, darum ist er bisher immer wieder an dem ersehnten Rombesuch gehindert worden. In V. 22 wäre damit von Paulus selbst festgehalten, daß er Rom zu den Gemeinden zählt, in denen Christus bereits ausgerufen ist und die somit für ihn tabu sind. Diese Interpretation von V. 22, die noch einmal und jetzt direkt im Hinblick auf die Auslegung der Nichteinmischungsklausel durch Paulus die Unhaltbarkeit der These Kleins anzeigt, hat gegenüber der kritisierten Deutung Bornkamms und Käsemanns den Vorzug, daß sie die Bezüge der Klausel auf Spanienbesuch und Romreise nicht auseinanderreißt und sich mit größerem Recht auf die Fortsetzung des Textes berufen kann. Denn anders als jene Interpretation vermag sie weit besser der anakoluthischen Form des anschließenden Satzes V. 23 gerecht zu werden: „Nun aber, da ich keinen Raum mehr in diesen Gegenden habe, jedoch seit vielen Jahren Sehnsucht habe, zu euch zu kommen – wenn ich nach Spanien reise." V. 24 erläutert: „Ich hoffe nämlich, euch auf der Durchreise zu sehen und von euch geleitet zu werden, nachdem ich mich zuerst an euch teilweise gesättigt habe." Der gedankliche Bruch ist nicht zu übersehen. Angesichts der Ausführungen in 1,8-15, vor allem aber nach den Partizipialsätzen in V. 23a, die als gegenwärtige Situation Raummangel im Osten und Romsehnsucht nennen, würde

---

13. Klein, a. a. O. 132.

man als Fortsetzung in V. 23b die Ankündigung erwarten, daß Paulus trotz
des in V. 20-22 entfalteten Zusammenhangs nach Rom kommen werde[14].
Einen Moment also scheint es aufgrund der Gestalt von V. 23a, als werde
Paulus diese Konsequenz ziehen – und damit das Prinzip der Nichteinmischung aufgeben. Aber gerade um der Wahrung dieses Prinzips willen folgt
die sachlich und sprachlich abrupte Feststellung „wenn ich nach Spanien
reise". Im Gegensatz zum bisherigen Gefälle ist damit Rom nur mehr
Durchgangsstation. So spiegelt sich in dem Anakoluth die Aporie wider, in
die Paulus durch das Miteinander von Nichteinmischungsprinzip und
Romabsichten gerät, und so bildet das Anakoluth zugleich die Lösung, die
es ihm ermöglicht, der Nichteinmischungsklausel Rechnung zu tragen und
doch nicht auf den Rombesuch zu verzichten. Die Ausführungen in V. 20-24
geben sich damit als Versuch des Paulus zu erkennen, seinen geplanten
Rombesuch mit der von ihm selbst angeführten Nichteinmischungsklausel
zu vermitteln. Denn nun ist beides gewahrt: Paulus kommt als Völkerapostel zur römischen Gemeinde, aber nicht in missionarischer Absicht. Käsemann hat diesen Sachverhalt völlig sachgemäß umschrieben, wenn er
urteilt: „Sofern Rom nur als Durchgangsstation vor Augen steht, fällt mit
dem Besuch dort nicht einmal der ‚Kanon' von 20 grundsätzlich hin"[15]. Nur
gilt es, diesen Tatbestand konsequenter in Rechnung zu stellen; denn das
von Klein thematisierte Problem ist damit noch keineswegs gelöst. Vielmehr ist zu fragen: Wie verhält sich die – anders als bei Klein zu deuten –
Anerkennung der Nichteinmischungsklausel für Rom durch Paulus zu
seiner erklärten Absicht, in Rom das Evangelium zu verkünden (1,5.15)
und „ein Stückchen Missionserfolg (*karpos*)[16] wie auch unter den übrigen
Völkern" zu erringen (1,13)?[17]

Von wesentlicher Bedeutung ist der Tatbestand, daß sich die beiden Phänomene, die diese Frage hervorrufen, die Absicht der Evangeliumsverkün-
digung in Rom und die aufgewiesene Verarbeitung des Nichteinmischungs-
prinzips, genau auf die Abschnitte 1,1–7.8–15 einerseits und 15,14-33 ande-

---

14. Vgl. O. Michel, Der Brief an die Römer, 4. A. 1966, 369: Man „müßte den Zusam-
    menhang durch den Nachsatz ergänzen: ‚ich will zu euch kommen' (V. 28f.)". Ent-
    sprechend hat die Koine ergänzt.
15. Käsemann, a. a. O. 386.
16. Zu dieser Bedeutung s. Klein, a. a. O. 140.
17. Von hier aus dokumentiert die zuvor zitierte Beobachtung Käsemanns, daß die fol-
    genden Überlegungen selbst dann ihre Relevanz behalten, wenn man in der Interpre-
    tation von V. 22 *(dio)* der besprochenen Deutung von Bornkamm und Käsemann
    zuneigt.

rerseits verteilen. Die mit Zitat und Verarbeitung der Nichteinmischungsklausel gegebenen Spannungen liegen nicht sowohl in den Ausführungen
am Anfang und am Schluß des Briefes, sondern werden entscheidend durch
die Abweichungen der Aussagen in 15,14-33 von denen in 1,1-15 konstituiert.

Praeskript und Danksagung haben folgenden Duktus: Paulus ist Apostel
für die Völker, zu denen auch die römischen Christen gehören (1,5f.). Er
bittet im Gebet, es möchte ihm einmal gelingen, zu ihnen zu kommen; denn
er sehnt sich danach, ihnen etwas an geistlicher Gabe zu übermitteln, um
sie zu stärken (1,11), das heißt, unter ihnen durch den beiderseitigen
Glauben getröstet zu werden (1,12). Bereits oft hat er sich vorgenommen,
zu ihnen zu kommen, um auch unter ihnen etwas an Frucht zu haben, doch
wurde er bisher gehindert (1,13). Zwar begegnen in den Versen 8-15 hier
und da zurückhaltendere Wendungen, wie in den Einschränkungen *ti charisma* und *ti karpon* und auch in der Auslegung der Stärkungsabsicht in V.
12. Aber zum Schluß heißt es in V. 15 wieder wie in V. 5 unzweideutig:
„Griechen und Barbaren, Weisen und Toren bin ich ein Schuldner. So ist es
mein Vorsatz, auch euch in Rom das Evangelium zu verkündigen (*euangelizesthai*).“

Einen Satz wie diesen sucht man hingegen in 15,14-33 vergebens. Paulus
hält dort zwar unvermindert an seinem Anspruch fest, Apostel für die
Völker zu sein (15,16-19); aber der Bezug auf die Gemeinde in Rom wird
sehr viel verhaltener hergestellt (15,15). Das zeigt sich insbesondere an der
Terminologie, die der Apostel zur Umschreibung dessen verwendet, was
der Brief beinhaltet. Der zentrale missionarische Begriff *euangelizesthai*
fehlt, vorsichtig resümiert Paulus, er habe „zum Teil etwas gewagt“, „als
einer, der wieder in Erinnerung ruft“, geschrieben. Das heißt: „Was er
geschrieben hat, war nichts anderes als die geläufige kirchliche Belehrung,
die der Gemeinde bekannt sein mußte. Die ‚Erinnerung‘ besteht hier in der
Einschärfung der katechetischen Tradition“[18]. Anders als in 1,1-15, wo der
Apostel die Anteilgabe an seiner Verkündigung als Völkerapostel in Aussicht stellt, scheint er sich also hier, obwohl er weiter als Apostel spricht, mit
der vergleichsweise bescheidenen Rolle eines Repetenten zufrieden zu
geben. Auf derselben Linie größerer Zurückhaltung in der Beschreibung
seines Verhältnisses zur Gemeinde in Rom und seiner Romabsichten liegt
es, wenn er im Anschluß an die Nichteinmischungsklausel Spanien als sein

---

18. Michel, a. a. O. 364.

nächstes Missionsgebiet angibt und Rom als Durchgangs- und Ruhestation bestimmt[19].

Die Angemessenheit des Schrittes, gerade die Unterschiede zwischen 1,1-15 und 15,14-33 hervorzuheben und eine rasche Harmonisierung zu vermeiden, verdeutlichen die Schwierigkeiten, in die Käsemann bei seinem Versuch gerät, beide Textpassagen miteinander in Einklang zu bringen. Zu der paulinischen Erklärung in 1,11, er wolle den Römern „etwas an geistlicher Gabe" mitteilen, heißt es einerseits, wahrscheinlich reduziere (!) das Adjektiv *pneumatikon* „im Sinne von 15,27 (lies: 15,29?) die Weite charismatischer Wirkungen auf den mit der Predigt gegebenen Segen"[20]. Andererseits wird 15,29 entnommen, daß der Apostel „mit der ganzen ihm verliehenen Vollmacht und deshalb mit der Fülle des Evangeliums nach Rom zu kommen gedenkt"[21]. Die einschränkende Interpretation der Stärkungsabsicht 1,11 in 1,12, die sich ja durchaus im Sinne von 1,8 als captatio benevolentiae verstehen ließe, sieht Käsemann als Zeugnis dafür an, daß der Apostel „geradezu ängstlich jeden autoritativ klingenden Anspruch" vermeide[22]. Die entsprechenden Sätze 15,14f. aber sind für ihn „unverhohlene captatio benevolentiae", ja in V. 14 stecke sogar „eine gute Portion Schmeichelei", und keinesfalls dürfe er wörtlich genommen werden[23].Die Auffälligkeit schließlich, daß Paulus in 1,8-15 noch nichts von seinen Spanienplänen zu erkennen gibt, wird damit begründet, daß Paulus dies „natürlich" dort noch nicht aussprechen konnte[24].

Gegen Käsemann ist also an der auffälligen Differenz zwischen Anfang und Schluß des Briefes festzuhalten. Ihre sorgsame Beachtung gibt gerade

---

19. Schmithals (a. a. O.) zeigt ein Gespür für die Spannung zwischen Kap. 1 und Kap. 15, wenn er urteilt, Paulus erkläre im Briefeingang, „er wolle in *Rom* predigen, am Schluß ebenso deutlich, er wolle es *nicht* tun" (Hervorhebungen von Schm.). Freilich deutet sich hier eine Überzeichnung der Spannung an, insofern Paulus wiederum so deutlich nicht redet, vielmehr immerhin sagt, er würde „in der Fülle des Segens Christi" kommen (15, 29). Gewiß spricht er hier gezielt nicht von *euangelizesthai* . Aber die Ankündigung 15, 29 scheint doch eine gewisse Offenheit der Möglichkeiten anzuzeigen. Diese Deutung entspräche jedenfalls dem Prozeß der Vermittlung der Spannungen, den Paulus in Kap. 15 unternimmt, wie im folgenden zu zeigen sein wird, und der in dem kurzen Beitrag von Schmithals außerhalb des Blickfeldes bleibt.
20. Käsemann, a. a. O. 16.
21. Käsemann, a. a. O. 384.
22. Käsemann, a. a. O. 16.
23. Käsemann, a. a. O. 373.
24. Käsemann, a. a. O. 379. Die Unterschiede zwischen Kap. 1 und Kap. 15 kommen auch bei Klein seinem Ansatz gemäß nicht in den Blick. Vgl. etwa die mangelnde Berücksichtigung der Verwendung von *epanamimnēskein* in 15, 15 (a. a. O. 134f.).

den Schlüssel zur Lösung des debattierten Problems an die Hand. Angesichts des Umfangs und der literarisch-theologischen Gestalt des Römerbriefes wird man von vornherein eine längere Abfassungszeit für dies Dokument veranschlagen müssen[25]. Während einer solchen Zeit aber können sich die Voraussetzungen, unter denen ein Brief begonnen wurde, erheblich wandeln und die veränderten Verhältnisse dann im weiteren Brief ihren Niederschlag finden. Die Ausführungen, die das verhandelte Problem des Römerbriefes ergeben, finden sich mit Kap. 15 am Ende des Briefes. So bietet sich die Annahme an, daß die von Kap. 1 abweichenden Aussagen in Kap. 15 Reflex einer Situationsveränderung im Verhältnis zur Zeit der Abfassung von Kap. 1 sind[26].

Die eingangs erinnerte relativ einfache chronologische Einordnung des Römerbriefes, zumindest von Kap. 15, das die chronologisch relevanten Angaben enthält, erlaubt es, eine entsprechende Situation, die die Modifikationen von Kap. 15 bedingt haben könnte, mühelos ausfindig zu machen. Die Nichteinmischungsklausel, die der Apostel in Kap. 15 verarbeitet, findet sich bei ihm bekanntlich außerdem noch in dem Brieffragment 2. Kor. 10-13, das in die Zeit unmittelbar vor seinem letzten Aufenthalt in Korinth gehört, aus dem sich wiederum die Nachrichten von Röm. 15 (Jerusalemreise) erklären[27]. Im Zusammenhang der Auseinandersetzung mit den in die Gemeinde eingedrungenen sog. Lügenaposteln macht Paulus in 2. Kor. 10-13 ihnen gegenüber jenes Prinzip der Nichteinmischung geltend. Anders als den Eindringlingen ist Paulus Korinth von Gott als Missionsgebiet zugeteilt (10,13), und so rühmt er sich im Unterschied zu ihnen „nicht ins Maßlose mit fremder Leute Missionsarbeit" (10,15). In demselben Zusammenhang deutet der Apostel an, daß er noch über Korinth hinauszugelangen hofft, Rompläne hegt er nach Röm. 1,13; 15,23 seit einigen Jahren. So steht nichts der Annahme im Wege, daß der Römerbrief zur Zeit der Abfassung des Fragments 2. Kor. 10-13 gegen Ende des mehr als zweijäh-

---

25. Die gängige Auffassung, der Brief sei „wahrscheinlich gegen Ende des dreimonatigen Winteraufenthaltes in Korinth geschrieben" (so z.B. U. Borse, Der Standort des Galaterbriefes, 1972, 175) lebt von einem Paulusbild, das einer längst fälligen Korrektur bedarf. Selbst einen Paulus dürfte ein Brief wie der an die Römer mehr Zeit als die der reinen Niederschrift gekostet haben.

26. Vgl. die verwandte Fragestellung im Hinblick auf die Korintherbriefe bei Borse, a. a. O. passim.

27. Zu den literarkritischen Fragen des 2. Korintherbriefes s. G. Bornkamm, Die Vorgeschichte des sog. Zweiten Korintherbriefes (1961), in: Geschichte und Glaube, Zweiter Teil. Ges. Aufs. IV, 1971, 162-194; Borse, a. a. O.

rigen ephesinischen Aufenthalts bereits begonnen war. In dem Augenblick nun, da Paulus im Zuge der Auseinandersetzung mit den Gegnern in Korinth diese mit Hilfe der Theorie vom abgegrenzten Missionsgebiet ins Zwielicht unrechtmäßigen Tuns rückte, mußte sein eigenes Unternehmen „Römerbrief" und „Rombesuch" notwendig in dieselbe Problematik hineingeraten; denn mit Brief und Besuch geht auch Paulus nach Röm. 1 verkündigend auf eine bereits bestehende und nicht von ihm gegründete Gemeinde zu.

Damit ist der unmittelbare Anlaß für die Modifikationen von Kap. 15 gegenüber Kap. 1 umrissen. Weil inzwischen der Konflikt mit den Gegnern in Korinth eingetreten ist und Paulus dort in der angegebenen Weise Stellung bezogen hat, kommt er am Schluß des Römerbriefes auf seine Romabsichten zu sprechen und sucht den Eindruck herabzumindern, er betreibe eben das, was er seinen Gegnern vorwirft[28]. Durch diese Annahme wird die Spannung zwischen Kap. 1 und Kap. 15 nicht nivelliert, aber sie wird durchsichtig.

Als Abfassungsort des Römerbriefes haben demnach sowohl Ephesus als auch Korinth zu gelten. Denn zumindest Kap. 1 ist vor der mit 2. Kor. 10-13 erfolgten Auseinandersetzung mit den korinthischen Irrlehrern in Ephesus, zumindest Kap. 15 nach diesem Konflikt in Korinth geschrieben. Erwähnenswert scheint immerhin, daß sich von hier aus bestens die Nähe zwischen Galater- und Römerbrief erklärt[29].

In welchem Sinne ist von den vorgetragenen Überlegungen her die Frage nach dem Abfassungszweck des Römerbriefes zu beantworten?

Die explizierte These scheint zwar, da sie sich zunächst nur mit Kap. 1 und Kap. 15 beschäftigt hat, Raum für die mit Kap. 14,1-15,13 begründete Auffassung zu lassen, der Brief sei abgefaßt worden, um Konflikte zwischen Heidenchristen und Judenchristen in der römischen Gemeinde zu lösen[30].

---

28. Der mögliche Einwand, den Römern sei dies paulinische Prinzip vermutlich nicht bekannt, trifft nicht; denn an den Abfassungsorten des Briefes hat man mit Sicherheit davon gewußt, und dies würde als Motiv allemal ausreichen.

29. Vgl. hierzu Borse (a. a. O. passim), der den Galaterbrief allerdings erst während der Anreise nach Korinth in Mazedonien verfaßt sein läßt, wogegen u.a. wieder die in A. 25 vorgetragenen Erwägungen sprechen. Erwähnenswert erscheint im vorliegenden Zusammenhang, daß bereits J.S. Semler (Paraphrasis Epistolae ad Romanos ... cum Dissertatione de Appendice Cap. XV et XVI, 1769) als Abfassungsort des – seiner Ansicht nach ursprünglich auf Kap. 1-14 begrenzten – Römerbriefes Ephesus veranschlagt hat (nach A. Schweitzer, Geschichte der paulinischen Forschung von der Reformation bis auf die Gegenwart, 1911, 5).

30. Vgl. z.B. G. Harder, Der konkrete Anlaß des Römerbriefes, TheolViat 6 (1954-58), 13-24; W. Marxsen, Einleitung in das Neue Testament, 2. A. 1964, 88-97; Donfried, a. a. O.

Aber gerade von Kap. 15 her ergibt sich ein gravierender Einwand. Es wäre unerklärlich, warum Paulus sich mit der Begründung seines Besuches in Rom hätte so schwer tun sollen, wenn er – wie es bei jener Deutung vorausgesetzt ist[31] – den Brief auf eine Anfrage aus der Gemeinde hin abgefaßt hätte. Sodann haben Klein[32] und (umfassender) jüngst Robert K. Karris[33] überzeugend die Aporien aufgewiesen, die mit der Bestimmung des Abfassungszweckes von 14,1-15,13 her verbunden sind.

So kann die Definition des Zieles der paulinischen Ausführungen im Römerbrief an Kap. 1 orientiert bleiben. Das (ursprüngliche) Motiv für Römerbrief und Rombesuch wird von Paulus selbst mit aller wünschenswerten Deutlichkeit in 1,5.15 genannt: Er ist Apostel für die Völker, und aufgrund dieser Universalität seines Auftrags schuldet er auch den Christen in Rom die Verkündigung des Evangeliums[34]. Man kann dabei das paulinische Interesse an Rom durchaus mit Hilfe der Annahme näher zu bestimmen versuchen, Paulus suche Rückhalt in der römischen Gemeinde. Wenn diese Deutung jedoch zu stark von dem Begründungszusammenhang: Apostel für die Völker, also auch für Rom, abgelöst und etwa im Sinne der Erwartung möglicher Hilfeleistung durch die Römer in Jerusalem ausgelegt wird[35], fordert man dem Dokument mehr ab, als es hergibt. Denn abgesehen von der aufgewiesenen Problematik, den Abschnitt 15,14-33 für die ursprüngliche Briefintention auszuwerten, bittet Paulus die Römer in 15,30-33 um Fürbitte bei Gott, nicht um Fürsprache in Jerusalem. Die Eindeutigkeit der Bitte wird gerade im Verhältnis zu 15,24 deutlich, wo Paulus die konkrete Hilfe, die er braucht, auch als solche beim Namen nennt. Gegenüber der von hier aus unternommenen weiteren Bestimmung, der Brief sei zur Vorbereitung der Spanienreise abgefaßt worden[36], aber hat – wiederum

---

31. Harder, a. a. O. 21; Marxsen, a. a. O. 91.
32. Klein, a. a. O. 135-138.
33. R.K. Karris, Rom 14:1-15:13 and the Occasion of Romans, CathBiblQuarterly 35 (1973), 155-178.
34. Zum „konkrete(n) Weltkonzept" des Apostels vgl. Bornkamm, a. a. O. (Testament) 138 A. 47, und ders., Paulus, 2. A. 1970, 68-78. Kleins Polemik (a. a. O. 130) gegen „die religiöse Verklärung jeglichen Reichsgedankens" geht ins Leere, sobald man die Romintention im angezeigten Sinne apostologisch versteht.
35. Vgl. Käsemann, a. a. O. 380 und (sehr viel weitergehend) P.S. Minear, The Obedience of Faith. The Purposes of Paul in the Epistle to the Romans, London 1971. Vorsichtiger, im Sinne der reinen Fürbitte, urteilt Bornkamm, a.a. O. (Testament) 138. Bornkamms These, der Römerbrief sei im Blick auf die in Jerusalem zu erwartenden Auseinandersetzungen geschrieben, ist freilich mit Recht zurückhaltend aufgenommen worden.
36. Käsemann, a. a. O.

von der bezeichneten Eigenart des Abschnittes 15, 14-33 abgesehen – bereits Klein zu Recht geltend gemacht, daß der Inhalt des Briefes diesen konkreten Anlaß bei weitem übersteige[37]. So gibt sich der Römerbrief, in dem Paulus seinen Besuch mit der einfachen Begründung vorbereitet, daß er als Völkerapostel auch in der Schuld Roms stehe, als Einführung der römischen Gemeinde in das paulinische Evangelium zu erkennen[38]. Er stellt deshalb eine grundsätzliche, von keiner spezifischen Gemeindesituation oder sekundären Beweggründen inaugurierte und im einzelnen bestimmte Entfaltung des Evangeliums des Völkerapostels dar und ist als solche auszulegen. Dies Urteil wird durch den herausgearbeiteten Sachverhalt, daß Paulus in 15,14-33 einen aus seiner Missionsarbeit stammenden Konflikt verarbeitet, indem er Nichteinmischungsprinzip und Rombesuch miteinander auszugleichen sucht, und durch den Tatbestand, daß er seine Romabsichten zu modifizieren scheint, nicht berührt. Denn der Brief ist zwar in diesem Sinne abgeschlossen, der apostolische Anspruch aber selbst hier noch gewahrt, wenn auch verhaltener zum Ausdruck gebracht. Entscheidend fällt schließlich ins Gewicht, daß Paulus den Brief eben doch einschließlich Kap. 1 abgeschickt hat. So hat er den unumstößlichen Auftrag, Apostel für die Völker und also auch für die Römer zu sein, brieflich insgesamt in der Gestalt ausgeführt, die das Nichteinmischungsprinzip seiner Arbeit und die römische Gemeinde als bereits bestehende Größe erforderten.

Ungeachtet der notwendigen Kritik an Kleins Ausführungen zum Abfassungszweck des Römerbriefes ist ihm also in dem Verständnis des Schreibens als vorweggenommenen Aktes der Verkündigung in Rom voll und ganz beizupflichten[39]. Zu fragen bleibt allerdings, ob es sachgemäß ist, den Brief unter die „Form des theologischen Traktates" zu subsumieren[40]. Wie gerade die Verarbeitung des Korinth-Konflikts in Kap. 15 lehrt, handelt es sich einerseits durchaus um einen echten Brief. Gilt vom Brief freilich im Unterschied zur Epistel: „Er geht niemanden etwas an, als den, der ihn geschrieben hat, und den, der ihn öffnen soll. Für alle anderen soll er ein Geheimnis sein"[41], so erfüllt der Römerbrief andererseits keineswegs diese

---

37. Klein, a. a. O. 132.
38. Vgl. die Charakteristik des Briefes als „Einführungsschreiben" und „grundlegende Darstellung seines Evangeliums" durch U. Borse, Die geschichtliche und theologische Einordnung des Römerbriefes, BZ N. F. 16(1972), 70-83, hier: 74.82.
39. Klein, a. a. O. 144.
40. Klein, a. a. O. Auch die Bezeichnung als „Lehrbrief" (Michel, a. a. O. 5) erscheint als zu blaß. Vgl. das Folgende.
41. A. Deißmann, Licht vom Osten, 4. A. 1923, 194.

Voraussetzung. Denn die Tätigkeit der Verkündigung des Evangeliums (*euangelizesthai*), die Paulus mit ihm ausübt, ist grundsätzlich ebenso öffentlich wie das Verhältnis von Apostel und Gemeinde, das mündliche und schriftliche Verkündigung gleichermaßen strukturiert. Von hier aus zeigt sich zugleich, daß der Charakter des Römerbriefes sich nicht abgelöst von den übrigen Paulusbriefen beurteilen läßt. Denn diese wie jener sind durch die angedeutete Struktur des Verhältnisses von Apostel und Gemeinde bestimmt, und der Römerbrief unterscheidet sich von den anderen Paulusbriefen allein dadurch, daß sonst das Verhältnis von Apostel und Gemeinde bereits konstituiert ist und sich als solches im Brief widerspiegelt, während dies Verhältnis beim Römerbrief erst durch den Brief selbst konstituiert wird, ein Faktum, das Umfang und spezifische Gestalt des Briefes als Explikation des paulinischen Evangeliums hinreichend erklärt.

So beginnt die Eigenart der paulinischen Briefe deutlicher zutage zu treten. Sie sind literarische Bewältigung des durch das Evangelium gesetzten und bestimmten Verhältnisses von Apostel und Gemeinde, Ausdruck des apostolischen Dienstes, Glaubensgehorsam unter allen Völkern für den Namen Jesu Christi zu erwirken. Die Definitionen „echter Brief" oder (im Falle des Römerbriefes) „theologischer Traktat" sind gleicherweise ungeeignet, das Verhältnis von Apostel und Gemeinde als die die paulinischen Briefe entscheidend prägende Struktur, das heißt als deren Sitz im Leben, zu erfassen und diesen bereits über die Definition der literarischen Gattung für die Auslegung fruchtbar zu machen. Der Titel des „apostolischen Gemeindebriefes"[42] dagegen könnte anzeigen, was in den paulinischen Briefen vom Praeskript bis zum Schlußwunsch immer wieder überraschend vor Augen tritt: die Einheit von Form und Inhalt der literarischen Hinterlassenschaft des Apostels.

---

42. Dies gilt auch in Hinsicht auf den Philemonbrief. Vgl. dazu U. Wickert, Der Philemonbrief – Privatbrief oder apostolisches Schreiben? ZNW 52 (1961), 230-238; E. Lohse, Die Briefe an die Kolosser und an Philemon, 1968, 263f. Zur nachpaulinischen Zeit vgl. C. Andresen, Zum Formular frühchristlicher Gemeindebriefe, ZNW 56 (1965), 235-259. – A. 42 ist gegenüber der Erstveröffentlichung um zwei entbehrliche Absätze mit Literaturdiskussion gekürzt worden.

2. Die Apologie des paulinischen Apostolats in 1. Kor. 15,1-11*

I.

Seit K. Holl[1] und A. von Harnack[2] vor fünfzig Jahren die neuere Diskussion über den Abschnitt 1. Kor. 15,1-11 eröffneten, hat die nachfolgende intensive Beschäftigung mit diesem Text, den Paulus selbst zu den grundlegenden Aussagen der Verkündigung rechnet, eine umfangreiche Literatur hervorgebracht[3]. Uneingeschränkte Übereinstimmung herrscht dabei unter den Exegeten nur in dem, was der Apostel selber in V. 3a feststellt, daß er nämlich im folgenden Tradition zitiert. Im übrigen sind fast alle Fragen, die der Abschnitt selbst aufgibt oder die man mit Recht oder Willkür an ihn richten kann, kontrovers. Nur in wenigen Punkten läßt sich von einem weitreichenden Konsensus der Ausleger sprechen. Zu ihnen gehört die Frage der Abgrenzung der Tradition. Die Mehrzahl der Exegeten teilt das Urteil, daß die vom Apostel zitierte Überlieferung in V. 5 endet und daß die beiden folgenden Verse, ob sie nun noch eigenständige Überlieferungselemente enthalten oder nicht, von Paulus ad hoc hinzugefügt sind. Indizien zugunsten dieser Entscheidung sind vornehmlich der Bruch in der Satzkonstruktion in V. 6 und das Zurücktreten unpaulinischer Terminologie, wie sie gehäuft in

---

* Nachstehender Beitrag wurde am 10.1.1973 im Rahmen des Habilitationskolloquiums mit der Theologischen Fakultät in Göttingen vorgetragen. Er ist in der Erstveröffentlichung Günther Harder gewidmet worden.
1. Der Kirchenbegriff des Paulus in seinem Verhältnis zu dem der Urgemeinde (1921), in: Das Paulusbild in der neueren deutschen Forschung (WdF 24), hg. v. K.H. Rengstorf, Darmstadt 1964, 144-178.
2. Die Verklärungsgeschichte Jesu, der Bericht des Paulus (1. Kor. 15,3ff.) und die beiden Christusvisionen des Petrus, SAB, philos.-histor. Kl. 1922, 62-80.
3. Vgl. die Literaturangaben bei H. Conzelmann, Der erste Brief an die Korinther (MeyerK 5), Göttingen 1969, 295. 300 zu V.1-11 insgesamt sowie insbesondere zu V. 3b-5. Zu ergänzen sind die Beiträge von Stuhlmacher (s.A.4), Schütz (s.A.10), Spörlein (s.A.4) und Fuller (s.A.45).

V. 3b-5 begegnet[4]. In der Tat sind diese Indizien so stark, daß man von einem einigermaßen gesicherten Ergebnis der Exegese sprechen kann. Als ungelöst sind jedoch die sich sofort anschließenden Fragen zu betrachten: Warum führt der Apostel die Reihe der Zeugen fort, denen der Auferstandene erschienen ist (V. 6-8), und warum kommt er im Anschluß daran auf sich und seinen Apostolat zu sprechen (V. 9-10)?

Bereits K. Barth[5] hat 1924 nachgewiesen, daß die Zeugenreihe deshalb nicht im Sinne eines historischen Beweises für die Auferstehung Christi angeführt sein könne, weil die Korinther diese überhaupt nicht bestritten. Gleichwohl zählt die u.a. von R. Bultmann[6] wiederholt vertretene Beweis-These nach wie vor eine große Anhängerschaft. Umgekehrt haben diejenigen, die dieser Auffassung im Gefolge Barths mit Recht entgegengetreten sind, m. E. bisher keine überzeugende andere Erklärung für die Reihe vorgebracht. Die zu beobachtenden Diskrepanzen in der Auffassung der Apostolatsaussagen in V. 9-10 aber hängen unmittelbar mit den verschiedenen Interpretationen der Zeugenreihe zusammen: Die Exegeten, die die Reihe als Beweis für die Auferstehung Christi betrachten, ordnen die Aussagen als Exkurs ein und vermögen sie nicht überzeugend im Zusammenhang zu motivieren[7]. Die Kontrahenten jener Interpretation aber sind

4. Vgl. dazu Harnack, Verklärungsgeschichte 63; J. Jeremias, Die Abendmahlsworte Jesu, Göttingen [4]1967, 95f.; E. Lohse, Märtyrer und Gottesknecht (FRLANT 64), [2]1963, 113; G. Klein, Die zwölf Apostel (FRLANT 77), Göttingen 1961, 39 mit A. 160; B. Spörlein, Die Leugnung der Auferstehung. Eine historisch-kritische Untersuchung zu 1. Kor. 15 (BU 7), Regensburg 1971, 43ff. Anders P. Stuhlmacher, Das paulinische Evangelium, I. Vorgeschichte (FRLANT 95), Göttingen 1968, 266ff., der V. 6a.7 zur Paradosis V. 3b-5 hinzurechnet. Seine Verweise auf *epanō* als Hapaxlegomenon bei Paulus und auf den Unterschied im Gebrauch von *ephapax* in V. 6 („auf einmal") gegenüber Röm. 6,10 („ein für allemal") sind zwar bedenkenswert und lassen die vorsichtige Erwägung zu, V. 6a könnte eine vorformulierte Notiz darstellen. Gegenüber der Behauptung eines vorpaulinischen Zusammenhangs von V. 3b-5 und V. 6a gilt es jedoch besonders die Überlegung Harnacks (65) in Erinnerung zu rufen, daß Paulus „es doch nicht nötig gehabt (hätte), *viermal hoti* zu wiederholen (selbst bei *etaphē*), wenn es ihm nicht ein Anliegen gewesen wäre, die alte formelhafte Überlieferung innerhalb seiner Darlegung zu markieren und zu konservieren" (Hervorhebung von H.). Zu V. 7 s. unten, 144.
5. Die Auferstehung der Toten, München 1924, 81.
6. R. Bultmann, Karl Barth, „Die Auferstehung der Toten" (1926), in: Glauben und Verstehen. Ges. Aufs. I, Tübingen [3]1958, 54; ders., Neues Testament und Mythologie, in: Kerygma und Mythos I, hg. v. H.-W. Bartsch, Hamburg-Bergstedt [5]1967, 44f.; ders., Theologie des Neuen Testaments, Tübingen [3]1958, 305.
7. Siehe z.B. Klein, Apostel, 40; U. Wilckens, Der Ursprung der Überlieferung der Erscheinungen des Auferstandenen. Zur traditionsgeschichtlichen Analyse von 1. Kor. 15,1-11, in: Dogma und Denkstrukturen. 60-Festschrift E. Schlink, hg. v. W. Joest und W. Pannenberg, Göttingen 1963, 64.

durchweg mehr oder weniger darum bemüht, die Brisanz der Apostolatsaussagen herunterzuspielen. Davon wird sofort näher zu handeln sein.

Zunächst gilt es, die weitergreifende Bedeutung dieser beiden Fragen
nach dem Sinn der Zeugenreihe und der Apostolatsaussagen zu skizzieren.
Sie scheinen von entscheidendem Gewicht für die Beantwortung der Frage
zu sein, welche Funktion der ganze Abschnitt 1. Kor. 15,1-11 für die in
V. 12-58 nachfolgende Erörterung des Problems der Auferstehung der
Toten hat. Gewiß trifft die durch V. 1f. und vor allem durch V. 11 nahege-
legte Auffassung zu, Paulus führe die Überlieferung an, um die Korinther zu
Beginn an die gemeinsame Basis des Kerygmas zu erinnern und um zu
zeigen, daß sein Evangelium mit dem von den anderen verkündigten identisch ist[8]. Aber dies können nur Teilaspekte sein. Denn wäre dies der einzige
Zweck der Grundlegung V. 1-11, so hätte Paulus seinen Schlußstrich von V.
11 bereits nach V. 5 unter die Paradosis setzen können, oder aber, sofern
man V. 6-8 als Erweiterung der Paradosis ansehen will, nach V. 8. Und
außerdem reicht der alleinige Rückbezug auf das tradierte Kerygma deshalb
nicht aus, weil eben die in Korinth bekannte und anerkannte Tradition es
offenbar nicht hat verhindern können, daß die Korinther zu abwegigen Auffassungen in der Auferstehungsfrage gekommen sind.

So muß der Abschnitt noch einem anderen Zweck dienen als jenem allgemeinen der Vergewisserung der gemeinsamen Tradition bzw. des grundlegenden Evangeliums. Die Klärung der Funktion von V. 6-10 müßte der
Schlüssel zur Beantwortung dieser Frage sein.

II.

Kennzeichnend für die Auslegung der Exegeten, die die Auffassung der
Zeugenreihe als Beweis für die Auferstehung Christi ablehnen, ist das
Bestreben, V. 6-8 und V. 9f. von der Abhandlung über die Auferstehung
der Toten in V. 12ff. her zu interpretieren. Der am besten begründete Vor-
stoß in diese Richtung ist von H. Conzelmann[9] und seinem Schüler G. Bra-

---

8. So z.B. Barth, Auferstehung, 83; E. Bammel, Herkunft und Funktion der Traditions-
   elemente in 1. Kor. 15,1-11, ThZ 11, 1955, 408f.; E. Güttgemanns, Der leidende Apostel und sein Herr (FRLANT 90), Göttingen 1966, 92; J. Blank, Paulus und Jesus
   (StANT 18), München 1968, 186.
9. 1. Kor., 303ff.

kemeier[10] unternommen worden. Beider Positionen stimmen bei allen Unterschieden in Einzelfragen im wesentlichen überein und können deshalb hier weitgehend zusammengefaßt werden. Zeugenreihe und Apostolatsaussagen werden jeweils auf das entscheidende Interesse des Apostels in 1. Kor. 15 bezogen, auf das Bestreben, gegenüber dem korinthischen Enthusiasmus die Distanz zwischen den Christen und dem Auferstandenen herauszuarbeiten. Bei der Zeugenreihe liege der Akzent auf deren Abschluß, durch den die Auferstehung Christi als Datum betont werde, das „in bestimmter Hinsicht Vergangenheit werden" könne und schon geworden sei[11]. Die Reihe begründe damit das Wort *aparchē* in V. 20.23[12]. Mit den Apostolatsaussagen aber zeige Paulus an seiner Person, „was ‚seit Ostern' gilt: Gottes Gnade als einzige Möglichkeit der Existenz"[13], und zwar Gottes Gnade, „die sub specie contrarii erscheint"[14]. Damit aber sei die Auferstehung Christi erneut als „vergangenes Ereignis" festgehalten und jeder „direkte Zugang zum Auferstandenen" in der Gegenwart verwehrt[15].

Diese Auslegung von 1. Kor. 15,1-11 auf dem Hintergrund von V. 12ff. beeindruckt sowohl durch ihre Geschlossenheit als auch dadurch, daß sie durchweg von paulinischen Gedanken bestimmt und nicht durch weitrei-

---

10. Die Auseinandersetzung des Paulus mit den Auferstehungsleugnern in Korinth, Diss. Göttingen 1968, 29ff. Weitere Vertreter dieses methodischen Ansatzes sind H.-W. Bartsch, Die Argumentation des Paulus in I. Cor. 15,3-11, ZNW 55, 1964, 261ff.; Güttgemanns, Apostel 53ff., und J.H. Schütz, Apostolic Authority and the Control of Tradition: I. Cor. XV, NTS 15, 1968/69, 439ff. Die Grenzen dieser Interpretationen sind schnell bezeichnet: Bartsch vermag nur deshalb in V. 1-11 (V. 6) einen konkreten Bezug auf die Auseinandersetzung über die Totenauferstehung herzustellen, weil er de facto voraussetzt, die Korinther hätten behauptet, sie stürben nicht mehr im physischen Sinne. Davon aber kann angesichts V. 29 keine Rede sein. Güttgemanns' Versuch, von einer genauen Bestimmung der in V. 12ff. vorausgesetzten Kontroverse her die Verse 1-11 verständlich zu machen, überzeugt u.a. deshalb nicht, weil die einzige für seine Deutung notwendige Annahme darin besteht, daß (nicht aber worin) Paulus und die Korinther in der Auferstehungsfrage uneins waren. Dieser Punkt aber ist nie strittig gewesen. Vgl. zu Güttgemanns auch unten, A.23. Schütz' Versuch schließlich scheitert an der Unhaltbarkeit seiner Behauptung, Paulus zitiere in V. 13-19 wörtlich die (auf die Paradosis anspielende) Argumentation der Korinther. Immerhin kommt Schütz von seiner abwegigen Annahme her zu der richtigen Erkenntnis, daß es in V. 1-11 um das Verhältnis von apostolischer Autorität und Tradition geht. Vgl. unten, A.64.
11. Brakemeier, Auseinandersetzung, 31.
12. Ebd. 33.
13. Ebd. 39.
14. Conzelmann, 1. Kor., 306.
15. Ebd.

chende Hypothesen belastet ist. Wenn sich trotzdem Zweifel ergeben, ob diese hier erhobenen paulinischen Aussagen tatsächlich in diesem Abschnitt von Paulus als Korrektiv intendiert sind, so vor allem aus dem bereits gestreiften Eindruck, daß in dieser Deutung dem polemisch-apologetischen Ton der Apostolatsaussagen zu wenig Rechnung getragen wird. In der Auslegung von Conzelmann[16] bleibt es bei der reinen Frage: „Wieweit steckt darin (sc. in V. 9) aktuelle Polemik?" Brakemeier[17] bestreitet einerseits, daß Paulus in V. 8-10 eine Apologie seines Apostolats vortrage. Er bejaht andererseits jedoch, daß Paulus in V. 8 mit dem Begriff *ektrōma* ein Schimpfwort der Gegner aufnehme, und stellt fest, diese Beschimpfung habe den Vorwurf enthalten, Paulus sei „als Apostel nicht annehmbar und nicht legitimiert, diesen Titel zu tragen". Allein schon diese Annahme, Paulus wolle seinen Apostolat nicht verteidigen, wenn er jenen Begriff und die mit ihm verbundene Bestreitung seines Apostolats aufnehme, erscheint jedoch höchst unwahrscheinlich. Darüber hinaus dürfte die Einschätzung der Aussagen als Apologie durch die scharfe Bemerkung „ich habe mehr als sie alle gearbeitet" sichergestellt sein.[18] Bemerkenswert ist schließlich, daß Brakemeier auch im Zusammenhang der Zeugenreihe eine Erwägung über den Schutz des paulinischen Apostolats gegen den möglichen Vorwurf seiner Sonderstellung vorträgt[19]. Es könnte sich darin andeuten, daß auch bereits die Zeugenreihe in engerem Zusammenhang mit den Apostolatsaussagen steht.

So scheinen die Ausführungen in 1. Kor. 15,1-11, zumindest in V. 8-10, doch stärker von dem Problem des paulinischen Apostolats bewegt zu sein, als die referierte Interpretation des Abschnittes von V. 12ff. her einzuräumen vermag. Dies führt zu der Frage, ob der direkte Bezug der Verse 6-10 auf die konkrete Auferstehungskontroverse nicht doch ungeeignet ist, das Problem der Funktion dieser Verse zu lösen, und ob nicht vielmehr der Schlüssel zum Verständnis der Verse in ihnen selbst zu suchen ist.

Als indirekte Hinweise darauf mögen weiter folgende Beobachtungen gelten: Brakemeier[20] notiert an einer Stelle, daß Paulus „erst mit V. 12 zur

16. Ebd. 307.
17. Auseinandersetzung, 37f.
18. Vgl. Klein, Apostel, 40.
19. Die Zeugenreihe wehrt nach Brakemeier, Auseinandersetzung, 34, durch ihre Abgeschlossenheit zugleich „dem möglichen Vorwurf, er, Paulus, bringe ein anderes Evangelium, eine Theologie sehr subjektiver Prägung." Sie trage so zur Durchsetzung seines Apostolats bei.
20. Ebd. 19.

Sache" komme. Dem entspricht die Bemerkung von Conzelmann[21] über den
Eindruck, den 1. Kor. 15,1-11 hinterläßt, nämlich daß man bis V. 12 „eher
auf eine Darlegung über die Tradition und den Apostolat gefaßt" sei. Erwähnenswert ist in diesem Zusammenhang, daß der ganze Abschnitt von E.
Bammel[22] aufgrund dieses Eindrucks sogar dem vorangehenden Zusammenhang zugeordnet worden ist. Gewiß zu Unrecht, aber doch ein Zeichen für
die mögliche relative Eigenständigkeit der Ausführungen im Verhältnis zu
V. 12ff. Der Versuch, die strittigen Verse 6-10 ohne direkten Bezug auf die
konkrete Auseinandersetzung in V. 12ff. zu interpretieren, wird schließlich
durch die im folgenden zu begründende Überzeugung motiviert, daß die
Lösung der Frage nach der Funktion dieser Verse bereits in älteren Arbeiten
angebahnt ist. Daß es sich dabei zum Teil um Untersuchungen handelt, in
denen gerade mittels und zu V. 6ff. recht gewagte Theorien aufgestellt
worden sind, erklärt vielleicht, warum die darin vorgelegten, zur Lösung des
Problems beitragenden Beobachtungen nicht zur Geltung gekommen sind.

III.

Wir wählen als Ausgangspunkt der weiteren Erörterung 1. Kor. 15,8. Denn
jede Deutung der Verse 6-10 wird sich an der Frage messen lassen müssen, ob
sie diesen schwierigen Vers überzeugend zu erklären vermag. Der Satz verbindet die Zeugenreihe V. 6f. mit den folgenden Aussagen über den
Apostolat. Paulus führt sich hier einerseits als letzten Zeugen an, andererseits
aber nennt er mit der Bestimmung, Christus sei ihm *hōsperei tō ektrōmati*
erschienen, einen Tatbestand, der ihn zu den in V. 9f. folgenden Erläuterungen veranlaßt oder sie ihm ermöglicht. Es handelt sich also strenggenommen um zwei Aussagen: Christus ist Paulus zuletzt und er ist ihm *hōsperei
tō ektrōmati* erschienen. Denn daß diese Bestimmung nicht Auslegung
von *eschaton pantōn* ist oder umgekehrt, liegt zutage: Der Rekurs auf die
zeitliche Komponente in *ektrōma*, sofern man es als Frühgeburt übersetzt,
führt zu einer Absurdität in der Argumentation[23]. Übersetzt man es aber

---

21. 1. Kor., 293 A. 11.
22. Herkunft, 408.
23. Gegen Güttgemanns, Apostel, 90 mit A. 196. Nach seiner Auffassung haben die
    Korinther mit dem (angeblichen) Schimpfwort *ektrōma* = Frühgeburt Paulus als
    „Außenseiter" in der Auferstehungslehre (= „erster Vertreter dieser Verkündi-
    gung", 91 A. 203) deklassieren und ihm seinen Apostolat streitig machen wollen.
    Paulus wolle demgegenüber in V. 1-11 aufzeigen, daß er mit seiner Lehre in einer

deshalb mit Fehlgeburt oder Totgeburt, was es z.B. in der Spetuaginta durchweg bedeutet[24], und hebt damit auf die Nichtigkeit des Geborenen ab, so ist die Wendung nicht mehr Interpretament der einleitenden zeitlichen Bestimmung. *hōsperei tō ektrōmati* ist also streng als vorgezogene Apposition zu *kamoi* auszulegen[25]. Dabei wird durchaus noch zu fragen sein, weshalb Paulus diese Apposition so betont voranstellt. Der Grund, warum Paulus sich im Hinblick auf die Begegnung mit dem Auferstandenen als Fehlgeburt bezeichnet, geht aus der Fortsetzung eindeutig hervor: Er hat die Gemeinde Gottes verfolgt. Aufgrund dieses Faktums nennt er sich den geringsten der Apostel und vermag sogar einzuräumen, er sei nicht befugt, Apostel zu heißen (V. 9).

Problematisch wird das Verständnis von *ektrōma* nur mehr durch die zuerst von J. Weiß[26] vertretene und dann von der Mehrzahl der Exegeten geteilte Annahme, *ektrōma* sei ein Schimpfwort der Gegner des Apostels in Korinth. Was hat es damit auf sich?

Als Begründung dieser These wird der Artikel vor *ektrōma* genannt, der hinweisende Kraft habe, also: „jene berüchtigte Fehlgeburt". Nun hat zwar G. Björck[27] – ihm folgen z.B. Blaß-Debrunner[28] – nachzuweisen versucht, daß „der Artikel nicht nur von einer syntaktischen Regel gefordert, sondern auch für den Sinn unentbehrlich" sei. Denn die Wendung würde ohne Artikel auf eine besondere Erscheinungsweise Christi Fehlgeburten gegenüber abheben („wie wenn er einer Fehlgeburt erschienen wäre"), nicht aber auf eine wirkliche, wenn auch metaphorisch bezeichnete Eigenschaft des Paulus („der ich sozusagen eine Fehlgeburt bin"). Aber diese These Björcks ist falsch, wie z.B. 1. Kor. 7,25 und Hebr. 12,5 zeigen: *gnōmēn didōmi hōs*

Reihe mit den anderen stehe, und ergänze in V. 8: „ich bin dazu noch als letzter und erst nachträglich in die Reihe der Verkündiger hineingekommen. Nur in diesem Sinne bin ich tatsächlich ein ‚Außenseiter‘" (91). Von der kuriosen Gleichung Frühgeburt = Außenseiter einmal abgesehen, hätte Paulus den Korinthern dann entgegengehalten: Eine Frühgeburt bin ich nur im Sinne einer Spätgeburt („nachträglich hineingekommen"). Vgl. hierzu schon Harnack, Verklärungsgeschichte, 72 A.3: „An *ektrōma* als Frühgeburt kann nicht gedacht werden; denn dazu paßt *eschaton* wie die Faust aufs Auge".

24. Num. 12,12; Hi. 3,16; Koh. 6,3.
25. Gegen Blank, Paulus, 188 (u.a.), der die Wendung „als eine erklärende und verdeutlichende Apposition zu *eschaton de pantōn* versteht. Man würde dann wohl auch eher den Dativ *eschatō* erwarten.
26. Der erste Korintherbrief (MeyerK 5), Göttingen [9]1910, 352.
27. Nochmals Paulus abortivus, CN 3, 1939, 8.
28. Grammatik des neutestamentlichen Griechisch, Göttingen [12]1965, § 433, 3A.

eleēmenos heißt, obwohl *ēleēmenos* hier keinen Artikel trägt, „ich gebe eine Meinung ab als Begnadeter" und nicht „wie wenn ich einer wäre". Und ebenso wird der Zuspruch der Schrift nach Hebr. 12,5 mit *hēmin hōs hyiois* nicht uns zuteil, „wie wenn wir Söhne wären", sondern „als Söhnen"[29]. Der Artikel in der Bestimmung *hōsperei tō ektrōmati* bleibt also auffällig und ist nicht nur „ganz schwach betont", wie Björck[30] meint. Allerdings ist der Rückschluß auf ein Schimpfwort nicht die einzige Deutungsmöglichkeit. Vielmehr bleibt als Alternative die Deutung bestehen, die die Kommentatoren dem Artikel vor der Entdeckung von J. Weiß gegeben haben. Das heißt, der Artikel „gibt dem Bilde eine Beziehung zu dem Vorausgehenden und benennt mithin P(au)l(us) als den, der im Verhältnis zu den vorher genannten *das ektrōma* ist"[31]. *hōsperei tō ektrōmati* ist entsprechend zu paraphrasieren: „(mir) gleichsam als der Fehlgeburt (unter den Aposteln)" bzw. – wie bereits W.M.L. de Wette[32] formulierte – „(mir) gleichsam: der apostolischen Fehlgeburt".

Diese Deutung scheint zwar näher zu liegen, da Paulus sich ja im folgenden ausdrücklich mit den anderen Aposteln vergleicht. Doch fällt die Entscheidung, ob ein Schimpfwort vorliegt, erst mit der Klärung der weiteren Frage, ob Paulus mit dem Hinweis auf seine Verfolgertätigkeit in V. 9 ein Argument aufnimmt, das man in Korinth zur Bestreitung der Legitimität seines Apostolats vorgebracht hat. Diese Frage dürfte nur dann positiv zu beantworten sein, wenn sich V. 9 nicht als paulinisches Argument erweisen läßt.

---

29. Vgl. weiter 1. Kor. 3,1.10; 7,25; 2. Kor. 11,16, sodann besonders 1. Petr. 1,19: Auch hier (*hōs amnou ... Christou*) ist *hōs* zur Einführung einer wirklichen, wenn auch metaphorisch ausgesagten Eigenschaft gebraucht. Im übrigen gibt Björck (a. a. O.) noch eine zweite Begründung für den Artikel: Er stehe (unbetont) gemäß der Regel, daß Appositionen zu Personalpronomina den Artikel führen (*hēmeis hoi Hellēnes*). Wie die angeführten Beispiele zeigen, in denen die (durch *hōs* eingeführten) Appositionen stets artikellos sind, ist jedoch auch diese Begründung nicht stichhaltig.

30. Ebd. Björcks (3ff.) Deutung von *ektrōma* als volkstümliche Redensart mit dem Sinn von „Mißgeschöpf", „Scheusal" gründet sich im übrigen auf zu späte Belege. Hier liegt der Bezug auf LXX viel näher. Dasselbe gilt von der – dazu durch die Schimpfwort-These belasteten (s. im folg.) – Interpretation von Th. Boman, Die Jesus-Überlieferung im Lichte der neueren Volkskunde, Göttingen 1967, 236ff. Boman kommt zwar durch die (lateinischen!) abortivus-Belege (= „Zwerg" im physischen und geistigen Sinne) in neutestamentliche Zeit hinab, aber dadurch werden die griechischen Belege auch nicht älter.

31. Ph. Bachmann, Der erste Brief an die Korinther (KNT 7), Leipzig 1905, 437 (Hervorhebung von B.).

32. Kurze Erklärung der Briefe an die Corinther (Kurzgef. ex. HNT II,2), Leipzig ³1855, 142.

In diesem Zusammenhang gilt es zu beachten, daß Paulus selbst es ist, der an zwei anderen Stellen seiner Briefe auf diesen Punkt seiner Vergangenheit zu sprechen kommt, in Gal. 1 und Phil. 3. Aufschlußreich ist insbesondere Gal. 1. Hier antwortet Paulus in V. 12 zunächst auf den entsprechenden Vorwurf der Galater, er habe sein Evangelium von keinem Menschen empfangen, „sondern durch eine Offenbarung Jesu Christi". An diese Behauptung würden sich aufs beste V. 15 und V. 16 als Erläuterung anschließen. Bevor Paulus aber diese positive Erklärung anfügt, zeichnet er ein krasses Bild seiner vorchristlichen Vergangenheit, in welchem die Verfolgertätigkeit als konsequenter Ausdruck seines Selbstverständnisses als überlieferungstreuer Jude gedeutet wird. In ähnlicher Weise und in verwandtem Zusammenhang dient in Phil. 3,2ff. die Verfolgertätigkeit der Beschreibung seiner vorchristlichen, in stärkstem Gegensatz zur christlichen Gegenwart stehenden Vergangenheit. Die Funktion dieser Aussagen ist treffend von J. Blank[33] bestimmt: „Wenn also Paulus in Gal. 1,13f. wie in Phil. 3,4ff. seine jüdische Vergangenheit beschreibt, dann will er damit feststellen, daß der inzwischen eingetretene Wandel in gar keiner Weise seine eigene Leistung ist und von ihm selbst her auch gar nicht hätte geschehen können. Der mit Paulus geschehene Wandel vom Pharisäer zum Apostel Jesu Christi ist also selbst *ein positives Zeugnis-Moment* für die Nicht-Menschlichkeit seines Evangeliums" und damit – wie zu ergänzen ist – seines Apostolats. Trägt man diesen Parallelen Rechnung und bedenkt weiter, daß Paulus sonst nirgends seine Vergangenheit zum Vorwurf gemacht worden ist, so drängt sich die Annahme auf, daß der angebliche Vorwurf auch an dieser Stelle von keinem anderen als von ihm selbst stammt. Auf dem Hintergrund der Begründung V. 9 „weil ich die Gemeinde Gottes verfolgt habe" hebt sich die abrupte Behauptung „aber durch die Gnade Gottes bin ich, was ich bin" um so überzeugender ab[34], zumal Paulus darauf verweisen kann, daß diese die Berufung zum Apostel beinhaltende Gnade sich in der Missionsarbeit[35] manifestiert hat (V. 10).

Freilich gilt es als Charakteristikum der Sätze in 1. Kor. 15,9f. gegenüber Gal. 1 und Phil. 3 im Auge zu behalten, daß sowohl V. 9 als auch V. 10 zum Teil durch den Vergleich des Paulus mit den anderen Aposteln bestimmt sind. Der Selbstbezeichnung „der geringste der Apostel" V. 9 entspricht die

33. Paulus, 222 (Hervorhebung von B.).
34. Vgl. auch Conzelmann, 1. Kor., 307.
35. Zu diesem Sinn von *kopian* s. A. v. Harnack, *Kopos (Kopian, Hoi Kopiōntes)* im frühchristlichen Sprachgebrauch, ZNW 27, 1928, 5.

Aussage „ich habe mehr als sie alle gearbeitet" V. 10. So gilt von V. 9f.: Der
Verweis auf die Verfolgertätigkeit ist paulinisch und wird von Paulus ähnlich wie in Gal. 1 und Phil. 3 eingesetzt. Was sich jedoch nicht aus diesen
Versen oder von Paulus her erklären läßt, ist, daß er sich zweimal mit den
anderen Aposteln vergleicht. Wenn aber, um zum letzten Ausgangspunkt
zurückzukehren, der Verweis auf die Verfolgertätigkeit von Paulus selbst
stammt, denn entfällt jeder Grund, die These noch weiter zu vertreten,
ektrōma sei ein Schimpfwort der Gegner. Vielmehr ist *ektrōma* dann als
Selbstbezeichnung des Paulus einzustufen, die er in V. 8 einführt, um die
folgenden Aussagen über den Apostolat vorzubereiten.

Der Tatbestand, daß Paulus sich selbst einer Fehlgeburt gleichsetzt, ist
dabei durchaus nicht als ungewöhnlich zu bezeichnen, wie ein diesen Teil
abschließender Blick auf den bereits gestreiften Text Phil. 3 zeigen mag.
Dort nennt Paulus das, was er an Vorzügen seiner Vergangenheit zuvor aufgezählt hat, von Christus her *skybala* , das heißt – in Abschwächung der vul-
gären Nuance[36] – „Kot", um den unvergleichlichen Wert und die Andersar-
tigkeit der Erkenntnis Christi hervorzuheben (V. 8). Zwar soll *skybala* in
Phil. 3 die ehemaligen Vorzüge abwerten und die Distanz des Apostels zu
seiner Vergangenheit anzeigen, während Paulus sich mit *ektrōma* als Person
bezeichnet und dazu noch eine Auswirkung dessen, was ihn zu der Selbstbezeichnung veranlaßt hat, auf seine christliche Gegenwart einräumt; denn er
bezeichnet sich aufgrund der Verfolgertätigkeit ja als „geringsten der Apostel". Aber einmal wird dies Zugeständnis durch die Gnadenaussagen in V.
10 überboten, und sodann gilt es zu beachten, daß Paulus beide Urteile –
skybala und *ektrōma* – in Christus fällt. Von diesem gemeinsamen Nenner
her leuchtet es durchaus ein, daß der, welcher u.a. seine früher Gott wohlge-
fällige antichristliche Haltung jetzt „Kot" nennt, sich als Akteur der Verfolgung mit dem Wort „Fehlgeburt" belegen kann, auch wenn er damit ein
anderes Bild wählt.

Weder der Begriff *ektrōma* noch das Argument der Verfolgertätigkeit
sind Paulus also aus Korinth vorgegeben. Vorgegeben ist ihm jedoch die
Notwendigkeit, sich mit den anderen Aposteln zu vergleichen, wie V. 9 und
der polemische V. 10 zeigen. Wenn aber Paulus in V. 9f., vorbereitet durch
die Selbstbezeichnung in V. 8, den Vergleich auf dem von ihm selbst
bestimmten Terrain durchführt, so zeigt sich als Schlüsselfrage: Durch welches Problem bzw. durch welchen Vorwurf oder Einwand ist Paulus zu

---

36. Vgl. F. Lang, ThWNT VII (1964), 447.

seiner Selbstbezeichnung und den ihr folgenden Vergleichen in V. 9f. veranlaßt worden?[37]

Die Antwort auf diese Frage ist in den vorangehenden Versen von 1. Kor.
15 zu suchen. Literarisch wird dies allein schon dadurch nahegelegt, daß
Paulus die zweite Aussage in V. 8, Christus sei ihm „gleichsam als der Fehlgeburt" erschienen, in einem Satz mit der anderen, die Zeugenreihe
abschließenden verschweißt, er habe sich ihm zuletzt von allen gezeigt.
Gehört V. 8 damit sowohl zur Zeugenreihe als auch zu V. 9f., so unterstreicht dies die vermutete Zusammengehörigkeit beider Komplexe und
bestärkt in der Annahme, daß auch die über die Paradosis hinausgehenden
Verse 6-7 dem Thema des paulinischen Apostolats zuzuordnen sind. Dies
um so mehr, als die Erscheinung des Auferstandenen, um die es in diesen
Versen geht, ein konstitutives Element des paulinischen Apostelbegriffs ist.

Der Duktus dieser Verse ist klar: Sie knüpfen an die Aussagen über die
Erscheinungen vor Petrus und den Zwölf an und führen über die Zeugen,
die sie zu ergänzen wissen, hin zu Paulus als letztem, dem eine Erscheinung
zuteil geworden ist.

Holl[38] nun hat zuerst die These aufgestellt, die Urgemeinde habe mit den
bis V. 7 genannten Erscheinungen die Christophanien als abgeschlossen
betrachtet und Paulus ergänze die Zeugenreihe um seine eigene Erscheinung, um seinen Anspruch auf die mit dieser Reihe gesetzte Autorität zu
wahren. Dieser Deutung steht jedoch entgegen, daß Paulus die Reihe in V.
6f. ad hoc erweitert hat. Außerdem ist mit Recht darauf verwiesen worden,
daß es keine Anzeichen dafür gibt, die Urgemeinde habe eine solch
geschlossene Gesellschaft der Erscheinungszeugen ins Feld geführt[39]. In

---

37. Ohne die Annahme einer solchen Herausforderung dürfte der Tatbestand, daß Paulus
    sich mit anderen vergleicht, kaum zu erklären sein. Man würde sonst eine neutrale
    Aussage erwarten, etwa der Art: „Mein Werk ist das Siegel auf meinen Apostolat."
    (Vgl. 1. Kor. 9,1f.) Man beachte die Nähe von V. 10 zu 2. Kor. 11,23 (*en kopois peris-
    soterōs*), wo die apologetisch-polemische Situation unbezweifelbar ist. Angesichts der
    umstrittenen Einheitlichkeit des 1. Kor. soll nur am Rande darauf hingewiesen
    werden, daß Paulus in 9,1ff. ausdrücklich seinen Apostolat verteidigt, also auf einen
    Angriff antwortet. Selbst wenn man 1. Kor. 9 einem anderen Brief zuteilt als 1. Kor.
    15, bleibt beachtenswert, daß der Apostel in Kap. 9,1f. seinen Apostolat mit den-
    selben Argumenten begründet wie in Kap. 15, 8-10: 1. Verweis auf die Christophanie
    (9,1; 15,8), 2. Verweis auf die Missionsarbeit als Beglaubigung (9,1f.; 15,10).
38. Kirchenbegriff, 153. 170.
39. W.G. Kümmel, Kirchenbegriff und Geschichtsbewußtsein in der Urgemeinde und bei
    Jesus, Göttingen ²1968, 9.

Abwandlung der Hollschen These hat E. Lichtenstein[40] für die Paradosis V. 3b-5 allein einen solchen Exklusivitätsanspruch behauptet. Er sieht entsprechend in der Zeugenreihe V. 6f. einen Protest des Paulus, mit dem der Apostel – in verhüllter Rivalität mit Petrus stehend – seinen eigenen Anspruch habe begründen wollen. Doch ist diese von J. Roloff[41] wiederaufgegriffene Deutung zu Recht mit dem Argument bezweifelt worden, daß die damit vom lukanischen Apostelbild her gedeutete Formel keineswegs einen solchen „Endgültigkeitsanspruch" erkennen lasse[42]. Und dies Urteil dürfte dadurch gestützt werden, daß die Urgemeinde jedenfalls nach des Paulus eigenen Angaben in Gal. 1 und 2 seinen Apostolat anerkannt hat[43].

Trotzdem scheint das Gefälle der Verse 6ff. mit der ergänzten Zeugenreihe in diesen Deutungen grundsätzlich zutreffend erkannt. Wenn sie nicht zu überzeugen vermögen, so allein deshalb nicht, weil sie die Herausforderung, die Paulus hier aufnimmt, in der Paradosis ansiedeln und nicht in der Gemeinde von Korinth, wie es das nächstliegende ist; denn gegenüber Leuten aus Korinth hat Paulus seinen Apostolat zu verteidigen. Wenn man es in der Gemeinde aufgrund sachlicher Differenzen darauf absah, den Apostolat des Paulus zu bestreiten, so bot sich als schärfste Waffe für diesen Angriff die Glaubensformel selbst an, die der Apostel den Korinthern als Kern des Evangeliums überliefert hatte. Erwähnte sie doch als Erscheinungszeugen lediglich Kephas und die Zwölf, und der Gebrauch dieser Waffe dürfte sich besonders dann empfohlen haben, falls man um das späte Datum der Erscheinung Christi vor Paulus gewußt hat. Einen unbequemen Mann auszuschalten, indem man seine Legitimation, in diesem Fall die Berufung in einer Erscheinung Christi, bestreitet und zu diesem Zweck auf andere und anerkannte Autoritäten verweist, ist stets die bequemste Lösung aller Konflikte. Paulus mochte vielen in Korinth gut genug sein, die lebenspendende Tradition zu überbringen, der Rest jedoch wurde in eigene Regie übernommen: „Ihr seid schon gesättigt, schon reich geworden. Ohne uns seid ihr zur Herrschaft gelangt" (1. Kor. 4,8). Augenscheinlich hat man tatsächlich in Korinth mit der Paradosis in dem Sinne gearbeitet, daß man den darin Genannten eine Vorzugsstellung einräumte. Denn da es keinerlei weitere Anhaltspunkte für die Vermutung gibt, Petrus sei persönlich in Korinth gewesen, ist die Berufung auf die Paradosis die nächstliegende

---

40. Die älteste christliche Glaubensformel, ZKG 63, 1950/51, 47f.
41. Apostolat – Verkündigung – Kirche, Gütersloh 1965, 47ff.
42. H. Graß, Ostergeschehen und Osterberichte, Göttingen ²1962, 106 A. 1.
43. Vgl. Kümmel, Kirchenbegriff, 9.

Erklärung dafür, daß es in Korinth eine Gruppe gab, die sich als Petrusanhänger bezeichnete (1. Kor. 1,12)[44].

Freilich sind all dies sekundäre Erwägungen und Indizien. Die Annahme, die Korinther hätten den paulinischen Apostolat bestritten, indem sie mit Hilfe der Paradosis die Anerkennung seiner Berufung durch den Auferstandenen verweigerten, bleibt eine Vermutung. Sie bewährt sich allerdings darin, daß sich von ihr her der Sinn sowohl der Zeugenreihe als auch der folgenden Selbstaussagen erklärt. Dann nämlich hat die Zeugenreihe die Funktion, die Kluft zwischen Paradosis und Apostel bzw. zwischen den in der Tradition genannten Erscheinungen Christi und der Erscheinung vor Paulus zu überbrücken[45]. Die Zeugenreihe stellt von daher in der Tat einen Beweis dar. Aber nicht die Wirklichkeit der Auferstehung Christi will Paulus beweisen, sondern daß Christus nach Petrus und den Zwölf noch anderen erschienen ist und daß diese Erscheinungen von gleicher Art sind[46]. Paulus bestätigt, daß Christus ihm zuletzt von allen erschienen ist. Aber zwischen der Erscheinung vor ihm und vor den in der Paradosis Genannten herrscht Kontinuität, nicht Diskontinuität. Indem Paulus die Zeugenreihe bis hin zu sich fortführt, erweitert er die von ihm als Evangelium bezeichnete Paradosis und fügt sich in sie ein[47]. Damit ist er Kephas und den Zwölf gleichgestellt.

Doch gibt sich Paulus mit dieser Antwort auf die Bestreitung seines Apostolats nicht zufrieden. Bevor vielmehr noch der Zeugenbeweis in V. 8 zuende geführt ist, lenkt er auf den Tatbestand über, der allerdings von

---

44. Vgl. zum Ganzen die von H. Conzelmann, Zur Analyse der Bekenntnisformel 1. Kor. 15,3-5, EvTh 25, 1965, 10, in anderem Zusammenhang vorgebrachte Erwägung: „Man sollte ... nicht übersehen, daß das Bekenntnis selbst als Stimulus wirken konnte." Bereits Bammel, Herkunft, 411f., hat angenommen, daß sich „die petrinische Gruppe ... sogleich der für seine (sc. des Petrus) Sonderstellung und ihre Sonderansprüche konstitutiven Formel bemächtigt" habe. Da er jedoch davon ausgeht, daß V. 5b (Erscheinungszeugen) von Paulus ad hoc ergänzt sei, ist diese Annahme im Zusammenhang seiner Ausführungen nicht zwingend.

45. Wenn Graß, Ostergeschehen, 106, historisch folgert: „So werden wir durch Paulus auf die Annahme einer Kette gleichartiger Erscheinungen des Herrn geführt, die sich eine verhältnismäßig lange Zeit bis zur Bekehrung des Paulus hinzogen", dann hat er damit zugleich exakt das Bild nachgezeichnet, das Paulus den Korinthern einzuprägen beabsichtigte. Vgl. auch Roloff, Apostolat, 47f.; R.H. Fuller, The Formation of the Resurrection Narratives (1971), London 1972, 29, und die treffende Bemerkung von Güttgemanns, Apostel, 92, die Zeugenreihe habe eine „autobiographische Funktion".

46. Vgl. zu diesem zweiten Punkt H. Lietzmann, An die Korinther I/II (HNT 9), 4., von W.G. Kümmel erg. Aufl. Tübingen 1949, 78; Blank, Paulus, 133.

47. Conzelmann, 1. Kor., 306.

Unterschieden zwischen ihm und den anderen[48] reden läßt. Nicht die Erscheinung Christi vor ihm ist von anderer Qualität oder nichtig, wohl aber er selbst als Erscheinungsempfänger angesichts seiner Vergangenheit. Im Hinblick auf sie vermag er sogar von sich aus einzuräumen, er sei der geringste und nicht befähigt, Apostel zu heißen. Aber wie er sich kaum jemals damit abgefunden hätte, wenn ein anderer als er diese Feststellung getroffen hätte, so dient ihm diese Selbstaussage lediglich als Hintergrund, vor dem die Berufung auf die Gnade Gottes und die größere Missionsarbeit um so überzeugender wirken. Jetzt erst, nachdem er die Legitimität seines Apostolats durch die unwiderleglichen Argumente seiner Bekehrung als Verfolger der Gemeinde und seiner reichen Missionsarbeit gänzlich außer Zweifel gesetzt hat, zieht er den Schlußstrich unter das Vergleichen: „Sei es nun ich, seien es jene, so verkündigen wir, und so habt ihr es glaubend angenommen"(V. 11)[49].

Bevor abschließend die umfassendere Frage zur Sprache kommen soll, warum Paulus sich gerade an dieser Stelle verteidigt, gilt es zwei Einzelfragen zu V. 6f. aufzunehmen. Die erste betrifft die vieldiskutierte Angabe V. 7 „dann (ist er) den Aposteln (erschienen), und zwar allen"[50], die zweite den umstrittenen Hinweis V. 6, daß die meisten der über 500 Brüder noch am Leben seien, einige jedoch entschlafen.

Im Anschluß an Harnack[51] ist versucht worden, die Aussage V. 7 „er erschien Jakobus, dann allen Aposteln" als vorpaulinische, mit V. 5 rivalisierende oder auch nur ihm nachfolgende „Legitimationsformel" eines bestimmten Kreises der Urgemeinde zu begründen[52]. Gegenüber all diesen Versuchen wird man zunächst zu beachten haben, daß sich die Position der Angabe „dann allen Aposteln" und ihre sprachliche Gestalt von paulinischen Voraussetzungen her erklären lassen. Einerseits gehört zumindest für Paulus zum Apostolat die Erfahrung einer Erscheinung des Auferstandenen, das heißt die Berufung durch ihn. Andererseits weiß Paulus, daß es außer ihm noch andere Apostel gibt, die er z.B. in 1. Kor. 9,5 ausdrücklich von den Brüdern des Herrn und Kephas unterscheidet. Wie die dort begegnende Redeweise „die übrigen Apostel" zeigt, weiß sich Paulus im Hin-

---

48. Paulus vergleicht sich vor allem mit den übrigen Mitgliedern der Gruppe, die er zuletzt genannt hat (V. 7) und der er sich selbst im engeren Sinne zugehörig weiß (vgl. 1. Kor. 9,5), d.h. den Aposteln. Die Verbindung zur Paradosis bleibt dadurch gewahrt, daß nach Paulus zumindest auch Petrus zu den Aposteln gehört (Gal. 1,18f.; 2,8), auch wenn Paulus ihn aufgrund seiner herausragenden Position etwa in 1. Kor. 9,5 gesondert neben den „übrigen Aposteln" aufführen kann. Vgl. außerdem das alle zuvor genannten Verkündiger zusammenfassende *ekeinoi* in V. 11.

49. Zu V. 1-3a und V. 11 als Rahmen des Zusammenhangs V. 1-11 s. J. Kremer, Das älteste Zeugnis von der Auferstehung Christi. Eine bibeltheologische Studie zur Aussage und Bedeutung von 1. Kor. 15,1-11 (StB 17), Stuttgart 1966, 14ff.

50. Übersetzung mit Blaß-Debrunner § 275, 5 A.

51. Verklärungsgeschichte, 66f.

52. So Wilckens, Ursprung, 75; ähnlich schon Bammel, Herkunft, 408.

blick auf seine Funktion mit ihnen zusammengeschlossen. So konnte erstens in einer Aufzählung der Erscheinungszeugen die Gruppe der Apostel nicht fehlen – ob Paulus nun
nähere Nachrichten vorlagen oder nicht – und zweitens war es folgerichtig, die Erscheinung vor ihnen unmittelbar vor der Paulus widerfahrenen zu nennen[53]. Zwar ist damit die
von Harnack begründete Sicht nicht gänzlich ausgeschlossen. Die sowohl bei ihm als auch
bei denen, die ihm gefolgt sind, zu verzeichnenden Unwägbarkeiten in der Rekonstruktion der Vorgeschichte der angeblichen Formel in V. 7 ermutigen jedoch wenig, diesen
Weg weiterzuverfolgen[54].

Die Notiz in V. 6b über den Verbleib der über 500 Brüder ist von denen, die die Zeugenreihe im Sinne eines Beweises für die Tatsächlichkeit der Auferstehung Christi verstehen,
als paulinischer Hinweis auf eine Kontrollmöglichkeit verstanden worden[55]. Da die hier
vorgetragene Interpretation das Verständnis von V. 6f. als Beweis teilt und nur das
demonstrandum anders bestimmt, ließe sich jene Auslegung von V. 6b in diese Interpretation übernehmen. Nun haben andere Exegeten jedoch darauf aufmerksam gemacht, daß
Paulus eigens den Tod einiger Leute hervorhebe, so daß also dieser Teil der Aussage den
Ton trage. Brakemeier[56] z.B. sieht deshalb in V. 6 eine Bestätigung seiner Gesamtsicht
von V. 6-8: Der Tod einiger Zeugen rücke „die Ereignisse der Erscheinungen des Auferstandenen von der Gegenwart" ab und kehre damit „das Verständnis der Auferstehung
Christi als Datum erneut" hervor. Doch ist diese betonte Auswertung der Notiz über die
Entschlafenen von der Umkehrung des Einwands betroffen, der gegen die zuvor genannte

53. Zur Beurteilung von V. 7b als „freie(r) Formulierung des Paulus, mit der er einen größeren Kreis als die Zwölf bezeichnen wollte, zu dem Jakobus keineswegs sicher zu
gehören braucht, der aber auf alle Fälle nach der Meinung des Paulus alle damals vorhandenen *apostoloi* umfaßte" s. auch Kümmel, Kirchenbegriff, 6f. (Zitat 7), sowie W.
Schmithals, Das kirchliche Apostelamt (FRLANT 79), 1961, 69 A. 111. Im übrigen
ist gegenüber dem Argument der Parallelität von V. 5 und V. 7 als Indiz für den traditionellen Charakter von V. 7b die zu Unrecht vergessene Erwägung von A. Seeberg,
Der Katechismus der Urchristenheit (ThB 26), v. F. Hahn eingel. Nachdr. München
1966, 57, zu bedenken: „Was aber *eita* (sc. in V. 5) anlangt, so paßt das Moment der
Reihenfolge in die alte Formel nicht, wenn diese bloß von den beiden Erscheinungen
berichtete, die dem Petrus und den Zwölf zu teil wurden. *eita* ist offenbar von Paulus
im Hinblick auf die weiteren Erscheinungen, die er anzuführen beabsichtigte, statt
eines ursprünglichen *kai* eingefügt." In diesem Fall wäre die Parallelität zwischen V. 5
und V. 7 überhaupt erst von Paulus hergestellt.
54. Vgl. Conzelmann, Bekenntnisformel, 4 A. 20; Blank, Paulus, 166. Ebenso ist Zurückhaltung geboten gegenüber den sonst noch begegnenden formgeschichtlichen Klassi-
fizierungen der Zeugenreihe als Liste „spätjüdischen Zeugenrechts", die den Korinthern (!) von Paulus präsentiert worden sei (Bammel, Herkunft, 403) oder (!) als „eine
nach katechetisch-mnemotechnischen Gesichtspunkten zusammengestellte formelhafte Reihe von Aussagen ..., die stilistisch den rabbinischen simanim (sic) entsprechen" (Roloff, Apostolat, 48, im Anschluß an B. Gerhardsson, Memory and Manu-
script, ASNU 22, Uppsala 1961, 299; s. die Kritik von Conzelmann, 1. Kor., 297 A. 34).
55. So z.B. Kümmel, Kirchenbegriff, 4; Wilckens, Ursprung, 63 A.13; Kremer, Zeugnis,
72; Blank, Paulus, 165; Stuhlmacher, Evangelium, 268; Spörlein, Leugnung, 53f.
56. Auseinandersetzung, 35 mit A. 148; vgl. außerdem Bartsch, Argumentation, 272;
Conzelmann, 1. Kor., 304.

Deutung erhoben worden ist. Denn wenn Paulus allein an der Feststellung des Todes einiger liegt, warum hebt er dann zunächst ausdrücklich hervor, daß die meisten noch leben? Hier wäre die alleinige Bemerkung über die Entschlafenen viel wirkungsvoller gewesen, zumal ja ohnehin selbstverständlich ist, daß die anderen dann noch am Leben sind. So bleibt die Notiz V. 6b rätselhaft, will man nicht annehmen, daß Paulus sie überhaupt nur deshalb bringt, weil er sonst über keine näheren Kenntnisse verfügt, durch die er diese unbekannte Gruppe der über 500 Brüder näher charakterisieren könnte[57].

IV.

Paulus ergänzt die Paradosis in V. 6-8 und fügt die Selbstaussagen in V. 8-10 an, um die Rechtmäßigkeit seines Apostolats zu begründen. Warum verteidigt er sich gerade an dieser Stelle?

Wie die beiden einleitenden Verse zeigen, geht es nach Paulus im folgenden um das Ganze des christlichen Glaubens. Paulus eröffnet den Korinthern neuerlich das Evangelium, das er ihnen in Gestalt der Überlieferung bereits verkündigt hat. Die näheren Bestimmungen räumen einerseits ein, daß dies Evangelium von den Korinthern anerkannt wird[58] und Gewähr ihrer Rettung ist, wenn es in dem von Paulus überlieferten Wortlaut festgehalten wird[59]. Sie lassen andererseits die Möglichkeit aufblinken, daß man daran festhalten und doch umsonst zum Glauben gekommen sein kann. Denn wie anders wäre das Sätzchen V. 2 *ektos ei mē eikē episteusate* zu verstehen?[60] Das Gewicht der Ausführungen in 1. Kor. 15 kommt in gleicher Weise in V. 12-19 zur Geltung, wo Paulus schonungslos die Konsequenzen der in Korinth aufgekommenen Einstellung darlegt und in V. 14.17 – „dann ist auch euer Glaube leer bzw. nichtig" – jener in V. 2 angedeuteten Möglichkeit ihren Platz anweist[61]. So hat Barth[62] mit Recht 1. Kor. 15 als den Höhepunkt des Briefes bezeichnet. Wenn es aber an dieser Stelle schlecht-

57. Vielleicht erklärt sich der Satz aber auch tatsächlich so einfach, wie Güttgemanns, Apostel, 92 A. 209, es vorschlägt: „Paulus fühlt sich zu der Zwischenbemerkung wahrscheinlich einfach deshalb veranlaßt, weil die Gestorbenen mit ihrem Tod aus dem mit Paulus abgeschlossenen Kreis der Zeugen ausschieden."
58. Vgl. Conzelmann, 1. Kor., 295.
59. Vgl. hierzu Weiß, 1. Kor., 346.
60. Vgl. Conzelmann, 1. Kor., 295.
61. Ohnehin läßt sich das Motiv der Vergeblichkeit gleichsam als das negative Thema des ganzen 15. Kapitels bzw. als Kontrapunkt der positiven Aussagen über die Auferstehung bestimmen. Vgl. außer V. 12-19 noch V. 29-32 und V. 58 sowie (positiv gewendet) V. 10 (*ou kenē*).
62. Auferstehung, 56.

hin um das Heil geht und wenn die Korinther dabei zwar am überlieferten Evangelium festhalten, aber dennoch die Gefahr besteht, daß ihr Glaube eine Fiktion ist, dann hängt alles an der christusgemäßen Auslegung dieses Evangeliums, wie sie Paulus dann tatsächlich in V. 12ff. vorträgt. Paulus beansprucht damit, zu dieser normativen Auslegung befähigt zu sein. Wenn er aber in dieser Situation auch nur den Schatten einer Aussicht haben will, mit seiner Auslegung Gehör zu finden und die Korinther vor der Vergeblichkeit ihres Glaubens zu bewahren, so muß er allererst den Nachweis führen, daß er zu solcher bindenden Interpretation des überlieferten Evangeliums ermächtigt ist, und dies um so mehr, als sein Apostolat in Korinth bestritten wird[63]. Genau aus diesem Grund verteidigt Paulus in 1. Kor. 15,1-11 nach der Zitation der Paradosis diesen Apostolat, bevor er mit der Auslegung des Evangelium beginnt, auf das sowohl er als auch die Korinther sich berufen[64].

Die übliche Bestimmung der Funktion des Abschnittes, Paulus wolle zeigen, daß seine Verkündigung mit der der Kirche insgesamt übereinstimme, ist deshalb wie folgt zu modifizieren: Entscheidend ist die von Paulus unternommene Verknüpfung von normativer Tradition und Apostolat. Der Apostolat gehört auf die Seite des Evangeliums und beinhaltet die Ermächtigung zur gültigen Auslegung der überlieferten Botschaft. Das Resümee in V. 11: „so verkündigen wir, und so habt ihr es

---

63. Es gilt also hier entsprechend das, was Conzelmann, 1. Kor., 180, zu 9,1 feststellt: „Die Gemeinde in Korinth ist sein (sc. des Paulus) Werk. Bestreitet sie *seine* Stellung, hebt sie die eigene auf" (Hervorhebung von C.). Also: Wenn die Gemeinde Paulus nicht als Apostel anerkennt, d.h. zugleich seine Auslegung des Bekenntnisses, dann ist sie umsonst zum Glauben gekommen.

64. Schütz, Authority, 439ff., hat richtig gesehen, daß im Hintergrund der Ausführungen von 1. Kor. 15,11ff. die Frage der apostolischen Autorität steht. Er eliminiert jedoch alle Züge, die auf einen Konflikt mit den Korinthern in der Frage des paulinischen Apostolats hindeuten (453-455), und sieht entsprechend in V. 8-10 keine Begründung des paulinischen Apostolats, sondern versteht die Sätze als Illustration der paulinischen Autorität, die als inhaltliche Norm der Interpretation der Tradition angeführt sei. Die von seiner unhaltbaren Voraussetzung (s. oben, A. 10) gewonnene richtige Erkenntnis, daß sowohl Paulus als auch die Korinther sich auf die Paradosis berufen und sich damit das Problem der legitimen Auslegung der Tradition stellt, kommt damit bei Schütz nur verkürzt zur Geltung, indem er nicht zwischen legitimierender Begründung und theologischer Auslegung des Apostolats unterscheidet und nur den zweiten Aspekt hervorhebt. Gewiß ist für Paulus diese theologische Auslegung zugleich Norm für die Tradition. Aber dies hat darin seinen Grund, daß Paulus seinen Apostolat auf der Basis seiner Rechtfertigungslehre auslegt, die für ihn wie das Maß seiner eigenen Existenz so die Norm jeder Existenz und jeder Tradition ist.

geglaubt", rekurriert deshalb auf die Anerkennung sowohl des überlieferten Evangeliums als auch der Autorität des Apostels als legitimen Auslegers der Tradition. So dient der Abschnitt dazu, die Basis zu legen, die als einzige für die folgende Auseinandersetzung in V. 12ff. Aussicht auf Erfolg verspricht[65].

V.

Abschließend mögen einige Überlegungen angefügt werden, die sich unmittelbar aus der vorgetragenen Interpretation aufdrängen.

Das angedeutete Verhältnis von normativer Tradition, Apostolat und Auslegung des überlieferten Evangeliums läßt erkennen, inwiefern Paulus einerseits sagen kann, sein Evangelium sei in keiner Weise menschlicher Herkunft, auch nicht so, daß es als normativ auf ihn überkommen sei (Gal.), und andererseits doch seine Verkündigung auf das überlieferte Evangelium gründen kann (1. Kor. 15). Die Ermächtigung zur Verkündigung des Evangeliums ist der Paradosis theologisch vorgeordnet. Deshalb kann Paulus Tradition als normativ anerkennen, sofern sie den Christus bezeugt, durch den er berufen worden ist. Deshalb ist er aber auch befugt, diese Tradition bindend auszulegen[66].

Dieser mit dem Apostolat gegebene Anspruch bindender Auslegung bedeutet zugleich implicite die Behauptung der Kanonizität der apostolischen Entfaltung der normativen Tradition. Unter dieser Voraussetzung muß der Tod des Apostels zum theologischen Problem werden. Wenn deshalb in der zweiten Generation Briefe unter dem Pseudonym des Paulus geschrieben werden, so ist dies nicht allein mit dem Hinweis auf die Geläufigkeit pseudonymen literarischen Schaffens in der Antike erklärt und auch

---

65. Vgl. die verwandte Struktur von Röm. 1,1ff.: Paulus bestimmt zunächst das Evangelium (V. 1) mit Hilfe einer christologischen Tradition (V. 3f.), führt auf den darin bekannten Sohn Gottes seinen Apostolat als Ausdruck der Gnade Gottes zurück (V. 5) und beginnt dann, den Römern an dieser ihm widerfahrenen Gnade Anteil zu geben (vgl. V. 11), indem er ihnen das mittels der christologischen Tradition bestimmte Evangelium seinem Auftrag als Apostel für die Heiden (V. 5) gemäß auslegt (V. 16ff.). Vgl. außerdem den Bezug auf und die Auslegung von christologischer Tradition in Röm. 3,24ff.; 4,25/5,1ff.; 8,31ff.

66. Vgl. hierzu K. Wegenast, Das Verständnis der Tradition bei Paulus und in den Deuteropaulinen (WMANT 8), Neukirchen 1962, 164f.; Roloff, Apostolat, 93ff.; Blank, Paulus, 230.

nicht allein auf kirchenpolitische Taktik zurückzuführen[67], sondern als Versuch zu werten, jenes theologische Problem zu verarbeiten[68]. De facto, angesichts des Todes der Apostel, bedeutet der Anspruch der Kanonizität der apostolischen Auslegung die Historisierung des Evangeliums. Die ursprünglich nicht vorgesehene apostellose Zeit der Kirche wird damit auf die Aufgabe festgelegt, diese Historisierung zu überwinden und doch dem Anspruch der Normativität, der die Historisierung de facto bewirkt hat, Rechnung zu tragen.

Wenn die protestantische Theologie im Gefolge Luthers urteilt, apostolisch sei das, „was Christum treibet", so entspricht sie gerade in diesem Punkt der Normativität der paulinisch-apostolischen Auslegung des Evangeliums, sofern eben darin Christus als Grund der Kirche behauptet und entfaltet wird (1. Kor. 3,11). Die theologische Interpretation jener Formel „was Christum treibet" durch die Rechtfertigungslehre aber dürfte sich gerade auf 1. Kor. 15 berufen können. Denn die paulinische Argumentation in der konkreten Auseinandersetzung mit den Korinthern ist durch V. 12-19 und V. 56 umschlossen von grundlegenden Gedanken des paulinischen Verständnisses der Rechtfertigung sola fide[69].

---

67. Gegen H. R. Balz, Anonymität und Pseudepigraphie im Urchristentum, ZThK 66, 1969, 431f. Immerhin scheint Balz Kol. und Eph. von der Beurteilung als „Tendenzfälschungen" auszunehmen. Gerade deshalb hätten diese Briefe viel stärker ins Zentrum der Erörterung gestellt werden müssen. Denn es dürfte von ihrer sachgemäßen Einordnung her wohl auch ein anderes Licht auf die späteren Pastoral- und katholischen Briefe fallen. Die Last der Probleme, die Paulus selbst seinen Schülern und Gemeinden hinterlassen hat, dürfte sich kaum so leicht überschätzen lassen.

68. Der Pseudonymität entspricht ekklesiologisch z.B. das Verständnis der Kirche als Bau, der auf Apostel und Propheten gegründet ist (Eph. 2,20), während noch Paulus sagen konnte, es könne kein anderer Grund gelegt werden als Jesus Christus (1. Kor. 3,11).

69. In diesem Zusammenhang ist dann auch die konkrete Auslegung der apostolischen Existenz in 1. Kor. 15,8-10 zu beachten. Vgl. oben, 133f. (Conzelmann, Brakemeier) und A. 64 (Schütz) sowie O. Glombitza, Gnade – das entscheidende Wort. Erwägungen zu 1. Kor. XV 1-11, NovTest 2, 1958, 288.

3. Geist im Buchstaben

Vom Glanz des Mose und des Paulus[1]

So sehr leuchtete das Antlitz des Mose bei seiner Herabkunft vom Berge, daß die Kinder Israel nicht auf ihn zu blicken vermochten. So erzählt es die biblische Überlieferung, und so bringt es Paulus in 2. Kor. 3 in Erinnerung (V. 7). Zwar fügt er, am Aufweis der größeren Herrlichkeit seines Dienstes in der Kraft des Geistes interessiert, gleich zu Beginn als Kennzeichen der Doxa des Mose hinzu: „die (doch) vergeht" bzw. genauer: „die (doch) beseitigt wird", und setzt sich damit in Gegensatz etwa zur rabbinischen Tradition, nach der der Glanz des Mose unvergänglich ist[2]; zwar kann er sich weiter, vom Überschwang der von ihm erfahrenen Doxa des Evangeliums überwältigt, zu der Behauptung hinreißen lassen, *im Vergleich* zum Glanz Jesu Christi könne strenggenommen überhaupt nicht von Doxa bei Mose die Rede sein (V. 10). Aber dies ist auch alles. Gleich darauf konzediert er aufs neue: „Wenn das, was beseitigt wird, durch Doxa gekennzeichnet ist, um wieviel mehr das, was bleibt" (V. 11). Ja, er *muß* es konzedieren, weil andernfalls seine gesamte Argumentation zusammenbräche, da die Möglichkeit zu jenen drei Qual-Wachomer-Schlüssen entfiele, die V. 7-11 tragen. Nicht nur wohnt dem Dienst des Mose Doxa inne, es ist mit dieser Doxa auch nach Paulus noch keineswegs vorbei; „sie *wird* beseitigt" – viermal verwendet Paulus präsentische Formen, kein einziges Mal solche des Präteritum (V. 7.11.13.14) –, nicht etwa, daß sie beseitigt *worden* wäre.

Diese feine Differenz scheidet Paulus von seinem Ausleger Rudolf Bultmann. Unbekümmert um den Buchstaben, hier die Formen der Verben, kommentiert Bultmann *to katargoumenon* in V. 11 mit „die *palaia diathēkē*, die, nachdem die neue da ist, *vergangen ist*"[3], redet er von „der Tatsache", „daß die *doxa* der alten *diakonia* eine vergängliche *und schon vergangene*

---

1. Der voranstehende Beitrag vertritt wie bei seiner Erstveröffentlichung zu Ehren von Rudolf Bohren einen längeren Beitrag zu 2. Kor. 3, der aus Raumgründen einer späteren Publikation vorbehalten bleiben muß.
2. Pesiqta Rabbati 21 (102a); Targ. Onkelos Dtn. 34,7; vgl. *Billerbeck* I, 515.
3. *R. Bultmann,* Der zweite Brief an die Korinther, hg. v. E. Dinkler, 1976, 86.

ist"[4], unterstellt er den Kindern Israel zu V. 14, sie merkten nicht, „daß die *doxa* des Mose *erloschen ist* "[5], und unterlegt er demselben Vers den Sinn, durch die Decke auf der Verlesung des alten Bundes werde verborgen, „daß dieser *vernichtet ist* ", „wie die Hülle auf dem *prosōpon* des Mose verbarg, daß seine *doxa zu Ende war* "[6]. Denn selbst wenn man in V. 13 *telos* mit „Ende" übersetzt[7], so daß sich der Sinn ergibt, Mose habe sein Antlitz verhüllt, damit die Kinder Israel nicht das Ende seiner Doxa sähen, so ist damit durchaus noch nicht gesagt, daß dies Ende bereits eingetreten ist. Paulus selber läßt Mose in Gestalt der Tora weiterexistieren: Die Decke bleibt, als Decke auf der Verlesung des alten Bundes bzw. auf den Herzen der Hörer[8], und so wie sie bleibt die Doxa, die beseitigt wird, die Doxa der Mosetora bzw. des Dienstes an den in Stein gehauenen Buchstaben. Von einem bereits erfolgten Erloschen- und Vergangensein kann nur reden, wer wie Bultmann „das Eigentümliche des Paulus" darin sieht, „daß er die Heilsgegenwart als eschatologisches Phänomen versteht, bzw. daß er das eschatologische Geschehen als ein gegenwärtiges versteht"[9]. Fraglos ist dies *auch* Paulus, aber eben nur der halbe, der, der Bultmann ins Konzept paßt, verkürzt um die strukturverändernde Seite, daß die Heilsgegenwart ihren Sinn darin hat, daß sie Angeld auf ein größeres Kommendes ist und insofern eingeschränkt wird, erst so ihren Stellenwert erhält[10]. Diese zeitliche Struktur der paulinischen Eschatologie[11] hat zur Folge, daß es eben auch mit Mose, der Tora und Israel noch keineswegs vorbei ist (vgl. Röm. 9-11). Sachgemäß ist die paulinische Sicht in 2. Kor. 3 deshalb von Paul Démann bestimmt, wenn er urteilt: „Mensch und Werk" des Mose sind „in einer neuen Perspektive geschaut, die ihnen im Vergleich zu den neuen Wirklichkeiten nur eine relative und zeitlich begrenzte Bedeutung läßt"[12].

---

4. AaO. 88.
5. AaO. 89.
6. Ebd. (Hervorhebung von mir).
7. Und nicht wie in Röm. 10,4 mit „Ziel, Erfüllung"; vgl. hierzu die erwägenswerten Ausführungen von *M. Rissi*, Studien zum zweiten Korintherbrief, Zürich 1969.
8. *Bultmann* erläutert sachgemäß: „nämlich im Synagogengottesdienst, *in dem Mose ja immer präsent ist*" (Hervorhebung von mir). Gerade diese Gegenwart Moses bekräftigt die obige Folgerung.
9. AaO. 100f.
10. Vgl. 2. Kor. 4,14f.; 5,5.10 u.ö.
11. Vgl. dazu meinen Beitrag: Die paulinische theologia crucis als Form apokalyptischer Theologie, EvTh 39 (1979), 477-496 = oben, 56-79.
12. *P. Démann*, Moses und das Gesetz bei Paulus, in: Moses in Schrift und Überlieferung. Mit Beiträgen von *H. Cazelles* u.a., 1963, 212. Der oben aufgezeigte Umgang *Bult-*

In dem paulinischen Verständnis von Tora, altem Bund und Mose angelegt[13], in Bultmanns verkürzender Auslegung des Apostels heraufbe-
schworen ist mit all dem eine schwerlich überschätzbare Gefahr: Wenn denn
das Alte – der alte Bund, später das sog. Alte Testament – zu Ende geht oder
vermeintlich schon zu Ende gegangen, „minderwertig"[14] usw. ist, wie sollte
es dann noch interessieren? Was sollte dann motivieren, überhaupt noch
hinzuhören und hinzuschauen? Zwar kehrt Paulus wenig später noch einmal
ganz anders zur Tora zurück: Wer sich zum Geist als dem Kyrios der Schrift
hinwendet, von dem wird die Decke fortgenommen, der erhält durch das
Evangelium Zutritt zur Tora und schaut durch es die Doxa Gottes auf dem
Angesicht Jesu Christi (V. 16ff.). Aber auch in dieser Allegorese der Schrift
wird sie nicht nur gefunden, erschließt sie sich nicht nur, sondern wird sie
zugleich verschlossen, geht etwas von ihrem Reichtum verloren.

Ein Zwang hierzu besteht vom gesamten Neuen Testament her nicht. Die
Erzählung von der Verklärung Jesu (Mk. 9,2-8 Parr.) läßt Jesus, Mose und
Elia einander anders begegnen, zeigt sie miteinander im Gespräch, läßt
beide biblischen Propheten im Einzugsbereich der Doxa erscheinen, in die
Jesus verwandelt wird, stellt sie damit vor als seine Begleiter bei der endzeit-
lichen Vollendung[15]. Dies ermutigt zu anderem Fragen.

Das, was den Dienst im neuen Bund, im Geist und damit in der von ihm
gewährten Doxa kennzeichnet, ist nach Paulus Parrhesia, im jüdisch-helle-
nistischen wie dann im christlichen Verständnis „das Recht zur Offenheit
gegenüber Gott"[16], der Mut zur freien Begegnung mit Gott „in Überwin-

---

manns mit dem Text ist im übrigen ein weiteres Beispiel für die auf einer einseitigen,
teilweise gewaltsamen Paulusauslegung beruhenden (bzw. sich auf sie berufenden)
radikal destruktiven Tendenzen seiner Theologie, denen theologisch auch und an
erster Stelle das Judentum zum Opfer fällt. Solange dieser zentrale Zusammenhang
nicht thematisiert wird, bleibt eine Apologie *Bultmanns* von vornherein an der Peri-
pherie. Gegen *E. Grässer,* Antijudaismus bei Bultmann? Eine Erwiderung, in:
WPKG 67 (1978), 419-429.

13. Vgl. hierzu den in Anm. 1 erwähnten Beitrag zu 2. Kor. 3 sowie die komprimierte
Beobachtung von *H. Windisch,* Der zweite Korintherbrief, 1924, 120 zu V. 13:
„Wieder steht P. an der Schwelle gnostisch-marzionitischer Wertung der Person
Moses und seines Gesetzesinstituts; aber Moses zu tadeln oder zu kritisieren, liegt ihm
doch ferne."

14. *Bultmann,* 83.

15. Siehe hierzu *A. Descamps,* Moses im Neuen Testament, in: Moses ... (s.o. Anm. 12),
193.

16. *Bultmann,* 87.

dung aller Scham und Scheu"[17]. Wiewohl Paulus und mit ihm Bultmann
solche Parrhesia dem alten Bund absprechen, gibt doch kein anderer als
Mose ein nur schwer zu übertreffendes, unvermindert leuchtendes Beispiel
solchen Mutes, eines Mutes im strengen Sinne nicht nur vor Menschen, sondern vor Gott selber.

Israel hat sich – hier wirklich als Volk – vergangen und die Sünde aller
Sünden begangen, die Anbetung des goldenen Kalbes statt jenes Gottes,
dem es sich verdankt (Ex. 32,7-14). Noch bevor er den Berg verlassen hat,
erfährt es Mose von Gott selber – und wird von ihm in Versuchung geführt,
wie wohl nur noch Jesus zu Beginn seines Auftretens nach Matthäus und
Lukas (Mt. 4,1-11; Lk. 4,1-13): „Ich sehe", so resümiert Gott vor Mose,
„daß es ein halsstarriges Volk ist. Und nun *laß mich*, daß mein Zorn über sie
entbrenne und sie vertilge; dafür will ich *dich* zum großen Volk machen"
(Ex. 32,10). Die Abraham gegebene Verheißung soll in Erfüllung gehen,
Gott steht zu seinem Wort, nur soll's anders geschehen als gedacht, zum
Schaden Israels, nicht zum Schaden Moses, vielmehr ganz zu seinen Gunsten. Doch Mose überhört die Lockung. Bewegt nur von dem drohenden
Zorn, entsetzt über die geplante Vernichtung, fällt er Gott in den Arm, fleht
er ihn an zugunsten jener, die weiterhin sein Volk sind, unter Berufung auf
seinen Eid, auf seine Verheißung an Abraham, Isaak, Jakob: „Ich will eure
Nachkommen mehren wie die Sterne am Himmel, und dies ganze Land, das
ich verheißen habe, will ich euren Nachkommen geben, und sie sollen es
besitzen für ewig" (Ex. 32,13). So an sein Wort erinnert, gereut Gott das
Unheil, das er seinem Volk zugedacht, er kehrt um von seinem Weg des
Zorns. Israel bleibt „geliebt um der Väter willen", wie Paulus es später formuliert (Röm. 11,28), sein Ungehorsam setzt Gottes Selbstzusage nicht
außer Kraft. „Wem ich gnädig bin, dem bin ich gnädig"; noch bevor Mose
diesen Namen Gottes erfährt, während dieser seine Herrlichkeit an ihm vor-
überziehen läßt (Ex. 33,18f.; 34,5ff.), erweist er sich diesem Namen getreu,
nicht wie von selbst, sondern dank des hohenpriesterlichen Dienstes Moses.
Gott will gebeten, er will erinnert sein. Er erhört das Flehen seines Volkes,
erhört die Fürbitte des Mose. So wie einst Jakob am Jabbok mit Gott rang,

---

17. Siehe *Windisch,* 118. Besonders akzentuiert werden kann dabei das Motiv des „unge-
hinderten Anschauens" (ebd.) im Verkehr mit Gott, das anscheinend auch für Paulus
in 2. Kor. 3 von Bedeutung ist (vgl. V. 12.18). Auch wenn das Motiv im folgenden
nicht weiter entfaltet wird, ließe sich das Thema des Beitrages auch von ihm her ausführen: Wie Paulus von sich das ungehinderte Schauen aussagt, so weiß die Schrift von
Mose zu sagen, er habe „den Herrn in seiner Gestalt geschaut" (Num. 12,8; vgl. Ex.
34,5ff.31ff.).

ihm den Segen abrang für sein Israel-Sein, so Mose am Berg Sinai. Er hört
die geheime Zusage in Gottes Bitte „laß mich" und nimmt ihn beim Wort:
Wenn denn diese Bitte gilt, so hängt es an niemand anderem als ihm, Mose
selber. Die rabbinische Überlieferung verdeutlicht es durch ein Gleichnis:
„Ein König zürnte seinem Sohn und versetzte ihm wuchtige Schläge; sein
Freund saß vor ihm, fürchtete sich aber, ihm etwas zu sagen. Dann sprach
der König: Wenn nicht dieser mein Freund vor mir säße, hätte ich dich
erschlagen. Da sagte dieser: Es hängt also von mir ab. Sogleich richtete er
sich auf und rettete ihn"[18]. Die rabbinische Tradition weiß zugleich um die
Ungeheuerlichkeit der Situation: „Rabbi Abahu sagte: Wäre dies nicht ein
geschriebener Schriftvers, so dürfte man es nicht aussprechen. Dies lehrt,
daß Mose den Heiligen, gepriesen sei er, angefaßt hat, wie ein Mensch
seinen Nächsten am Gewande anfaßt, und vor ihm gesprochen hat: Herr der
Welt, ich lasse dich nicht eher los, als bis du ihnen vergeben und verziehen
hast!"[19]

Wenn schon Mose mit solchem Freimut vor Gott für sein Volk eintrat, um
wieviel mehr ... Es scheint, daß sich niemand anderem als Paulus selber in
anderem Zusammenhang als dem 2. Korintherbrief diese Folgerung mit
Macht aufgedrängt hat: „Denn ich wünschte, selber von Christus verbannt
zu sein für meine Brüder ..." (Röm. 9,3). Mit diesen Worten unterstreicht er
seine „große Trauer und unaufhörlichen Schmerz" (Röm. 9,2), die er angesichts des Ungehorsams eines großen Teils von Israel gegenüber dem Evangelium empfindet.

Gewiß, *eine* Differenz ist gegeben: Mose tritt vor Gott für Israel ein,
Paulus seinem Auftrag gemäß vor den Völkern[20]. Aber dieser Unterschied
ist sekundär gegenüber der fundamentalen Gemeinsamkeit: Wie Mose hin-
weghört über die Verlockung Gottes, allein, ohne Israel zum großen Volk
zu werden, so ist dem Apostel am Ende seiner Wege auch jenes Israel, das
sich seinem Evangelium versagt, lieber als sein eigenes Heil. Irreal, als
unmögliche Möglichkeit aber formuliert er seinen Wunsch nur deshalb, weil
er – wie Mose – weiß, daß die Verheißungen Gottes über die Abgründe des

---

18. Berachot 32a (Übersetzung Goldschmidt).
19. Ebd. Zur hier verwendeten Formel s. den instruktiven Beitrag von *F. Böhl*, „Wäre es
    nicht geschrieben, man dürfte es nicht sagen", in: Frankfurter Judaistische Beiträge 7
    (1979), 95-104. Er erweist als ihre Funktion die Wahrung der Erhabenheit Gottes.
    Zum Motiv der Fürbitte des Mose für Israel in der rabbinischen Tradition s. ausführ-
    lich *Renée Bloch*, Die Gestalt des Moses in der rabbinischen Tradition, in: Moses ...,
    125ff.
20. Vgl. Röm. 1,5f.; 11,13.

Zorns hin unwandelbar sind (Röm. 11,29), und weil er gewiß ist, daß es nach Jesus Christus nicht seines, des Paulus, Opfers zur Bekräftigung aller Verheißungen bedarf. Mehr noch als vom Apostel selber gilt so all dies von dem, den er den Kyrios nennt[21].

Wenn *solches*, den eigenen Vorteil hintansetzendes Eintreten für Israel Merkmal der Teilhabe an Gottes Doxa ist, so hat das Angesicht des Mose nichts von seinem Glanz verloren und auch nicht die Tora, die *so* von allen dreien erzählt: von Gott, von Mose und von Israel. Hier herrscht nicht nur das Gramma, so wie bei Paulus nicht allein das Pneuma weht, auch wenn der Glanz Jesu für Christen weiter leuchtet als der des Mose. Wird vielmehr, wie vom Apostel selber, Freimut als Gabe des Geistes und Vorschein der Herrlichkeit verstanden, so gilt, was die Rabbinen lehren: Mose „hört vom Munde des Heiligen und spricht im heiligen Geist"[22].

---

21. Vgl. zu diesem Zusammenhang 2. Kor. 1,20 mit seiner Aussage über Jesus Christus als Ja auf alle Verheißungen Gottes. Würde Paulus beanspruchen, unter Hingabe seines Lebens vor Gott soteriologisch zugunsten Israels handeln zu können, so würde er in Widerspruch zu seinen eigenen Aussagen über Tod und Auferweckung Jesu Christi geraten. Im Unterschied dazu hat Mose, der nicht wie Paulus „Sklave Jesu Christi" ist, nach der rabbinischen Überlieferung die Freiheit zu bitten: „Es möge (eher) Mose zugrunde gehen und Tausende wie er als eine einzige Seele in Israel!" Vgl. Petirat Moshe, in: Jellinek, Bet ha-Midrash I, 120; zitiert nach *Bloch*, 135.

22. Sifra Lev. Anfang, 3b; zitiert nach *P. Schäfer*, Die Vorstellung vom heiligen Geist in der rabbinischen Literatur, 1972, 40 mit Anm. 99, dort auch weitere Belege. Zur Gestalt des Mose s. im übrigen auch den schönen homiletischen Beitrag von *E. M. Stein*, Die Sanftmut Moses, in: P. v. d. Osten-Sacken/M. Stöhr (Hg.), Glaube und Hoffnung nach Auschwitz (Veröffentlichungen aus dem Institut Kirche und Judentum 12), Berlin 1980, 132-139.

III. Die Tora

1. Das paulinische Verständnis des Gesetzes im Spannungsfeld von Eschatologie und Geschichte*

Erläuterungen zum Evangelium als Faktor von theologischem Antijudaismus

I.

„Im Judentum drückende Last, im Evangelium befreiende Gnade – von dieser falschen Auffassung des Gesetzesverständnisses im Judentum kann sich keiner der Theologen freimachen; die Gegenüberstellung beruht auf einem vorgefaßten Urteil, das es nur zu beweisen gilt. Ignoranz des wirklichen Judentums und willkürliche Textauslegung liegen diesem Vorurteil zu Grunde." Mit diesen Worten resümiert und wertet Charlotte Klein in ihrer Untersuchung „Theologie und Anti-Judaismus" ein erstes Mal das vorher auf mehr als zehn Seiten von ihr ausgiebig belegte antijüdische Verständnis des jüdischen Gesetzes seitens einer erschreckend großen Anzahl christlicher Exegeten[1]. Nach weiteren zehn Seiten erdrückenden Materials heißt es ganz ähnlich: „Von der tatsächlichen Stellung des Gesetzes als dankbare Antwort des Menschen auf den Bund, als Heiligung des ganzen täglichen Lebens, findet man keine Spur. Ignoranz und Vorurteil, teilweise von einer fundamentalistischen Exegese der Paulinischen Epistel(n) herrührend, verblenden nicht die Juden, sondern die Christen über die wahre Natur des Gesetzes."[2] In Übereinstimmung damit lautet das Schlußwort zu diesem „Gesetz und Gesetzesfrömmigkeit" überschriebenen dritten Teil ihrer Monographie: „Auf die Einseitigkeit und die vorurteilsvolle Ignoranz dieser

---

* Erweiterte Fassung eines Vortrags auf einer christlich-jüdischen Tagung der Evangelischen Akademie Arnoldshain im Dezember 1976.
1. *Ch. Klein*, Theologie und Anti-Judaismus. Eine Studie zur deutschen theologischen Literatur der Gegenwart, 1975, 58.
2. AaO. 68.

durchgehend pejorativen Auslegung ist bereits genügend hingewiesen worden. Sie sprechen ihre eigene Sprache und bedürfen keines weiteren Kommentars."[3] Diese letzte Feststellung ist in begrenztem Sinne gewiß zutreffend. Gerade im Hinblick auf die zuvor zitierten Wertungen von Charlotte Klein scheint die Behauptung jedoch korrekturbedürftig zu sein, jener Kommentar also durchaus fortgesetzt werden zu *müssen*.

Die Kritik, die sich in jenen Wertungen Ausdruck verschafft, umfaßt folgende Punkte: willkürliche Textauslegung, Einseitigkeit und immer wieder Vorurteil und Ignoranz. Diese herausgehobenen Phänomene stehen nach Klein in dem Verhältnis zueinander, daß „Ignoranz des wirklichen Judentums und willkürliche Textauslegung" bzw. teilweise eine „fundamentalistische Exegese" der paulinischen Briefe dem Vorurteil zugrunde liegen, es also konstituieren. Freilich wird man, was das Urteil „Ignoranz" betrifft, zurückhaltend sein müssen, da sich ein Teil der kritisierten Exegeten als Kenner des antiken Judentums ausgewiesen hat. Wird, wie von Klein mannigfach belegt, das antike Judentum trotzdem sei es verkürzt dargestellt, sei es verzeichnet, so gilt es um so mehr weiterzufragen: Wodurch sind Ignoranz, sofern sie denn trotzdem begegnet, vor allem aber willkürliche Textauslegung und Einseitigkeit in der Darstellung ihrerseits determiniert? Warum wird die Welt des Judentums verkürzt vorgestellt, warum werden Texte tendenziös oder fundamentalistisch ausgelegt?

Die skizzierte Verhältnisbestimmung scheint deshalb – zunächst im Sinne einer Arbeitshypothese – umgekehrt werden zu müssen. Unkenntnis, Einseitigkeit und willkürliche Textauslegung sind nicht die Bedingungen, vielmehr Manifestationen jenes „vorgefaßten Urteils", das von Klein in ihrer Untersuchung dokumentiert worden ist. Dies Vor-Urteil aber wird zutiefst aus einer problematischen Struktur der nachösterlichen neutestamentlichen Botschaft selbst genährt, wie sie etwa von Paulus bezeugt wird. Gerade deshalb scheint es schier unüberwindlich zu sein. Damit bleibt zwar die Notwendigkeit einer Kritik der neuzeitlichen Ausleger, die wissend und unwissend zugleich das Neue Testament auf Kosten des Judentums interpretieren, unangetastet bestehen; damit behält ferner die Sachkritik solcher Aussagen im Neuen Testament ihre Bedeutung, in denen das Judentum nachweislich tendenziös verzeichnet wird, wie etwa in der pauschalen Diffamierung der Pharisäer als Heuchler in Mt. 23. Aber es ergibt sich als Konsequenz, daß man es solange mit Folgeerscheinungen und entsprechend nicht mit der Wurzel des Problems zu tun hat, wie jene problematische Struktur

---

3. AaO. 70.

der nachösterlichen, in diesem Fall der paulinischen Botschaft selbst nicht in den Blick gefaßt wird.

Das Problem läßt sich auch von der entgegengesetzten Seite her veranschaulichen. Klein sagt am Schluß ihres Kapitels über „Pharisäer und Schriftgelehrte": „Der Glaube an Jesus als Herrn zwingt seine Anhänger nicht zur Verachtung der ‚anderen', im Gegenteil, er sollte den Christen für die Werte der jüdischen Religion besonders sensitiv machen; denn sie ist nun einmal die Matrix des Christentums."[4] Diese Sätze verdienen rückhaltlose Zustimmung. Sie scheinen jedoch theologisch möglich zu sein nur auf der Basis einer Sachkritik nicht nur an Randerscheinungen, sondern am Zentrum der christlichen, hier der paulinischen Botschaft. Zur Debatte steht deshalb die Frage, warum es sich so verhält, warum nur mit Sachkritik am Zentrum selbst weiterzukommen ist. Von grundlegender Bedeutung ist in diesem Zusammenhang die Feststellung, daß diese Sachkritik ihren Ort in der Gegenwart hat, also nicht denkbar ist ohne das Faktum von etwa zweitausend Jahren inzwischen vergangener Geschichte. Sich dessen bewußt zu sein, gehört unlöslich zum Verstehen jener antiken Texte hinzu, seien sie jüdischer oder christlicher Herkunft. Wichtig dürfte sodann der Hinweis sein, daß das, was für das Verhältnis der Christen zu den Juden gilt, in übertragenem Sinne für ihr Verhältnis zu den Völkern, zu den „Griechen" oder „Heiden", Geltung hat. Ihre verzeichnende Darstellung ließe sich vermutlich in einem ähnlichen exegetischen Sündenspiegel dokumentieren, wie ihn Charlotte Klein für die Behandlung des Judentums erstellt hat. Wie im Römerbrief des Apostels gilt also auch hier grundsätzlich: „sowohl zuerst die Juden als auch die Griechen". Darin spiegelt sich wider, daß es bei dem Verhältnis der Christen zum jüdischen Volk zugleich um ihr Verhältnis zur Schöpfung insgesamt geht[5].

Ist damit de facto bereits die Mitte des Themas erreicht, so soll doch im folgenden nicht sofort das Gesetz bei Paulus im Zentrum der Erörterung stehen. Vielmehr scheint es – zumal im Hinblick auf die von Klein angeschnittene Gesamtproblematik – angebracht zu sein, zunächst dasselbe Problem, das sich im Falle der Gesetzesinterpretation stellt, an einem anderen Beispiel zu verdeutlichen, dadurch einerseits zu verfremden, andererseits leichter zugänglich zu machen. Deshalb soll den Ausgangspunkt des folgenden zweiten Teils der Text Gal. 4,4-6 bilden und im Vordergrund der erste Teil

---

4. AaO. 92.
5. Vgl. dazu die Ausführungen zum johanneischen Motiv der „Juden" als „Repräsentanten des Kosmos" in meinem Beitrag: Leistung und Grenze der johanneischen Kreuzestheologie, EvTh 36, 1976, 167f.

des ersten Satzes stehen: „Als die Erfüllung der Zeit kam, sandte Gott seinen Sohn." Der innere Zusammenhang dieses Satzes mit der Gesetzes-problematik dürfte ansatzweise sogleich aus der Fortsetzung des Textes deutlich werden: geboren von einer Frau, geboren[6] unter dem Gesetz, damit er die unter dem Gesetz loskaufe, damit wir die Sohnschaft emp-fingen." In diesem einen Satz Gal. 4,4f. werden zwei wesentliche Begriffe parallelisiert, Zeit (*chronos*) und Gesetz (*nomos*). Indem das christologi-sche Ereignis der Erfüllung der Zeit soteriologisch ausgelegt wird als Los-kauf vom Gesetz, wird die Zeit als Zeit des Gesetzes interpretiert. Daran wird erkennbar, daß Aussagen über V. 4 (die Zeit) zugleich implizit Aus-sagen über V. 5 (das Gesetz) sind und umgekehrt. In diesem Sinne ist bereits auch von der Größe „Gesetz" die Rede, wenn nun zunächst jene erste grundlegende Aussage näher in Augenschein genommen wird: „Als die Erfüllung der Zeit kam, sandte Gott seinen Sohn."

II.

Dies Bekenntnis in Gal. 4,4 ist deshalb im vorliegenden Zusammenhang von herausragender Bedeutung, weil es in auffälliger Weise so etwas wie ein *dictum probans* darstellt. Es ist teils ausdrücklicher Schriftbeleg, teils impli-zite Orientierungsmarke derjenigen Gattung von Büchern über das Neue Testament, in der das zeitgenössische Judentum thematisch dargestellt wird, der Gattung „Neutestamentliche Zeitgeschichte" bzw. „Umwelt des Neuen Testaments", also jener Gattung von Arbeiten, aus denen Klein einen großen Teil ihrer Nachweise geführt hat. Die älteren Beispiele sind dabei zunächst aufschlußreicher[7].

---

6. Entgegen der üblichen Übersetzung von *genomenos* mit „untertan" besteht kein
   Grund, das Partizip nicht wie in der unmittelbar vorangehenden Wendung mit
   „geboren" zu übersetzen.
7. Die im folgenden aufgeführte Reihe von Beispielen ließe sich erweitern und die ver-
   deutliche Verwendung des Motivs Gal. 4,4 erheblich weiter zurückverfolgen. So greift
   z.B. *L. Baeck* (Harnacks Vorlesungen über das Wesen des Christenthums, MGWJ 45,
   1901, 119) den Topos auf, um ihn im Sinne der Öffnung der Lehre Israels für die Völker
   durch „die gottgesandte Persönlichkeit" Jesu zu deuten, indem er in seiner Antwort an
   A. v. Harnack sagt: „Die Antwort auf die Frage nach dem Bedeutungsvollen an Jesus
   ist die allein, daß damals die Zeit erfüllt war, und die erfüllte Zeit brauchte die gottgesandte Persönlichkeit. Für das Heidentum war der Tag gekommen, da es Israels Lehre
   in sich aufzunehmen beginnen konnte, und Gott hat die Seinen dazu erstehen lassen."
   Es scheint, als hätte Baeck geahnt, daß die ganze Auseinandersetzung zwi-

So heißt es etwa bei Carl Schneider gleich im ersten Satz seiner „Einführung in die Neutestamentliche Zeitgeschichte": „Schon Paulus betont, daß gewisse zeitgeschichtliche Voraussetzungen erfüllt sein mußten, ehe das Christentum in die Welt eintreten konnte: *hote de ēlthen to plērōma tou chronou, exapesteilen ho theos ton hyion autou . . .* (Gal. 4,4). Damit ist auch das Recht und die Notwendigkeit zeitgeschichtlicher Forschung ausgesprochen."[8] Die problematische Ersetzung des Gottessohnes aus Gal. 4,4 durch das „Christentum" bei Schneider dahingestellt, enthält dieser Ansatz prinzipiell mehrere Entfaltungsmöglichkeiten, und man wird in den „Zeitgeschichten" selten einer allein begegnen: Er kann in Gestalt der Information über grundlegende geschichtliche Bedingungen für die Ausbreitung des Christentums wie jüdische Diaspora, römisches Verkehrsnetz und anderes mehr ausgeführt werden. Er kann den Ausgangspunkt bilden, um die antike Welt, etwa mit Hilfe der vierten Ekloge Vergils und anderer Texte, als auf das Heil wartende darzustellen. Er kann schließlich die Voraussetzung dafür bilden, jene Zeit als bösen Äon zu charakterisieren und auf diese Weise die Notwendigkeit des Kommens des Erlösers zu umschreiben. In jedem Fall ist es ein ausgesprochen geschichtstheologischer oder, mit Schneider gesprochen[9], geschichtsphilosophischer Ansatz, der bereits die Ergebnisse der jeweils folgenden Darstellung deutlich in sich trägt.

In welchen Hauptstrom sich diese Quelle ergießt, ist mit wünschenswerter Deutlichkeit in dem wenig später erschienenen Werk von Herbert Preisker ausformuliert: „Schließlich muß aus der gesamten Darstellung ersichtlich werden, warum die hellenistische Kultur dem Untergang zugegangen ist, und was das Einzigartige des Urchristentums ist, aus dem heraus es über die Philosophie und die andern Kulte der Zeit gesiegt hat, so daß das Christentum das Schicksal des Abendlandes geworden ist. Wenn der Glaube aus tiefstem Erleben um die Absolutheit des Christentums weiß, so hat die theologische Wissenschaft gleichsam durch Feststellung historischer Tatsachen aufzu-

schen Christentum und Judentum gleichsam in diesem Topos konzentriert ist, und das Problem durch dessen nicht-antijüdische Interpretation zu lösen gesucht. Baecks Einbeziehung von Gal. 4,4 ist dabei anscheinend durch Harnack (Das Wesen des Christentums. Mit einem Geleitwort von R. Bultmann, 1964, 123) bedingt, bei dem die Aussage „Als die Zeit erfüllt war, sandte Gott seinen Sohn" die Gestalt gewinnt: „Die Zeit war erfüllt, als man auch im Orient griechische Luft atmen konnte und der geistige Horizont sich über das eigene Volk hinaus ausdehnte." Bei Harnack ist dies Verständnis von Gal. 4,4 Bestandteil eines ausgeprägten Antijudaismus. Vgl. dazu meinen Beitrag: Rückzug ins Wesen und aus der Geschichte, WPKG 67, 1978, 106–122.

8. *C. Schneider,* Einführung in die neutestamentliche Zeitgeschichte mit Bildern, 1934,1.

9. AaO. 2.

zeigen, wie und wodurch diese Offenbarung Gottes die andern Glaubens-
formen überwunden und so in geschichtlichen Gegebenheiten den Absolut-
heitsanspruch des Glaubens verwirklicht und anschaulich gemacht hat."[10]
Man muß es Preisker danken, daß er die Voraussetzungen seiner
Geschichtsschreibung so offen an den Tag gelegt hat. Sie dürften durch sich
selbst hinreichend zeigen, daß bei solchem Ansatz Darstellungen einer
anderen Religion, wie sie bei Charlotte Klein verzeichnet sind, nahezu
unumgänglich werden. Die zentralen Stichworte der „Offenbarung Gottes"
in Jesus Christus und der „Absolutheit des Christentums" belegen dabei die
Orientierung des Verfassers an Aussagen wie Gal. 4,4, auch wenn diese
Stelle nicht ausdrücklich von ihm angeführt wird.

Hinwiederum werden mit dieser Stelle zwei neuere Exemplare der Gattung „Neutestamentliche Zeitgeschichte" eröffnet. Bo Reicke sieht das
Unterfangen einer historischen Betrachtung des „Weltgeschehen(s), das
Hintergrund und Umgebung des Evangeliums und der Urkirche bildete",
auch theologisch gerechtfertigt, „wenn man das Hauptthema der Christologie beherzigt: das Wort ward Fleisch, nämlich als die Zeit erfüllt war (Joh.
1,14; Gal. 4,4)"[11]. Nach der Konstruktion dieses neuen Bibelverses fährt er
lapidar fort: „Christus und die Kirche hatten die Erfüllung der jüdischen
Geschichte zu bringen. De facto traten sie verschiedentlich in Beziehung
zum Judentum, mittelbar auch zum Hellenismus und zum Römerreich. Zur
historischen Erläuterung dieser Mächte im Hintergrund und in der Umgebung des Neuen Testaments sind Überblicke über mehrere Jahrhunderte
notwendig ..."[12]. Wiederum mag es genügen, daß dies gnostisierende
Geschichtsverständnis („Umgebung", „Hintergrund", „verschiedentlich in
Beziehung zum Judentum") und die Verpflichtung, auf die sich der Autor
festlegt (Erfüllung der jüdischen Geschichte durch Christus und [!] die
Kirche), sich selbst vorgestellt haben.

Der zweite neuere Autor, Walter Grundmann, beginnt ähnlich wie
Schneider das von ihm und Johannes Leipoldt herausgegebene Werk zur
„Umwelt des Urchristentums" mit den Worten: „Der Apostel Paulus
schreibt im Galaterbrief: ,Als die Fülle der Zeit kam, sandte Gott seinen
Sohn ...' (Gal. 4,4). Er spricht damit ein Bewußtsein aus, das viele Men-
schen der Zeit, in der er wirkte, teilen, das Bewußtsein, in einer Zeit zu

---

10. *H. Preisker,* Neutestamentliche Zeitgeschichte, 1937, 3.
11. *B. Reicke,* Neutestamentliche Zeitgeschichte. Die biblische Welt 500 v.-500 n. Chr.,
    1965, 1.
12. Ebd.

leben, die sich von den vorhergehenden Zeiten unterscheidet, ein Bewußtsein, das bei Paulus und der jungen christlichen Bewegung die Überzeugung
von der eschatologischen Bedeutung ihrer Zeit gewann, eben die ‚Fülle der
Zeit'. Auch dem Historiker erscheint dieses erste nachchristliche Jahrhundert als eine besondere Zeit ..."[13]. Es folgt eine Skizzierung der günstigen
positiven Voraussetzungen für die Ausbreitung des christlichen Glaubens.
Nach Auffassung Grundmanns „will" das alles „ebenfalls mitgesehen
werden, wenn von der ‚Fülle der Zeit' gesprochen wird, wenn auch Paulus
daran kaum gedacht haben dürfte, als er von der eschatologischen Fülle der
Zeit sprach"[14]. Bei Grundmann deutet sich an, was in der Tat für die ganze
Frage von fundamentaler Bedeutung ist, nämlich die Erkenntnis, daß es im
Zusammenhang jener Stelle Gal. 4,4 um das Verständnis des Verhältnisses
von Eschatologie und Geschichte geht. Zwar gibt er sich den Anschein, als
würde er urchristliches oder paulinisches Bewußtsein einerseits und die
Beobachtungen des heutigen Historikers andererseits sorgsam unterscheiden. De facto aber hat er bereits in den ersten Sätzen die Geschichte in
den Dienst der Eschatologie gestellt. Denn läßt sich das eschatologische
Bewußtsein des Paulus auch durchaus als eine Modifikation des damals sich
abzeichnenden breiteren Erwartungsbewußtseins verstehen, so wird diese
historische Deutung bei Grundmann – auch wenn er die nötigen Assozia-
tionen zum Teil dem Leser überläßt – doch in den Bezugsrahmen der Erfül-
lungsaussage von Gal. 4,4 eingespannt und so durch sie bestimmt. Immerhin
wird hier die Geschichte vor der Offenbarung noch positiv bestimmt. Doch
zeigt sich bei Grundmann, wie schnell dieser Ansatz auch in sein Gegenteil
umschlagen kann. So resümiert er in seiner Darstellung des „Palästinensi-
schen Judentums": „Sieht man die Polemik der Essener gegen die Pharisäer
..., die der Pharisäer gegen den am-ha-arez und seine Antwort, und bezieht
die Gegensätze zwischen den Landschaften, zwischen Judäa und Samaria,
aber auch die Spannungen zwischen Judäa und Galiläa in das Gesamtbild ein,
dann wird deutlich: Das Leben Israels in Palästina ist in der Zeit, in der Jesus
auftrat, krank und von Gegensätzen erfüllt. In sie hinein spricht Jesus seine
Botschaft von der im nahenden Königtum die Menschen suchenden Liebe
Gottes, die sie heil macht und zur ganzen, den Haß überwindenden Liebe
auch den Feinden gegenüber bewegt."[15] An diesem Beispiel wird besonders

---

13. W. Grundmann/J. Leipoldt (Hg.), Umwelt des Urchristentums I. Darstellung des
    neutestamentlichen Zeitalters, 1967[2], 1.
14. Ebd.
15. AaO. 286.

eindrücklich die Diastase kenntlich, in die der Exeget gerät, läßt er sich historisch von jenem Modell in Gal. 4,4 leiten. Grundmann beschreibt die Botschaft Jesu in deutlicher Bejahung dieser Botschaft, das heißt der „die Menschen suchende(n) Liebe Gottes". Aber er vermag, weil er glaubt, in der zitierten Weise Geschichte im Dienste Jesu abfassen zu müssen, sie nicht im Sinne Jesu zu schreiben. Er läßt mithin die Möglichkeit aus, von der er gewiß grundsätzlich sagen würde, daß sie gerade dem Christen eröffnet sei: andere Menschen ebenso wie andere Texte mit jener Agape auszulegen, von der Paulus sagt, sie suche nicht ihr Interesse, sondern das des anderen[16].

Polemik gegen das Modell der Interpretation antiker Geschichte im Horizont des Neuen Testaments, wie es an den genannten Beispielen verdeutlicht wurde, begegnet in dem Beitrag Rudolf Bultmanns zur Sache: „Weder soll das Christentum – im Sinne eines Hegelschen Geschichtsverständnisses – als die Krönung der antiken Religionsgeschichte, als die Erfüllung ihres Sinnes, erscheinen, noch soll die Darstellung die Gründe für den ‚Sieg' des Christentums über seine Konkurrenten und damit seine Überlegenheit über sie aufzeigen."[17] Der Historiker habe nicht „die Wahrheit des Christentums nachzuweisen", die vielmehr „immer Sache persönlicher Entscheidung" sei. Allerdings könne er „die Entscheidungsfrage als solche klären", da es seine Aufgabe sei, „die Phänomene der vergangenen Geschichte aus den Möglichkeiten menschlichen Existenzverständnisses zu interpretieren und damit diese zum Bewußtsein zu bringen als die Möglichkeiten auch gegenwärtigen Existenzverständnisses". Das heißt: „Gefragt wird nach dem Existenzverständnis, das im Urchristentum als neue Möglichkeit menschlichen Existenzverständnisses zutage getreten ist, – oder vorsichtiger: ob und inwiefern das der Fall ist."[18] Der Eindruck der Objektivität des Fragens und Interpretierens, den diese Sätze vermitteln, trügt freilich. Davon abgesehen, daß die Einschränkung „oder vorsichtiger: ob und inwiefern ..." zu spät kommt, geht die Wahl des Existenzverständnisses als hermeneutischen Prinzips

---

16. Ein eindrückliches Beispiel dafür, wie man jüdische Auseinandersetzungen in jener Zeit auch umschreiben kann, bietet *K.-G. Eckart,* Gesetz und Interpretation. Erläuterungen zu ihrem Verhältnis am Beispiel des Mischnatraktates Mikwaoth, in: Treue zur Thora. Beiträge zur Mitte des christlich-jüdischen Gesprächs. Festschrift für G. Harder zum 75. Geburtstag, hg. v. P. v.d. Osten-Sacken, 1977, 24: „So tritt uns in Wahrheit das altjüdische Leben entgegen: voller Spannungen, voller Parteikämpfe, aber darin eben pulsierend und lebendig."

17. *R. Bultmann,* Das Urchristentum im Rahmen der antiken Religionen, 1950 (Nachdr. rde 157/8, 1962), 7f.

18. AaO. 8.

nachweislich auf Kosten der Geschichte, also auch der jüdischen Geschichte. Denn von diesem Ansatz her interessiert die Geschichte theologisch nur noch als „Geschichte des Menschen als Person", „jenseits der Weltgeschichte"[19], und ein theologischer Zugang zu umfassenden apokalyptischen Entwürfen ist ebenso versperrt wie ein theologisches Verständnis etwa der Größen „jüdisches Volk" und „Land Israel"[20].

Ausdrücklich gegen eine Konstruktion „Neutestamentlicher Zeitgeschichte" nach Gal. 4,4 wendet sich Bultmanns Schüler Hans Conzelmann: „Der christliche Glaube ... lag nicht ‚in der Luft'. Die Christen glaubten zwar, daß Gott seinen Sohn sandte, ‚als die Zeit erfüllt war' (Gal. 4,4). Aber damit meinten sie weder, daß die Welt aus sich heraus für den Empfang des Erlösers reif, noch, daß damals die Weltlage für den Erfolg des Christentums besonders günstig war, sondern, daß Gott die Zeiten und die Erfüllung bestimmt. Die neue Lehre greift nicht sozusagen ansteckend um sich. Sie wird von Zeugen des Glaubens durch die Welt getragen, weil der Herr der Kirche als der Weltherr anerkannt sein will."[21] Die von Conzelmann vorgetragenen Korrekturen haben etwas Befreiendes. Trotzdem gilt es zu sehen, daß damit die Frage, wie denn nun das Verhältnis von Eschatologie oder eschatologischer Offenbarung und Geschichte angemessen zu bestimmen ist, keineswegs gelöst ist. Conzelmann formuliert theologisch sachgemäß, daß die „Frage nach dem Maßstab für Glauben und Handeln ... das Verstehen der Kirchengeschichte leiten" müsse[22], und sieht das „Maß des Glaubens" sich deutlich in der Verfolgungssituation abzeichnen: „Es gilt, der feindlichen Welt ihren Herrn zu zeigen – den Herrn, der gerade keine Weltmacht aufbietet."[23] In der hier vollzogenen theologischen Defi-

19. *R. Bultmann*, Geschichte und Eschatologie im Neuen Testament (1954), in: Glauben und Verstehen. Ges. Aufs. III, 1960, 106.
20. *Bultmann* verweist in dem zitierten Aufsatz (103f.) auch auf Gal. 4,4: „Christus ist das Ende der Geschichte, weil Gott ihn gesandt hat, ‚als die Zeit erfüllt war'". Bultmanns hier nur angedeutete Interpretation von Gal. 4,4 kommt in seiner oben skizzierten Geschichtsauffassung zu vollem Ausdruck. Auffällig ist das völlige Zurücktreten des Motivs der Erfüllung aus Gal. 4,4 in der Deutung. Bultmanns Auslegung ist darin von Röm. 10,4 bzw. einem bestimmten Vorverständnis dieser Stelle geleitet, das er undialektisch in Gal. 4,4 einträgt, indem er beide Male Christus allein als Ende sei es des Gesetzes, sei es der Geschichte deutet. Für Paulus ist Christus hingegen „Ende" nur insoweit, als er die „Erfüllung" ist. Vgl. unten, 169ff.
21. *H. Conzelmann*, Geschichte des Urchristentums, 1969, 3. Obwohl Conzelmanns Buch eine andere Gattung vertritt, werden seine Ausführungen hier angesichts seiner Einbeziehung von Gal. 4,4 und der Aussagen zur Sache aufgenommen.
22. AaO. 3f.
23. AaO. 4.

nition der Welt als „feindlicher Welt" tritt das Problem, diese Welt geschichtlich angemessen zu interpretieren, erneut zutage. Die Problematik dieses Ansatzes spiegelt sich in fragwürdigen Alternativen wie der folgenden, von Conzelmann mit Blick auf den Antijudaismus im vierten Evangelium formulierten: „Natürlich ist diese Polemik nicht ‚antisemitisch'. Sie dient ausschließlich der Darstellung des Glaubens"[24], nämlich in seinem Gegensatz zur „Welt". Das Problem, daß gerade dies eine spezifisch theologische Form von „Antijudaismus" bzw. „Antisemitismus" sein könnte, tritt nicht ins Blickfeld.

Als diesen Zusammenhang abschließendes Beispiel möchte ich Eduard Lohse zitieren[25]. Er beginnt die Einführung in seinen Grundriß mit den Worten: „Als die Zeit erfüllt war" – so schreibt der Apostel Paulus –, ‚sandte Gott seinen Sohn, geboren von einer Frau und unter das Gesetz getan' (Gal. 4,4). Wie ein Gefäß gefüllt wird, so war das Maß der Zeit voll, als der Sohn Gottes in die Welt kam. Luther bemerkt in einer Vorlesung, die er 1516/17 über den Galaterbrief gehalten hat, zu dieser Stelle, nicht die Zeit habe es bewirkt, daß der Sohn gesandt wurde, sondern umgekehrt: Die Sendung des Sohnes führte die Erfüllung der Zeit herauf."[26] Von diesem Ansatz her scheint Lohse wie Conzelmann von der Notwendigkeit frei zu sein, die Zeitgeschichte in das theologische Prokrustesbett des Offenbarungsbeweises zu zwängen. Trotzdem hat es den Anschein, als schimmere das alte Problem, das mit Gal. 4,4 als *dictum probans* gegeben ist, in folgenden Erläuterungen Lohses durch: „Die Menschen, die Jesus begegneten, die die Boten Christi hörten und Glieder der ersten Gemeinde wurden, waren Menschen wie alle anderen auch … Sie kannten Sorge und Leid, aber auch Freude und Glück, sie fragten nach dem Sinn des Lebens und suchten nach einer gültigen Antwort auf diese letzte Frage. Diese Antwort will das Evangelium geben", und zwar eben mit den anschließend von Lohse zitierten Sätzen Gal. 4,4f. Diese grundsätzlichen Überlegungen enthalten nicht ein Quentchen Abwertung der anderen. Und doch ergibt sich der Eindruck, daß sich die Orientierung an Gal. 4,4 in der Grundstruktur der Sätze widerspiegelt: Die Menschen fragen und suchen nach einer gültigen Antwort auf jene letzte Frage nach dem Sinn des Lebens, und das Evangelium bietet die Antwort auf diese Frage dar. In den Hintergrund rückt also das Faktum, daß in der Umwelt der frühen Christen, also unter jenen Menschen, die in

---

24. *H. Conzelmann*, Grundriß der Theologie des Neuen Testaments, 1968[2], 359.
25. *E. Lohse*, Umwelt des Neuen Testaments, 1971.
26. AaO. 5.

diesem Sinne fragten, auch solche waren, die jene Frage durchaus auch – wie das Evangelium – zu beantworten wußten bzw. andere Antworten gefunden hatten.

Durch die Ausführungen Conzelmanns und Lohses und durch Lohses Rückgriff auf Luther ist das zur Debatte stehende Problem an einen Punkt herangeführt, an dem es gewissermaßen *sine ira et studio* und in der nötigen Differenziertheit erörtert werden kann. Das entscheidende Moment dieses Problems müßte aus den vorangegangenen Ausführungen deutlich geworden sein. Es geht, nochmals an Gal. 4,4 veranschaulicht, um das exakte Verhältnis jener beiden Satzteile: „Als die Erfüllung der Zeit kam, sandte Gott seinen Sohn ...“. Lohse ist im Recht, wenn er Luthers Auslegung in Erinnerung ruft: Weil Gott seinen Sohn sandte, darum ist nach Paulus die Zeit erfüllt. Sachgrund und Erkenntnisgrund für die Erfüllung und damit den Abschluß der Zeit ist das Kommen des Gottessohnes. Indem die Erfüllung der Zeit konstatiert wird, wird die Sendung des Gottessohnes als eschatologisches Geschehen qualifiziert. Man kann deshalb den ganzen Satz, um seine Struktur zu verdeutlichen, zugespitzt auch so formulieren: Als die Geschichte erfüllt war, führte Gott das Eschaton, seine Zeit herauf – in Gestalt seines Sohnes. Zur Diskussion steht deshalb das Verhältnis von Geschichte und Eschaton[27] und damit die Konsequenzen, die sich aus ihrem Aufeinandertreffen ergeben.

Unerläßlich ist in diesem Zusammenhang der sofortige Rückbezug der Deutung auf den Wortlaut des Satzes, damit die Spannung zwischen Gesagtem und Gemeintem zutage tritt. Paulus meint zwar, wie aus dem Gesamtzusammenhang seiner Theologie zu erschließen ist, daß Gott mit der Sendung des Sohnes die von ihm festgesetzte Erfüllung der Zeit heraufgeführt hat; aber er formuliert dies in jenem mißverständlichen Sinne, als trüge die Zeit die Möglichkeit ihrer Erfüllung in sich selber. Freilich ist es hier wie an anderen Stellen, an denen Paulus ähnlich zweideutig formuliert, mit der Korrektur des Mißverständnisses nicht getan. Dies geht allein schon daraus hervor, daß Paulus andernorts die Sendung des Sohnes zuerst nennen und weitere Bestimmungen anschließen kann (Röm. 8,3f.), ohne daß etwa das Problem dadurch behoben wäre. Um es exakt zu erfassen, ist vielmehr jenes Stichwort vom Aufeinandertreffen von Zeit bzw. Geschichte und Eschaton in Gestalt des Sohnes erneut aufzugreifen.

---

27. Dies ist von *R. Bultmann* klar gesehen, der zwei seiner Arbeiten mit diesen Begriffen betitelt hat. Vgl. außer der oben, Anm. 19 genannten die Monographie: Geschichte und Eschatologie, 1958.

Nach traditioneller jüdisch-apokalyptischer Auffassung sind mit dem Kommen des neuen Äon, der Zeit oder Herrschaft Gottes, die Momente der Plötzlichkeit, des sichtbar Katastrophalen und der alles verschlingenden Macht des Neuen verbunden[28]. Alte und neue Zeit sind miteinander inkommensurabel, weshalb z.b. auch die Sprache, in der schon jetzt vom Neuen geredet wird, immer wieder gleichnishaften Charakter hat. Gegenüber den in viel stärkerem Maße von der Erwartung bestimmten Formen der jüdischen Apokalyptik ist die Situation im Urchristentum und insbesondere zunächst bei Paulus noch einmal gesteigert. Der Durchbruch des Eschaton in Gestalt der *aparchē,* des Erstlings Christus (1. Kor. 15,20), ist erfolgt[29] und greift beim Menschen nach paulinischer Auffassung in Gestalt des Geistes als Erstlingsgabe (*aparchē*) des Eschaton Platz (Röm. 8,23). Aber weil dies in Gestalt der Erstlingsschaft geschieht, geht die Zeit, geht die Geschichte weiter. Mehr noch, weil die eschatologische Erstlingsschaft sich in der Zeit Bahn bricht und gerade so Heil sein soll, darum drängt sie auf Vereinbarkeit mit der Zeit hin, obwohl jene apokalyptische Unterscheidung von Zeit der Schöpfung und Zeit Gottes und die Unvereinbarkeit dieser Zeiten gleichzeitig beibehalten wird. Im Streit liegen damit prinzipielle Unvereinbarkeit und notwendige, wenn auch dialektische Vereinbarkeit beider Zeiten bzw. von Geschichte und Eschaton. Anders gesagt: Zeit und Geschichte sollen durch das christologisch-eschatologische Ereignis der Sendung des Sohnes erfüllt, zum Abschluß gebracht sein. Zugleich aber geht es entscheidend darum, daß dies mit Blick auf und für zeitlich und geschichtlich existierende Menschen ausgesagt wird. In dem Augenblick aber, da dies geschieht, greift das Eschaton in Geschichte hinein, obwohl es sie beschließt, und bestimmt umgekehrt Geschichte das Eschaton, obwohl sie durch es erfüllt und abgeschlossen ist. Genau dies ist das Problem, das im Hintergrund der erörterten Sachzusammenhänge steht und das bereits solchen vorpaulinischen und paulinisch rezipierten kerygmatischen Kernsätzen wie Gal. 4,4 zugrunde

---

28. Vgl. als Textbeispiel Dan. 2 (im Bild: die Zerschmetterung der Statue durch den Stein) und die konzentrierte Beschreibung der Grundanschauung der antiken jüdischen Apokalyptik von *G. Scholem,* Zum Verständnis der messianischen Idee im Judentum, in: Über einige Grundbegriffe des Judentums, 1970, 126ff.
29. Vgl. *S. Talmon,* Typen der Messiaserwartung um die Zeitwende, in: Probleme biblischer Theologie. G. v. Rad zum 70. Geburtstag, hg. v. H.-W. Wolff, 1971, 587: „Das Eschaton war (sc. in der Person Jesu) Geschichte geworden. Darin liegt der entscheidende Unterschied zwischen der christlichen Auffassung und den anderen ...“.

liegt[30]. Der Ansatz des Problems ist darum bereits dort gegeben, wo rein äußerlich nicht die Spur einer Polemik oder Abwertung von Geschichte entdeckt werden kann.

Dieser Ansatz läßt sich angemessen nur als fundamentale Aporie kennzeichnen, die ihrem Wesen nach eine christologisch-eschatologische ist. Sie begegnet in den paulinischen Briefen in literarisch augenfälliger Gestalt dort, wo der Apostel Sätze abbricht und nicht zuende führt, bei den sogenannten paulinischen Anakoluthen[31], sowie an solchen, sich zum Teil mit den Anakoluthen überschneidenden Stellen, an denen historische und theologisch-eschatologische Aussagen über das Gesetz vom Apostel miteinander vermittelt werden[32]. Es ist auf anderer Ebene diese Aporie, die sich in dem widerspiegelt, was Charlotte Klein an bedauerlichen Ergebnissen der Exegese aufgewiesen hat oder was im vorangehenden am Beispiel des Ansatzes und Selbstverständnisses „Neutestamentlicher Zeitgeschichten" zu verdeutlichen gesucht wurde. Denn es dürfte von vornherein klar sein, auf wessen Kosten dieser Kampf zwischen Eschatologie und Geschichte sowohl bei Paulus als auch bei seinen Auslegern ausgefochten wird. Das christologisch-eschatologische – also ein dogmatisches – Vorurteil verhindert, daß selbst dort, wo gediegene Kenntnis des antiken Judentums zu beobachten ist, die Geschichte dieses Judentums mit ihren „Beweisen des Geistes und der Kraft" (1. Kor. 2,4) ernsthaft Einlaß findet, das heißt im wörtlichen Sinne an „Herz und Nieren" geht und so gegebenenfalls zur Korrektur des durch eben jene christologisch-eschatologische Voraussetzung bedingten theologischen Bildes vom Judentum führt. Noch einmal ist zu unterstreichen, daß die von Klein vorgebrachte Kritik an der exegetischen Arbeit damit in ihrer Bedeutung keineswegs beeinträchtigt wird. Im Gegenteil dürfte gerade angesichts dessen, daß im Hintergrund eine Aporie steht, nicht sorgsam genug ausgelegt werden können. Trotzdem bleibt der entscheidende Ausgangspunkt die aufgewiesene Aporie, so daß ein weit genug greifender Lösungsversuch mit ihrer Überwindung zu tun haben müßte.

---

30. Nicht als fundamentales Problem empfunden, aber im Kern angemessen umschrieben hat *Bultmann* den Sachverhalt in seinem oben, Anm. 19 genannten Aufsatz, 106: „Das Paradox von Geschichte und Eschatologie besteht darin, daß sich das eschatologische Geschehen in der Geschichte ereignet hat und sich überall in der Predigt wieder ereignet" – wie *Charlotte Klein* in Gestalt des vorgelegten Materials gezeigt hat, freilich nicht nur dort.

31. Vgl. dazu *G. Bornkamm*, Paulinische Anakoluthe im Römerbrief, in: Das Ende des Gesetzes. Ges. Aufs. I, 1961³, 76-92.

32. Vgl. die Ausführungen zu Röm. 5,12-21 und 8,3 in meiner Arbeit: Römer 8 als Beispiel paulinischer Soteriologie, 1975, 166f.172f.146ff.229ff.

Von eben dem Problem, das mit den Überlegungen zum Verhältnis von
Eschatologie und Geschichte skizziert wurde, ist nun auch das paulinische
Verständnis des Gesetzes, der Tora, bestimmt. Das Problem des Gesetzes
bei Paulus ist mithin ein Spezialfall jenes Problems des aporetischen Inein-
anders von Geschichte und Eschatologie. Einen ersten Hinweis darauf gab
die paulinische Parallelisierung von Zeit und Gesetz in Gal. 4,4f. bzw. von
Erfüllung der Zeit und Loskauf vom Gesetz. Der Nachweis läßt sich jedoch
auf sehr viel breiterer Ebene führen[33].

III.

1. Auch in diesem Teil können Gal. 4,4-6 als Anknüpfungspunkt dienen.
Die dortige Aussage, daß der Gottessohn unter dem Gesetz geboren sei,
damit er die unter dem Gesetz Lebenden loskaufe, enthält einige Aspekte,
die nicht hier, sondern bereits zuvor von Paulus genannt sind. So heißt es in
ähnlicher Terminologie in Gal. 3,13f.: „Christus hat uns losgekauft vom
Fluch des Gesetzes, indem er für uns zum Fluch wurde – denn es steht
geschrieben: ‚Verflucht ist jeder, der am Holze hängt' –, damit der Segen
Abrahams in Jesus Christus zu den Völkern komme, (das heißt) damit wir
die Verheißung des Geistes empfingen durch den Glauben." Nach Gal. 2,20
– wie 3,13 eine weitere christologische Formel – ist dieser Fluch oder diese
Hingabe in den Tod Ausdruck der Liebe Jesu Christi. Gemeinsames Kennzeichen dieser drei Formeln, die das christologische Gerüst des Galaterbriefes bilden, ist das Motiv des stellvertretenden Handelns im Tode. Jesus
Christus ist nach Paulus zwar verflucht, aber dieser Fluch hat ihn nicht um
seiner selbst willen getroffen. Vielmehr hat er ihn stellvertretend „für uns",
wie Paulus sagt, das heißt für andere auf sich genommen, damit sie von ihm
befreit würden. Die christologische Aussage „für uns" impliziert damit, daß
„wir" unter dem Fluch sind. Unter dem „wir" versteht Paulus hier zwar konkret die an Jesus Christus Glaubenden. Wie Röm. 5,12ff. und andere Texte

---

33. Eine ausführlichere Begründung des im folgenden Teil III zum Teil explizierten, zum
    Teil angedeuteten Gesetzesverständnisses ist in der in der vorigen Anm. genannten
    Arbeit gegeben (160-259). Jene Arbeit und der vorliegende Beitrag unterscheiden
    sich darin, daß dort versucht wurde, das paulinische Gesetzesverständnis historisch-
    theologisch zu verstehen und in seiner inneren Einheit zu entfalten, während es hier
    über die Darstellung hinaus um eine kritische Erörterung des Gesetzesverständnisses
    geht, die von der Frage nach den Folgen einer ungebrochenen Rezeption paulinischer
    Theologie geleitet ist.

zeigen, meint er jedoch grundsätzlich alle Menschen. So lautet die christologische Schlüsselfrage: Wie kommt Paulus dazu, gegen allen Augenschein zu behaupten, der fluchbeladene Tod Jesu Christi sei stellvertretend geschehen?

Die grundlegende Erfahrung, die diesem theologischen Urteil zugrunde liegt, führt Paulus im Galaterbrief selbst vor Augen, indem er auf seine Begegnung mit dem Auferstandenen zurückgreift (1,10ff.). Gott offenbarte seinen Sohn an ihm, das heißt, der Gekreuzigte ist Paulus nach seinen eigenen Aussagen erschienen (1. Kor. 9,1ff.; 15,3ff.). Er hat sich ihm als lebendig, als durch Gott von den Toten auferweckt erwiesen. Diese Begegnung ist die Urzelle alles dessen, was Paulus theologisch zu sagen hat. Wie ausgeprägt auch immer die christologische Tradition vor ihm bereits war, Paulus selbst hatte aufgrund dieser Begegnung das Faktum der Kreuzigung und die Gewißheit der Auferweckung Jesu Christi zusammenzudenken. Diese Denkbewegung, deren Ergebnis sich in seinen Briefen niedergeschlagen hat, ist wie folgt erschließbar: Die Kreuzigung ist in Übereinstimmung mit der Hebräischen Bibel fluchbeladenes Ereignis und bedeutet Trennung von Gott (Dtn. 21,23). Die Auferweckung aber bezeugt gerade, daß der Gekreuzigte nicht von Gott getrennt, vielmehr durch ihn lebendig gemacht ist und mit ihm lebt. Wenn er aber, obwohl er vom Fluch des Gesetzes getroffen starb, dennoch lebendig ist, dann kann er nicht um seiner selbst willen verflucht worden sein. Vielmehr muß er dann den Fluch auf sich genommen haben, der denen zukommt, die nicht auferweckt sind, die also der jetzt erfolgten Auferweckung des Erstlings oder der ersten Auferweckung nicht teilhaftig geworden sind. Sie haben damit auch nicht die Voraussetzung erfüllt, die nach allgemein-jüdischer wie jüdisch-paulinischer Auffassung gegeben sein muß, um des Lebens teilhaftig zu werden, die Erfüllung des Gesetzes; denn auch für Paulus ist Gehorsam schlechterdings nicht anders denkbar denn als Gehorsam gegenüber der Tora (Röm. 5,18f; 8,7f.)[34]. In christologischem Rückbezug heißt dies: Wenn nur der auferweckt wird, der das Gesetz erfüllt, und wenn der Gekreuzigte, unter dem Fluch Stehende, auferweckt worden ist, dann muß er gerade so, mit seinem Kreuzestod, das Gesetz erfüllt haben, also in der paradoxen Weise, daß er den Fluch des Gesetzes auf sich genommen hat zugunsten der anderen. Mit seinem Tod trägt Jesus Christus nach Paulus deshalb der Forderung des Gesetzes Rechnung. Er bestätigt das Gesetz Gottes, das den Tod über den Sünder verhängt. Aber indem er diesen Fluch auf sich nimmt, tut er dem

---

34. Vgl. dazu die in Anm. 32 genannte Arbeit, 151f. 171f.

Gesetz gerade Genüge: Er erfüllt die Forderung des Gesetzes. Damit
werden die anderen potentiell vom Fluch des Gesetzes frei. Es hat keinen
Anspruch mehr auf sie. Sie sind seinem Fluch, der sie – wie Kreuz und Auferweckung Jesu zeigen – nach Paulus mit Recht traf, sie sind aus der Gefangenschaft im Gesetz losgekauft.

2. Die Implikationen dieses Ansatzes sind vielschichtig. Die Auferwekkung Jesu Christi ist für Paulus der Schlüssel für die Deutung seines Todes,
also Erkenntnisgrund des Kreuzes als Heilstat. Im Gefolge dessen ist der
Kreuzestod selber Realgrund des Heils. Deshalb kann Paulus immer wieder
hervorheben, alles Heil liege in dem *gekreuzigten Jesus* bzw. im Verhältnis
des Menschen zu ihm; deshalb will die paulinische Theologie nichts anderes
sein als Entfaltung jenes Satzes vom „Gottessohn, der mich liebt und sich für
mich dahingegeben hat" (Gal.2,20). Darin, daß Jesus Christus allein auferweckt ist und sein Tod so als Heilstod verkündbar wird, liegt für Paulus das
beschlossen, was er als Evangelium versteht: In der Zeit, in der Geschichte
kann in eschatologischer Gültigkeit der Zuspruch der Gemeinschaft Gottes
mit dem oder den Menschen, Juden und Völkern, empfangen werden. Menschen unterschiedlichster Herkunft wird in Gestalt der Gemeinschaft mit
Gott zugleich die Gemeinschaft miteinander aufgetan. Die Völker werden
in eschatologischer Gültigkeit in das „Schema Jisrael", das „Höre, Israel,
der Herr unser Gott ist ein Herr", hineingeholt (Röm. 3,29f.). Das durch
Jesus Christus erfüllte Gesetz schließt als „Tora des Glaubens" (Röm. 3,27),
das heißt als im handelnden Glauben an Jesus Christus erfüllt gehaltene
Tora, Juden und Völker zusammen. So ist das Verhältnis der Christusbotschaft zu den Völkern und mit ihr das Verhältnis des Völkerapostels Paulus
zu den Gojim der „Sitz im Leben" der paulinischen Gesetzesaussagen. In
diesem Zusammenhang, der Öffnung der Gottesgemeinschaft für die
Völker, scheint das Verhältnis von Eschaton und Geschichte nach seiner
konstruktiven Seite hin auf.

Als weiteres Moment der paulinischen Christologie begegnete die
Bestimmung, daß alle anderen außer diesem Einen Jesus Christus als unter
dem Fluch des Gesetzes stehend erwiesen werden. In dieser Aussage sind
zwei Aspekte enthalten, die weiter an die Problematik des paulinischen
Gesetzesverständnisses heranführen.

Zum einen wird erkennbar, was Paulus meint, wenn er Sätze wie Röm.
4,15 formuliert: „Das Gesetz wirkt Zorn", das heißt Gericht. „Gericht" ist
hier im strengen Sinne als eschatologisches Gericht zu verstehen. Denn wie
die Auferweckung Jesu und sein Kreuzestod jeweils eschatologisches
Geschehen sind, so ist das Fluchurteil des Gesetzes im Tode Jesu eschato-

logisch qualifiziert[35]. In seinem Tode hat er die eschatologische Verurteilung der anderen übernommen, deshalb kommt in seinem Tode das Gesetz als eschatologische Größe, als Maßstab und Faktor des letzten Gerichts, zur Geltung. Besonders hierin spiegelt sich unverkennbar wider, was zuvor mit dem Stichwort der Unvereinbarkeit von Zeit oder Geschichte und Eschaton umschrieben wurde. Es ist dieselbe Tora, von der Paulus und von der seine jüdischen Zeitgenossen reden. Und trotzdem ist es wiederum nicht dasselbe Gesetz. Denn im Unterschied zu seinen Zeitgenossen wird es bei Paulus als eschatologischer, bereits jetzt das endzeitliche Gericht bewirkender Faktor geltend gemacht. Wer diese Differenz ignoriert, dürfte weder die paulinischen noch die zeitgenössischen Aussagen über die Tora erfassen und den Vergleich beider von vornherein auf einer schiefen Ebene ansiedeln.

Damit können wir den zweiten Aspekt ins Auge fassen. Das Gesetz, verstanden als Forderung Gottes, wird nach Paulus durch das Christusgeschehen als Gerichtsfaktor in Kraft gesetzt. Weil für den Apostel durch den Tod Jesu Christi alle als Feinde Gottes, als Sünder aufgedeckt werden, darum kann für ihn das Gesetz im Tode Jesu Christi nichts anderes als die Sünde an den Tag bringen, die Menschen als Sünder feststellen und damit als dem Tode Verfallene. In aller Breite wird dieser Zusammenhang von Paulus in Röm. 1-3 entfaltet. Mit dem Evangelium wird vom Himmel her das Gericht Gottes offenbart (1,18) und erwiesen, daß alle Menschen unter der Herrschaft der Sünde stehen (3,9). Die Völker, die um die Rechtsforderung Gottes wissen (1,32) und das Werk des Gesetzes in ihren Herzen geschrieben haben (2,15), werden ebenso wie die Juden, die das Wesen der Erkenntnis und der Wahrheit in eben dem Gesetz, der Tora, haben (2,20), schuldig gesprochen. Indem der Apostel die Unentschuldbarkeit beider hervorhebt, bringt er das Gericht Gottes am Maßstab des Gesetzes zur Geltung. Man kann zugespitzt sagen, daß er in diesem Zusammenhang gewissermaßen verbal das Gericht selbst vollzieht, nämlich als Element der Verkündigung des Evangeliums, das er zuvor in 1,16f. näher bestimmt hat. Dieser Zusammenhang von Evangelium und Gericht ist bereits hier hervorzuheben, weil sonst schwerlich eine Reihe anderer Aussagen über das Gesetz bei Paulus den bisherigen in angemessener Weise zugeordnet werden kann.

---

35. Vgl. *E. Jüngel,* Das Gesetz zwischen Adam und Christus. Eine theologische Studie zu Röm. 5,12-21, ZThK 60, 1963, 54f., und die Weiterführung dieses Zusammenhangs in meiner in Anm. 32 genannten Arbeit, 166ff.

Von besonderer Bedeutung ist in diesem Zusammenhang das Urteil, das Paulus als eschatologischer Bote in Röm. 1-3 Griechen und Juden im einzelnen spricht. Denn genau hier ist jener Versuch der geschichtlichen oder empirischen Verifizierung eschatologischer Sätze zu beobachten, in dem das Grundproblem der paulinischen Theologie hervortritt. Paulus beschuldigt die Völker der Vertauschung von Schöpfer und Geschöpf. Mit dieser Vertauschung haben sie Gott die Ehre entzogen und sind ihm den gebührenden Dank schuldig geblieben. In dem wüsten, in seiner Negativität kaum noch zu steigernden Leben der Völker sieht der Apostel die von Gottes Gericht bewirkte Konsequenz dieser verkehrten Grundhaltung. Man könnte geneigt sein, Paulus angesichts seiner unhaltbaren Polemik etwa unter Hinweis auf Zeugnisse wie die apokryphe Sapientia Salomonis damit zu „entschuldigen", daß er hier traditionelle jüdische Polemik gegen die Gojim aufgreife. Doch wäre dies vor allem deshalb unangebracht, weil es sich um keine Randerscheinung der paulinischen Theologie handelt, sondern um eine ihrer Konsequenzen. Wie der Apostel die Völker an dem mißt, was sie hätten wissen müssen, so die Juden an der Tora. Im fiktiven Gespräch mit einem, das heißt dem Juden, verweist er ihn auf seine Gesetzesübertretungen. Das Ergebnis des einseitigen Disputs lautet: „Der Name Gottes wird um euretwillen gelästert unter den Völkern – wie geschrieben steht" (2,24). Das Bemühen freilich, zwischen Völkern und Juden zu differenzieren, fällt in diesem Teil des Römerbriefes der schließlichen Generalisierung zum Opfer. Denn nach Röm. 3,9 hat Paulus nachweisen wollen, daß *alle* unter der Sünde sind. Diese Generalisierung entspricht dem Tatbestand, daß es sich um ein eschatologisches Urteil handelt. Die Differenzierung trägt dem geschichtlichen und heilsgeschichtlichen Unterschied zwischen Juden und Völkern Rechnung. Aber diese Differenzierung hat dort eine Grenze, wo das generelle Urteil in Gefahr zu geraten droht. Der eschatologische Systemzwang ist offenkundig: Weil alle durch das Christusereignis als Sünder erwiesen sind und weil Paulus eben dies geschichtlich-empirisch verifizieren will, darum können die Völker nur „voll von Neid, Mord, Streit", „Verleumder, Gottesverächter, Frevler, Hochmütige, Prahler" und anderes mehr sein. Darum kann analog von den Juden nur festgestellt werden, daß der Name Gottes um ihres Verhaltens willen nicht geehrt, sondern gelästert wird, sie also ihre Aufgabe, Licht für die Völker zu sein, nicht wahrnehmen. Wie die paulinische Rechtfertigungslehre insgesamt, so ist auch dieser Argumentationsgang mit seinem höchst problematischen Verhältnis eschatologischer und scheinbar geschichtlicher Aussagen Entfaltung der Christologie des Apostels.

Es wäre ein falsches Bild, entstünde durch den zuletzt erörterten Zusammenhang der Eindruck, als habe Paulus gleichsam andere vom Evangelium her verurteilt, sich selbst aber ausgenommen. Vielmehr sieht er sich in den *pantes* („alle") von Röm. 3,9 durchaus eingeschlossen, wiederum in ganz spezifischem Sinne. Die betreffenden Aussagen finden sich in Phil. 3,4ff. Paulus rühmt sich zunächst dessen, was er seiner Herkunft nach ist und früher war – „beschnitten am achten Tag, aus dem Volk Israel, dem Stamm Benjamins, mit Eifer (das heißt fanatischer) Verfolger der Gemeinde (Jesu Christi), im Hinblick auf die Gerechtigkeit, die durch das Gesetz zu gewinnen ist, untadelig". Dann aber fährt er fort: „Doch was mir einst Gewinn war, dies habe ich um Christi willen für Schaden gehalten. Vielmehr, ich halte alles auch jetzt noch für Schaden um des Überflusses der Erkenntnis Christi Jesu meines Herrn willen, um dessentwillen mir alles zum Schaden geworden ist, und ich halte es für Kot, damit ich Christus gewinne ...". Wie in Röm. 1-3 ist Paulus hier bemüht, nicht moralisch, sondern theologisch zu argumentieren. Gerade dieser Zusammenhang gilt als Indiz dafür, daß Paulus einerseits aus der Solidarität der Sünder und andererseits eben aus widerfahrener Offenbarung heraus spricht, in der selbst sein frommes und so das frömmste Leben zusammenbricht. Doch scheint einiger Zweifel an der Stringenz dieser Argumentation angebracht. Zwar steht es dem einzelnen frei, im Sinne des persönlichen Bekenntnisses Definitionen wie die paulinischen in Phil. 3 zu treffen. Aber wie weit ist der Schritt von dort, als Bekehrter das eigene vorherige Leben glaubend und um des Ruhmes Jesu Christi willen für „Kot" zu erklären, hin zu dem anderen, das Leben aller anderen noch nicht Bekehrten oder aber auch derer, die sich dem eigenen Evangeliumsverständnis nicht fügen, theologisch ähnlich zu qualifizieren[36]? Der Zusammenhang Röm. 1-3 zeigt ebenso wie die haßerfüllte eschatologische Verfluchung der Gegner des Apostels in Gal. 1,6-9 oder ihre verächtliche Bezeichnung als „Hunde" in Phil. 3,2, daß diese

---

36. Stellt man den „Eifer" (*zēlos*), das heißt die fanatische Heftigkeit, mit der Paulus in Phil. 3,2ff. sowohl gegen sich selbst als auch gegen seine Gegner vorgeht, in Rechnung, so wird man kaum in der Annahme fehlgehen, daß der Eifer, mit dem er früher die Gemeinde der an Jesus Glaubenden verfolgt hat (*kata zēlos diōkōn tēn ekklēsian* Phil. 3,6), sich in ähnlichen Formen geäußert hat. In diesem Eifer ist die Kontinuität zwischen dem „alten" und dem „neuen Menschen" Paulus mit Händen zu greifen. Vgl. dazu meinen Beitrag: Paulus und das Gesetz, in: Freiburger Rundbrief 29, 1977, 82–86.

Frage, an Paulus gerichtet, durchaus rhetorischer Art ist[37]. Alle diese Verhaltensweisen in Gestalt verbaler Äußerungen haben – die Differenz, daß Paulus auf Gewaltanwendung verzichtet, eingerechnet – eine erschreckende Ähnlichkeit mit den Prozessen im wörtlichen Sinne, die ablaufen, wenn politische Regimes einander ablösen und über die Vorgänger Gericht halten[38].

Mit den zuletzt gegebenen Beispielen dürfte erneut der Konflikt ins Auge fallen, der entsteht, wenn eschatologische Phänomene in bestimmter Weise geschichtlich verifiziert werden. Weil das Gesetz durch Tod und Auferweckung Jesu Christi in seine eschatologische Gerichtsfunktion eingesetzt ist, darum kann von hier aus für Paulus jüdisches Toraverständnis, wie es sich selbst sieht und entfaltet, gar nicht zu Gesicht kommen. Es verliert durch jene eschatologische Inkraftsetzung des Gesetzes an Interesse, bzw. es kann nur in eschatologisch-polemischer Form aufgenommen werden. Die Konsequenz dieses Zusammenhangs zeigt sich in der überwiegenden Verzeichnung jüdischen Gesetzesverständnisses in der exegetischen Literatur. Denn man will jetzt – scheinbar „rein historisch" arbeitend – in Gestalt historischer Forschung, also geschichtlich verifizieren, was bei Paulus ein eschatologisches Urteil ist.

Freilich hat auch Paulus bereits, wie sich etwa an Röm. 1-3 zeigte, auf seine Weise zu verifizieren versucht. Ja, er hat von seinem Ansatz her verifizieren müssen. Denn die eschatologische Erlösung beginnt in der Geschichte, und wenn sie wirklich eschatologische Befreiung in der Geschichte sein soll, dann müssen ihre Verkündiger sagen, woraus denn befreit wird. Dieses „Woraus" wird zwar eschatologisch gedeutet, aber es muß selber geschichtlich manifest sein. Andernfalls handelte es sich um ein gnostisches Erlösungsverständnis, nach dem Gott und Welt nichts miteinander zu tun haben. Dies kann man Paulus jedoch schwerlich nachsagen, mag er auch bei der Ausformung seiner Botschaft hier und da in die Nähe solchen Verständnisses geraten.

37. Phänomene wie jene Verfluchung der Gegner in Gal. 1,6-9 zeigen, daß die Frage einer „theologischen Wiedergutmachung" vordergründig beantwortet bleibt, wenn man wie *F. Mußner* im Falle des Galaterbriefes (Theologische „Wiedergutmachung". Am Beispiel der Auslegung des Galaterbriefes, in: Freiburger Rundbrief 26, 1974, 7-11) herausarbeitet, daß die Polemik in diesem Brief nicht gegen die Juden, sondern gegen die von Paulus als Pseudochristen bezeichneten und abqualifizierten Gegner gerichtet ist.
38. Aufschlußreich ist insbesondere mit Blick auf Röm. 2,17ff., aber auch für den gesamten Zusammenhang die Feststellung von *Th. W. Adorno*, Studien zum autoritären Charakter, 1973, 140: „Die Juden müssen im vorurteilsvollen Charakter der Parodie einer Gerichtsverhandlung entgegensehen."

Durch das Interesse, die Wirklichkeit, aus der befreit wird, zu kennzeichnen, waren bereits die Texte Röm. 1-3 und Phil. 3,4ff. bestimmt. Klassisches Beispiel für den bezeichneten Sachverhalt ist jedoch Röm. 7. Paulus nimmt an dieser Stelle den Zusammenhang Röm. 1-3 wieder auf, indem er die Konstituierung des „alten Menschen" in der Begegnung mit dem Gesetz analysiert. Ziel der Ausführungen ist es, jenes „Woraus" der Erlösung zu bestimmen, um von hier aus das Leben der Erlösten beschreiben zu können. Paulus verzichtet in diesem Text auf eine ethisch diskriminierende Darstellung des nicht an Jesus Christus Glaubenden. Doch nimmt er auch hier Aussagen auf, die die Annahme nahelegen, es handle sich um empirisch verifizierbare Erfahrungen. Man denke etwa an die Entfaltung des Widerspruchs von intendiertem und de facto vollzogenem Tun: „Nicht, was ich will, dies tue ich, sondern was ich hasse, dies tue ich" (V. 15). Tatsächlich aber läßt sich die in Röm. 7 unternommene Charakteristik des unerlösten Menschen nicht geschichtlich begreifen. Denn wie seit etlicher Zeit bekannt ist, ist sie ihrerseits bereits durch die Voraussetzung des eschatologischen Phänomens des Glaubens bestimmt. Überall dort, wo, in gewissem Sinne durchaus paulinisch vermittelt, psychologische Deutungskategorien herangezogen werden, wird deshalb die Auslegung notwendig schief. So etwa, wenn Rudolf Bultmann trotz der grundsätzlichen Erkenntnis der Unangemessenheit solcher Kategorien dennoch den Begriff des „Geltungsbedürfnisses" als wesentliche anthropologische Kategorie einführt[39]. Der ganze Abschnitt Röm. 7 lebt vielmehr, so kann man in anderer Umschreibung der Erkenntnis seiner Voraussetzung sagen, von jener Gewißheit der eschatologischen Inkraftsetzung des Gesetzes. Er ist soteriologisch-eschatologisch entworfen, steht also literarisch im Dienst der Entfaltung des Lebens der Erlösten in Röm. 8. Verständlich ist er deshalb nur für den schon Befreiten. Er hat die Funktion, ihm das Woraus seiner Befreiung zu zeigen. Durch und durch von eschatologischen Voraussetzungen bestimmt, hat er geschichtlich etwas höchst Irreales an sich. All dies, die Deutung von Zeit und Mensch unter dem Vorzeichen des eschatologischen Gerichts, gilt für Paulus und ist nach ihm notwendig, weil die eschatologische Offenbarung Gottes in seinem Sohn erfolgt ist[40].

3. Das Gesetz, die Tora, ist nach Paulus durch Tod und Auferweckung

39. R. *Bultmann*, Christus des Gesetzes Ende (1940), in: Glauben und Verstehen. Ges. Aufs. II, 1958², 38ff.; ders., Geschichte und Eschatologie, 1958, 110.
40. Vgl. die ausführliche Deutung von Röm. 7 in meiner in Anm. 32 genannten Arbeit, 197ff.

Jesu Christi als eschatologischer Gerichtsfaktor in Kraft gesetzt. Diese Voraussetzung erklärt nicht nur die scheinbar negativ qualifizierten Aussagen über das Gesetz, sondern in gleicher Weise die positiv klingenden. Das mit Hilfe des Gesetzes bewirkte Gericht trifft nach Paulus stellvertretend den gekreuzigten Jesus, den Erstling der Auferweckung. Als Rettung kann der Apostel diesen Vorgang nur aus einem Grund verkündigen: Die Offenbarung radiert nicht mit dem Gericht zugleich Zeit, Geschichte und den Menschen aus, sondern sie eröffnet ihm, einfach gesagt, die Möglichkeit eschatologischer Umkehr in der Zeit. Sie vermittelt ihm ein eschatologisch gültiges Gottesverhältnis in Zeit und Geschichte. Weil nun den Menschen die Zusage, jetzt in eschatologischer Zeit leben zu dürfen, als in geschichtlicher Zeit Existierenden betrifft, darum ist die Teilhabe am Gewinn des Todes Jesu, am Loskauf, möglich nur in der Teilhabe an eben seinem Geschick. In der Taufe stirbt der Glaubende mit Christus. Er erhält den Geist und vermag kraft des Geistes Christi in ihm, in seinem Machtbereich, zu leben. Jener Tod in der Taufe ist nichts anderes als der Vollzug des eschatologischen Gerichts an dem Sünder, als der der Mensch getauft wird. Heilsereignis ist und bleibt dieser Tod deshalb, weil er kraft des Geistes geschieht, der eben in der Taufe verliehen wird. Dieser Geist Gottes oder Jesu Christi ist es mithin, der den sogenannten „alten Menschen", der der Glaubende war und der er potentiell solange ist, wie er in dieser Zeit lebt, in dem eschatologischen Gericht oder Tod hält[41]. Der „alte Mensch", der in der Taufe stirbt oder gerichtet wird, wird dabei von Paulus am kürzesten und prägnantesten charakterisiert als Begehrender (Röm. 7,7ff.). Es ist der Mensch, der nach Paulus das Gesetz, die Tora benutzt, um der Verlockung Folge zu leisten: *eritis sicut Deus* , „ihr werdet sein wie Gott". Wiederum beruht – in Übereinstimmung mit den vorangegangenen Bemerkungen zu Röm. 7 – diese anthropologische Grundbestimmung für Paulus nicht auf von der Offenbarung losgelöster Erfahrung. Vielmehr ist sie selbst Offenbarungserkenntnis. Denn daß der Mensch ante Christum der Rechtsforderung Gottes in keinem anderen Sinn begegnet sein kann, als daß sie ihn als Begehrenden überführte, resultiert für ihn, wie früher gezeigt, aus seinem Verständnis des Todes Jesu.

Das Gesetz kommt eschatologisch nach Paulus zu seinem Recht, indem der Mensch in der Taufe stirbt. Weil es in Kraft bleibt bzw. in Kraft gesetzt

---

41. Zum dialektischen Verhältnis von Tot- und Sterblichsein des „Leibes" (*sōma*) der Erlösten, das hier hereinspielt und in dem sich das dialektische Verhältnis von Eschatologie und Geschichte anthropologisch-soteriologisch wiederholt, s. ebd., 184f. 236ff.

ist, kann, ja muß Paulus den Nomos heilig, gerecht und gut nennen (Röm. 7,12). Weil es durch den in der Taufe verliehenen Geist zur Geltung kommt, darum kann er es als „geistlich" bezeichnen (Röm. 7,14) oder auch vom „Gesetz des Geistes" sprechen (Röm. 8,2). Weil der Glaube dem Todesurteil des Gesetzes zustimmt und sich wie der Abraham der Tora allein auf die Zusage Gottes verläßt, darum kann Paulus es das „Gesetz des Glaubens" nennen, das durch den Glauben aufgerichtet wird (Röm. 3,27.31)[42]. In dieser Zuordnung von Geist bzw. Glauben und Gesetz nun sind all jene Aussagen begründet, in denen Paulus scheinbar erstaunlicherweise von der Erfüllung des Gesetzes durch die an Jesus Christus Glaubenden spricht. Das Gesetz wird an diesen Stellen durch das Gebot definiert, den Nächsten zu lieben. Die Möglichkeit der Liebe ist für Paulus eine Gabe des Geistes und Wirkungsweise des Glaubens. Der Vollzug des Liebeshandelns wiederum entspricht antithetisch dem Handeln des „alten Menschen", den Paulus als Begehrenden kennzeichnet (Röm. 7,7ff.). Das Begehren, zu sein wie Gott, wird deshalb nach Paulus durch die Praxis der Nächstenliebe überwunden, die für ihn die Gabe des Geistes ist (Röm. 8; 13,8-14). Deshalb ist für den Apostel die geistgewirkte Liebe des an Jesus Christus Glaubenden die Macht, die jenen „alten Menschen" verurteilt sein läßt, ihn im Tode hält. Wenn Paulus also sagt, das Gesetz komme darin zur Geltung, daß es den Sünder verurteile, und wenn er sagt, das Gesetz werde durch die Nächstenliebe erfüllt, so handelt es sich hierbei nicht etwa um zwei verschiedene Gesetze. Vielmehr umschreiben beide Sätze denselben Sachverhalt und reden deshalb von demselben Gesetz. Sie orientieren sich lediglich einmal am Verhältnis des Gesetzes zum „alten Menschen", das andere Mal am Verhältnis des Gesetzes zum „neuen". Für Paulus ist das Ganze kein Widerspruch zu dem, was er über die Erfüllung des Gesetzes durch Jesus Christus sagt. Es ist vielmehr lediglich dessen anthropologisch-soteriologische Entfaltung. Denn es bleibt für ihn der Geist Christi, der all dies in den an ihn Glaubenden wirkt und sie so ständig vom Tod ins Leben bzw. genauer: der sie vom Todesgericht in die Gerechtigkeit führt, der der Zuspruch des Lebens gilt. Wie also trotz des Durchbruchs des Eschatons (in Gestalt des

---

42. Vgl. zu Röm. 8,2; 3,27.31 aaO. 226ff.245ff. und *E. Lohse, ho nomos tou pneumatos tēs zōēs.* Exegetische Anmerkungen zu Röm. 8,2, in: Neues Testament und christliche Existenz. H. Braun zum 70. Geburtstag, hg. v. H. D. Betz und L. Schottroff, 1973, 279ff.; *ders.* „Wir richten das Gesetz auf!" Glaube und Thora im Römerbrief, in: Treue zur Thora, 65ff., sowie jetzt auch *F. Hahn,* Das Gesetzesverständnis im Römer- und Galaterbrief, ZNW 67, 1976, 47f. Vom „Ende des Gesetzes" bei Paulus spricht hingegen weiter *P. Stuhlmacher,* Zur paulinischen Christologie, ZThK 74, 1977, 449ff.

Sohnes) Zeit und Geschichte und mit ihnen der geschichtliche Mensch bleiben, so bleibt das Gesetz als das, was es stets gewesen ist: die zu lebende Weisung Gottes. Schließlich dürfte von diesem Zusammenhang her in den Blick treten, warum Paulus scheinbar widersprüchlich trotz aller Rede von der geschehenen Verurteilung, das heißt vom geschehenen eschatologischen Tod, doch mit Blick auf die an Jesus Glaubenden künftige Gerichtsaussagen machen kann. Er entspricht damit jenem Tatbestand, daß sie in der Zeit eschatologisch gerettet sind, als solche in der Bewährung stehen und der Möglichkeit des Ungehorsams ausgesetzt sind[43].

Wiederum läßt sich hieran das Grundproblem veranschaulichen, um das es geht: Gal. 4,4 sagt aus, daß durch Jesus Christus die Zeit erfüllt, zum Abschluß gekommen ist, das heißt auch die Zeit des Gesetzes. Aber sie ist dies eben nur auf der christologischen Ebene. Die an den Gottessohn Glaubenden befinden sich weiterhin in der Zeit; sie sind durch sie bestimmt, und darum leben sie trotz ihres Loskaufs vom Gesetz als verurteilender Instanz zugleich in der Zeit des Gesetzes. Dem Gesetz kommt damit (auch) bei Paulus, in der ihm eigenen Weise, die Funktion zu, die an Jesus Christus Glaubenden vor jedem Enthusiasmus zu bewahren und sie in der Realität der Welt festzuhalten.

4. Dies tritt insbesondere in den Zusammenhängen in Erscheinung, in denen Paulus es mit ganz konkreten Problemen der von ihm betreuten Gemeinden zu tun hat, und wie seine Briefe erkennen lassen, geschieht dies nicht selten. Ins Gesichtsfeld treten damit vor allem die Teile der paulinischen Korrespondenz, in denen der Apostel im Zusammenhang der Erörterung von Gemeindeproblemen Paränese bringt, wo er also gebietet[44]. Nur das Eschaton in seiner vollen Manifestation bedarf keiner Gebote mehr, weil jeder Ungehorsam überwunden und Übereinstimmung zwischen göttlichem und menschlichem Willen hergestellt ist. Wo umgekehrt geboten werden muß, wird die Geschichtlichkeit des Menschen – seine Weltverflochtenheit, Begrenztheit und seine Vergänglichkeit – unübersehbar. Dieser Situation gemäß, der Erlösung in Zeit und Geschichte, kann Paulus in den paränetischen Zusammenhängen, ohne seinem theologischen Ansatz untreu zu werden, als konkreter, halachischer Ausleger der Tora auftreten. Ausgelegt wird von ihm immer wieder von neuem jenes Gebot, in

---

43. Vgl. zur Sache *L. Mattern*, Das Verständnis des Gerichts bei Paulus, 1966; *E. Synofzik*, Die Vergeltungs- und Gerichtsaussagen bei Paulus, Diss. Göttingen 1973.
44. Zur Paränese bei Paulus s. vor allem *W. Schrage*, Die konkreten Einzelgebote in der paulinischen Paränese, 1961 und *O. Merk*, Handeln aus Glauben. Die Motivierungen der paulinischen Ethik, 1968.

dem er die ganze Tora zusammengefaßt sieht, das Gebot der Nächstenliebe. Dies ist auch dort der Fall, wo er es nicht wie in Gal. 5,14 und Röm. 13,8-10 ausdrücklich erwähnt; man vergleiche etwa als Beispiel den ersten Korintherbrief, in welchem durchgehend die Agape als Kriterium des Verhaltens entfaltet wird. In der Überzeugung, daß „weder Beschneidung noch Unbeschnittenheit etwas gilt, sondern das Bewahren der Gebote Gottes" (1. Kor. 7,19), kann Paulus in der Paränese praktizieren, was auch seine rabbinischen Zeitgenossen in ihrem Umgang mit der Tora kennzeichnet. Er kann sie so auslegen, daß sie in der jeweiligen Situation als göttliche Weisung zum Ausdruck kommt, die das menschliche Zusammenleben dem göttlichen Willen gemäß gestalten soll. Eindrückliches Beispiel dafür ist die Entfaltung des zuvor (5,14) zitierten Liebesgebots in Gal. 6,1ff., aber auch die Auslegung des Scheidungsverbots Jesu in 1. Kor. 7,8-16.

Nach dem breiten Strom christlicher und besonders exegetischer Tradition haben, bedingt durch ein bestimmtes Verständnis der paulinischen Rechtfertigungslehre, die paränetischen Zusammenhänge in den Briefen des Apostels gegenüber den gewissermaßen „genuin theologischen" oft ein Schattendasein geführt. Nach den vorgetragenen Überlegungen muß eine theologische Unterbewertung dieser Zusammenhänge jedoch notwendig eine Verzeichnung der paulinischen Theologie mit sich bringen, eine Verzeichnung zugunsten der Eschatologie und auf Kosten der Geschichte. Man kann demgegenüber beobachten, daß Paulus immer wieder lange und schwierige theologische Erörterungen bringt aus keinem anderen Grund, als um dann eine Ermahnung oder ein Gebot anzuschließen, dieses also einsichtig zu machen. Man denke etwa an den ganzen Zusammenhang Röm. 9-11, zu dessen vorrangigem Ziel es gehört, den römischen Christen klarzumachen, daß sie, was ihr Verhältnis zu Israel betrifft, nicht den geringsten Anlaß haben, sich in Hochmut zu ergehen (11,20.25). Hier gilt es immer wieder, jede einseitige Orientierung an den letztlich auch nur scheinbar rein theologischen Ausführungen zu beheben und die Chance des Geschichtskontakts der paulinischen Theologie zu nutzen, der in den paränetischen Zusammenhängen zum Ausdruck kommt. Dies ist um so nachdrücklicher hervorzuheben, als diese Zusammenhänge Vollzug der Auslegung jenes Gesetzes, jener Tora, sind, die Paulus in den sogenannten genuin theologischen Zusammenhängen als eschatologisch qualifizierte zur Geltung bringt, weil also jene Einheit der beiden Seiten des Gesetzesverständnisses besteht, die zuvor aufgezeigt wurde.[45]

---

45. An dieser Stelle folgt in der Erstveröffentlichung (570-576) ein längerer Exkurs mit literarischen Auseinandersetzungen, die hier als entbehrlich erscheinen.

5. Will man Paulus mit Hilfe von paulinischen Aussagezusammenhängen selbst sachkritisch interpretieren, so werden solche Sachzusammenhänge wie der zuletzt genannte Bereich der Paränese, in denen die Geschichte nicht in Eschatologie „untergeht"[46], sondern ihrerseits dem Eschaton gewissermaßen Tribut abverlangt, von besonderer Wichtigkeit sein. Freilich darf darüber nicht die Problematik in Vergessenheit geraten, die mit der aufgewiesenen dialektischen Einheit von Geschichts-, Tora- und Menschenverständnis gegeben ist. Deshalb soll sie am Schluß dieses Teils mit einem einzigen paulinischen Satz auf der anthropologischen Ebene in Erinnerung gebracht werden. So sagt der Apostel in 2. Kor. 4,16: „Deshalb verzagen wir nicht, sondern wenn auch unser äußerer Mensch (das heißt der ganze „alte Mensch") zerstört wird, so wird doch unser innerer (das heißt der ganze „neue", durch den Geist repräsentierte und geschaffene) Tag für Tag erneuert." Beides, Zerstörung und Erneuerung, sind nicht einander folgende Prozesse, sondern ein einziger: Die Zerstörung geschieht durch die Erneuerung[47]. Das Neue definiert das Alte als alt, und es bringt das Alte zu Tode. Die Neuschöpfung verwandelt die Schöpfung, aber sie bestimmt sie darin zugleich als Chaos[48]. Eben in dieser Einheit liegt insofern das Problem, als selbst dann, wenn man gleichsam die Aussagen über das Alte abschwächt und die über den Beginn des Neuen unterstreicht, strukturell dennoch die Aussagen über das Alte *mit* denen über das Neue erhalten bleiben.[49]

---

46. Dieser Begriff ist einer Formulierung *Bultmanns* in seinem in Anm. 19 genannten Aufsatz entnommen (102).

47. Paulus spricht im Zusammenhang von 2. Kor. 4 zwar von der Zerstörung des Menschen durch das Leiden. Daß der zitierte Satz jedoch generell gilt, zeigen Zusammenhänge wie Röm. 6,1ff. und 8,1ff. Vgl. besonders 6,6 und 8,12f.

48. Vgl. hierzu den wichtigen Beitrag von *W. Matthias* (Der alte und der neue Mensch in der Anthropologie des Paulus, EvTh 17, 1957, 385-397), in dem die Bedeutung des Motivs der *creatio ex nihilo* für die paulinische Theologie klar erkannt, nicht aber problematisiert ist. Zu den Folgen der Deutung des Verhältnisses von Kirche und Israel mit Hilfe der Kategorien ,alt-neu' s. *H. Gollwitzer,* Das Judentum als Problem der christlichen Theologie, in: Treue zur Thora, 162ff.

49. Die Problematik der destruktiven Seite des Evangeliums bzw. der paulinischen Theologie wird schlaglichtartig durch die Erkenntnis *Adornos* in seiner in Anm. 38 genannten Untersuchung (147) beleuchtet, daß Destruktivität „wahrhaft ,totalitär'" sei, indem sie sich „auf den Gegner so gut wie auf die eigene Person" beziehe. Außer der zitierten Stelle 2. Kor. 4,16 ist in diesem Zusammenhang an den oben dargelegten Umgang des Apostels mit Juden und Völkern, seinen Gegnern in den Gemeinden und mit sich selbst zu erinnern.

Es könnte lohnen, die Geschichte der Kirche, verstanden als die Geschichte der Auslegung der Heiligen Schrift[50], einmal in diesem Sinne zu schreiben, das heißt zu fragen, wo die zerstörerische Kraft des Neuen die Ebene des Wortes verlassen und sich, vom Wort herkommend, durch Taten geschichtlich ausgewirkt hat[51]. Es könnte weiter lohnen zu fragen, wo und in welcher Gestalt die Kirchen diese Struktur ihres theologischen Ansatzes an andere Gemeinschaften und Denkbewegungen weitergegeben haben[52]. Aber dies kann nur im Sinne andeutender Erwägungen berührt werden.

IV.

Die folgenden Überlegungen sollen der Frage nach einer möglichen Überwindung der in den beiden letzten Teilen aufgezeigten Aporie des christologisch begründeten Verhältnisses von Eschatologie und Geschichte bei Paulus gelten. Noch einmal zugespitzt formuliert, besteht diese sich nicht allein, aber besonders in theologischem Antijudaismus manifestierende Aporie in folgendem Sachverhalt: Die Heilsradikalität des Neuen bringt die Zerstörung des Alten mit sich und damit einen Geschichtsverlust solcher Art, daß fraglich wird, ob Heil in dieser Gestalt noch Heil bleibt oder bleiben kann, ohne, wenn auch subjektiv ungewollt, in einen Heilsegoismus umzuschlagen, der von der Perhorreszierung der anderen lebt. Ein möglicher Ansatzpunkt für die Überwindung müßte in der Verstärkung des Bereichs liegen, der zuletzt erörtert wurde. Weil das Problem im Untergang der Geschichte in Eschatologie, der Schöpfung in der Neuschöpfung liegt, darum kann nicht genug Geschichte, nicht genug Wirklichkeitserfahrung, nicht genug Schöpfung in die theologische Reflexion der Neuschöpfung aufgenommen werden.

An dieser Stelle kommt theologisch dem Faktum der Kirchengeschichte volles Gewicht zu. Im Rahmen des Neuen Testaments ist dies bekanntlich

---

50. Vgl. *G. Ebeling,* Kirchengeschichte als Geschichte der Auslegung der Heiligen Schrift, 1947.
51. Ergiebig wäre vermutlich insbesondere die Beobachtung der Rezeption militärischer Begrifflichkeit („geistliche Waffenrüstung") in biblischer und nachbiblischer Zeit. Vgl. die Andeutungen bei *Th. Reik,* Der eigene und der fremde Gott. Zur Psychoanalyse der religiösen Entwicklung (1923), Nachdr. 1975, 217, Anm. 2.
52. Zu erwähnen ist in diesem Zusammenhang etwa die Entsprechung der Begriffe „Spätkapitalismus" und „Spätjudentum", die beide nicht historisch, sondern dogmatisch bestimmt sind.

insbesondere von dem Verfasser des dritten Evangeliums mit aller Klarheit erkannt worden, der seiner Darstellung der Geschichte Jesu die Apostelgeschichte folgen läßt[53]. In der Alten Kirche spielt in demselben Sinne die Rezeption der Schöpfungsgeschichte eine herausragende Rolle[54]. In der jüngeren Theologiegeschichte hat Franz Overbeck die Differenz zwischen dem eschatologischen Charakter der urchristlichen Bewegung und der Faktizität der Kirchengeschichte unüberhörbar in Erinnerung gerufen, den Widerspruch also, daß eine durch und durch von eschatologischer Naherwartung bestimmte Gemeinschaft sich mit diesem Gepäck auf den Weg in die Geschichte macht[55]. Die „Dialektische Theologie" hat in Gestalt der Bultmannschen implizit oder explizit versucht, die von Overbeck bezeichnete Aporie durch existentiale Interpretation der Kunde von der eschatologischen Offenbarung aufzulösen[56]. Sie hat den Inhalt der Offenbarung auf das nackte „Daß" ihrer Ereignung, ihre Geschichtlichkeit auf die Annahme dieses „Daß" durch den Menschen in Gestalt der jeweils momentanen Entscheidung reduziert. Sie hat damit freilich jene Aporie nicht nur reproduziert, sondern gegenüber Paulus noch gesteigert. Geschichte und Kirchengeschichte werden von diesem Ansatz her letztlich überflüssig[57].

Es gibt zweifellos verschiedene Möglichkeiten, der Geschichte gegenüber der sie verschlingenden Eschatologie Raum zu geben und zu ihrem Recht zu verhelfen. Unter diesen Möglichkeiten dürfte etwa die Rückbeugung auf die Geschichte von an den Rand gedrückten christlichen Gruppen, vor allem aber auch die Rückbeugung auf die jüdische Geschichte zu den beson-

---

53. Vgl. *H. Conzelmann*, Die Mitte der Zeit. Studien zur Theologie des Lukas, 1962[4].

54. Vgl. *H. Blumenberg*, Die Legitimität der Neuzeit, 1966, 84.

55. *F. Overbeck*, Über die Christlichkeit unserer heutigen Theologie, 1903[2]; *ders.*, Christentum und Kultur, hg. v. C. A. Bernoulli, 1919. Vgl. dazu *K. Löwith*, Von Hegel zu Nietzsche, 1964[5], 402ff.

56. Vgl. dazu die Erwägungen in meinem in Anm. 5 genannten Beitrag, 164f.

57. Vgl. *R. Bultmann*, Geschichte und Eschatologie, 1958, 41f. zum Selbstverständnis des Urchristentums: „Das neue Gottesvolk, die Kirche, hat keine Geschichte, sie ist ja die Gemeinde der Endzeit, ein eschatologisches Phänomen ... So hat die christliche Gemeinde, so hat der einzelne Glaubende keine Verantwortung für die noch bestehende Welt und ihre Ordnungen, für die Aufgaben der Gesellschaft und des Staates." Daß es sich bei Bultmann in diesen Sätzen nicht nur um die Skizzierung eines historischen Sachverhalts handelt, sondern um theologische Zustimmung zu der dargelegten Konzeption, geht aus der ganzen Monographie ebenso hervor wie aus dem Resümee des ihr 1954 vorangegangenen, in Anm. 19 aufgeführten Aufsatzes (106): „Eschatologie *in ihrem echten christlichen Verständnis* ist nicht das zukünftige Ende der Geschichte, sondern die Geschichte ist von der Eschatologie verschlungen" (Hervorhebung von mir).

ders relevanten gehören; denn im jüdischen Volk ist Geschichte nur selten durch Eschatologie aufgehoben worden, und wenn es doch einmal zu geschehen schien wie in den verschiedenen messianischen Bewegungen, so wurde alsbald der Geschichte erneut ihr Recht eingeräumt[58]. Man kann z. B. mit einigem Grund fragen, ob nicht das jüdische Volk in seiner Geschichte der Urversuchung des Menschen, sein zu wollen wie Gott, insgesamt sehr viel nachdrücklicher widerstanden hat als die zur Herrschaft gelangte Kirche. Man denke etwa an das Bild des haßerfüllten Christen, wie es die Geschichte der Kreuzzüge zeigt, und an jenen zur selben Zeit auf jüdischer Seite, aber auch z.B. auf Seiten der Katharer immer wieder erbrachten „Beweis des Geistes und der Kraft", der auch nach Paulus (1. Kor. 2,4) allein im Streit um die Übereinstimmung mit dem Willen Gottes zählt[59]. Doch soll dies nur angedeutet und dafür ausführlicher auf die in diesem Zusammenhang nächstliegende Möglichkeit des korrektiven Einbezugs von Geschichte eingegangen werden.

Im Tode Jesu Christi ist nach Paulus angesichts der Auferweckung des Gekreuzigten dessen Herrschaftsanspruch über alle Menschen begründet (vgl. Röm. 5,12-21). Auf diesen christologisch-eschatologischen Ansatz führen alle theologischen Wege des Paulus zurück. Der Versuch, Geschichte an diesen Ansatz heranzutragen, dürfte theologisch sachgemäß nur unter Einschluß der Geschichte dessen erfolgen können, um den es geht, also der Geschichte Jesu von Nazareth. Aufzugreifen ist mithin die mit Recht alle Jahre wiederkehrende und zu Unrecht oft theologisch degradierte Frage nach dem Verhältnis von verkündigendem, irdischem Jesus und verkündigtem Christus[60]. Im Zusammenhang unseres Problems sind dabei Aussagen von herausragendem Interesse, die bei der sonstigen Behandlung der Frage nach dem historischen Jesus eher im Hintergrund stehen. So interpretiert und verteidigt Jesus seine Praxis der Mahlgemeinschaft mit Zöllnern und Sündern im Zeichen des nahen Gottesreiches mit den Worten:

---

58. Vgl. zum Ganzen den oben in Anm. 28 genannten Aufsatz von *Scholem*.
59. Vgl. *H. Wollschläger*, Die bewaffneten Wallfahrten gen Jerusalem. Geschichte der Kreuzzüge, 1973.
60. Nach wie vor am bedeutendsten ist der Beitrag von *E. Käsemann*, Das Problem des historischen Jesus (1954), in: Exegetische Versuche und Besinnungen I, 1960, 187-214. Vgl. ferner *E. Lohse*, Grundriß der neutestamentlichen Theologie, 1974, 18ff. Wenn *Bultmann* einerseits seine Theologie auf das johanneische Bekenntnis der Fleischwerdung des Wortes gründet und andererseits den historischen Jesus zu den Voraussetzungen einer Theologie des Neuen Testaments rechnet, so ist dies ein Widerspruch in sich, der als notwendige Folge eine gnostisierende Christologie zeitigen muß.

„Nicht die Gesunden bedürfen des Arztes, sondern die Kranken. Ich bin nicht gekommen, Gerechte einzuladen, sondern Sünder" (Mk. 2,17). Ähnlich heißt es in dem in Mt. 15,24 aufbewahrten, sekundär in den jetzigen Kontext eingefügten und darum anders akzentuierten Spruch: „Ich bin nicht gesandt außer zu den *verlorenen* Schafen des Hauses Israel", ähnlich in Lk. 19,10: „Der Menschensohn ist gekommen, zu suchen und zu retten das Verlorene." Zwar kann man darüber streiten, ob diese Formulierungen in der vorliegenden Gestalt als "Ich-" oder „Menschensohn-Aussagen" Jesu nachösterlich bestimmt sind. Man wird jedoch kaum in Abrede stellen können, daß sie in ihrem Sachgehalt auf Jesus von Nazareth zurückgehen. Denn die gleiche Differenzierung zwischen Sündern und Gerechten begegnet in Texten, deren Authentizität allgemein anerkannt ist, so etwa in den Gleichnissen über das Verlorene (Lk. 15): Bei aller größeren Freude im Himmel „über einen Sünder, der umkehrt, als über 99 Gerechte, die der Umkehr nicht bedürfen" (V. 7.10), wird letzteren keineswegs bestritten, daß sie Gerechte sind[61]. Und auch die beliebte christliche Stilisierung des älteren Sohnes als des eigentlich Verlorenen[62] oder des zumindest ebenfalls Verlorenen hat am Text keinen Anhalt: Er bleibt im Gleichnis als „Kind" angeredet[63], das „allezeit bei mir ist" und dem das ganze Erbe gehört. Alles, was geschieht und was freilich als Herausforderung genug ist, besteht darin, daß der ältere Sohn zur Mitfreude über die Umkehr des jüngeren Bruders eingeladen wird (V. 31f.). Äußerungen derselben Grundeinstellung sind es, wenn Jesus Johannes den Täufer und sich selbst – anders als die spätere christliche Tradition – ohne Hervorhebung eines Rangunterschiedes nebeneinander nennt (Mt. 11,16-19)[64], wenn er den Samariter „nur" in Gestalt seiner barmherzigen Tat erzählerisch als Gerechten zeichnet und wenn er dem Schriftgelehrten in dem Gespräch über die beiden wichtigsten Gebote zuspricht: „Du bist nicht weit vom Reich Gottes" (Mk. 12,34). Durchaus im Sinne Jesu ist es deshalb anscheinend, wenn Matthäus in der Erzählung vom Gericht über alle Völker (25,31-46) jene, die ohne christologische Motivation den Willen Gottes getan haben, als Gerechte bezeichnet (V. 37.46) und sie ins

---

61. *J. Jeremias* (Die Gleichnisse Jesu, 1965[7], 135) paraphrasiert: „als über neunundneunzig anständige Menschen (*dikaioi*), die keine groben Sünden begangen haben", und zeigt damit, welche Verlegenheit dieser Satz insbesondere lutherischer Theologie bereitet.

62. Vgl. *R. Bultmann*, Geschichte der synoptischen Tradition, 1958[3], 212.

63. Vgl. *C. Colpe*, Art. *ho hyios tou anthrōpou* , ThWbNT VIII, 434.

64. Vgl. die Erläuterung von Jeremias, Gleichnisse, 135: „Die Anrede ... ist besonders liebevoll: *téknon* = ‚mein lieber Junge'."

ewige Leben eingehen läßt – in Übereinstimmung mit den diese Erzählung vorbereitenden Aussagen in der Bergpredigt (7,21-23), wo die Teilhabe am Reich an das Tun des göttlichen Willens gebunden und dies Tun über das Kyrios-Bekenntnis zu Jesus gesetzt wird.

Am wichtigsten aus diesen Zusammenhängen dürften Aussagen wie Mk. 2,17 und Lk. 15,7.10 sein. Sie bewegen sich zum einen mit den Begriffen „Gerechte" und „Sünder" im Umkreis der für Paulus zentralen Begrifflichkeit. Sie liegen zum anderen quer zur nachösterlichen Entwicklung, sind deshalb schwerlich von ihr her zu begreifen und für unecht zu erklären. Anders als Paulus nach Ostern hat danach der irdische Jesus anerkannt, daß es unter seinen Zeitgenossen *dikaioi, zaddikim,* Gerechte gibt, Menschen, die – nicht etwa „Selbstgerechte" oder „von selbst Gerechte", sondern – mit Gottes Hilfe und in seinem Urteil gerecht sind und damit in Gemeinschaft mit ihm stehen. Er hat damit theologisch durchgehalten, daß es wirklich Gott ist, der da gerechtspricht. Ein Exklusivitätsanspruch hat ihm deshalb anscheinend ferngelegen. Diese Auffassung Jesu ist, weil sie die Grundlagen nachösterlicher Dogmatik antastet, mit christlicher Theologie schwer verträglich und darum für sie gewiß anstößiger als der „Unsinn", den nach Paulus das „Wort vom Kreuz" in den Augen der Welt darstellt (1. Kor. 1,18ff.). Gerade in dieser Anstößigkeit könnte jedoch ihre Wahrheit aufleuchten. Deshalb könnte ein Ansatz zur Überwindung der christologisch-eschatologischen Aporie darin bestehen, daß jener christologische Grund-Satz des Paulus vom stellvertretenden Tod Jesu im Sinne dieses Jesuswortes interpretiert wird: „Ich bin nicht gekommen, Gerechte einzuladen, sondern Sünder." Nicht aus der österlichen Distanz zur Welt, sondern aus der Praxis des in die Welt verflochtenen Menschen Jesus würden dann „Botschaft und Werk des Nazareners" und „die Herrschaft des Gekreuzigten" zur Einheit gelangen[65]. Erst wenn eine *theologia crucis* jenes Jesuswort aushält und damit den Gekreuzigten, den Menschen Jesus und seine Geschichte, ernst nimmt, erst dann scheint auch die Bestimmung des Verhältnisses der Christen zu anderen Menschen im Zeichen der Agape dogmatisch uneingeschränkt möglich zu sein. Der Herrschaftsanspruch des Gekreuzigten, der in seinem stellvertretenden Tode begründet ist, realisiert sich nach Paulus im Dienst, nicht in der Herrschaft der an Jesus Glaubenden. Er wird kon-

---

65. Beide sind nach *E. Käsemann* (Das Neue Testament als Kanon. Dokumentation und kritische Analyse zur gegenwärtigen Situation, hg. v. E. Käsemann, 1970, 405) „ausreichend, um das, was Christum treibet, klar herauszustellen". Vgl. in diesem Sinne auch den weiterführenden Aufsatz Käsemanns: Die neue Jesusfrage, in: Jésus aux origines de la christologie, hg. v. J. Dupont, Leuven 1975, 47-57.

kret in der Befolgung des Gebotes, den anderen zu lieben. Das Kennzeichen
dieser Agape ist es, daß sie nicht das „Ihre", sondern „das des anderen" sucht.
Weil sie freilich Dienst ist, der im Zeichen der Aufrichtung von Herrschaft
steht, darum arbeitet sie in gewissem Sinne menschlichem Herrschaftsstreben
in die Hand. Deshalb dürfte sie ihrer eigenen Bestimmung und den Grenzen
des Menschen gemäß angemessener zur Geltung kommen, wenn jene Unterscheidung Jesu zwischen Gerechten und Sündern durchgehalten und der nach-
österliche christologische Totalitätsanspruch, der im Dienste nach der Herrschaft greift, in diesem Sinne relativiert wird. Die Liebe zum Sünder, zum Aus-
gestoßenen, der Gemeinschaft Entfremdeten, ist für Paulus die Identität und
Kontinuität zwischen dem gekreuzigten und dem auferweckten Jesus[66]. Die
Liebe zu Zöllnern und Sündern ist nach den Evanglien das, was zutiefst Verhalten und Verkündigung Jesu von Nazareth gekennzeichnet hat. Nur wenn
jene umfassende Liebe, die Paulus vom gekreuzigten und auferweckten Jesus
aussagt, im Sinne der differenzierenden Liebe des geschichtlichen Jesus ausgelegt wird, dürfte sie die ihr mit ihrem allumfassenden Anspruch innewohnenden Momente des Zerstörerischen verlieren können. Auf der Ebene der
menschlichen Liebe hätte dies zur Folge, daß das Gebot „Liebe deinen Nächsten wie dich selbst!" nicht als Negation der Zuwendung des Menschen zu sich
selbst, sondern als deren Bejahung ausgelegt und damit das von Jesus gelebte,
verwandelnde Ja Gottes zum Menschen ernst genommen wird[67]. Dementsprechend wäre solchem Ansatz, was die Gerichtsverkündigung betrifft, der Ruf
zur Umkehr und die Freude an ihr adäquater als das tägliche Ersäufen des alten
Adam, an dem sich zu freuen Luther von Paulus Anlaß gegeben worden ist.

Erst bei solcher Differenzierung und Relativierung, wie sie im Anhalt an
Mk. 2,17 und verwandte Aussagen skizziert wurde, dürfte es auch möglich
sein, wirklich wieder „einzuladen", und die Möglichkeit eines wenn auch
„nur theologischen", „nur verbalen" *cogite intrare* ausgeschlossen sein. Nur
dann auch scheint ein jüdisch-christliches Gespräch im echten Sinne, ein von
jedem auch nur impliziten Herrschaftsanspruch freies Gespräch, von christlicher Seite aus stattfinden zu können. Deshalb dürfte auch erst dann die
Möglichkeit zu einem Lernprozeß bestehen, etwa dergestalt, ein Stück weit
gemeinsam „über Seine Tora nachzusinnen Tag und Nacht" und christ-

---

66. Vgl. dazu die Erläuterungen in meiner in Anm. 32 genannten Arbeit, 313f.
67. Für die Urzelle biblischen Glaubens selbst, die Verkündigung und Annahme der Botschaft
    von der befreienden Zuwendung Gottes, ist dies nicht mit Egoismus zu verwechselnde
    Motiv der Sorge des Menschen um sich selbst schlechterdings konstitutiv. Ein eindrückli-
    ches Beispiel für diesen Zusammenhang ist gerade Paulus mit seiner Sorge um seinen
    „Ruhm" – daß diese Sorge zugleich im Dienst am Evangelium steht, ist kein Widerspruch.

licherseits an jener Gesetzesfreude teilzunehmen, wie sie in Charlotte Kleins Buch durch alle Trauer über den *status quo* christlicher Darstellungen des antiken Judentums durchklingt. Auch dann erst dürfte die Voraussetzung gegeben sein, eine sogenannte „Neutestamentliche Zeitgeschichte" oder „Umwelt des Neuen Testaments" zu schreiben, die als geschichtliche Darstellung jedes christologisch-eschatologischen Zugzwangs entbunden und darin frei ist, den oder die anderen mit jener Agape zu verstehen, die ohne Selbstverleugnung nicht das Ihre, sondern das des anderen sucht (1. Kor. 10,24; 13,5) – „sowohl die Juden zuerst als auch die Griechen". Es würde all dies nicht den Verzicht auf die Überzeugung von der Wahrheit des eigenen Glaubens bedeuten, wohl aber den auf seine zerstörerische Absolutsetzung, in welcher verhaltenen Form auch immer diese erfolgen mag. Es wäre ein Verzicht, der der Wahrheit der anderen grundsätzlich Raum zu geben bereit ist und gerade von daher mit ihr zu ringen, das heißt mit ihren Vertretern neu zu streiten vermag[68].

V.

An einem Beispiel paulinischer Exegese sollen im folgenden die zweifellos weitreichenden Implikationen dieser christologischen Korrektur verdeutlicht werden, an dem für das Verhältnis der Kirchen zu Israel nach wie vor zentralen Text Röm. 9-11[69]. In diesen Kapiteln des Briefes geht es um die

---

68. *G. Klein* (Präliminarien zum Thema ‚Paulus und die Juden', in: Rechtfertigung. Festschrift für E. Käsemann, hg. v. J. Friedrich, W. Pöhlmann und P. Stuhlmacher, 1976, 232) hat jüngst gefragt, was dann, wenn „die Juden als lebendige Menschen" „zur maßgebenden Quelle für die Einstellung des Glaubens zur Judenthematik" erhoben würden, „im Dialog mit einem derart zum Text gewordenen Partner überhaupt noch zu sagen bliebe". Einwände dieser Art vermögen die Notwendigkeit einer Revision fundamentalistischen, kritiklosen Umgangs mit den Texten des Neuen Testaments nur zu bekräftigen. Die zitierte Frage enthüllt zugleich: ein Verständnis des Textes, das diesen nur als diktierenden zu begreifen vermag, ein Verständnis der lebendigen Menschen, das auch sie – ohne den Schutz des diktierten Textes – als zur Sprachlosigkeit verurteilende und so ebenfalls als diktierende sieht, und mit beidem ein Verständnis von Dialog als monologischer, wiederum diktierender Rede. Bei einer uneingeschränkten Identifizierung mit der paulinischen Theologie ist alles drei durchaus konsequent.

69. Die folgenden Ausführungen greifen die Skizze in meinem Beitrag auf: Israel als Anfrage an die christliche Theologie, in: Treue zu Thora, 72ff. Vgl. als in Anlehnung an Röm. 11 ausgeführten Entwurf aus dem Bereich Systematischer Theologie den Aufsatz von *F.-W. Marquardt,* „Feinde um unsretwillen". Das jüdische Nein und die christliche Theologie, aaO. 174ff.

Frage der Zukunft Israels im Horizont von Kreuz und Auferweckung Jesu. Im Rahmen der Frage nach dem Verhältnis von Eschatologie und Geschichte hat dieser Text fundamentale Bedeutung sowohl im Hinblick darauf, daß es um Israel geht, als auch in Hinsicht darauf, daß hier die Ausrichtung der christlichen Gemeinde auf die Zukunft hin zur Sprache kommt. Denn wie in den paränetischen Zusammenhängen der paulinischen Briefe geht es wiederum um ein Phänomen, an dem massiv die geschichtliche Verhaftung der eschatologisch Geretteten zutage tritt. Damit ist erneut ein Ansatz gegeben, um ein Stück weit mit Hilfe von Paulus an paulinischen Akzentuierungen Sachkritik zu treiben. Ähnliches gilt im übrigen von all jenen Zusammenhängen, in denen bei Paulus Zukunftserwartung auch ohne ausdrücklichen Rekurs auf Israel zur Sprache kommt wie z.B. in 1. Kor. 15,50-55; 2. Kor. 5,1-10 und 1. Thess. 4,13-18. In 1. Kor. 15 begegnet dabei ein Motiv, das vermutlich ein hilfreiches innerpaulinisches Korrektiv gegenüber dem der „Zerstörung" (2. Kor. 4,16) bilden könnte, nämlich das der Verwandlung (*allassein*), das im Griechischen begrifflich der Versöhnungsterminologie zugrunde liegt (*katallassein, katallagē*). Es dürfte, separiert von dem des „Verschlingens" (1. Kor. 15,54; 2. Kor. 5,4), theologisch-hermeneutisch hilfreich sein gerade auch für den innerchristlichen Bereich.

Eine auf das Wesentliche konzentrierte Deutung der Kap. Röm. 9-11 ergibt folgendes Bild: Israel, Träger der göttlichen Verheißungen, hat dem Evangelium von Jesus Christus als der Erfüllung dieser Verheißungen zu einem Teil den Gehorsam versagt. Nur der gehorsame Teil ist gerettet, der Rest ist verstockt. Der Dienst des Paulus als Apostel für die Völker zielt darauf ab, diesen ungehorsam bleibenden Teil Israels zum Glauben zu reizen. Die Völker, denen Paulus predigt, haben, selber als Ungehorsame, als Feinde Gottes gerettet, nicht den geringsten Grund, sich über den dem Evangelium ungehorsamen Rest Israels zu erheben. Um hier jede Möglichkeit des Stolzes statt der allein gebotenen Solidarität mit Israel zu verschließen, offenbart Paulus den römischen Christen ein Geheimnis: Ganz Israel wird bei der – mit einem biblischen Zitat umschriebenen – Wiederkunft Jesu Christi gerettet werden. Paulus hat damit den Christen in Rom so viel als Geheimnis Gottes aufgedeckt, wie die jetzt schon an Jesus Christus Glaubenden brauchen, um angemessen mit Israel leben zu können: nicht in Hochmut, sondern im dankbaren Gedenken dessen, daß die Völker in den Ölbaum Israel eingepflanzt sind, also von der Wurzel Israel getragen werden. Das ihm selbst und von ihm selbst offenbarte Wissen um die Rettung Israels öffnet Paulus den Mund zu einer überwältigenden Doxologie Gottes, gewissermaßen als Vollzug jenes Dankes an Israel in Gestalt des

Dankes an Gott. Die potentielle (jedoch christologisch unmögliche) Selbst-verfluchung, mit der der Apostel den ganzen Zusammenhang in Röm. 9,1ff. beginnt, *verwandelt* sich am Schluß von Röm. 9-11 im Horizont des zuletzt eröffneten Geheimnisses zum Lob des Gottes, der sich Israel und den Völkern gegenüber als der Barmherzige erweist und als Ende aller seiner Wege die Errettung Israels bestimmt hat.

Vor dem abschließenden Hymnus finden sich einige Sätze, die gesonderter Betrachtung wert sind. Paulus definiert Israel wie folgt: „Im Hinblick auf das Evangelium Feinde um euretwillen, im Hinblick auf die Erwählung Geliebte um der Väter willen. Denn die Gnadengaben und die Berufung Gottes sind irreversibel" (11,28f.). Paulus selbst versteht die Unwiderruflichkeit der Gnadengaben und der Berufung wahrscheinlich in dem Sinne, daß sie in der letzten Errettung Israels zur Erfüllung kommen, also in der Zukunft. Welches jene Gnadengaben (Charismen) sind, hat er zu Beginn in Röm. 9,4f. aufgezählt: „die Sohnschaft und die Herrlichkeit und die Bund-schließungen und die Gesetzgebung und der Gottesdienst und die Verhei-ßungen".

Werden diese Aussagen, insbesondere die Unwiderruflichkeit der göttlichen Gnadengaben und Berufung, im Horizont jener christologisch-eschatologischen Korrektur interpretiert, so heißt das: Jene Gnadengaben und Berufung Gottes sind als Israel bereits in seiner Gegenwart geschenkte und nicht ausschließlich erst in der Zukunft Gottes realisierte Möglichkeit zu begreifen. Es gilt also, Israel mit diesen Gaben seinen Weg gehen zu lassen, wie er ihm seinem eigenen Verständnis des göttlichen Willens gemäß aufgetragen ist. Wiewohl Paulus hier anscheinend alles unter eschatologischen Vorbehalt stellt, geben seine Aussagen trotzdem gewisse Anknüpfungs-punkte für diese Auslegung. Denn zum einen hält er selbst fest, daß Israel seinen eigenen Weg geht, das heißt am Maßstab des Evangeliums gemessen: in „gehorsamem Ungehorsam"[70] lebt um der Völker willen (Röm. 11,28); Israel wird also aus seinem ihm selbst eingestifteten Bezug auf die Völker nicht entlassen. Zum anderen bietet Paulus einen Anknüpfungspunkt in Gestalt der mit *charismata* und *klēsis* , Gnadengaben und Berufung, ver-wendeten Begriffe. „Gnadengaben" sind nach Paulus höchst lebendige Kraftwirkungen Gottes. Ebenso ist die „Berufung" für ihn überall dort, wo er den Begriff im Hinblick auf die an Jesus Christus Glaubenden gebraucht, ein höchst wirksamer gegenwärtiger Machterweis Gottes, so wirksam, daß

---

70. So treffend K. *Kupisch,* Nach Auschwitz. Fragen an die Weltchristenheit, in: Durch den Zaun der Geschichte. Beobachtungen und Erkenntnisse, 1964, 404.

Paulus ein Kapitel vor Röm. 9-11, in Röm. 8,30, formulieren kann: „Welche er vorherbestimmt hat, die hat er auch berufen; und welche er berufen hat, die *hat* er auch gerechtfertigt, welche er aber gerechtfertigt hat, die *hat* er auch verherrlicht." Dieser Machterweis Gottes in Gestalt der Berufung findet unter den Exegeten des Römerbriefs im Zeichen der paulinischen Verkündigung der Rechtfertigung *sola gratia* stets uneingeschränkte Bekräftigung, sofern es um die an Jesus Christus Glaubenden geht. Warum sollte hier jedoch Israel nicht recht sein, was den Völkern billig ist, auch wenn Paulus diese Konsequenz nicht gezogen hat, vielmehr allem Anschein nach gegenteiliger Auffassung war? So wäre in Aufnahme paulinischer Begrifflichkeit die Unterscheidung Jesu zwischen Gerechten und Sündern in Israel dergestalt aufzunehmen, daß die Gemeinde Jesu Christi Israel nicht bestreitet, daß Gott im jüdischen Volk wirkt in Gestalt seiner Berufung und der Gabe seiner Charismen an das von ihm erwählte Volk. Ob es diese Charismen wahrnimmt im Sinne seiner Erwählung und zugunsten der Völker, diese Frage wäre damit keineswegs suspendiert, vielmehr überhaupt erst sachgemäß möglich[71].

Diese Erwägungen gelten um so mehr, als sich die historischen Voraussetzungen von Juden und Christen seit der Zeit des Paulus grundlegend geändert haben. Es dürfte schwerfallen, einen Christen zu finden, der aufgrund der Verkündigung des Evangeliums unter den Völkern von jüdischer Seite angefeindet würde und damit in einer der Situation des Apostels vergleichbaren Lage wäre. Hingegen fällt es leicht, Juden zu finden, die trotz alles dessen, was ihnen von christlicher Seite widerfahren ist, Freude darüber empfinden, daß der zuerst dem jüdischen Volk gegebene Glaube an den „lebendigen und wahren Gott" (1. Thess. 1,9) durch das Evangelium zu den Völkern gelangt ist. Eine Auslegung und Anwendung biblischer Texte, die solche Änderungen in den Voraussetzungen der Begegnung bewußt nicht in

---

71. Sie wäre um so nachdrücklicher zu stellen, als das Volk Israel mit der Gründung seines Staates und der Rückkehr der Exilierten in den Horizont der in diesem Beitrag verhandelten Problematik geraten ist. Vgl. dazu *Scholem* in seinem in Anm. 28 genannten Aufsatz, 167: „Es ist kein Wunder, daß die Bereitschaft zum unwiderruflichen Einsatz aufs Konkrete, das sich nicht mehr vertrösten will, eine aus Grauen und Untergang geborene Bereitschaft, die die jüdische Geschichte erst in unserer Generation gefunden hat, als sie den utopischen Rückzug auf Zion antrat, von Obertönen des Messianismus begleitet ist, ohne doch – der Geschichte selber und nicht einer Metageschichte verschworen – sich ihm verschreiben zu können. Ob sie diesen Einsatz aushält, ohne in der Krise des messianischen Anspruchs, den sie damit mindestens virtuell heraufbeschwört, unterzugehen – das ist die Frage, die aus der großen und gefährlichen Vergangenheit heraus der Jude dieser Zeit an seine Gegenwart und seine Zukunft hat."

Rechnung stellte, würde das aufgezeigte problematische Verhältnis von Eschatologie und Geschichte dergestalt erneuern, daß sie den Menschen in den Dienst der Dogmatik, nicht aber die Dogmatik in den Dienst am Menschen stellte.

Noch einmal gilt es zu unterstreichen, daß die vorgetragenen theologiekritischen Überlegungen keineswegs mit einem grundsätzlichen Verzicht auf eine Kritik jüdischer Lehre und Praxis gleichzusetzen sind, diese vielmehr überhaupt erst in angemessener Form ermöglichen. Denn christliche Theologie und Kirche werden nur dann das Recht zu solcher Kritik haben, wenn sie selber bereit sind, die eigene Theologie und Praxis zuerst einer mindestens ebenso tiefgreifenden Kritik zu unterziehen[72].

VI.

In den vorangegangenen Teilen habe ich zunächst allgemeiner, dann am Beispiel des Wirkens Jesu und des Verhältnisses von Kirche und Israel die mE. notwendige Konsequenz aus der aufgezeigten paulinischen Aporie zu verdeutlichen gesucht, nämlich der Eschatologie Geschichte, Wirklichkeitserfahrung zuzuführen und sie dadurch zu transformieren, um so ihrer zerstörerischen Kraft entgegenzuwirken, die sich nicht nur, aber in hervorstehender, exemplarischer Weise in den antijudaistischen Zügen des Evangeliums selbst Ausdruck verschafft.

Ich möchte am Schluß den dargelegten Sachverhalt durch ein Beispiel persönlicher Erfahrung veranschaulichen:

Im September 1973 fand in einer katholischen Kirche in Berlin-Lichterfelde ein Gottesdienst von Juden, Katholiken und Protestanten statt, in dem der israelischen Opfer bei der Olympiade 1972 in München gedacht wurde. Bei diesem gemeinsamen Gottesdient von Juden, Katholiken und Protestanten drängte sich mir die Überlegung auf, wie es wohl wäre, wenn nun sei es Juden den Christen, sei es Christen den Juden aufgrund traditioneller theologischer Schemata absprächen, gleichgestellte Kinder Gottes zu sein. Diese Überlegung anzustellen und ihre Absurdität zu begreifen, ist gleichbedeutend. Jeder, der den anderen so betrachtet hätte, hätte nichts von

---

72. Vgl. in diesem Sinne die Arbeit von *Rosemary R. Ruether,* Nächstenliebe und Brudermord. Die theologischen Wurzeln des Antisemitismus, 1978. Zu meiner Freude kommt die mir erst nach Abschluß des vorliegenden Beitrags bekanntgewordene Untersuchung Ruethers in ihrer Pauluskritik zu ähnlichen Ergebnissen wie die hier vorgetragenen.

seiner eigenen Tradition begriffen, handele es sich um den Ausspruch, daß „selbst ein Heide, der die Tora übt, wie ein Hoherpriester" ist (Sifra zu Lev. 18,5), oder handele es sich um die Beispielerzählung Jesu von den beiden Männern, die hinaufgingen, um zu beten ... (Lk. 18,9-14). So ist in dieser und ähnlicher gottesdienstlicher Praxis an anderen Orten mehr geschehen als in einer Fülle theologischer Abhandlungen mit all ihrem Für und Wider. Solche Praxis ruft in Erinnerung, daß alle Theologie im Dienste des Gottesdienstes steht, dort ihren Sitz im Leben hat, nicht aber der Gottesdienst der Theologie zu dienen hat – ähnlich wie im Wirken Jesu die Verkündigung Interpretation seiner Praxis der Gemeinschaft mit Sündern und Zöllnern ist. Nimmt man gottesdienstliches Geschehen ernst wie jenes in Berlin oder anderswo, dann ist zugleich die Richtung angedeutet, in der der nächste Schritt im Rahmen des jüdisch-christlichen Gesprächs getan werden müßte, nämlich hin auf die Erarbeitung von Grundlinien einer Theologie eben dieses Gesprächs[73].

---

73. Diesem Postulat habe ich in meiner Untersuchung zu entsprechen gesucht: Grundzüge einer Theologie im christlich-jüdischen Gespräch, 1982.

2. Befreiung durch das Gesetz[1]

Als Thema ist mir eine Begriffskonstellation vorgegeben: „Freiheit – Gesetz und Evangelium". Diese formale, stichwortartige Zuordnung des Begriffs „Freiheit" zu dem antithetischen theologischen Kategorienpaar „Gesetz und Evangelium" ist durchaus exakt, zumindest gemessen an dem Theologieverständnis lutherischer Tradition; denn ginge man etwa von der Theologie Karl Barths aus, so würde man ja formulieren müssen „Freiheit – Evangelium und Gesetz" – und diese Formulierung wäre nicht weniger exakt. In beiden Fällen handelte bzw. handelt es sich freilich bei aller prinzipiellen Exaktheit um eine ausgesprochen abstrakte Themenstellung, die zudem wenig von der Dynamik dessen widerspiegelt, was durch diese Begriffskonstellation abgedeckt wird oder werden soll. Ein weiteres kommt hinzu: „Gesetz und Evangelium" oder „Evangelium und Gesetz" – der Neutestamentler zögert, dieser sei es antithetisch, sei es komplementär verstandenen Zusammenstellung beider Begriffe zu folgen. Denn sie fehlt gerade bei dem, der im Rahmen der Debatte um „Gesetz und Evangelium, Evange-

---

1. Der nachstehende Beitrag wurde in gekürzter Fassung am 15. Februar 1978 in der Theologischen Arbeitsgemeinschaft der „Geistlichen Woche" in Mannheim vorgetragen. Das Korreferat von jüdischer Seite hielt Pinchas Lapide über das Thema „Freude am Gesetz". Für den Druck ist die Vortragsform beibehalten und entsprechend auch auf einen Anmerkungsapparat verzichtet worden. Eine breitere Begründung der Exegese der einschlägigen paulinischen Zusammenhänge sowie eine Auseinandersetzung mit Sekundärliteratur findet sich in meiner Arbeit „Römer 8 als Beispiel paulinischer Soteriologie" (FRLANT 112), Göttingen 1975. Als einführende exegetische und systematische Literatur zum Thema sei verwiesen auf: K. Niederwimmer, Der Begriff der Freiheit im Neuen Testament (ThBT 11), Berlin 1966; E. Kinder / K. Haendler (Hg.), Gesetz und Evangelium. Beiträge zur gegenwärtigen theologischen Diskussion (WdF 142), Darmstadt 1968; B. Klappert, Promissio und Bund. Gesetz und Evangelium bei Luther und Barth, Göttingen 1976. In der Herausarbeitung des Zusammenhangs von Verheißung und Freiheit sowie von Gesetz und Freiheit liegen die eigenen Akzente der folgenden Ausführungen. Die Luther-Zitate sind nach der Ausgabe Weimar (WA) verifiziert und die entsprechenden Angaben beigefügt; die hochdeutsche Fassung der Zitate ist der von H.H. Borchardt / G. Merz herausgegebenen Ausgabe ausgewählter Werke Luthers (München 2. Aufl. 1938, Bde II.V) entlehnt.

lium und Gesetz" die Stelle des biblischen Kronzeugen zugeteilt bekommen hat, dem Apostel Paulus. Und ich meine, daß sie dort nicht zufällig fehlt, so daß man sie mit Recht, aus innerem Sachzwang, ergänzen könnte. Vielmehr halte ich jene Zusammenstellung, jene theologische Formel, zugespitzt gesagt, für zutiefst unpaulinisch. Die Frage nach ihrem geschichtlichen theologischen Recht muß damit noch nicht entschieden sein. Aber vielleicht stellt sich doch eine gewisse Neugier ein zu wissen, wie es sich denn bei dem verhält, auf den man sich beruft, eben Paulus, Apostel Jesu Christi für die Völker.

Aus diesen Gründen möchte ich zunächst das Thema präzisieren und formulieren: „Befreiung durch das Gesetz". Das ist für protestantische Ohren zugegebenermaßen eine Provokation, eine mißverständliche und begründete zugleich. Sie wird auch kaum dadurch abgeschwächt, daß „Befreiung durch das Gesetz" jüdisch wie christlich nur heißen kann „Befreiung durch die Erfüllung des Gesetzes". Denn wenn etwa Paulus von „Gerechtfertigt-werden im Gesetz" oder „durch das Gesetz" spricht bzw. dagegen polemisiert, meint das ja stets: durch eben seine Erfüllung. Wir sind die genannte Provokation miteinander in dreifacher Hinsicht schuldig:

- Erstens unserem jüdischen Gesprächspartner: Wie sollten wir mit ihm, der uns von der Freude am Gesetz erzählt hat, brüderlich teilen und streiten können, wenn wir im Gefolge einer bestimmten Tradition das Gesetz nur als negative Größe in den Blick faßten?
- Zweitens uns selbst als denen, die sich das Evangelium sagen lassen und es anderen zu sagen beauftragt sind; das kann freilich erst im Laufe der Darlegung deutlicher werden.
- Drittens – und in diesem „Drittens" sind die beiden ersten Punkte in gewissem Sinne mitbegründet – dem Apostel Paulus; denn kein geringerer als er selbst hat bei der Präzisierung des Themas in Gestalt der Wendung „Befreiung durch das Gesetz" Pate gestanden – und ich möchte diesen Schriftbeweis gleich zu Beginn keineswegs schuldig bleiben.

So sagt Paulus in Röm. 8,2 als Evangelium – hierauf liegt der Ton: „Das Gesetz des Geistes des Lebens in Christus Jesus hat dich befreit vom Gesetz der Sünde und des Todes." Die volle Wendung – „das Gesetz des Geistes des Lebens in Christus Jesus" – mag die Provokation ein wenig mildern. Sie bleibt trotzdem anstößig genug. Nachweislich der Auslegungsgeschichte bis in die Gegenwart hinein zielt das Bemühen der meisten Exegeten darauf, diesem Satz den Garaus zu machen. Man sieht hier überwiegend den Apostel mit dem Gesetz bzw. dem Begriff des Gesetzes „spielen". Demgegenüber gilt es unnachgiebig am paulinischen Wortlaut festzuhalten. Der Apostel sagt nicht einfach: „Der Geist des Lebens ..." oder „Jesus hat dich befreit", sondern er schreibt gezielt: „Das Gesetz des Geistes des Lebens ... hat dich befreit." Wer hier den Begriff „Gesetz" (wie Marcion) im wirklichen oder übertragenen Sinne streicht, der hat nolens volens den ganzen Paulus gestrichen.

„Gesetz und Evangelium" sind Begriffe, die in christlicher Dogmatik ihren Platz in der Lehre vom Wort Gottes haben und stichwortartig das Zentrum dieser Lehre zusammenfassen. Auf Paulus bezogen haben wir deshalb nach den Begriffen zu fragen, die er gebraucht, um „Wort Gottes" zu bestimmen. Dies Wort Gottes wird nach Auffassung des Apostels zunächst durch „die Schrift" bezeugt, durch das, was wir „Altes Testament" nennen. Sie umfaßt Gesetz (Tora, Nomos) und Propheten (Röm. 3,21). Das Wort Gottes, dessen Zeugen Gesetz und Propheten sind, hat zwei theologische Dimensionen: Es ist Verheißung, und es ist Gesetz oder Gebot. „Gesetz" ist demnach für Paulus einerseits Bezeichnung für die fünf Bücher Mose. In diesem Sinne ist „Gesetz" Oberbegriff für „Verheißung und Gesetz". Andererseits versteht Paulus – und dies Verständnis trägt bei ihm fraglos den beherrschenden Akzent – unter „Gesetz" die von der Verheißung unterschiedene Forderung Gottes an den Menschen. Wesentlich ist für den Apostel im Rahmen seines Verständnisses von Wort Gottes, daß die göttliche Verheißung der Forderung Gottes vorausliegt. Von ebensolcher Bedeutung ist seine Gewißheit, daß im Evangelium von Jesus Christus die Verheißung und das Gesetz Gottes zur Einheit kommen, das heißt, daß sie zur Rettung des Menschen zusammenfallen. Evangelium ist entsprechend für den Apostel die dynamische, der Rettung der Menschen dienende Einheit von Verheißung und Gesetz. Hieran wird erkennbar, warum die Formel „Gesetz und Evangelium" (oder umgekehrt) zutiefst unpaulinisch ist: Das Wort Gottes als Verheißung bleibt in dieser Formel auf der Strecke. Dieser Tatbestand ist u.a. für das Verständnis des über Jahrhunderte hin gelebten Verhältnisses von Theologie und Kirche zum jüdischen Volk von kaum zu überschätzendem Gewicht. Denn hätte man in der formelhaften Definition von „Wort Gottes" der Verheißung und dessen gedacht, was sie gesamtbiblisch wie paulinisch charakterisiert: nämlich ihre Unverbrüchlichkeit, so hätte man schwerlich die folgenschwere Gleichung „Jüdisches Volk = unter dem Gesetz (im negativen Sinne) stehend" zur theologischen Verortung dieses Volkes herstellen können.

Gerechterweise ist zu vermerken, daß Luther – trotz der Formel „Gesetz und Evangelium" – die Größe „Wort Gottes" hat so beschreiben können, daß sie exakt dessen Verständnis bei Paulus erfaßt. In seiner Schrift „Von der Freiheit eines Christenmenschen" (1520) sagt er, „daß die ganze Heilige Schrift (bei Luther, im Unterschied zu Paulus, Altes Testament und Neues Testament) wird in zweierlei Worte geteilt, welche sind: Gebote oder Gesetze Gottes und Verheißen oder Zusagungen. Die Gebote lehren und schreiben uns vor mancherlei gute Werke, aber damit sind sie noch nicht geschehen. Sie weisen wohl, sie helfen aber nicht, lehren, was man tun soll, geben aber keine Stärke dazu." Die Zusagen oder Verheißungen Gottes hingegen geben, „was die Gebote erfordern, und vollbringen, was die Gebote heißen, auf daß es alles Gottes eigen sei, Gebot und Erfüllung. Er heißet allein, er erfüllet auch allein." Das alles ist gut paulinisch – nur bei der Fortsetzung stellen sich Zweifel ein, sofern sie exkludierend verstanden wird: „Darum sind die Zusagungen Gottes Worte des Neuen Testaments und gehören auch ins Neue Testament" (WA 7,23f.).

Mit den bisherigen Überlegungen haben wir keinen Umweg gemacht, sondern uns direkt den Zugang zu dem – im Horizont von Gesetz und Evangelium bzw. von Verheißung, Gesetz und Evangelium erfragten – Begriff der Freiheit oder Befreiung erarbeitet. Dort, wo Paulus Wortformen vom Stamm „frei" (*eleuther-*) gebraucht, stoßen wir sofort auf den zuvor freigelegten Begriff der Verheißung. So definiert der Apostel in Gal. 4, in seiner allegorischen Deutung der beiden Abrahamsöhne, Ismael, den Sohn von der Sklavin Hagar, und Isaak, den Sohn von der „Freifrau" Sara, wie folgt: „Der von der Sklavin ist nach dem Fleisch gezeugt worden, der von der Freien jedoch durch die Verheißung" (4,23). Paulus legt diesen Zusammenhang von Freiheit und Verheißung anschließend näherhin so aus: Er sieht in Sara das himmlische Jerusalem, „unsere Mutter", vertreten und entsprechend in Isaak, dem „Sohn der Freien", die Brüder der Gemeinde Jesu Christi. Sie seien „Kinder gemäß dem Isaak der Verheißung", mit dem Geist Gottes beschenkt. „Deshalb – so folgert er – sind wir, Brüder,… Kinder der Freien" (V. 31). Wenn Paulus in Kap. 5,1 mit den bekannten Worten fortfährt: „Zur Freiheit hat uns Christus befreit …", so bekennt er, daß jene Verheißung der Freiheit, von „freier Kindschaft", durch Jesus Christus in Erfüllung gegangen ist bzw. zur Erfüllung kommt. Wir erhalten damit den folgenden Zusammenhang: Nach Paulus hat Freiheit ihren Ursprung in dem Wort göttlicher Verheißung, ihr Inhalt ist die Freiheit von Söhnen, die vom Vater vorschußweise ins Erbe eingesetzt sind, der Zugang zu dieser Realität ist durch Jesus Christus eröffnet und die Teilhabe an ihr wird mit der Gabe des Geistes wirklich.

Wie bereits das transitive Verb „befreien" und dann vor allem die unmittelbar folgenden Verse Gal. 5,1bff. zeigen, ist die Gabe der Freiheit verstanden als Gnadenakt der Befreiung und konstitutiv auf die Größe „Gesetz" bezogen. In 5,4 stellt Paulus implizit gegenüber „in der Sphäre des Gesetzes gerechtfertigt zu werden" und „in der Gnade zu existieren." In Röm. 6,14 stellt er ausdrücklich die Antithese her: „Ihr seid nicht unter dem Gesetz, sondern unter der Gnade." Hier zeigt sich jeweils, daß für den Apostel nicht „Gesetz und Evangelium", sondern „Gesetz und Gnade" als Gegensatz verstanden werden. Zu Gesetz und Gnade gehört jeweils ein spezifisches Verhalten des Menschen. Gesetz und Gnade und das betreffende Verhalten des Menschen konstituieren jeweils ein bestimmtes Gottesverhältnis. So ist das dem Gesetz entsprechende, von ihm geforderte und ihm adäquate Verhalten das Tun, das der Gnade entsprechende und ihr adäquate Verhalten hingegen das Empfangen. Zum Gegensatz werden Tun des Gesetzes und Empfang der Gnade dann, wenn das Tun des Gesetzes in der Überzeugung erfolgt, man könne durch dies Tun, durch eigenes, in sich selbst begründetes Tun, die Gemeinschaft mit Gott begründen oder bewahren. Mit anderen Worten: Gesetz und Gnade werden zum Gegensatz dann, wenn man mit dem Tun des Gesetzes die Anerkennung gewinnen zu können meint, man verhalte sich aufgrund dessen, was man als Mensch einzubringen habe, dem göttlichen Willen gemäß. Paulus bestreitet diese Mündigkeit des Menschen im Gottesverhältnis als menschliche Möglichkeit. Mündigkeit im Gottesverhältnis, Übereinstimmung mit dem göttlichen Willen, Rechtverhalten im Verhältnis zu Gott („Gerechtigkeit"), all das ist für ihn nur möglich als Gnadenhandeln Gottes selbst, mithin als im Empfangen lebendes Verhalten. Der nicht aus der gnädigen Zuwendung Gottes, aus seiner Verheißung, lebende Mensch ist „Fleisch", in die Einsamkeit seines Menschseins eingeschlossen, und vermag aus dieser Einsamkeit nicht auszubrechen. Er hört aus dem Worte Gottes nur das „Du sollst", die Forderung, das Gebot, das Gesetz. Will er diesem „Du sollst" aus eigener Kraft entsprechen – und nach Paulus ist das der Urstand eines jeden Menschen –, so besiegelt er damit seine Gefangenschaft in sich selbst. Denn mit seiner eigenen Kraft kommt er nie über sich selbst hinaus, auch wenn er meint, sein Wille und der Gottes fielen zusammen. In diesem Sinne wird die Forderung, das Gesetz Gottes, für den auf sich selbst stehenden Menschen zu einem Gesetz, das ihn in der Sünde, nämlich dem Ausschlagen der Gnade, und im Gefolge dessen im Tode, nämlich in der Gottesferne, in der Selbstverschlossenheit festhält. Das Bekenntnis des aus seiner Selbstverschlossenheit befreiten Paulus lautet demgegenüber: Wir erwarten kraft der Gabe des Geistes – der Kraft Gottes – aus Glauben heraus, nämlich in einem Vertrauen, das in der Kraft Gottes begründet ist, die vollständige Einlösung der Verheißung Gottes, die mit der Gabe des Geistes jetzt bereits angeldweise Realität geworden ist (vgl. Gal. 5,5).

Aus dem umrißhaft Dargelegten ergeben sich folgende weitere Hinweise auf das paulinische Verständnis von Freiheit und Gesetz: Wie sich der Inhalt der Freiheit als mündige Sohnschaft umschreiben läßt, so als Leben aus dem Empfangen, das heißt als Glauben, als Leben aus der Verheißung, als Leben aus der Kraft des Geistes, als Leben aus einer Erneuerung heraus, in welcher das Gesetz nicht als Möglichkeit des Zugangs zu Gott verstanden wird. Freiheit bedeutet mit all dem ein Leben, dessen Zukunft nicht Tod in der Selbstverschlossenheit des Menschen heißt, sondern Existenz in der Gottesgemeinschaft und in diesem Sinne „ewiges Leben". Die generell zu beobachtende Zuordnung des Begriffs „Freiheit" zum Begriff „Leben" gilt also auch für Paulus. Bei all dem ist sodann für den Apostel das Gesetz keineswegs Unheilsfaktor, sondern – von Jesus Christus her – Heilsmittel Gottes, um die Situation des sich auf sich selbst gründenden Menschen aufzudecken. Das Gesetz hält den Menschen in der Gefangenschaft in sich selbst fest, es erweist ihn – sofern er das Gesetz zur Etablierung seiner Gottebenbürtigkeit mißbraucht – als Kind des Todes, das heißt als zukunftslos vor Gott. Darum bleibt das Gesetz oder Gebot auch für den Apostel Paulus „heilig, gerecht und gut", ja „geistlich" (Röm. 7,12.14). Es wirft den sich in seinem Angewiesensein auf die Gnade Gottes erkennenden Menschen auf eben diese Gnade als Grund seines Lebens. Und ich denke, daß hier bereits etwas von dem durchschimmert, was denn „Befreiung durch das Gesetz" nach Paulus, der doch so nachhaltig von der „Gefangenschaft im Gesetz" spricht, heißen könnte.

Wir greifen noch einmal auf Gal. 5 zurück. In V. 13 nimmt Paulus erneut den Begriff „Freiheit" auf: „Denn zur Freiheit seid ihr berufen worden, Brüder." Wiederum bekundet sich der enge Zusammenhang zwischen Verheißung und Freiheit. Denn der Begriff „berufen", den Paulus hier verwendet, ist bei ihm theologisch dem der Verheißung zugeordnet (Röm. 9,6ff.). Gott beruft durch seine Verheißung und zu seiner Verheißung, deren Inhalt hier neuerlich als Freiheit bezeichnet ist. Gerade indem Paulus über den Begriff „berufen" die Dimension der Verheißung anklingen läßt, beläßt er die Freiheit in der Abhängigkeit von der göttlichen Verheißung, beraubt er sie jeglichen statischen Verständnisses und charakterisiert er sie bereits ansatzweise als dynamisches Geschehen. Sie wäre verkehrt, würde der Mensch die zugesprochene Freiheit, die Existenz in der mündigen Sohnschaft, benutzen, um sich nun erneut als Unabhängiger im Gottesverhältnis aufzuschwingen. Vielmehr heißt Berufung zur Freiheit Einweisung in neuen Sklavendienst: „Leistet einander Sklavendienste durch die Liebe." Die Begründung lautet: „Denn das ganze Gesetz ist in dem einen Wort erfüllt", nämlich dem Liebesgebot (Gal. 5,14). Aus der Gnade und durch die Liebe gelebtes Miteinander, in diese so scheinbar einfache Formel läßt sich das paulinische Verständnis von Freiheit bringen. Die Verheißung der Freiheit, aufgenommen im Leben aus der gnädigen Zuwendung Gottes, wird im Miteinander gelebt als Dienst durch die Agape – in diesem Sinne gelangen wie im Evangelium, so im Leben der Jesusgemeinde Verheißung und Gesetz nach Paulus zur Einheit.

Der Apostel hat also auch nicht den geringsten Zweifel daran gelassen, daß das Gesetz Gottes zu erfüllen ist. Auch für ihn kann nur unter dieser Voraussetzung von „Gerechtigkeit", von Übereinstimmung mit dem göttlichen Willen, gesprochen werden. Er deutet sowohl das Leben des Menschen ante Christum als auch des Menschen post Christum, das heißt des an Jesus Christus Glaubenden, in der Beziehung zum Gesetz. Die Freiheit, die Sohnschaft, wird gelebt in Gestalt der Erfüllung des Gesetzes, nämlich durch den Erweis von Liebe.

Das Verhältnis des Menschen zum Gesetz ist konstitutives Merkmal des paulinischen Menschenbildes. Es bestimmt sowohl sein Verständnis des nicht an Jesus glaubenden als auch des an ihn glaubenden Menschen. Eben dies kommt aufs deutlichste in jener Aussage zum Ausdruck, auf die sich die Rede von der „Befreiung durch das Gesetz" stützte, Röm. 8,2: „Das Gesetz des Geistes des Lebens in Christus Jesus hat dich befreit vom Gesetz der Sünde und des Todes." Hätte Paulus dort gesagt: „Der Geist" oder „Jesus Christus hat dich befreit vom Gesetz der Sünde und des Todes", so hätte er das Gesetz Gottes an die Mächte Sünde und Tod preisgegeben sein lassen. Er hätte im Gewande einer Heilsaussage gerade nicht vom Sieg, sondern von der Niederlage Gottes gesprochen. Er hätte Gott, indem er ihn als Fordernden annulliert hätte, endgültig zum Geschöpf des Menschen gemacht. Dieser Gott, der mit seiner Forderung am Menschen zuschanden geworden wäre, dessen Forderung den Feinden Sünde und Tod überlassen worden wäre, hätte dem Menschen aber auch nichts mehr zu sagen gehabt. Er wäre – wie dann später bei Marcion – zum überwundenen Fehlschlag geworden. Diese ganze Schöpfung wäre, was die Nichterlösten betrifft, zum Spielball des Gesetzes dämonischer Mächte deklariert, und was die Erlösten betrifft, zum Chaos gesetzloser Zustände gemacht worden. Man mag darüber streiten, worin jeweils noch im Endeffekt ein Unterschied bestanden hätte oder bestünde. Von Freiheit hätte im einen wie im anderen Fall nicht mehr die Rede sein können, schon gar nicht im paulinischen Sinne von Freiheit als Dienst im Miteinander, das auf das Gesetz, das Gebot angewiesen bleibt.

Meines Erachtens in klarer Erkenntnis dieser Konsequenzen sagt Paulus in Röm. 8,2: „Das Gesetz des Geistes des Lebens in Jesus Christus hat dich befreit vom Gesetz der Sünde und des Todes." Das Gesetz ist nicht abgetan, vielmehr bleibt es unangefochten die Forderung Gottes. Freilich hat sich nach Auffassung des Apostels eines grundsätzlich geändert. Das Gesetz war zum Leben gegeben – wie es auch weiterhin zum Leben gegeben bleibt. Es war ihm jedoch nicht möglich – und auch niemals als seine Aufgabe gedacht –, die Kraft zu seiner Erfüllung zu verleihen. An der Ohnmacht des Menschen, der ihm hätte gehorsam sein sollen, ist die Erfüllung gescheitert. Das, was dem Gesetz unmöglich war, das ist nach dem Apostel jedoch jetzt wirklich geworden. Mit der Hingabe Jesu Christi weiß er das Gesetz erfüllt, in der Kraft des Geistes wird diese Erfüllung als geschenkte gelebt. Das Gesetz, die Forderung Gottes, aus der Kraft Gottes beantwortet, wird zur heilsamen Weisung. Röm. 8,2 hat damit den Sinn: Durch den Geist Gottes als den Inhalt der Verheißung, als die Gegenwart Jesu Christi, wird das Gesetz, die Forderung Gottes, aus einem Medium der Sünde und des Todes zur Weisung der Gerechtigkeit und des Lebens. Denn im nun möglichen Gehorsam gegenüber der Forderung Gottes wird die Freiheit gelebt und gewinnt sie Gestalt im Miteinander. Die Formulierung „Befreiung durch das Gesetz", auf Röm. 8,2 bezogen, ist also in gewissem Sinne durchaus eine Verkürzung, insofern in ihr Jesus Christus bzw. der Geist als Kraft der Befreiung (in Gestalt der Erfüllung des Gesetzes) unberücksichtigt bleibt. Doch auch wenn zu präzisieren ist, daß Röm. 8,2 zumindest besser mit „Befreiung durch Erfüllung des Gesetzes" umschrieben wird, so ist die Formulierung „Befreiung durch das Gesetz" damit noch keineswegs zu den Akten gelegt.

Nehmen wir noch einmal Gal. 5,13 auf: Die Berufung zum Verheißungsgut „Freiheit" wird konkret im Miteinander gelebt als Dienst durch die Liebe. Dieser Dienst ist nach Paulus die Erfüllung des Gesetzes, das er im Liebesgebot zusammengefaßt sieht. Durch die Liebe, durch die Gesetzeserfüllung, wird die Befreiung im gemeindlichen Miteinander zur leiblich erfahrbaren Realität. Was Paulus hier theologisch systematisierend zusammenfaßt: das eine Wort = das Liebesgebot = das ganze Gesetz, legt sich freilich gerade im konkreten Gemeinschaftsleben wiederum auseinander. Was Freiheit als Dienst in der Liebe und damit Erfüllung des Gesetzes heißen kann, ist abhängig von der Situation, das heißt – und diese Präzisierung ist wesentlich: es ist abhängig vom Kasus.

Für protestantische Theologie ist dieser Begriff nur in Gestalt des Derivats „Kasualien" einigermaßen erträglich, das Derivat „Kasuistik" hin-

gegen ist Grund zu Furcht und Zittern – wird es doch unmittelbar als ver-
hängnisvolle Folge und Spezifikum jüdischen Gesetzesverständnisses bzw.
jüdischer „Gesetzesreligion" verstanden. Man plädiert demgegenüber – in
Aufnahme des abstrakten Liebesgebots – für eine Situationsethik, da nur
die Situation zeigen könne, was das Gebot der Stunde bzw. der Liebe in
dieser Stunde sei. Ich möchte dies nicht mit einer Hand abtun, aber doch
dreierlei vermerken:

Erstens impliziert dies Verständnis die Gefahr, daß man nicht den Kairos,
die Situation „auskauft", sondern unvorbereitet zu ihrem bzw. des Kairos
Opfer wird.

Zweitens scheint es mir ein Trugschluß zu sein, daß die sogenannte Situationsethik keine kasuistische Ethik sei. Sie ist nur keine Kasuistik, die eine
Anzahl von Möglichkeiten vorwegnehmend durchspielt, sondern gewissermaßen eine unvorbereitete Kairoskasuistik, die sich von der Situation über-
raschen läßt.

Drittens hat gewiß auch eine planende Kasuistik ihre Gefahren – aber
wohl nur dann, wenn man sie benutzt, um sich dem Dienst in der Liebe zu
entziehen.

Auf das Thema bezogen heißt das: Wenn die gelebte Freiheit konkret
Dienst durch die Liebe und damit Erfüllung des Gesetzes ist und wenn sich
das eine Gebot den Situationen, den Kasus gemäß in Einzelgebote oder
-weisungen auseinanderlegt, dann hat das Gesetz bzw. haben die Gebote
eine herausragende Bedeutung für die Bestimmung dessen, was konkret
Existenz in der Berufung zur Freiheit heißt. Christliche Freiheit ist deshalb
kein erbauliches Abstraktum, sondern wird im Gemeinschaftsleben real in
Gestalt der Gebote, die es bestimmen. Nochmals zugespitzt, werden Freiheit und Befreiung darum in einer wesentlichen Hinsicht erfahren durch das
Gesetz bzw. durch die Gebote. Wir geraten damit, keineswegs zufällig, in
die Nähe des Zusammenhangs von Freiheit und Gesetz sowohl im jüdischen
Verständnis als auch im politischen Leben. Denn dort wird Freiheit stets nur
durch das, ein oder mehrere Gesetze konstituiert, Freiheit und Gesetz sind
also unauflöslich aufeinander bezogen. In demselben Augenblick, indem
vom Leben als Befreite und damit von der Freiheit konkret gesprochen
wird, ist deshalb auch christlich-theologisch vom Gesetz als Weisung die
Rede und muß in dieser Weise von ihm die Rede sein. In diesem Sinne läßt
sich sagen: Jede Freiheit ist so viel wert, wie sie in gemeinsamem Nachsinnen als Weisung zum Nutzen der Gemeinde und darüber hinaus zum
Nutzen von Gottes Schöpfung formuliert werden kann.

Als Beispiel dafür, daß auch in der christlichen Gemeinde Freiheit oder

Befreiung in einer wesentlichen Hinsicht durch das Gesetz oder durch die Gebote erfahren werden, möchte ich einen naheliegenden Ausschnitt aus dem Galaterbrief heranziehen. In 6,1 greift Paulus den Kasus auf, daß jemand einer Verfehlung überführt wird. Sein Gebot, seine Weisung für diesen Fall lautet: „Ihr, die ihr mit dem Geist begabt seid, sollt denjenigen zurechtweisen im Geist der Sanftmut." Unverkennbar ist dies die konkrete Auslegung des Liebesgebots in diesem Fall. Und wie der folgende Vers 6,2 bestätigt, ist das geforderte Verhalten von Paulus zugleich als Akt der Erfüllung des Gesetzes verstanden. Er fährt fort: „Traget einander die Lasten, und so werdet ihr das Gesetz Christi erfüllen." Dieses ist demnach identisch mit jenem „ganzen Gesetz", dessen Inhalt nach 5,14 das Liebesgebot ist. Versetzen wir uns für einen Moment in die Situation dessen, der ein Unrecht begangen hat und von den Geistbegabten im Geist der Sanftmut zurechtgerückt werden soll. In Gestalt des Handelns seiner Brüder erfährt er das Handeln des Geistes, aber er erfährt es als ein Handeln, das Erfüllung des Gesetzes bzw. eines Gebotes ist. Durch die Zurechtweisung im Geist der Sanftmut wird er aus seiner Verfehlung zurückgeholt in den Kreis der Brüder. Durch diese Integration, durch die Erfahrung der Zuwendung im Geist der Sanftmut, wird von seiner Verfehlung befreit. Er erfährt damit geistgewirkte Befreiung in Gestalt der Erfüllung eines konkreten Gebotes bzw. durch dessen Praxis – beides existiert ja nur in Einheit. Dieser Kasus läßt sich durchaus verallgemeinern: Es gibt, die Ausführungen des Apostels weitergedacht, eine nach Paulus legitime Rede von der Befreiung durch das Gesetz, nämlich bezogen auf das menschliche Miteinander. In diesem Sinne drängt das Evangelium dazu, Gesetze, Gebote zu ersinnen, die im Dienst der Befreiung der Menschen hin zum Miteinander der Verschiedenen stehen. Das Kriterium bleibt die Frage, wem die Gesetze bzw. die Gebote dienen, der Durchsetzung dessen, was mir, oder dessen, was dem oder den anderen nützt.

Es wäre eine Verengung, wollte man dies alles nur auf die Gemeinde(n) Jesu Christi beziehen. In Röm. 8 zieht der Apostel die ganze Schöpfung in die Verheißung der Freiheit hinein. Sie, die bis jetzt in ihrem Todesgeschick stöhnt und kreißt, auf Hoffnung hin unterworfen, erwartet die Offenbarung der Kinder Gottes. Auch sie soll von der Knechtschaft durch die Vergänglichkeit befreit werden zur Unvergänglichkeitsfreiheit der Kinder Gottes. In Röm. 9-11 legt Paulus dasselbe im Hinblick auf Israel dar. Wenn die verheißene Freiheit in Gestalt der Gabe des Geistes angeldweise bereits Gegenwart ist (Röm. 8,23), so kann daraus wiederum nur folgen: Die Geistträger haben der Schöpfung und Israel gegenüber das Gesetz so zu erfüllen und damit solche Gesetze zu machen, daß die Gewißheit erfahrbar wird: „Wo der Geist des Herrn ist, da ist Freiheit (2. Kor. 3,17). Aber das kann hier nur angedeutet werden, weil es ein Thema für sich wäre.

Dem Ausgangspunkt gemäß möchte ich vielmehr mit einem Beispiel aus lutherischer Tradition schließen, das zugleich noch einmal enger an die Gegenwart heranführt:

„Ein Christenmensch ist ein freier Herr über alle Dinge und niemand untertan.

Ein Christenmensch ist ein dienstbarer Knecht aller Dinge und jedermann untertan."

Mit diesen beiden Thesen hat Luther die „Freiheit eines Christenmenschen" beschrieben (WA 7,21). Was so einfach klingt, ist dennoch voller Probleme und möglicher Konflikte. Man mag wohl mit Recht gleich die ersten Glossen Luthers bezweifeln, daß es der Seele nicht schade, „daß der Leib gefangen, krank und matt ist, hungert, dürstet und leidet, wie er nicht gern wollte", und daß es umgekehrt auch nicht schade, „wenn der Leib unheilige Kleider trägt, an unheiligen Orten ist, ißt, trinkt, wallet, nicht betet" (WA 7,21ff.). Und wer hier irgendeinen Zweifel hat, der vermöchte wohl sehr vom jüdischen Gesetzesverständnis zu lernen. Luther selber kann, nachdem er herausgearbeitet hat, daß nicht gute Werke, sondern der Glaube die Person gut mache, in die betreffenden Bahnen einschwenken, indem er vom Sinn der Werke spricht: Obwohl der an Jesus Glaubende „genugsam gerechtfertigt" ist, „so bleibt er doch noch in diesem leiblichen Leben auf Erden und muß seinen eigenen Leib regieren und mit Leuten umgehen. Da heben sich nun die Werke an. Hier muß er nicht müßig gehn; da muß fürwahr der Leib mit Fasten, Wachen, Arbeiten und mit aller mäßigen Zucht getrieben und geübt sein, daß er dem innerlichen Menschen und dem Glauben gehorsam und gleichförmig werde" (WA 7,30). Luther legt hiermit dar, was von jüdischer Seite (mir von meinem Kollegen und Freund Jacob Licht in Jerusalem überliefert) mit einem glücklichen Ausdruck als „Werkheiligkeit" bzw. „Werkheiligung" bezeichnet worden ist. Wie Luther die Werke im Verhältnis des an Jesus Christus Glaubenden zu sich selbst ansiedelt, so als nächstes im Verhältnis des Glaubenden zu seinem Nächsten, indem er urteilt, „daß alle Werke sollen gerichtet sein dem Nächsten zugute, dieweil ein jeglicher für sich selbst genug hat an seinem Glauben und alle andern Werke und Leben ihm übrig sind, seinem Nächsten damit aus freier Liebe zu dienen" (WA 7,35). Die dritte Relation, in der Luther die Werke festmacht, ist schließlich das Verhältnis zur Obrigkeit. So sollen die Christen „der weltlichen Gewalt untertan sein und zur Verfügung stehen

…, daß sie den andern und der Obrigkeit damit frei dieneten und ihren Willen täten aus Liebe und Freiheit" (WA 7,37).

Den Bezug zwischen den zuletzt genannten beiden Relationen hat Luther an anderer Stelle hergestellt, in seiner Schrift „Ob Kriegsleute auch in seligem Stande sein können" (1526). Die Obrigkeit (das Schwert) ist ihrerseits „ein köstlich und göttlich" Werk (und so auch der Gehorsam ihr gegenüber), weil sie „die Frommen schützt, Weib und Kind, Haus und Hof, Gut und Ehre und Friede damit erhält und bewahret" (WA 19,626). Sie koinzidiert also mit dem dem Glaubenden anbefohlenen Werk der Nächstenliebe. Wie aber verhält es sich, wenn die Obrigkeit tyrannisch ist? „Soll man denn leiden, daß also jedermanns Weib und Kind, Leib und Gut in der Gefahr der Schande stehe?" Die Unduldsamkeit und Barschheit, mit der Luther antwortet, scheint das Wissen zu verraten, daß er mit seiner Antwort an die Grenze seiner eigenen Theologie gelangt. Wer immer wolle, möge den Aufstand proben – er selber wolle ohnehin nur die lehren, „so gern wollten recht tun". Und so antwortet er: „Wenn sie sehen, daß die Obrigkeitsperson ihrer selbst Seelen Seligkeit so geringachtet, daß sie wütet und unrecht tut; was liegt dir denn daran, daß sie dir dein Gut, Leib, Weib und Kind verderbet? Kann sie doch deiner Seele nicht schaden" (WA 19,636).

Es gehört diese Antwort zu dem, was man das Elend Lutherscher Theologie nennen könnte. Damit soll nicht gemeint sein, daß die Entscheidung nicht gegebenenfalls so gefällt werden müßte, wie Luther es hier ins Auge gefaßt hat. Als „elend" ist vielmehr die Behauptung anzusehen, es könne bei solchem Verhalten, das das Verderben von „Weib und Kind" in Kauf nimmt, überhaupt noch von „recht tun" die Rede sein. Und in demselben Sinne ist als „elend" die Begründung anzusehen, daß nämlich die Obrigkeit mit all dem „deiner Seele nicht schaden" könne. Nicht nur könnte hier ein Heilsegoismus durchschimmern, der schwerlich als Gottes Wille einleuchtete. Vielmehr ist vor allem der Konflikt ausgeklammert, der sich an dieser Stelle nach Luthers eigenen Prämissen notwendig einstellt: die Frage nach dem Verhältnis jener Bestimmung, „daß alle Werke sollen gerichtet sein dem Nächsten zugute", zu der hier vollzogenen Preisgabe des Nächsten in Gestalt bedingungslosen Obrigkeitsgehorsams. Mit dem Hinweis, das alles könne der Seele nicht schaden, ist das Problem nicht gelöst, sondern überspielt. Demgegenüber ist zu behaupten: Wenn denn die Kategorie des Rechttuns hier überhaupt noch anwendbar ist, so ist der Widerstand um des Nächsten willen nicht weniger legitim als der Gehorsam gegenüber den politischen Instanzen. Welcher von beiden Wegen zu beschreiten ist, läßt sich im Gegensatz zu Luther nicht grundsätzlich, sondern nur aktuell entscheiden. Gerade weil fraglich ist, ob im einen wie im anderen Fall der Gewaltanwendung die Kategorie des Rechttuns noch anwendbar ist, drängt alles zu dem hin, was an Paulus zu verdeutlichen versucht wurde: der Freiheit für den anderen durch ein Nachsinnen über das zu erfüllende Gesetz und durch eine Gesetzgebung, die ihm im größtmöglichen Maße die Erfahrung von Befreiung ermöglicht. Denn der Geist Gottes, der nach Paulus die Kraft der Liebe ist, ist nicht auf die Versteinerung von Verhältnissen, sondern auf ihre Verwandlung aus – durch eben die Erfüllung des Gesetzes, dessen Inhalt der Dienst durch die Agape ist. Die alsbald behauptete Gefahr, dies alles bedeute, daß der Mensch nun doch sein Heil mit eigenen Händen zimmere, ist dann nicht gegeben, wenn man sich an die paulinische Definition des Liebesbegriffs hält: Die Bestimmung, daß man die Agape stets schuldig bleibt (Röm. 13,8), schließt aus, daß sie sich zum Hebel machen läßt, die Folge von Verheißung und Gesetz, Gabe und Gebot zu vertauschen. Dies Verständnis von Agape hält zu unseren Gunsten fest, daß wie unser Erkennen (1. Kor. 13,12), so auch unser Tun stets Stückwerk ist – wie umgekehrt dann, wenn wir den Begriff der Freiheit theologisch nicht bis hin in den Bereich des Politischen dächten, unser Reden „ein tönendes Erz und eine klingende Schelle" bliebe (1. Kor. 13,1)[2].

---

2. In der Helmut Gollwitzer zu seinem 70. Geburtstag gewidmeten Erstveröffentlichung dieses Beitrags folgt hier ein kurzer Bezug auf den Jubilar.

3. Paulinisches Evangelium und Homosexualität*

I. Beobachtungen zur exegetisch-theologischen Situation

Urteilt man nach der exegetischen Literatur, die Jahr um Jahr, wenn nicht Monat um Monat erscheint, so ist Homosexualität kein Thema der neutestamentlichen Wissenschaft. Dies gilt nicht nur angesichts der minimalen Anzahl von Beiträgen zur Sache, die sich überhaupt ausfindig machen lassen. Vielmehr schließt das genannte Resümee gerade auch die Literatur ein, die unausweichlich mit neutestamentlichen Aussagen zum Phänomen Homosexualität zu tun, sich also exegetisch mit ihnen zu befassen hat. So finden sich in den Kommentaren im allgemeinen allein Paraphrasen der einschlägigen neutestamentlichen Stellen, die deren Verortung und Bewertung homosexueller Verhaltensweisen lediglich wiederholen[1]. Ähnliches, wenn nicht noch weniger, läßt sich an den monographischen Untersuchungen feststellen, in denen das Thema mitzubehandeln ist oder wäre. In den Monographien zu den Tugend- und Lasterkatalogen im Neuen Testament von Anton Vögtle, Siegfried Wibbing und Eberhard Kamlah[2]

---

* Vortrag vor dem Ephoren (=Superintendenten)-Konvent der Evangelischen Kirche in Berlin-Brandenburg (Berlin West) am 31. Juli 1985, im Anschluß an die Erklärung der EKBB zur Frage homosexueller Mitarbeiter (Text in: BThZ 3, 1986, 170f.). Auf die Diskussion im Konvent blicke ich mit Dank und Gewinn zurück. Im Zusammenhang mit der Vorbereitung für den Druck ist Teil I ausgearbeitet und Teil V als ganzer ergänzt worden.

1. Vgl. z.B. die Römerbriefkommentare von *H. Lietzmann, A. Schlatter, O. Michel, O. Kuss, H. Schlier, E. Käsemann* u.a. zu Röm. 1,26f. *U. Wilckens* (Der Brief an die Römer, 1. Teilband, Neukirchen-Vluyn 1978) hält wenigstens in einer Anmerkung fest, die neueren Erkenntnisse über die Entstehungsbedingungen der Homosexualität schlössen die Übernahme der Aussagen des Apostels in dem Sinne aus, „daß Homosexualität ein sittlich verwerfbares Vergehen" sei (110f., Anm. 205). Theologische Überlegungen zur Frage, was sie dann sei, fehlen freilich hier ebenso wie im Abschnitt über die Rezeptionsgeschichte von Röm. 1,18-32 (116ff.).

2. *A. Vögtle,* Die Tugend- und Lasterkataloge im Neuen Testament, Münster 1936; *S. Wibbing,* Die Tugend- und Lasterkataloge im Neuen Testament, Berlin 1959.; *E. Kamlah,* Die Form der katalogischen Paränese im Neuen Testament, Tübingen 1965. Die Hinweise auf diese wie auch auf die anderen Arbeiten sind nicht im Sinne eines Vorwurfes oder dergleichen zu verstehen, sondern sollen die Sachlage umschreiben.

erschöpfen sich die Bemerkungen in der kurzen Notiz bei Wibbing zu
1. Kor. 6,9, Lasterbezeichnungen wie *malakos* („Lustknabe") und *arsenokoitēs* („Knabenschänder") seien „in der griechischen Welt verständlich"[3].
In den ebenfalls hierher gehörigen Beispielen der Gattung „Ethik des
Neuen Testaments" herrscht desgleichen entweder Schweigen wie in den
Arbeiten von Heinz-Dietrich Wendland[4] und Jack T. Sanders[5], oder aber es
wiederholt sich das, was sich an den Kommentaren beobachten läßt, d.h. die
Beschränkung auf die reine Paraphrase wie in der Untersuchung von Wolf-
gang Schrage[6]. Und hier erscheint es um so bedauerlicher, als Schrage sich
in der Einleitung seiner Arbeit zur Notwendigkeit „sachkritischer Urteile"
bekennt, die „z.B. gegenüber bestimmten patriarchalischen und androzen-
trischen Aussagen, aber auch gegen uncharismatische Verfestigungen und
gesetzliche Gefahren, unabweisbar" seien, „und zwar schon auf der Ebene
des Neuen Testaments selbst"[7].

Fragt man nach den Gründen der angedeuteten Sachlage, so hängt sie
fraglos zu einem Teil mit der Form der Aussagen zusammen, in denen das
Neue Testament auf das Phänomen Homosexualität zu sprechen kommt. Es
begegnet mehrheitlich im Rahmen katalogartiger Aufzählungen (1. Kor.
6,9f.: V. 9; 1. Tim. 1,9f.: V. 10), und selbst noch bei der einen Ausnahme
Röm. 1,24-27 (V. 26f.) findet es sich in der Nachbarschaft sog. Lasterkataloge, wird also gewissermaßen als herausgehobener, vorgezogener Teil verhandelt. Freilich ist es umgekehrt nun eben doch auffällig, daß sich die paulinischen Aussagen nicht auf die reine Katalogform begrenzen, der Apostel

---

3. *Wibbing*, a.a.O., 98.
4. *H.-D. Wendland*, Ethik des Neuen Testaments, Göttingen 1970.
5. *J.T. Sanders*, Ethics in the New Testament, London 1975.
6. *W. Schrage*, Ethik des Neuen Testaments, Göttingen 1982, 193f.: „Wo aus der Natur
Unnatur wird (konkret ist solches ‚unnatürliche' Verhalten hier offenbar Homosexualität), ist das für ihn (sc. Paulus) ein Symptom des Abfalls von Gott (Röm. 1,26). Damit
ist auch umgekehrt angedeutet, daß ‚der natürliche Verkehr' Gottes Willen und Ordnung entspricht" (194).
7. Ebd., 20. *Schrage* hat sich übrigens an anderer Stelle etwas weitergehend zu Röm.
1,26f. geäußert: „So wenig diese Erklärung (sc. Homosexualität als Auswirkung der
Entehrung des Schöpfers), die von allen Erkenntnissen moderner Medizin und Psycho-
logie über Genese und Wesen der Homosexualität absieht, heute noch überzeugt, so
sehr ist es richtig, wenn gesehen wird, daß Sünde nie ein abstraktes oder theoretisches
Phänomen ist, sondern Denaturierung und Dehumanisierung nach sich ziehen und
handfeste Folgen auch für das Verhältnis von Frau und Mann haben kann" (in: *E.S.
Gerstenbergen/W. Schrage*, Frau und Mann, Stuttgart u.a. 1980, 100f.). Allerdings ist
dies mehr ein Hinweis auf die Notwendigkeit der Problematisierung der betreffenden
Aussagen als bereits ein Ansatz zu hermeneutischer Aufarbeitung.

in Röm. 1,26f. vielmehr sonst katalogisch begegnende Elemente oder
Motive ausformuliert. Dies läßt bezweifeln, die Form der Aussagen stelle
den alleinigen Grund für ihre mangelnde Behandlung dar. Vielmehr dürfte
sich schwerlich von der Hand weisen lassen, daß die exegetisch-literarische
Situation ein getreues Spiegelbild der traditionellen gesamtgesellschaftli-
chen und -kirchlichen Tabuisierung des Themas Homosexualität ist. Dieser
Eindruck erscheint um so stichhaltiger, als die zuvor angedeuteten wenigen
Ausnahmen, die sich nun doch nennen lassen, je auf ihre Weise weithin eine
ganz ähnliche Widerspiegelung übergreifender gesellschaftlich-kirchlicher
Fragestellungen und Bestrebungen sind. Nur handelt es sich eben in diesem
Fall um Einstellungen, die über die Tabuisierung mit all ihren Implikationen
hinauszukommen suchen, wenn auch auf sehr unterschiedliche Weise. Der
angedeutete Sachverhalt kommt vor allem in folgendem immer wieder
begegnenden Zusammenhang zum Ausdruck: Zwar beginnt man das in der
ganzen Debatte um die Homosexualität zentrale Faktum irreversibler
homosexueller Prägungen zur Kenntnis zu nehmen, d.h. einzuräumen und
mehr oder weniger in die eigenen Überlegungen einzubeziehen. Dies
geschieht jedoch ausgesprochen defensiv. Theologisch wird das Faktum entweder gar nicht oder aber in einer Weise aufgenommen, die, durch beträchtliche Spannungen oder Widersprüche gekennzeichnet, mehr Fragen als
Antworten hinterläßt[8]. Auszunehmen ist hiervon am ehesten die Untersuchung „The New Testament and Homosexuality" von Robin Scroggs
(1983). Selbst wenn sie andere Probleme aufwirft, so ist sie doch – zumal
als einzige Monographie – fraglos die wichtigste Arbeit aus dem Bereich neutestamentlicher Wissenschaft und wird deshalb auch ausführlich zu

---

8. Neben diesen fachwissenschaftlichen Beiträgen gibt es einige weitere, in denen aus
einem anderen theologischen Zusammenhang heraus als dem der Fachdisziplin auf die
neutestamentlichen bzw. biblischen Zusammenhänge zugegangen wird. Sie sind vor
allem hinsichtlich der hermeneutischen Reflexionen sehr viel hilfreicher und werden
deshalb hier und da an späterer Stelle einbezogen werden: *H.J. Schoeps*, Homosexualität und Bibel, in: Zeitschrift für evangelische Ethik 6(1962), 369-374; *S.J. Ridderbos*,
Bibel und Homosexualität, in: Der homosexuelle Nächste. Ein Symposium, Hamburg
1963, 50-73; *J. Boswell*, Christianity, Social Tolerance, and Homosexuality. Gay
People in Western Europe from the Beginning of the Christian Era to the Fourteenth
Century, Chicago/London 1980 = Phoenix edition 1981, 91-117; *H.G. Wiedemann*,
Homosexuelle Liebe. Für eine Neuorientierung in der christlichen Ethik, Stuttgart/
Berlin 1982, 79-90; *ders.*, Homosexualität und Bibel, in: *H. Kentler* (Hg.), Die Mensch-
lichkeit der Sexualität, München 1983, 89-106,; *M. Josuttis*, Die wechselseitige Annä-
herung und das wechselseitige Verstehen unterstützen. Ein theologisches Gutachten,
ebd., 107-144, hier 117-122.

berücksichtigen sein. Doch zuvor ein Blick auf die erwähnten anderen Beiträge.

Else Kähler kommt zusammen mit Simon Jan Ridderbos das Verdienst zu, sich relativ früh und zugleich einfühlsam zur Sache geäußert zu haben[9]. Die Aussagekraft der paulinischen Texte für die Gegenwart ist nach Kähler gering. Thema von Röm. 1 sei die eigenmächtige „Vertauschung des Geschaffenen und des Ewigen" und Homosexualität nur eine Illustration der Folgen unter mehreren[10]. Paulus setze außerdem – anders als es in der Gegenwart auf der Basis anderen biologischen und psychologischen Wissens der Fall sei – „nur *eine* Möglichkeit von Homosexualität" voraus: „Menschen, welche die Möglichkeit und die Fähigkeit zu normalen Geschlechtsbeziehungen hätten, wenden sich widernatürlichen Beziehungen zu"[11]. Die der heutigen Siutation geltenden Erwägungen Kählers zielen ungeachtet dieser Differenz darauf, das Gewissen des „aggressiven" (sc. nicht sublimierenden) Homosexuellen im Gespräch unter Hinweis auf Unverletzlichkeit und Gottebenbildlichkeit des anderen Menschen zu schärfen[12]. Über die paulinischen Zusammenhänge hinausgehend fragt sie, ob nicht „manche Formen der Homosexualität" ein „durch die ‚Natur' selber" gegebenes Rätsel sein könnten wie die von Geburt an Verschnittenen, von denen Mt. 19,12 handelt[13]. Von hier aus beschreibt sie abschließend als den vom Evangelium her anzustrebenden Weg den Rat an den Homosexuellen „zum Verzicht auf den Gebrauch seiner ‚Anlage'" „um des Reiches willen"[14]. Die Einschränkung: „Aber nur, wenn er selber dadurch ein Befreiter wird, ist dieser Weg richtig", ist in zweierlei Hinsicht bemerkenswert. Sie scheint wesentlich bedingt durch das angedeutete psychologische und biologische Wissen, und sie markiert zugleich, insofern sie nicht weiter reflektiert wird, die Grenze der Erwägungen Else Kählers.

Roland Goeden rezipiert in seiner Dissertation als biblische Sicht, daß „die Homosexualität ... eine gegen Gottes Willen gerichtete Verirrung" sei, weshalb dem Homosexuellen nur geholfen werden könne, „wenn man ihn in Rat und Tat in seinem Kampf um Sublimierung seines Triebes unterstützt"[15]. Als gelegentlich möglichen seelsorgerlichen Rat räumt Goeden ein: *Pecca fortiter, sed crede fortius!* Er lehnt die Bestrafung homosexueller Handlungen unter Erwachsenen ab und erklärt eine „Verfemung" Homosexueller nach biblischer Sicht für unmöglich[16]. Die gesamten Ausführungen seiner Arbeit leiden vor allem an folgendem unreflektierten und darum auch ungelösten Widerspruch: Goeden stellt zwar einerseits selbst fest, daß es „ein profundes Mißverständnis des Paulus" verrate, „wollte man ihm unterstellen, Sünde und Perversion seien etwas, was man auch lassen

9. *E. Kähler*, Exegese zweier neutestamentlicher Stellen (Römer 1,18-32; 1. Korinther 6,9-11), in: *Th. Bovet* (Hg.), Probleme der Homophilie in medizinischer, theologischer und juristischer Sicht, Bern/Tübingen 1965, 12-43; *Ridderbos*, a.a.O. (Anm. 8).
10. Ebd., 30.
11. Ebd., 31.
12. Ebd., 32.
13. Ebd., 36. Vgl. hierzu auch unten, 49.
14. Ebd.
15. *R. Goeden*, Zur Stellung von Mann und Frau, Ehe und Sexualität im Hinblick auf Bibel und Alte Kirche, Ev.-theol. Diss. Göttingen 1969, 163 – dort als (sachlich rhetorische) Frage formuliert; als Resümee ebd., 193.
16. Ebd., 193, Anm. 5 (=Anm.-Seiten 123-125; Zitate 124.125).

könnte"[17], und spricht im Blick auf die Gegenwart von „unkorrigierbar (!) homosexuell
Veranlagten"[18]. Andererseits wählt er als theologisch qualifizierten Leitbegriff zur Verortung der Homosexualität jedoch den der „Verirrung", der gerade die Möglichkeit einer
anderen Entscheidung voraussetzt, und plädiert prinzipiell für die Unterstützung der Sublimierung, d.h. für die Aufhebung der „Verirrung", „mit Rat und Tat".

Wie für Kähler gibt es für Gerhard Friedrich nach Paulus nur die eine Sünde gegen das
erste Gebot, alles andere sei Folge und so auch die Homosexualität mit ihrer Wurzel „in
der Urzeit des einzelnen Menschen" Strafe Gottes[19]. Deshalb, weil sie bereits Strafe sei,
fordere Paulus auch anders als das Alte Testament keine Bestrafung der Homosexuellen
und lasse sich ihre strafrechtliche Verfolgung nicht mit dem Neuen Testament begründen.
Zur gleichen Konsequenz kommt Friedrich nach einer Skizze gegenwärtiger Erkenntnisse
zu Homosexualität als „Naturanlage"[20]. Alle Zeichen eines Orakels trägt dann allerdings
die Quintessenz: „Der Gleichgeschlechtliche darf aber auch nicht ohne weiteres seinen
Neigungen nachgehen, sondern man wird von ihm dieselbe Zurückhaltung fordern
müssen wie in analoger Weise vom Heterogeschlechtlichen"[21]. Man kann zwar in diesem
Satz die Forderung einer Gleichstellung von (aufgrund von Naturanlage) homosexuell und
heterosexuell Liebenden enthalten sehen. Aber er scheint sehr viel eher der Ausdruck
jener Aporie zu sein, die auch die bisher erörterten Beiträge zu erkennen gaben. Auf der
einen Seite möchte man die theologischen Kategorien, mit deren Hilfe Homosexualität im
Neuen Testament verortet ist, aufrechterhalten, auf der anderen kann man nicht umhin,
die – in sich keineswegs einheitlichen – humanwissenschaftlichen Erkenntnisse zumindest
zu erwähnen und das Faktum irreversibler homosexueller Prägungen einzugestehen. Die
Rückbeziehung des Faktums auf die theologischen Kategorien und der Versuch, beide
miteinander gewissermaßen ins Gespräch zu bringen, unterbleiben jedoch.

Dies gilt ebenfalls von den Ausführungen Georg Streckers[22]. Im Unterschied zu Kähler
und Friedrich sind seiner Auffassung nach die wenigen biblischen Belege in ihrer „Bedeutung für die christliche Ethik kaum zu überschätzen"[23]. Das Verbot der Homosexualität
sei entsprechend „nicht nur eine zeitgebundene Randerscheinung der Ethik, sondern eine
unbedingte Forderung"[24] und Homosexualität selbst mit Paulus als „Ausdruck des
Gerichtswaltens Gottes" zu verstehen[25]. Doch sei in Übereinstimmung mit der Übermacht
der Gnade über die Sünde (Röm. 5,20) „nicht die Gerichtsansage, sondern der Zuspruch
von göttlicher Gnade und Vergebung die wichtigste Aufgabe eines Verkündigers des neutestamentlichen Evangeliums"[26]. Die Konsequenzen, die sich für Strecker aus dieser Sicht
ergeben, sind ausgesprochen allgemein gehalten, ganz in Übereinstimmung mit dem
Ansatz, daß ethische Entscheidungen „gegenüber der konkreten Situation offen

---

17. Ebd., 172.
18. Ebd., (Anm.-Seite) 124.
19. *G. Friedrich,* Sexualität und Ehe. Rückfragen an das Neue Testament, Stuttgart 1977,
    46-57.
20. Ebd., 56.
21. Ebd.
22. *G. Strecker,* Homosexualität in biblischer Sicht, in: KuD 28 (1982), 127-141.
23. Ebd., 128.
24. Vgl. ebd., 139.
25. Ebd., 140.
26. Ebd.

zu halten" seien und „nicht im voraus ein für allemal normiert werden" könnten: „Die Entscheidung im Einzelfall (sc. auch die, ob ein Homosexueller eine pädagogische oder pastorale Aufgabe wahrnehmen darf) muß mit der Eigenart des christlichen Bruders bzw. der christlichen Schwester das Recht und das Ansehen der Gemeinde zu vereinbaren suchen. Das heißt konkret: Ausgeschlossen ist eine moralische Diffamierung von Homosexuellen, gleichgültig, ob es sich um eine erworbene oder um eine ererbte Anlage handelt; ihr ist die seelsorgerliche Diakonie entgegenzustellen, insbesondere dort, wo die Betroffenen unter ihrer Neigung leiden"[27]. Über das Problem hinaus, daß die Kosten dieser Situationsethik im Zweifelsfalle wohl doch der einzelne zu tragen hat, bleibt eine weitere schwerwiegende Frage. Welches Gewicht kann nach der übernommenen Qualifikation von Homosexualität (nicht einmal: homosexueller Handlungen) als „Ausdruck des Gerichtswaltens Gottes" und als „Sünde" noch das Postulat haben, „eine moralische Diffamierung von Homosexuellen" sei ausgeschlossen? Anders gesagt: Wenn Homosexuelle moralisch nicht zu diffamieren sind – und das heißt ja z.B., daß sie sich nicht beschreiben lassen, wie Paulus sie in Röm. 1,26f. schildert –, wo liegt dann die Legitimation des theologischen Schrittes, Homosexualität als Ausdruck göttlichen Gerichtswaltens zu verstehen?

Nach den Aporien, die in den beigezogenen Arbeiten stets von neuem wahrnehmbar sind, hat die Untersuchung von Robin Scroggs zumindest auf Anhieb geradezu etwas Befreiendes[28]. Motiviert ist Scroggs durch die Beobachtung, in welcher Vielfalt die einschlägigen biblischen Texte in neueren kirchlichen Debatten über Homosexualität in den USA angewendet werden. Entsprechend sucht er durch eine detaillierte Erarbeitung des soziokulturellen Kontextes der biblischen Aussagen Klarheit in der Frage einer angemessenen Verwendung vor allem der neutestamentlichen Aussagen zu gewinnen und zu vermitteln. Das Ergebnis seiner Analysen läßt nichts an Eindeutigkeit zu wünschen übrig. Das einzige Modell männlicher Homosexualität, das die Bibel und ihre Umwelt kennten, sei das der Päderastie, d.h. der Liebe eines (sexuell aktiven) Erwachsenen und eines (sexuell passiven) Heranwachsenden. Gegen diese Form der Homosexualität, einschließlich ihrer dehumanisierenden Ausprägungen in Gestalt käuflicher homosexueller Vergnügungen, seien die neutestamentlichen Verdikte gerichtet und damit nicht gegen das Modell einer auf Konsens und Wechselseitigkeit beruhenden Lebensgemeinschaft homosexueller Erwachsener, das der Antike im allgemeinen wie dem Neuen Testament im besonderen völlig unbekannt gewesen sei[29]. Von hier aus kommt Scroggs zu dem „unvermeidlichen" Schluß: „Biblische Urteile gegen Homosexualität

27. Ebd.
28. *R. Scroggs,* The New Testament and Homosexuality. Contextural Background for Contemporary Debate, Philadelphia 1983.
29. Ebd., 126; vgl. 84 u.ö.

haben keine Bedeutung für die heutige Debatte. Sie sollten nicht länger in kirchlichen Diskussionen über Homosexualität verwendet werden, sollten in keiner Weise eine Waffe sein, um die Verweigerung einer Ordination zu rechtfertigen – nicht weil die Bibel nicht bindend ist, sondern einfach deshalb, weil sie sich nicht auf das bezieht, worum es geht"[30]. Was vielmehr in diesem Zusammenhang relevant sei, sei die Suche nach den grundlegenden Wahrheiten der Bibel, zu denen er folgendes zählt: Nach dem Wegfall der einschlägigen Texte „sind wir alle in eine Situation geworfen, in der niemand von uns zu den Wissenden, sondern alle zu den Suchenden gehören", und dies stehe ganz „in Übereinstimmung mit der menschlichen Realität, wie sie das Neue Testament offenbart hat", dergemäß wir „im Glauben, nicht im Schauen wandeln und in der wir bestenfalls allein stückweise erkennen". Entsprechend sei es auch im vorliegenden Zusammenhang, „wichtiger, eingedenk zu sein, daß wir durch Gott Gnade gefunden haben, als sicher zu sein, daß wir alle Antworten wissen"[31].

Die philologisch-historische Interpretation der Texte aus der Umwelt durch Scroggs – insbesondere auch die sorgfältige Analyse der hellenistisch-jüdischen und der rabbinischen Überlieferungen – verdient allen Respekt und der zuletzt wiedergegebene, von wirklicher theologischer Demut bestimmte Ausblick ebenso uneingeschränkte Zustimmung. Desgleichen erscheint Scroggs' Auslegung ernsthaft erwägenswert, daß in 1. Kor. 6,9 *malakos* den sich weiblich gerierenden Strichjungen („effeminate call boy") bezeichne und *arsenokoitēs*, mit *malakos* sachlich zusammengehörig, den diesen kaufenden Erwachsenen meine; nur sie (und nicht etwa alle Homosexuellen) wären in diesem Fall nach den Worten des Paulus vom Reich Gottes ausgeschlossen[32].

Anderes gilt freilich von Scroggs Umgang mit dem wichtigsten Text, Röm. 1,26f. Leitend sind seine Feststellungen, die Verse seien „aus Gemeinplätzen griechischer und jüdischer Einstellungen zur Homosexualität komponiert"[33] – dies betrifft insbesondere das Motiv der Widernatür-

30. Ebd., 127; ähnlich *Wiedemann*, Liebe a.a.O. (Anm. 8), 89.
31. Ebd., 129.
32. Ebd., 101ff., bes. 106. *Boswell* (a.a.O. [Anm. 8], 335-353) hat nachgewiesen, daß die Deutung der beiden Begriffe in 1. Kor. 6,9 auf Homosexuelle in der Exegese der Stelle erst seit der karolingischen Zeit begegnet, und u.a. den Schluß gezogen, daß sie auch für Paulus entfalle. Doch erscheinen, was den Apostel betrifft, die Gegengründe Scroggs' überzeugender.
33. Ebd., 109.

lichkeit homosexuellen Verkehrs[34] –, und die einzige Form der Homosexualität, die Paulus (bei der Wendung „Männer mit Männern", Röm. 1,27) habe im Sinn haben können, sei die Päderastie gewesen[35]. Scroggs räumt zwar selbst ein, der Gebrauch des Motivs der Widernatürlichkeit durch Paulus könnte bedeuten, daß er „dasselbe Urteil über *jede* Form von Homosexualität gefällt haben würde". Doch er verstellt eine solche Folgerung sogleich durch den Zusatz, niemand könne „legitim folgern, daß er es getan hätte. Wir wissen es einfach nicht"[36]. Es ist dieser Zusammenhang, bei dem es schwerfällt, Scroggs zu folgen. Denn Paulus formuliert in Röm. 1,26f. nicht alters- (Päderastie), sondern geschlechtsspezifisch (*thēleiai/ arsenes*); und selbst wenn man Scroggs Argument gelten läßt, Paulus verfahre hier ebenso wie Philo, der die Wendung „Männer mit Männern" mit Blick auf päderastische Verhältnisse gebrauche[37], so bleibt doch der schwerlich mit Scroggs Gesamtschau zu vereinbarende Vers Röm. 1,26. Da weibliche Homosexualität weder im Alten Testament erwähnt wird noch in der Antike sonst nennenswerte Spuren hinterlassen hat, entfällt hier die Gemeinplatztheorie ebenso wie das päderastische Modell. Scroggs' Erklärung, Paulus' Einbeziehung von weiblichen Homosexuellen könne (!) in seinem Insistieren darauf ihren Grund haben, „daß die verkehrte Welt in gleicher Weise von Frauen wie von Männern belebt werde", und seine Illustration müsse (!) deshalb beide Geschlechter einschließen[38], trägt zu viele Merkmale einer Verlegenheitsauskunft. Mit anderen Worten: Röm. 1,26f. lehrt über 1. Kor. 6,9 hinaus (die Interpretation dieses Textes durch Scroggs vorausgesetzt), daß Paulus nicht nur solche homosexuellen Verhältnisse theologisch disqualifiziert, die auf Prostitution beruhen; vielmehr versteht er homosexuelle Verhaltensweisen auch unabhängig von dieser Voraussetzung als Manifestationen göttlicher Strafe. Es ist – zumal angesichts von Röm. 1,26 und auch in Anbetracht des geschlechtlich bedingten Motivs des Widernatürlichen – schwer zu sehen, wie sich von hier aus die Folgerung vermeiden lassen sollte, Paulus würde „dasselbe Urteil über jede Form der Homosexualität gefällt haben". Davon unberührt bleibt die Richtigkeit der Feststellung, niemand wisse, was Paulus – zumal heutige Erkenntnisse vorausgesetzt – über das zeitgenössische Modell einer dauerhaften und umfas-

---

34. Ebd., 114.116f.121 u.ö.
35. Ebd., 116.122.
36. Ebd., 122.
37. Ebd., 95.116.
38. Ebd., 115.

senden homosexuellen Beziehung zwischen Erwachsenen gesagt haben würde[39].

So wichtig einzelne Differenzierungen von Scroggs bleiben, scheint es deshalb doch angemessener, den gordischen Knoten nicht zu zerhauen, sondern den schwereren hermeneutischen Weg zu wählen: Anstoß, Sperrigkeit und Fremdheit der paulinischen Texte nicht zu mildern, aber dennoch zu fragen, ob sich heute, unter den Gegebenheiten und Erkenntnissen der Gegenwart, nicht doch mit und zu Paulus und auch über ihn hinaus von seinem eigenen Evangelium her andere Möglichkeiten des theologisch-kirchlichen Umgangs mit dem Phänomen Homosexualität und vor allem mit homosexuellen Menschen zeigen – d.h. andere Möglichkeiten als die einer buchstäblichen Rezeption der Aussagen des Apostels vor allem in Röm. 1,26f.[40]. Eine exegetische Skizze soll diese hermeneutischen Überlegungen und Folgerungen einleiten. Sie kann sich auf die anschließend dargelegten vier Zusammenhänge beschränken, weil es – so unerläßlich dies hier und da auch ist – weniger darum gehen soll, oft Gesagtes und Bekanntes zu wiederholen, als vielmehr das Augenmerk auf Aspekte zu lenken, die weniger im Blickfeld stehen.

II. Exegetisch-theologischer Grundriß

1. Die neutestamentlichen Aussagen zur Homosexualität sind, darin besteht Einmütigkeit, nicht ohne die biblisch-alttestamentlichen und ihre Rezeption im nachbiblischen Judentum zu verstehen. In der erzählenden Literatur des Alten Testaments begegnen zwei Geschichten, die in diesen Zusammenhang gehören und die in ihrer Struktur auffällig verwandt sind: Gen. 19, die Erzählung über Sodom, und Jdc. 19, die Erzählung über den Frevel der Benjaminiten in Gibea. Beide Male wird eine homosexuelle Gewalttat an Gästen verhindert[41]. Nur noch zwei weitere Stellen kommen im engeren

---

39. Ebd., 122.
40. In diesem Sinne ist *Josuttis* recht zu geben, wenn er fordert, sich die Auseinandersetzung mit den biblischen Aussagen zur Homosexualität nicht zu einfach zu machen, und folgert: „Wer sich dem eindeutigen Urteil der Bibel meint nicht anschließen zu können, sollte seine eigene Meinung nicht in die Bibel hineinlesen, sondern sie mit guten theologischen Gründen auch gegen Einzelaussagen der biblischen Tradition vertreten" (a.a.O. [Anm. 8], 120).
41. Zur Auslegung s. bes. *H. van de Spijker*, Die gleichgeschlechtliche Zuneigung, Olten/Freiburg 1968, 67ff., und zuletzt *Scroggs*, a.a.O. (Anm. 28), 73ff.

Sinne hinzu, beide aus der Rechtsliteratur des Alten Testaments[42]. Sie zeigen, daß nach biblischer Auffassung nicht nur das Gewaltsame solcher Handlungen und speziell die jeweils gegebene Verletzung des Gastrechts, sondern homosexuelle Handlungen überhaupt untersagt sind und als Frevel gelten. „Du sollst nicht bei einem Mann liegen wie bei einer Frau; es ist ein Greuel", warnt Lev. 18,22, und Lev. 20,13 greift den Kasus unter Nennung der Strafbestimmung mit den Worten auf: „Wenn jemand bei einem Manne liegt wie bei einer Frau, so haben sie getan, was ein Greuel ist, und sollen beide des Todes sterben." Wenn Paulus später in Röm. 1,32 sagt, daß diejenigen, die solches – nämlich homosexuelle Handlungen, freilich nicht nur sie, sondern auch anderes Fehlverhalten – tun, der Rechtsforderung Gottes gemäß des Todes schuldig sind, so kann er sich prinzipiell auf Lev. 20,13 berufen[43]. Allerdings scheint von mindestens ebenso großer Relevanz wie die zitierten Leviticus-Stellen selbst deren Kontext. Dies gilt einmal im oft erörterten religionsgeschichtlichen Sinne: Das Verbot homosexueller Handlungen gehört zu den Weisungen, durch die sich Israel von den umgebenden Völkern geschieden weiß[44]. Es ist Teil des antiheidnischen Protestes gegen Päderastie im Rahmen kultischer Tempelprostitution und gegen die mit ihr verbundene Gottesverehrung[45]. Für das Verständnis der neutestamentlichen Aussagen dürfte freilich dem Gesamtgefälle des Kontextes ebensolche Bedeutung zukommen wie der in ihm in Erinnerung gerufenen und auch später je neu aktualisierten Front[46]. Die Rechtssätze in Lev. 18 und 20 sind Teil des sog. Heiligkeitsgesetzes Lev. 17-26 und eingebettet in die diese Überlieferung beherrschende Grundforderung: „Ihr sollt heilig sein, denn ich bin heilig, der Herr, euer Gott" (Lev. 19,2 u.ö.). Homosexuelle Handlungen verletzen dementsprechend die von Gott geforderte Heiligkeit und Reinheit des Gottesvolkes. Es ist vor allem dieser Zusammenhang, der im Rahmen der neutestamentlichen Aussagen voll zum Tragen

---

42. Zu den beiden Versen Dtn. 23,17f., die gelegentlich desgleichen in diesem Zusammenhang herangezogen werden, s. *Scroggs*, ebd., 70f.

43. Prinzipiell deshalb, weil der Schuldspruch bei Paulus gewiß in eschatologischem Sinne gemeint ist. Vgl. 1. Kor. 6,9 und dazu unten, 221f. Auch wenn Friedrichs Folgerung nicht zu bestreiten ist, daß sich Bestrafung von Homosexualität im strafrechtlichen Sinne nicht mit Paulus begründen läßt (s. oben, 214), so bleibt Röm. 1,32 doch exegetisch zu berücksichtigen.

44. Vgl. die entsprechenden Ausführungen in Lev. 18,24-30; 20, 22-26.

45. Vgl. hierzu u.a. *Schoeps*, a.a.O. (Anm. 8), 371.

46. Vgl. z.B. Sib. III, 584-606. 722-766 und Weish. 14,25f., ferner Röm. 1,26f. im Zusammenhang von 1,18-32 und dazu das Folgende.

kommt und ohne den man sie in ihrer spezifischen Ausrichtung wohl kaum versteht.

2. In Röm. 1,18-32 zeigt Paulus, daß alle Menschen unter der Herrschaft der Sünde sind und der Zorn, das Gericht Gottes, über sie vom Himmel her offenbart wird (1,18). Die Offenbarung des Zorns ist einerseits ein Moment der Offenbarung der Gottesgerechtigkeit aufgrund des Glaubens und in diesem Sinne selber Glaubensgegenstand. Andererseits unternimmt der Apostel so etwas wie einen empirischen Nachweis dessen, daß alle unter Sündenherrschaft und Gottesgericht stehen. In Röm. 1,18-32 deckt er den Götzendienst, d.h. die Vertauschung von Schöpfer und Geschöpf, die Verdrehung der Wirklichkeit Gottes, die Mißachtung seiner möglichen Erkenntnis, als Wurzel jener Knechtschaft durch die Sünde auf. Die Strafe, das Gericht Gottes, besteht darin, daß er die Menschen an das ihn verfehlende Urverhalten hingibt und sie so ihrem selbstgewählten Geschick überläßt. Drei Aussagezusammenhänge lassen sich unterscheiden, die in ihrer Abfolge äußerst bedeutsam sind:

a. Gott hat die Götzendiener hingegeben an die Begierden ihrer Herzen zur Unreinheit (*akatharsia*), ihre Leiber an sich selbst (oder: unter sich) zu schänden (1,24). Wichtig ist die Feststellung, daß an dieser Stelle von homosexuellem Verhalten noch nicht die Rede ist. Zwei Möglichkeiten der Auslegung bieten sich an. Entweder die Aussage charakterisiert die erst im folgenden spezifizierten Verhaltensweisen generell; dann ist alles im folgenden genannte Fehlverhalten bis hin zu Überheblichkeit, Prahlerei und Neid Ausdruck der Hingabe an die Begierden und Schändung der leiblichen Existenz. Oder aber Paulus umschreibt in 1,24 das Fehlverhalten der *porneia*, der Unzucht mit Prostituierten. Auch wenn dies, da *porneia* bei Paulus stets vornean steht und im folgenden nicht mehr ausdrücklich genannt wird, wahrscheinlich ist, ist damit die erste Möglichkeit nicht zu den Akten gelegt. Das generelle Verständnis stimmt völlig überein mit dem Menschenbild, wie Paulus es dann in Röm. 7 entfaltet. Der Mensch ist von Hause aus in seiner ganzen Ausrichtung ein Begehrender, in allem, nicht etwa nur sexuell, und darin gegen Gott gerichtet[47]. Dies Begehren ist es, das zu Unreinheit führt, den Menschen also außerhalb des heiligen Gottesvolkes stehen läßt.

b. Als weiteres kommt Paulus auf weibliche und männliche Homosexualität zu sprechen, wohl deshalb, weil er an diesem Verhalten die Fehlrich-

---

47. Vgl. hierzu *P.v.d. Osten-Sacken*, Römer 8 als Beispiel paulinischer Soteriologie, Göttingen 1975, 197ff.; zum Zusammenhang von Röm. 7 und Röm. 1,18-3,20 s. bes. 200, Anm. 20.

tung menschlichen Begehrens am krassesten zeigen kann, wohl aber auch deshalb, weil ihm dies Verhalten jüdischer Tradition gemäß als besonders typisch für die heidnische Welt erschien[48].

c. Die übrigen Verhaltensweisen, in denen sich die Grundverkehrung im Gottesverhältnis in der Beziehung zum Nächsten niederschlägt, werden von Paulus nur noch katalogartig genannt. Daß sie qualitativ (im negativen Sinn) auf derselben Stufe stehen, zeigt nicht zuletzt ihre Subsumierung unter die Todeswürdigkeit in 1,32.

Diese Bemerkungen zu Röm. 1,18-32 mögen genügen. Zumindest hinzuweisen ist jedoch auf einen weiteren Text aus dem Römerbrief, der in diesem Zusammenhang zu beachten ist, Röm. 6,15-23. Dort begegnet erneut das Stichwort „Unreinheit" (*akatharsia*) zur Kennzeichnung der vorchristlichen heidnischen Existenz der Römer (6,19). Gewiß wäre es auch hier eine Verengung, „Unreinheit" allein im Sinne illegitimen heterosexuellen sowie im Sinne homosexuellen Verhaltens zu deuten; wiederum ist vielmehr die ganze Existenz gemeint. Als Gegenbegriff erscheint in 6,19.22 „Heiligung" (*hagiasmos*) – ein erneutes Indiz, daß die ganze Frage für Paulus in den Zusammenhang des Problems gehört, welches das Verhalten ist, das dem heiligen Gottesvolk und dem ihm geltenden Willen Gottes entspricht[49].

3. Noch deutlicher als Röm. 1,18-32; 6,15-23 führt der zweite paulinische Zusammenhang, der hier heranzuziehen ist, dies vor Augen, 1. Kor. 6,9f. bzw. 6,1-11. Gleich zu Beginn nennt Paulus die Christen „Heilige" und deutet damit an, daß es jetzt um Fragen geht, die das Verhalten des heiligen Gottesvolkes betreffen[50]. In 6,8 wirft er den Korinthern, die Rechtsstreitigkeiten vor heidnischen Gerichten austragen, vor, daß sie Unrecht tun, in 6,9 ruft er ins Gedächtnis, daß solche – also Ungerechte – das Reich Gottes

---

48. Mit den meisten Exegeten ist angesichts der Parallelität der Aussagen auch V. 26 im Sinne homosexuellen Verkehrs zu deuten, hier unter Frauen. Wenn Paulus sie entgegen antiker Gepflogenheit einbezieht, so ist dies eher ein Hinweis auf die Radikalität seiner Einstellung als Systemzwang (vgl. bereits oben, 217). Die nicht nur in der Antike, sondern durch die Zeiten hin bis in die Gegenwart im allgemeinen „harmlosere" Bewertung weiblicher Homosexualität hängt vermutlich mit einer überspannten Einschätzung der männlichen Zeugungsfähigkeit zusammen.

49. Vgl. zur Auslegung u.a. *P.v.d. Osten-Sacken*, „Freiheit und Gerechtigkeit" – Perspektiven des paulinischen Evangeliums nach Röm. 6,15-23, in: *ders.*, Anstöße aus der Schrift, Neukirchen-Vluyn 1981, 68-78.

50. Zur Bedeutung der Bezeichnung der Gemeinde als Heilige in 1. Kor. 6,1-11 vgl. *Kamlah*, a.a.O. (Anm. 2), 11ff.

nicht ererben werden. Nach der Warnung, sich keiner Täuschung hinzu-
geben, fügt er sodann einen Katalog an, in dem er ergänzt, wer alles noch
vom Erbe des Gottesreiches ausgeschlossen ist. Neben Huren, Götzendie-
nern und Ehebrechern nennt er auch „Lustknaben" und „Knabenschänder". Die Erinnerung daran, daß einige der Korinther zu den im
Katalog aufgezählten Gruppen gehörten, ist angesichts des Rufes der Stadt
kaum verwunderlich[51]. Ihr folgt antithetisch eine zweite Erinnerung an das,
was mit den Korinthern in der Taufe geschehen ist: abgewaschen, nämlich
von Sünden, geheiligt, also – wie bereits in 6,1 festgestellt – heilig, und
gerechtfertigt, also unmöglich solche, die Unrecht tun. Scroggs' Deutung
der fraglichen Katalogglieder vorausgesetzt[52], ließe sich der ganze Zusammenhang im Hinblick auf die zur Debatte stehende Frage wie folgt zusammenfassen: Teilhabe an homosexueller Prostitution ist nach Paulus keine
Möglichkeit von Christen, vielmehr gerade Kennzeichen vorchristlicher
heidnischer Vergangenheit. Sie hindert nicht an der Aufnahme in die
Gemeinde, diese bedeutet jedoch einen klaren Trennungsstrich gegenüber
jener vorchristlichen Phase. Bezieht man Röm. 1 ein, so wird man freilich
kaum um die Folgerung umhinkönnen, daß diese Zusammenfassung für
Paulus nicht nur Geltung im Hinblick auf „Lustknaben" und „Knabenschänder" hat, vielmehr allgemein für homosexuelle Lebensvollzüge gilt.
Zu eindeutig beschreibt Röm. 1,18-32 als Teil des Gesamtzusammenhangs
1,18-3,20 die Realität, aus der gerade durch die Verkündigung des Evangeliums befreit wird, und stimmt darin mit 1. Kor. 6,9-11 überein, und zu eindeutig entsprechen einander desgleichen die Feststellung der Todeswürdigkeit in Röm. 1,32 und die Ansage des Ausschlusses vom Reich Gottes in
1.Kor. 6,9[53].

4. Der dritte einschlägige Text, 1. Tim. 1,9f., mag nicht nur aufgrund
seiner deuteropaulinischen Abkunft auf sich beruhen bleiben, sondern vor
allem deshalb, weil seine Erörterung kaum etwas Neues erbringen würde[54].
Hingegen scheint ein weiterer paulinischer Text von einigem Aufschluß,
auch wenn er nicht unmittelbar von Homosexuellen oder homosexuellen
Verhaltensweisen handelt. Gemeint ist der Zusammenhang, der 1. Kor.
6,1-11 unmittelbar vorangeht, der Abschnitt über den sog. Blutschänder in

---

51. Vgl. Art. *Korinthos* , in: EWNT 2 (1981), 762f. (Lit.).
52. Siehe oben, 215.
53. In diesem Sinne dürften von den besprochenen Beiträgen die Ausführungen *Streckers*
    (a.a.O. [Anm. 22]) Paulus exegetisch am nächsten kommen.
54. Vgl. *Scroggs,* a.a.O. (Anm. 28), 118ff.

1. Kor. 5. Der Text zeigt, wie Paulus in solchen Fällen disziplinarisch hat handeln können. Das Entsetzen, das er zu Beginn über das Zusammenleben eines Gemeindegliedes mit der Frau seines Vaters, d.h. wahrscheinlich seiner „Stiefmutter"[55], äußert, ist wiederum biblisch begründet. So heißt es in Lev. 18,8: „Du sollst mit der Frau deines Vaters nicht Umgang haben; denn damit schändest du deinen Vater." Die Anweisung, die Paulus den Korinthern gibt, zielt auf das, was man mit einem problematischen Luther- wort „eine scharfe Barmherzigkeit" nennen könnte. Der Mann soll vor ver- sammelter Gemeinde dem Satan zum Verderben seines Fleisches über- geben werden, damit sein Pneuma, der ihm bei der Taufe verliehene Geist, am Tage des Herrn gerettet werde. Das Gemeindegericht ergeht um einer heilsamen Zukunft willen – so schwer dies alles auch heute nachzuvollziehen sein mag. Aufschlußreich sind wiederum die Begründungen. Paulus mahnt die korinthischen Christen, in der Gemeinde keine Gemeinschaft zu haben (*mē synanamignysthai*) mit irgendwelchen Gemeindegliedern, die in die in den Lasterkatalogen aufgezählten Kategorien fallen – Hurer, Habgierige, Götzendiener, Lästerer, Trunkenbolde oder Diebe –, und das heißt vor allem, als eine der intensivsten Formen des Miteinanders, keine Tischge- meinschaft (1. Kor. 5,10f.). Die mit biblischen Worten formulierte Schluß- aufforderung, den Bösen aus der Gemeinde in Korinth fortzuschaffen (Dtn. 17,7 / 1. Kor. 5,13), dokumentiert noch einmal, daß es wiederum um die Reinerhaltung der heiligen Gottesgemeinde geht. Die Verbindungslinien laufen dabei nicht nur hinüber zum Alten Testament, sondern in gleicher Weise zum jüdischen Volk oder auch zu bestimmten Gruppierungen inner- halb des jüdischen Volkes wie zu der Bewegung der Pharisäer. Denn die Forderung, sich nicht zu vermischen (*mē synanamignysthai*), ist eine Urfor- derung an Israel, in der Bibel vor allem bezogen auf die heidnische Welt, aber teilweise, wie etwa bei den Pharisäern und Essenern, auch innerjüdisch ausgelegt und praktiziert[56]. Lediglich den inhaltlichen Kriterien nach sind die Akzentsetzungen im Verhältnis zu Paulus verschieden, struktural ist eine fundamentale Gemeinsamkeit gegeben. Die Unterscheidung zwischen heilig und unrein bzw. zwischen rein und unrein ist bei Paulus nicht mehr von den Normen jüdischer Halacha bestimmt. Aber unter dem Vorzeichen

---

55. Vgl. *H. Conzelmann*, Der erste Brief an die Korinther, Göttingen 1969, 116.
56. Bei den Pharisäern ist das Programm bereits im Namen („Abgesonderte") enthalten, bei den Essenern kommt es allein schon in ihrem Rückzug ans Tote Meer zum Aus- druck. Vgl. im Neuen Testament die Aufnahme von Lev. 19,2 in 1. Petr. 1,15f. sowie den Abschnitt 2. Kor. 6,14-7,1.

dieser im Evangelium begründeten Differenz geht es weiter um das alte Thema bzw. die alte Forderung: „Ihr sollt heilig sein, denn ich bin heilig ..." Und so bitter es sein und so ratlos es machen mag, man kommt doch wohl kaum um die Feststellung umhin, daß Paulus im Falle kontinuierlich praktizierter Homosexualität eines Gemeindegliedes wohl ähnlich verfahren wäre, wie er es im Fall jenes Christen anordnet, der in eheähnlicher Gemeinschaft mit seiner Stiefmutter lebt.

Man wird freilich, um diese historisch-theologischen Feststellungen vor unangemessener Ausbeutung zu schützen, auf derselben Ebene folgendes ergänzen müssen: Aus denselben Normenzusammenhängen heraus, aus denen Paulus sich so, wie er es tut, zur Homosexualität äußert, hätte er – und gewiß mit vergleichbarer Vehemenz – jeden Geschlechtsverkehr abgelehnt, der nicht von seiner Intention her der Zeugung von Nachkommen dient, so daß für ihn *coitus interruptus* (vgl. Gen. 38) oder medikamentöse Empfängnisverhütung fraglos in den Bereich des „widernatürlichen Gebrauchs" der Geschlechtlichkeit (Röm. 1,26f.) gefallen wäre. In diesem Sinne befinden sich Hetero- und Homosexuelle in demselben Boot, und wohl nur auf Kosten einer unbiblischen Überheblichkeit könnten sich Heterosexuelle, die sich empfängnisverhütend der Lust erfreuen, in einer besonderen Nähe zu Paulus glauben.

III. Hermeneutische Überlegungen

Einige Erwägungen mit Paulus sollen diesen Teil eröffnen. Die weiteren sind zwar nicht gegen ihn, gehen aber doch ein Stück weit über ihn hinaus.

1. Der für Paulus entscheidende Satz des ganzen Zusammenhangs Röm. 1-3 begegnet in 3,9, nämlich daß Juden und Griechen, alle Menschen, seiner Darlegung nach unter der Herrschaft der Sünde gefangen sind und, wie es dann 3,23 weiter heißt, der Ehre Gottes ermangeln. Dies Resümee des Apostels schließt eine tiefreichende Gemeinsamkeit aller in ihrer Stellung vor Gott ein. Es gibt keine Rangordnung von Sündern. Die skizzierte Gemeinsamkeit eröffnet die Möglichkeit einer tiefgreifenden Solidarität. Auch dort, wo nach konventionellen Maßstäben, seien sie rechtlicher oder ethischer Natur, Unterschiede gemacht werden und auch gemacht werden müssen, bleibt trotzdem vor Gott die angedeutete Gemeinsamkeit derer, die alle der Sünde unterworfen sind. In 1,28-31 führt Paulus einen Katalog an, in dem er umfassend die verschiedensten Arten menschlichen Fehlverhaltens benennt. Sie greifen so weit, daß der Apostel unter ihrer Vorausset-

zung in 3,10 folgern kann: „Da ist kein Gerechter, auch nicht einer." Vor Gott ist keins dieser Fehlverhalten – Unzucht, Habgier, Neid, Streit, Lieblosigkeit, böse Nachrede, Mord und dergleichen – besser oder schlechter oder wie immer man in solch unangemessenen Kategorien sagen will. Ergibt sich aus diesen und ähnlichen Gründen eine klare Relativierung diffamierender Behandlungen des Themas Homosexualität, so bleiben doch im Rahmen des paulinischen Denkens erhebliche Schranken. Paulus ist davon ausgegangen, daß Christsein und homosexuelles Verhalten nicht vereinbar sind. Denn sosehr auch jene Solidarität der Sünder gilt, so geschieht doch nach dem Apostel in Christus Verwandlung zu neuem Leben, die die – als möglich vorausgesetzte – Absage an praktizierte Homosexualität einschließt. Es sind diese Schranken, die es nötig machen, über Paulus hinauszudenken[57]. Wenn dies noch einmal ein Stück weit mit ihm geschehen kann, so deutet dies an, daß es nach Maßgabe seines Evangeliums nicht mit einem einfachen Wiederholen seiner eigenen Worte und Entscheidungen getan sein kann.

2. Paulus hat in seiner Zeit einen Schritt getan, den wir wie selbstverständlich hinnehmen, der allerdings in seiner Welt ein Skandalon sondergleichen war. Geleitet von der Gewißheit, daß nicht das zählt, was vom Menschen bewirkt zu werden vermag, sondern der Geist oder die Kraft Gottes, hat er, wie angedeutet, die Grenze zwischen heilig und profan nicht mehr nach Maßgabe der jüdischen Halacha bestimmt, sondern als Kriterium der Unterscheidung die Bindung an Jesus Christus geltend gemacht. Wenn Christen diesen Schritt des Paulus verbal nachvollziehen, so kostet sie dies ausgesprochen wenig. Denn jene alttestamentlich-jüdischen religionsrechtlichen Bestimmungen, die nach Paulus im buchstäblichen Sinne keine Relevanz für die Stellung des Menschen vor Gott mehr haben, sind ja in der Regel nicht unsere Welt, sondern allenfalls ferne Erinnerung. Als Realität existieren sie gegenwärtig im wesentlichen allein als Teil jüdischen Lebens. Die Rekapitulation gesetzeskritischer paulinischer Sätze läuft deshalb vielfach einfach auf eine nur zu bekannte Polemik gegen jüdisches religiöses Leben hinaus, so daß die Kosten des paulinischen Schrittes weithin der jüdischen Seite aufgeladen werden. Ob demgegenüber wirklich der Geist und

---

57. Zur erwähnten paulinischen Voraussetzung s. bereits oben, 212. *Ridderbos* (a.a.O. [Anm. 8]), 60f. 64ff.) hat darüber hinaus mit Recht darauf hingewiesen (und diesen Aspekt thematisiert), daß so, wie Paulus aus heterosexueller Perspektive homosexuellen Verkehr als „widernatürlich" bezeichnet, heterosexueller Verkehr für einen homosexuell Veranlagten „widernatürlich" ist.

nicht der Buchstabe zählt, entscheidet sich deshalb für uns an ganz anderen Zusammenhängen, d.h. nicht an Fragen des jüdischen Religionsrechtes, sondern an der Stellung zu einer Vielzahl christlicher Konventionen. Sie sind es, die am ehesten ein Analogon zu den fraglichen religionsrechtlichen jüdischen Bestimmungen darstellen. Eine solche Konvention dürfte unter heutigen Voraussetzungen die in vielen kirchlichen Kreisen geläufige Einstellung zur Homosexualität sein, d.h. ihre Einstufung als Unreinheit, als Perversion oder Verirrung, die bzw. deren Träger von der Gemeinde mehr oder minder fernzuhalten sind. Mag dies auch heute öfter gedacht als ausgesprochen werden, so gibt es doch genügend Indizien für das Vorhandensein dieser oft sehr sublim sich äußernden Einstellung. So ist z.B. die Selbstverständlichkeit, mit der man nach wie vor „den Homosexuellen" zutraut, Gemeinschaft und Jugend zu gefährden, d.h. verantwortungslos zu handeln, kaum anders denn als eine der Formen zu verstehen, in denen sich das konventionelle Bild äußert; sie ist zugleich eine besonders gravierende, wenn auch wohl nicht durchschaute Weise der Diffamierung, so als wären Heterosexuelle trotz zahlreicher gegenteiliger Beispiele keine Gefahr für andere[58]. Theologisch geht es deshalb um die Frage, inwieweit die christliche Gemeinde bereit ist, diese *ihre* Fixiertheit auf den Buchstaben ihrer Tradition bzw. der Konvention aufbrechen zu lassen und sich theologisch wie kirchlich dem Tatbestand zu stellen, daß wir heute einfach anderes über das Phänomen Homosexualität wissen als etwa Paulus in seiner Zeit. Wir wissen heute, daß es im Leben eines jeden Menschen zumindest latente homosexuelle Phasen gibt. Wir wissen, daß es homosexuelle Veranlagungen gibt bzw. die Ausprägung solcher Veranlagungen aufgrund bestimmter Sozialisationsfaktoren[59]. Und auch wenn Einzelfragen, wie in jeder Wissenschaft, immer wieder umstritten oder neu aufzuwerfen sind, so ändert dies doch nichts an dem Tatbestand eines grundlegend anderen Erkenntnisstandes im Verhältnis zur Zeit des Neuen Testaments, ja selbst

58. Zu verweisen ist hier nur auf die hohe Zahl von Sexualdelikten Heterosexueller an Kindern, deren Dunkelziffer bekanntlich außerordentlich hoch ist. Kaum anders denn als Diffamierung ist es entgegen der Absicht des Autors z.B. auch zu verstehen, wenn *H. Hirschler* (Homosexualität und Pfarrberuf, Hannover 1985, 39) sich zu der Auffassung bekennt, die „etwas länger andauernde Partnerschaft" homosexueller Erwachsener sei „doch vielleicht für *diesen oder jenen das kleinere Übel* gegenüber dem sexuellen Kurzkontakt der Toilette oder im Park" (Hervorhebung von mir).

59. Vgl. *W. Schlegel*, Angeborenes Verhalten und Sittengesetze, in: Der homosexuelle Nächste, a.a.O. (Anm. 8), 169-226; *H. Kentler* (Interviews), in: *Wiedemann*, Liebe, a.a.O. (Anm. 8), 26-38, und *ders.*, Die Menschlichkeit der Sexualität, a.a.O. (Anm. 8), 15-39 passim.

noch im Verhältnis zum vergangenen Jahrhundert[60]. Die erörterten exegetischen Beiträge nun haben gezeigt, wie wenig es theologisch zureicht, einfach Feststellungen dieser Art zu treffen oder aber sich mit dem – allerdings bereits einen Schritt weitergehenden – Hinweis zu begnügen, es handele sich um ein Rätsel. Mag Homosexualität, zumal im Horizont des biblischen Menschenbildes, auch diesen Charakter nie ganz verlieren, so dürfte sie doch, wo es sich um eine irreversible Veranlagung oder Prägung handelt, theologisch nicht anders denn als Teil unserer Geschöpflichkeit zu verstehen sein[61]. Gewiß ist sie eine Geschöpflichkeit, die sich, in einer Partnerschaft gelebt, von der geschöpflichen Polarität von Frau und Mann unterscheidet[62]. Und ebenso mag man im Hinblick auf das Fehlen sowohl dieser Polarität als auch der Möglichkeit der Nachkommenschaft von einem Defizit sprechen, zumindest, solange dies nicht aus der leicht falsifizierbaren Überzeugung heraus geschieht, auf der eigenen Seite sei die Fülle, oder solange man den Zölibat, den freiwilligen Verzicht auf Nachkommenschaft und dergleichen ebenfalls als defizitär bestimmt[63]. Angemessen erscheint es freilich, die Frage nach dem möglicherweise Defizitären jeweils nicht ohne die Betroffenen selber zu stellen und zu erörtern, und wichtiger,

---

60. Vgl. *H.-J. Schoeps*, Überlegungen zum Problem der Homosexualität, in: Der homosexuelle Nächste, a.a.O. (Anm. 8), 74-114, hier 81f.: „Als das StGB von 1871 eingeführt wurde, stützte sich der Paragraph über die ‚widernatürliche Unzucht‘ auf medizinische Auffassungen, an denen ernsthaft heute niemand mehr festhält, nämlich daß Homosexualität ein durch sexuelle Übersättigung hervorgerufenes Laster sei."
61. Vgl. *H. Frör*, Homosexualität und Norm. Auf der Suche nach ethischer Orientierung, in: ThPr 17 (1982), 100-104, hier 101f.; *H. Gollwitzer*, Zur Entlassung von Pfarrer Klaus Brinkner aus dem kirchlichen Dienst, in: Informationsblätter der Arbeitsgruppe „Homosexuelle und Kirche" 28/29 (1981), 3f.; *Wiedemann*, Homosexualität, a.a.O. (Anm. 8), 103. *Hirschler* (a.a.O. [Anm. 58], 29), urteilt in Abwehr des Verständnisses der Homosexualität als eines Teils der Geschöpflichkeit: „Eine zu Normen führende Offenbarung aus der Schöpfung oder aus erfahrbaren Fakten ist uns nicht zuletzt aus den Erfahrungen des Dritten Reiches höchst fragwürdig geworden." Er übersieht freilich erstens, daß er selbst in seinen Aussagen über die Ehe von der Schöpfung her argumentiert: „Die Unterschiedenheit der Geschlechter ist konstitutiv und gehört zur ursprünglichen Schöpfung" (27), und zweitens, daß er sich einerseits mit seinem Plädoyer für die Anerkennung homosexueller Christen „als eine Minderheit *mit einem Sonderstatus"* (Hervorhebung von mir) einer Sprache bedient und für eine Sache plädiert, die gerade im Horizont der genannten Zeit keineswegs unproblematisch sind.
62. *Hirschler*, ebd., 26ff.
63. Dieser Aspekt wird verdeckt, wenn *Hirschler* fast durchgängig einschränkend von der „*prinzipiellen* Weitergabe des Lebens" als biblischer Festlegung spricht (ebd., 29.31 u.ö.; Hervorhebung von mir).

das hervorzuheben, was von einer Ehe wie von einer Partnerschaft homosexueller Erwachsener gleichermaßen gilt und beide miteinander verbindet:
Sie ist so zu leben, daß der andere nicht zum Objekt der eigenen Sexualität
wird, sondern daß die Frage der Gestaltung der Gesamtbeziehungen beider
Partner im Vordergrund steht, in deren Rahmen der Bereich der Sexualität
ein wesentlicher Teil, aber nicht das Ganze ist[64]. Der Begriff der Homosexualität selber ist in dieser Hinsicht äußerst unglücklich und verengend,
weil er einen sehr viel weiteren Bereich auf einen einzigen, wenn auch sehr
wichtigen Punkt zwängt[65].

Was an der Zeit ist, läßt sich im Sinne der bisherigen Überlegungen an
einem Zusammenhang verdeutlichen, der für das Neue Testament zentral
ist und in dem doch in Theologie und Kirche längst eine verwandelte Einstellung herrscht und längst eindeutige Entscheidungen im Sinne einer
Distanzierung von Tradition und Konvention gefallen sind. So spielen für
die synoptischen Evangelien, vor allem für das Markusevangelium, die
Exorzismen Jesu eine herausragende Rolle als Manifestationen der ihm verliehenen Vollmacht[66]. Ihre Bedeutung wird dadurch unterstrichen, daß
diese Macht von Jesus an die Jünger, d.h. an seine Gemeinde, weitergegeben wird[67]. Sie ist weit über die Zeit der Reformation hinaus ausgeübt
worden[68] und wird auch heute noch in anderen Breitengraden praktiziert,
nicht jedoch hierzulande. Als vielmehr vor Jahren ein katholischer Priester
im süddeutschen Raum auf den Ritus zurückgriff und die ganze Affäre für
die vermeintlich Besessene tödlich endete, war die Betroffenheit außerhalb
und innerhalb der Kirchen gleich groß. Obwohl vom Neuen Testament christologisch und ekklesiologisch legitimiert, ist die Welt des Exorzismus der
Vergangenheit anheimgegeben. Werden exorzistische Geschichten im
Zusammenhang mit der Bibelrezeption aufgenommen, so geschieht dies
deshalb an einzelnen, vom Ganzen abgelösten Punkten oder in Gestalt
abstrakter theologischer Sätze, die neu auf einen möglichen konkreten Sinn
hin zu bedenken sind. Die de-facto-Trennung von diesen Geschichten

---

64. Vgl. hierzu unten, 234f., und *R. Pingel*, Plädoyer für eine Christianisierung der Kirche
    im Umgang mit den Homosexuellen, in: *Kentler*, a.a.O. (Anm. 8), 194-225.
65. Vgl. *Chr. Bäumler*, Selbstverständigung des Heterosexuellen beim Homosexuellen.
    Ein theologisches Gutachten, in: *Kentler*, ebd., 145-193, hier 152f., und *Bäumlers*
    Hinweis auf *Wiedemann*.
66. Mk. 1,21-28; 3,9-12. 21f.; 5,1-20; 7,24-30; 9,14-29.
67. Mk. 6,7.
68. Siehe die entsprechenden Abschnitte in den Exorzismus-Artikeln in: RE³ 5 (1898),
    695-700; RGG 2 (1910), 790-795; TRE 10 (1982), 747-761.

bezieht sich dabei nicht allein auf das Ritual, sondern auf wesentliche theo-
logisch-anthropologische Voraussetzungen, die in ihnen enthalten sind und
durch sie mehr bekräftigt als in Frage gestellt werden. Zu diesen Voraussetzungen gehört – und dieser Aspekt dürfte hier vor allem von Interesse sein –
die stillschweigende Gleichsetzung von Krankheit und Unreinheit oder
Sünde[69], die im übrigen nicht auf Exorzismuserzählungen begrenzt ist, sondern auch in anderen Heilungsgeschichten begegnet[70]. Diese Gleichsetzung
gehört theologisch der Vergangenheit an. Nicht daß Krankheit glorifiziert
wird, aber als Unreinheit, als etwas, was *per se* von Gott trennt, oder als
‚Ausdruck seines Gerichtswaltens‘ wird sie schlechterdings von keinem
ernstzunehmenden Theologen und Christen gedeutet, vielmehr sind hier
längst ganz andere Kategorien beigezogen worden. Wer heute einen Epilep-
tiker als vom Teufel besessen erklären würde, würde sich damit das Prädikat
des skurrilen Sektierers zuziehen, obwohl er beträchtliches neutestamentli-
ches Belegmaterial vorzuweisen vermöchte.

Dies Beispiel wäre mißverstanden, würde aus ihm eine Klassifizierung von
Homosexualität als Krankheit herausgelesen. Der Vergleichspunkt liegt
vielmehr darin, daß hier wie da jeweils eine spezifische Einschränkung,
Begrenzung oder Modifikation einer Schöpfungsgabe vorliegt, Gesundheit
im einen Fall, Sexualität im anderen. Und wie im Falle von Krankheit der
Umgang mit ihr vielfältig ist und von dem Wunsch und der Bitte um Heilung
bis hin zur Annahme des Irreversiblen und zum glaubenden Umgang mit ihm
reicht, so sollte der Umgang mit der Homosexualität und mit Homosexuellen
von einer solchen Breite von Möglichkeiten bestimmt sein, in jedem Fall
aber von der Absage an jegliche Einstufung als Sünde, Krankheit, Perversion und dergleichen ihren Ausgang nehmen[71]. Dies dürfte um so wichtiger
sein, als wir uns für unseren Umgang mit dem Phänomen Homosexualität,
für unsere Einstellung zu Homosexuellen und für unser Verhalten zu ihnen
(mit seinen Implikationen für sie) nicht weniger zu verantworten haben als
sie selber für den ihnen zugemessenen und von ihnen gewählten Weg.

---

69. Siehe die in Anm. 66 genannten Texte, bes. als exemplarische Perikope Mk. 1,21-28.
70. Vgl. z.B. Mk. 1,40-44 (Unreinheit) und 2,1-12 (Sünde).
71. Wie es z.B. in der von der Kirchenleitung genehmigten Stellungnahme des Öffentlich-
    keitsausschusses der Evangelischen Kirche im Rheinland geschieht; s. *H.-G. Wiede-
    mann,* Die Beurteilung homosexueller Beziehungen in Stellungnahmen der evangeli-
    schen Kirchen in der Bundesrepublik Deutschland, in: *Kentler,* a.a.O. (Anm. 8), 81-
    88, hier 82.

IV. Zu Fragen kirchlicher Praxis

1. Eine verwandte Frage wie die der Homosexualität ist der Kirche seit eh und je im Bereich von Ehe und Ehescheidung begegnet. Sie dürfte gut beraten sein, das, was sie in diesem Bereich äußerst mühsam und aufgrund der Mühsamkeit unter dem Opfer des Glücks vieler Menschen, für die eine Scheidung der reine Segen gewesen wäre, gelernt hat, bei der Erörterung der Frage der Homosexualität nicht zu vergessen[72]. Wie dieser Bereich zeigt, garantiert eine Ehe nicht die Integrität der Beziehung zweier Menschen. Desgleichen gilt, daß Heterosexualität nicht von selbst den angemessenen Umgang mit der eigenen Sexualität gewährleistet. Die Beispiele dafür sind zahllos, und ein jeder sollte sich hier als erstes selber prüfen[73]. Entscheidend ist vielmehr, wie in der Ehe generell so hinsichtlich der eigenen wie der fremden Sexualität, der Umgang mit dem anderen und mit mir selbst.

2. Es sollte einer christlichen Gemeinde, der das Wohl, das Heil, das Leben von Menschen anvertraut ist, unwürdig sein, dazu beizutragen, daß Menschen mit ihrer Sexualität, sei es Hetero- oder Homosexualität, ins Menschenunwürdige abgedrängt und dort allein gelassen werden. Es sollte zur Ernstnahme der Homosexualität freilich auch gehören, daß sie nicht zum Probierfeld wird. Hier gilt einfach ebenso das, was zuvor zur Relevanz des Umgangs mit der Sexualität hervorgehoben wurde. Es gibt eine Zurschaustellung von Hetero- wie von Homosexualität, die gleichermaßen schwer mit einem heilsamen und verantwortlichen Umgang vereinbar ist.

3. Besonderes Gewicht nimmt seit geraumer Zeit die Frage nach der Vereinbarkeit von nicht sublimierter, sondern gelebter homosexueller Veranlagung und Ausübung des Pfarramts bzw. eines anderen Dienstes in der Gemeinde ein[74]. Gilt es auch hier als erstes daran zu erinnern, daß Heterosexualität nicht bereits einen Pfarrer bzw. eine Pfarrerin oder einen Mitarbeiter garantiert, der seine Sexualität angemessen lebt, so kommen doch weitere Fragen hinzu. Ausgangspunkt kann hier kaum etwas anderes als die einfache Feststellung sein, daß ein Pfarrer, eine Pfarrerin oder ein Mitarbeiter zum einen Beauftragter Jesu Christi ist und zum anderen im Dienst

---

72. Siehe zu den kirchlichen Stellungnahmen *Wiedemann,* ebd.; s. ferner die erst später veröffentlichte Erklärung der Kirchenleitung der Evangelischen Kirche in Berlin-Brandenburg (Berlin West) (a.a.O. [Anm.*]).
73. Vgl. Mt. 5,27-30; Joh. 7,53-8,11.
74. Siehe den zweiten Teil des von *Kentler* herausgegebenen Bandes: „Der Fall", a.a.O. (Anm. 8), 229-275; ferner die in Anm. 72 erwähnte Berliner Stellungnahme.

einer bestimmten Gemeinde steht, d.h. jeweils einer konkreten Gemeinde. Diese Gemeinde ist durch alle möglichen Faktoren geprägt und gewiß „ständig zu reformieren" (*semper reformanda*), in jedem Fall gilt jedoch, daß ein Pfarrer, eine Pfarrerin oder ein Mitarbeiter schwerlich ihren Dienst werden ausüben können, wenn sie ihre Gemeinde nicht annehmen, wie sie ist, und wenn umgekehrt die Gemeinde sie nicht annimmt, wie sie sind. In Übereinstimmung damit dürfte die Frage im Prinzip gelöst sein, wenn eine Gemeinde in ihrer Mündigkeit einen homosexuellen Pfarrer, eine homosexuelle Pfarrerin oder einen homosexuellen Mitarbeiter als den ihren annimmt[75]. Was aber ihr Verhältnis zu dem, in dessen Auftrag sie handeln, betrifft, Jesus Christus, so scheint die Frage ebenso prinzipiell durch die Zusage des Evangeliums beantwortet zu sein: Wir werden nicht deshalb gerettet werden, weil wir heterosexuell sind, sondern aufgrund der Zuwendung Gottes in Jesus Christus[76]. Sie ist es, durch die Menschen geheiligt und gereinigt werden, nicht aber durch die Verleugnung einer irreversiblen homosexuellen Prägung. Wollte man vielmehr die menschliche Antwort in Gestalt eines Lebens „zur Heiligung" (Röm. 6,19.22) und in diesem Sinne die Geltung des Zuspruchs abhängig machen von einer solchen Verleugnung oder Verneinung, so läge auf der Hand, was geschähe: Man würde nicht das Evangelium, sondern die Verzweiflung predigen. Es ist dieser Punkt, an dem die vorgetragenen Überlegungen erneut mit dem Evangelium des Paulus zusammenfließen.

V. Ausblick: Homosexualität in jüdischer Sicht

Mit den vorstehenden Bemerkungen zu Fragen kirchlicher Praxis kann es schon deshalb sein Bewenden haben, weil den mustergültigen theologischen Gutachten von Manfred Josuttis und Christof Bäumler sowie den entsprechenden Erwägungen und Empfehlungen in den übrigen Beiträgen des Buches „Die Menschlichkeit der Sexualität" kaum etwas hinzuzufügen ist[77]. Es lohnt jedoch zumindest ein abschließender Blick in einen Bereich, in dem die Frage der Homosexualität seit längerer Zeit unter verwandten Voraus-

---

75. Das Problem, daß die Anstellungsfähigkeit eines Pastors für die ganze Landeskirche gelte und es deshalb nicht den Mehrheitsverhältnissen in einer einzelnen Gemeinde überlassen bleiben könne, über seine Anstellungsfähigkeit zu entscheiden (*Hirschler*, a.a.O. [Anm. 58], 37), ist schwerlich unlösbar, zumal kein Pastor einer Gemeinde einfach oktroyiert werden kann.
76. Vgl. die oben (216) erwähnten Überlegungen von *Scroggs*.
77. A.a.O. (Anm. 8).

setzungen und in verwandten Richtungen diskutiert wird, der aber in den bisherigen christlichen Debatten m.W. nicht zur Kenntnis genommen ist bzw. keine Rolle spielt. So spannt sich im zeitgenössischen Judentum prinzipiell der gleiche Bogen von möglichen Einstellungen zu Homosexuellen und Homosexualität. Die orthodoxe jüdische Beurteilung des Phänomens ist sachlich ganz an Leviticus orientiert und kann kurz und bündig wie folgt resümiert werden: „Das jüdische Gesetz hält fest, daß keine hedonistische Ethik, selbst wenn sie ‚Liebe' genannt wird, die Moralität von Homosexualität rechtfertigen kann, genausowenig wie sie Ehebruch oder Inzest legitimieren kann, wie genuin auch immer solche Handlungen aus Liebe und mit wechselseitigem Einverständnis vollzogen sein mögen"[78]. Mit dieser grundsätzlichen Beurteilung verbinden sich unter dem Leitwort „discipline and charity" seelsorgerliche Erwägungen und Empfehlungen, wie sie sich in geradezu zwillingshafter Gestalt in vielen christlichen Stellungnahmen finden und wie sie in den eingangs besprochenen Arbeiten teilweise zu Gesicht gekommen sind[79].

Im Horizont der zitierten traditionellen, seit der Antike gültigen Einstellung ist es im übrigen geradezu grotesk, was teilweise bei Paul Billerbeck als vermeintliches Vergleichsmaterial zu Röm. 1,26f. aufgeführt ist[80]. Billerbeck versteigt sich im Rahmen des Versuchs, die Wendung „widernatürlicher Gebrauch" (Röm 1,27) zu deuten, zu der Behauptung, von einer Ausnahme abgesehen sei „die gewöhnliche Meinung" der „alten Synagoge" dahin gegangen, „daß dem Mann erlaubt sei, mit seiner eigenen Frau zu machen, was er wolle, daß es ihm mithin auch nicht verwehrt sei, ihr nach Art der Päderasten beizuwohnen"[81]. Als Beleg führt er bNedarim 20a/b an. Dort ist zwar als Auffassung der Mehrheit der Rabbinen der Satz belegt: „Ein Mensch darf (sc. beim Geschlechtsverkehr) alles machen, was er mit seiner Frau machen will. Gleich dem Fleisch, das aus dem Schlachterladen kommt: will er es mit Salz essen, so darf er es; gebraten, so darf er es; gekocht, so darf er es; gesotten, so darf er es" (20b). Die einzige Wendung, die im Kontext – bei Mißachtung der selbstverständlichen Grundvoraussetzung heterosexuellen Verkehrs – überhaupt auf Billerbecks These der „Benützung der Frau in päderastischer Weise" hindeuten

78. Art. Homosexuality, in: Encyclopaedia Judaica (Jerusalem) 8 (⁴1978), 961f.
79. Siehe den Beitrag von *N. Lamm,* Judaism and the Modern Attitude to Homosexuality, in: Encyclopaedia Judaica Year Book 1974, 194-205, nachgedr. in: *P. Bulka/ M.H. Spero* (Hgg.), A Psychology-Judaism Reader, Springfield/Ill. 1982, 159-183, und in: *F. Rosner/J.D. Bleich* (Hgg.), Jewish Bioethics, New York 1979 = ³1985, 197-218; ferner *B.F. Herring,* Jewish Ethics and Halakhah for Our Time. Sources and Commentary, New York 1984, 175-196.
80. *P. Billerbeck,* Kommentar zum Neuen Testament aus Talmud und Midrasch III: Die Briefe des Neuen Testaments und die Offenbarung Johannis, München 1926 = ⁷1979, 68f.
81. Ebd., 68.

könnte, ist die bildliche Rede von der „Umkehrung des Tisches" beim Geschlechtsverkehr. Die aber ist bereits in ihren möglichen Deutungen aufs klarste durch den überragenden Talmudkommentator Raschi (11. Jh.) bestimmt worden. Sie meint einfach den Wechsel von der üblichen Stellung in die Bauchlage beider Partner, so daß die Frau dem Mann den Nacken zuwendet, oder aber die Rückenlage des Mannes. Billerbeck notiert Raschis Auffassung zwar[82], zieht aber keine interpretatorischen Konsequenzen, meint vielmehr, die von ihm unterstellte Meinung werde später selbst noch im halachischen Kompendium „Schulchan Aruch", „wenn auch mit einem gewissen Vorbehalt", vertreten[83]. Ein Mann, so heißt es dort, dürfe mit seiner Frau auf übliche und auf unübliche Weise verkehren, „nur daß er keinen Samen unnütz vergießt"[84]. Da dies bei dem, was Billerbeck vor Augen schwebt, unvermeidlich ist, hätte ihn spätestens dieser „Vorbehalt" in dem von ihm selbst angeführten Text über die Abwegigkeit seiner ganzen Theorie belehren müssen[85].

Ganz andere Stimmen und Reaktionen als die zuvor belegte orthodoxe – bis hin zur Gründung von „Gay Synagogues" z.B. in Los Angeles und New York – sind aus dem Reformjudentum laut geworden. Als Beispiel mag dafür ein Beitrag von Hershel J. Matt stehen[86]. Nach Erörterung und Ablehnung sämtlicher im Titel seines Aufsatzes aufgezählter Möglichkeiten des Verständnisses von Homosexualität (Sünde, Verbrechen, Krankheit, alternativer Lebensstil) kommt er zu dem Schluß: „Die angemessenste jüdische Einstellung dürfte darin bestehen, daß man sich mit gleichem Ernst beides zu eigen macht: die Autorität der traditionellen Leitlinien und die Bedeutung moderner Erkenntnis. Wie bereits angedeutet, würde eine solche Einstellung die traditionelle Sicht der Heterosexualität als die gottgewollte

82. Ebd., Anm. 1.
83. Ebd., 69.
84. Schulchan Aruch, Even Ha-eser 25, Anm. (zit. nach *Billerbeck*).
85. Rabbiner Dr. Joseph *Asher*/San Francisco danke ich für das entsetzte Gesicht, mit dem er die Abwegigkeit von Billerbecks Deutung bestätigt hat. Im Fahrwasser der Billerbeckschen Materialien bewegt sich auch *G. Friedrich,* wenn er in dem verbreiteten Kommentarwerk „Neues Testament Deutsch" (Teilband 8: Die Briefe an die Galater ..., Göttingen ¹⁴1976, 238) in Verbindung mit der Auslegung von 1. Thess. 4,4 unter Anführung des Satzes aus bNedarim 20b ein unglaubliches Schwarz-Weiß-Bild christlichen und jüdischen Eheverständnisses zeichnet. (Den Hinweis auf den Passus bei Friedrich danke ich der aufmerksamen Lektüre einer Proseminaristin.) Man könnte – und müßte es aus historischen Gründen und aus Gründen der Gerechtigkeit – auch ein ganz anderes Bild vermitteln. Vgl. z.B. die Materialien bei *C.G. Montefiore/ H.Loewe* (Hgg.), A Rabbinic Anthology, Cleveland u.a. 1963, 507-515.
86. *H.J. Matt,* Sin, Crime, Sickness, or Alternative Life Style? A Jewish Approach to Homosexuality, in: Judaism 27 (1978), 13-24. Vgl. ferner die Reihe von Artikeln im Journal der Central Conference of American Rabbis vom Sommer 1973 (Hinweis bei *Lamm,* a.a.O. [Anm. 79], 205).

Norm bewahren und dennoch die zeitgenössische Anerkennung von Homosexualität als eine – klinisch gesprochen – sexuelle Abweichung, als Funktionsstörung oder Anomalität einschließen – gewöhnlich unvermeidbar und oft unabänderlich"[87]. Von hier aus ergeben sich für Matt folgende Konsequenzen:

a. Sämtliche Rollen oder Berufe sollten Homosexuellen offen stehen, ausgenommen die von Adoptiveltern oder die des Rabbiners oder der Rabbinerin, weil beide als Modelle für das stehen, was eine jüdische Frau oder ein jüdischer Mann sein sollte. Doch sollte selbst der Beruf des Rabbiners Homosexuellen unter der Voraussetzung zugänglich sein, daß er oder sie ungeachtet der eigenen Veranlagung überzeugt ist, daß das jüdische Ideal Heterosexualität ist[88].

b. Spezielle Synagogengemeinden für Homosexuelle sind angesichts der gegenwärtigen religionsgesellschaftlichen Situation legitim, auch wenn es wünschenswert wäre, wenn Homosexuelle sich in den bestehenden Gemeinden zu Hause fühlten; sie sollten jedoch Mitgliedschaft und Leitung nicht auf Homosexuelle begrenzen[89].

c. Die religionsrechtliche Anerkennung von „Ehen" zwischen Homosexuellen erscheint, weil sie keine Basis in der Halacha hat, auch für die Zukunft schwer vorstellbar[90].

Am Schluß seines Aufsatzes sucht Matt einfühlsam eine Antwort zu formulieren, wie sie wohl von seiten betroffener Homosexueller auf die entfaltete Sicht hin laut werden könnte. Einerseits ist hier wie selten sonst das Gebot, den Nächsten zu lieben *wie sich selbst,* hörend und verstehend praktiziert, so daß der Passus in diesem Sinne volle Gültigkeit auch im Hinblick auf homosexuelle Christen haben dürfte. Andererseits wird der Beitrag von Matt nur wenigen zugänglich sein. So soll der betreffende Abschnitt ungekürzt wiedergegeben werden:

„Zugegeben, daß Ehe im Judentum stets heterosexuell gewesen ist; und zugegeben, daß einer der Hauptzwecke der Ehe die Fortpflanzung gewesen ist – sowohl um die Welt zu bevölkern als auch um das Leben im Bund weiterzugeben. Doch ist das der einzige Zweck und die einzige Bedeutung der jüdischen Ehe? Wie steht es mit der Legitimität sexuellen Vergnügens und sexueller Befreiung – ist das nicht ebenfalls jüdisch? (Lang andauernde Abstinenz ist für Homosexuelle nicht durchführbarer, tragbarer oder wünschbarer als für Heterosexuelle.) Und hat die Ehe nicht ebenso andere Zielsetzungen: die Förderung von gegenseitiger Zuneigung, Fürsorge, Vertrauen, Opfer und Hilfe; die Ermutigung und

---

87. Ebd., 20.
88. Ebd., 21.
89. Ebd., 22.
90. Ebd.

Unterstützung des intellektuellen, ästhetischen, moralischen und geistlichen Wachstums; das Teilen von Schmerz und Angst; das Hegen von Freude und Hoffnung; die Überwindung von Einsamkeit – all dies auf der Basis einer anhaltenden Verpflichtung zur Treue? Und ist nicht die Ehe der grundlegende und bevorzugte – ja, tatsächlich, der einzige voll annehmbare – Zusammenhang zur Förderung dieser Zielsetzungen? Wenn es zur Lehre der Tora gehört, daß die höchstmögliche Bedeutung personaler Existenz in und durch die Ehe zu finden ist, soll uns dann, nur weil wir Homosexuelle sind, das Recht verweigert werden, solche Bedeutung zu suchen und solche personale Existenz zu entfalten? Wenn Gott, in dessen Ebenbild wir Homosexuellen ebenfalls geschaffen worden sind, direkt oder indirekt verursacht oder gewollt oder uns erlaubt hat zu sein, was wir einfach sind (what we cannot help being) – Männer und Frauen, die nicht in der Lage sind, heterosexuell zu fungieren –, können wir glauben und könnt ihr Heterosexuellen glauben, daß Er möchte, daß uns die einzig mögliche Einrichtung verweigert wird, in der wir menschliches Leben so tief leben können, als es uns möglich ist?

Wenn unsere Konstitution, wie ihr Heterosexuellen behauptet, eine Abweichung und eine Funktionsstörung und Anomalität bedeutet, haben wir nicht das gottgegebene Recht – ja, die Verpflichtung – zu versuchen, mit diesem unserem Handikap zu leben, ihm Rechnung zu tragen, das Beste aus ihm zu machen und darüber erhaben zu sein, so wie man es von allen anderen erwartet, denen eine Erschwerung auferlegt ist (as all of the other handicapped)? Wenn die Halacha eine Ehe nur für Heterosexuelle vorsehen und nichts zu unserer Konstitution sagen kann, dann müssen wir in dieser einen Hinsicht nicht-halachisch leben; doch wir sind Juden, und wir bestehen darauf, uns offen und unbeschämt zu unserer homosexuellen Konstitution und unserer homosexuellen Verbindung innerhalb der Bundesgemeinde des Volkes Israel zu bekennen. In unseren Augen und – dessen sind wir gewiß – auch in Gottes Augen sind unsere homosexuellen Bande achtbar, anständig, ja selbst heilig. Wir glauben, daß Gott für uns, die wir als Juden leben und lieben wollen, jedoch aufgrund unserer homosexuellen Konstitution nicht in der Lage sind, Nachkommenschaft zu zeugen oder zu empfangen, ein Wort hat, das nicht weniger von Annahme und Bestätigung bestimmt ist als sein Wort zu den Eunuchen im Babylonischen Exil: ‚Und der Verschnittene soll nicht sagen: Siehe, ich bin ein dürrer Baum. Denn so spricht der Herr: Den Verschnittenen, die meine Sabbate halten und erwählen, was mir wohlgefällt, und an meinem Bund festhalten, denen will ich in meinem Hause und in meinen Mauern ein Denkmal und einen Namen geben besser als Söhne und Töchter ... einen ewigen Namen, der nicht vergehen soll‘ (Jes. 56,3-5)“[91].

Man müßte wohl schon wegsehen oder weghören, um in diesem aus heutiger Rezeption der Tora geschöpften Schluß nicht jene Töne wahrzunehmen, die sich in christlicher Begrifflichkeit mit dem Wort „Evangelium" verbinden: gute, befreiende, frohmachende, heilende Kunde für eine leidende Minderheit. Sie könnte, um ein letztes Mal auf Paulus zu rekurrieren, im kirchlichen

---

91. Ebd., 23f. Vgl. auch die sachlich verwandten Ausführungen von *Pingel*, a.a.O. (Anm. 64), und *Frör*, Norm, a.a.O. (Anm. 61), 101f. (zit. bei *Bäumler*, a.a.O. [Anm. 65], 182f.). Im übrigen ist es außerordentlich aufschlußreich (und wäre weiteren Nachdenkens wert) zu sehen, wie im Falle der Einstellung zur Homosexualität die „Fronten" quer durch Judentum und Christentum verlaufen.

Bereich voller aufklingen, wenn man den Mut hätte, behutsam zu buchsta-
bieren, was es im Hinblick auf irreversible Homosexualität im Wandel der
Zeiten und in Distanz zu enthusiastischen Bestrebungen[92] heißen könnte:
„Hier ist ... nicht Mann und Frau, denn ihr alle seid einer in Christus Jesus"
(Gal. 3,28). Denn um zumindest die Gegenprobe zu machen: Wenn homosexuelle Christen keinen anderen Ausweg sähen, als eigene Gemeinden zu
gründen – wäre das Evangelium dann von den heterosexuellen Christen
gelebt worden?

92. Da dieser Vorwurf vermutlich gerade gegenüber dem Tatbestand erhoben wird, daß
    Gal. 3,28 überhaupt in diesem Zusammenhang herangezogen wird, erscheint der Hin-
    weis angebracht, daß es in einem Kontext geschieht, in dem gerade versucht worden
    ist, die Realität Homosexualität ernst zu nehmen – so wie Paulus trotz und mit Gal.
    3,28 die Realität der Unterschiedenheit von Frau und Mann wahrt.

IV. Israel

1. Antijudaismus um Christi willen?

Erich Grässer, Der Alte Bund im Neuen. Exegetische Studien zur Israel-
frage im Neuen Testament (Wissenschaftliche Untersuchungen zum Neuen
Testament 35), Tübingen 1985, VIII, 345 S.

Das Buch Erich Grässers, Neutestamentler in Bonn, ist auf Anregung von
Martin Hengel herausgegeben worden, um angesichts zunehmender „Unsicherheit bei Pfarrern und Studenten" „die im Zusammenhang mit dem
christlich-jüdischen Dialog innerhalb der evangelischen Theologie in
Deutschland aufgebrochene Diskussion" weiterzuführen (VIII). So hat
Grässer hier noch einmal die von ihm in den letzten zwanzig Jahren verfaßten
exegetisch-theologischen Beiträge zu Themen und Texten des Neuen Testaments zusammengefaßt, die das christlich-jüdische Verhältnis mehr oder
weniger eng berühren. „Um dem Wunsch nach Weiterführung der Diskussion in etwa zu entsprechen", hat er dem Ganzen eine unveröffentlichte,
etwa ein Drittel des Buches umfassende Studie vorangestellt, die der Auf-
satzsammlung ihren Namen gegeben hat. Damit hat der Verfasser selbst
gleich zu Beginn das Kriterium genannt, an dem sein Buch zu messen ist, und
die Erwartung der Weiterführung der Debatte auf den neuen Beitrag über
den „Alten Bund im Neuen" gelenkt (VIII). Eine verwandte Bedeutung
kommt in diesem Zusammenhang naturgemäß dem Nachwort zu (312-315).

I.

Motiviert ist die Untersuchung allem Anschein nach im wesentlichen durch
die Aussage in der rheinischen Synodalerklärung von 1980, die Kirche
würde durch Jesus Christus in den Bund Gottes mit Israel hineingenommen
(vgl. 23.314 u.ö.) – denn im Neuen Testament selbst ist das Thema „Bund"
nach Grässer insgesamt nicht von großem Gewicht (55). So zeige, statistisch
geurteilt, „allein der Hebräerbrief eine gewisse Prägung durch den Begriff
diathēkē und seine Inhalte" (9), und aus sachlichen Gründen sei es auch kei-

neswegs anders zu erwarten. Wenn z.B. im Johannesevangelium „die Kirche der Welt, der Raum Gottes dem Raum des Teufels, die Sphäre des Lichts der Sphäre der Finsternis" entgegengestellt werde und entsprechend gelte: „Wer abgeschnitten wird vom Weinstock (sc. der Kirche), dem bleibt nur noch Vernichtung" (!, so mit E. Schweizer), dann lasse sich „ein solches Verständnis von Gott und Welt, Heil und Unheil", für das der Bund Gottes mit Israel, dessen Erwählung usw. keine Rolle mehr spielt (12), „offensichtlich nicht mehr mit der Terminologie einer Bundestheologie adäquat erfassen. Vielmehr ist sie durch das eschatologisch verstandene Christusgeschehen endgültig überholt" (13). Dies aus dem „Bundesschweigen" des Johannesevangeliums gezogene Resümee gilt nach Grässer auch für die Schriften, in denen vereinzelt oder wie im Hebräerbrief umfassender vom Begriff *diathēkē* Gebrauch gemacht wird (33.94.112f.124). Denn selbst in diesem Zeugnis, das das „Bundesschweigen" so nachhaltig gebrochen hat, erschöpfe sich „die positive Bedeutung des Alten Bundes zuletzt doch darin", „das negative Gegenbild des Neuen zu sein", nämlich der eschatologischen Sündenvergebung (114). Mit von Grässer zustimmend zitierten Sätzen Käsemanns gesagt: „Irdisch stehen sich die beiden Offenbarungsträger nur gegenüber, durch ein neues Gotteshandeln voneinander getrennt. Die einen müssen zugrunde gehen, damit die anderen die Verheißung erhalten. Auf dem Ende des irdisch ausgerichteten Nomos erbaut sich die Gerechtigkeit in Christus, auf dem irdisch ausgerichteten Kult und seinem Ende die Versöhnung durch den himmlischen Hohepriester" (114f.).

Gerade falls dies die Grundlage des Neuen Testaments in Sachen *diathēkē* ist, gewinnen natürlich jene Passagen besonderes Interesse, in denen alles nicht so „offensichtlich" ist wie im Johannesevangelium, d.h. vor allem Röm. 9-11. Und dies gilt um so mehr, als Grässer die Stelle, um die es sich dabei vornehmlich handelt (Röm. 11,25f.), anders als sein Lehrer Rudolf Bultmann[1] nicht einfach als Ausdruck der „spekulierenden Phantasie" abtut, sie vielmehr in Anlehnung an Nikolaus Walter, dem Günther Harder und andere vorangegangen sind[2], ernst zu nehmen sucht. So erkennt Grässer an, daß unter allen Völkern nur für Israel als Volk eine „‚kollektive' Heilshoffnung" bestehe. In der engen Verknüpfung des Begriffs des Bundes

---

1. *R. Bultmann*, Theologie des Neuen Testaments, Tübingen ³1958, 484.
2. *N. Walter*, Zur Interpretation von Römer 9-11, in: ZThK 81 (1984), 172-195. Die Beiträge G. Harders sind jetzt zugänglich in: *G. Harder*, Kirche und Israel. Arbeiten zum christlich-jüdischen Verhältnis. Eingel. u. hg. v. *P.v.d. Osten-Sacken*. Unter Mitarbeit v. R. Scherer, Berlin 1986. Zum Motiv der Erwählung Israels als Volk s. bes. 137ff.

mit der „Nation-Bezogenheit" sieht Grässer zwei miteinander zusammenhängende Sachverhalte begründet: Einerseits habe Paulus von hier aus die Zukunft Israels in Röm. 11,27 unter Rückgriff auf eine alttestamentliche Bundesaussage umschreiben können; andererseits werde dort, wo die Nation-Bezogenheit der Verheißungen überschritten und „das Individualprinzip des Heils" aufgerichtet werde, der Bundesbegriff „theologisch unbrauchbar" (24, vgl. 77). Eine Folge dieses Zusammenhangs sei, daß bei Paulus da, wo er „die *diathēkē* theologisch" werte, „daraus die schroffe Alternative ‚Alter Bund – Neuer Bund" werde im Sinne von Sinaibund und Christusbund (24). Die Beobachtung, daß man nach diesen Prämissen überhaupt nicht mehr mit einer positiven Aufnahme des Begriffs des Bundes („Neuer Bund") rechnet, legt das in diesem Zusammenhang leitende Interesse frei: Im strengen Sinne wird nicht der abstrakte Begriff des Bundes als „theologisch unbrauchbar" angesehen, vielmehr der Begriff verstanden im Sinne einer Bundes*kontinuität,* die nicht dem Bruch Rechnung trägt, der mit dem eschatologisch Neuen in Jesus Christus nach Grässer eingetreten ist (15.25.121 u.ö.). Nun scheint allerdings gegenüber der von Walter[3] und Grässer angegriffenen Auffassung, nach Paulus würden die Völker einfach in den Bund Gottes mit Israel hineingenommen, exegetisch in der Tat insofern Zurückhaltung geboten, als damit die endzeitliche Prägung des Sachzusammenhangs nicht genügend zum Ausdruck kommt. Mit dieser exegetisch begründeten Feststellung ist freilich noch nicht das letzte Wort im theologischen Sinne gesprochen. Darüber hinaus ergeben sich in den beiden skizzierten Zusammenhängen und auf zwei verschiedenen Ebenen erhebliche Probleme: Zum einen ist zu fragen, ob mit dem Stichwort „schroffe Antithetik" und mit seiner Ausarbeitung die dieser Antithetik innewohnende Dialektik hinreichend Geltung gewinnt, und zum anderen, ob mit der angedeuteten Sicht von Röm. 9-11 dem Textzusammenhang entsprochen wird. Zu diesen eng miteinander verknüpften Fragen geben sowohl beträchtliche Spannungen, ja Widersprüche in Grässers eigenen exegetisch-theologischen Aussagen Anlaß als auch eine nicht von seinen Prämissen geleitete Betrachtung der Texte.

So urteilt Grässer zwar, daß „alle Verhältnisbestimmungen von Israel und Kirche, die die Besonderheit Israels leugnen – Substitutionsmodell, Integrationsmodell, Typologiemodell, Illustrationsmodell, Subsumptionsmodell – verfehlt" seien (32). Wenn er dann jedoch mit Käsemann schließt, Israel

---

3. A.a.O., 183f. u.ö. Vgl. hierzu auch die Ausführungen unten (246) zur Frage nach dem Verständnis der „Wurzel" in Röm. 11,17.

bleibe Gottes Volk allein, wenn es Kirche werde (42), dann ist jenem Urteil schwerlich Genüge getan, von dem problematischen Verhältnis zu Röm. 9-11 ganz abgesehen. Zu den „expliziten Diatheke-Stellen" bei Paulus stellt er sodann einleitend die These auf, in Gal. 3 tendiere „die Argumentation mit Hilfe des üblichen Sprachgebrauchs von *diathēkē* deutlich dahin", „den Neuen Bund die *Ablösung* des Alten sein zu lassen. In Gal. 4,24-26 kommt diese Tendenz der Sache nach zum Ziel, in 2. Kor. 3,6.14 auch terminologisch" (56). Wenig später heißt es in demselben Zusammenhang jedoch überraschenderweise, Paulus sehe beide *diathēkai* „auch *nicht* als zeitliches Nacheinander dergestalt, daß der Neue Bund den Alten *ablösen,* überbieten oder an seine Stelle treten würde" (68, ebenso 75). Doch noch auf derselben Seite ist dann wiederum in Umschreibung der beiden *diathēkai* zu lesen: „die alte Heilsordnung ist durch eine neue *abgelöst"* (68, Anm. 358)[4]. Weiter interpretiert Grässer die *diathēkai* von Röm. 9,4 zu Beginn als göttliche Verheißungen an Abraham (Gen. 15,8; 17, 2ff.) und die Erzväter (Ex. 2,24; 6,4f.) in scharfer Unterscheidung von der Christusdiatheke Röm. 11,27, da Paulus bei den ersteren in die Vergangenheit blicke und keine der *diathēkai* der Väter der eschatologische Sündenvergebungsbund von Röm. 11,27 gewesen sei (18f., vgl. 130). Später heißt es um so unerwarteter, mit der an Abraham ergangenen *diathēkē* (vgl. Gen. 17 in Röm. 4/Gal. 3!) reiche der Neue Bund in die Vergangenheit hinein, schon in der Verheißung an Abraham sei er hörbar gewesen (75), ja Abraham habe bereits „den Heilsraum Gottes" „zu seinem Heil geglaubt", den er jetzt für alle Menschen in Jesus Christus neu eröffnet habe (23, mit Walter)[5], so daß das „völlig Neue" des Neuen Bundes für Paulus älter sei als die Sinaidiatheke (68).

Vergleichbare Unvereinbarkeiten begegnen im Zusammenhang der Aussagen Grässers über den „Alten Bund" als Sinaigesetz. In Gal. 3,21f. urteilt Paulus in einem soteriologisch bestimmten Satz, die Schrift (unter Einschluß des Gesetzes) habe alles unter der Sünde eingeschlossen, damit durch den Glauben an Christus die Verheißung an denen zur Erfüllung komme, die glauben. Er begründet auf diese Weise, warum das Gesetz nicht gegen die Verheißung sei. Diese jeden Antinomismus in die Schranken weisende Verhältnisbestimmung legt Grässer mit Röm. 7,7-11 dahingehend aus, hier (Gal. 3 / Röm. 7) werde das Gesetz als „widergöttliches" „entborgen" (67, mit G. Klein) – obwohl Paulus als Folgerung (!) aus Röm. 7,7-11 ausdrücklich sagt, durch den Herrschaftsantritt der Sünde über den Men-

---

4. Kursivierungen im folgenden durch den Rez.; bei Grässer sind kursiviert: „der Sache nach", „terminologisch", „Nacheinander".

5. A.a.O., 185.

schen in der Begegnung mit dem Gesetz werde dieses gerade als „heilig" und – *pars pro toto* – das Gebot als „heilig und gerecht und gut" erwiesen (Röm. 7,12). In Übereinstimmung mit dem hier erkennbaren exegetischen Bestreben wird die Aussage des Paulus, „*das Gesetz* des Geistes des Lebens ..." habe den Glaubenden befreit, in der Verkürzung zitiert, „der Geist des Lebens ..." habe die Befreiung erwirkt (83). Und ebensowenig dürfte Grässers Rede von des Paulus „theologische(r) Kritik am Gesetz als einem ‚falschen Vertrauen auf das Fleisch' (Phil. 3,3f.; vgl. Gal. 6,8; Röm. 7,5f.)" – als wäre das Gesetz selbst das falsche Vertrauen! (132) – Paulus gerecht werden, um nur einige Beispiele zu nennen[6]. Überall hier gerät die Kontinuität in der Diskontinuität der paulinischen Gesetzesaussagen aus dem Blick.

Der Nenner, auf den die neutestamentlichen Aussagen über Alten und Neuen Bund gebracht werden, besteht in der immer wieder hervorgehobenen Auffassung, durch „das eschatologische Heilsgeschehen" sei „das alttestamentliche auf-gehoben ... im Hegelschen doppelten Sinne des Wortes. Freilich nicht im Sinne einer aufhebenden ‚Erfüllung', sondern so, daß es im Evangelium seine *Zukunft* findet" (55). Das heißt – um den unscharfen Begriff „alttestamentliches Heilsgeschehen" zu verdeutlichen –, daß der Alte Bund, Israel als erwähltes Volk und sämtliche mit dem „Alten Testament" verbundenen Phänomene für sich bedeutungslos geworden sind (124) und Realität nur im Evangelium haben, in welchem sie, nachdem ihre Für-sich-Existenz beendet („aufgehoben", 1. Aspekt) ist, in geläuterter Gestalt aufbewahrt („aufgehoben", 2. Aspekt) sind. Nur nebenbei mag als auffällig notiert werden, daß Grässer sich hier an zentraler Stelle zur Cha-

---

6. In denselben Zusammenhang gehört es – um den Beispielcharakter des Dargelegten zu unterstreichen –, wenn Grässer die Kritik daran, daß Bultmann die präsentischen Aussagen des Paulus in 2. Kor. 3 über die Beseitigung der Doxa des alten Bundes stillschweigend zu solchen des Präteritums macht, „für ungerechtfertigt" hält, weil „nicht die Tempora über die Obsoletheit des Alten Bundes" entschieden, sondern „die sachliche Qualifikation" (86, Anm. 358). Im allgemeinen kommt ja den Tempora im Neuen Testament wie auch sonst in der Sprache der Menschen ein gewisses Gewicht zu. Man hat ebenso beträchtliche Schwierigkeiten zu folgen, wenn Grässer einerseits urteilt, *diathēkē* in den Abendmahlstexten meine „einseitige Verfügung, Setzung, Willenskundgebung", *keinesfalls* aber „Bund, Vertrag" (119), anmerkungsweise jedoch hinzufügt, er werde „im folgenden *gleichwohl* vom ‚Bundesgedanken', ‚Bundesmotiv' und ‚Bundestheologie' sprechen: Auch die einseitige ‚Setzung' im Abendmahl zielt auf den Glaubensgehorsam und meint insofern auch ein ‚wechselseitiges' Verhältnis" (119, Anm. 499; Kursivierungen von mir). Die Unklarheit im Umgang mit dem Bundesbegriff – einerseits „ohne Gewicht", „theologisch unbrauchbar" usw., andererseits de facto als unverzichtbar betrachtet bis hin zur Verwendung als Titel des ganzen Bandes – zieht sich im übrigen durch die ganze Studie hin.

rakteristik des jenseits aller Geschichte stehenden, sie als ihr Ende transzen-
dierenden Evangeliums (127) eines Begriffs bedient, der bei Hegel gerade
den der Weltgeschichte mit ihrem Entwicklungsgang kennzeichnet. Wichtiger ist zweierlei: Erstens wird „die Aufhebung im Hegelschen Sinne" nicht
durchgehalten, vielmehr bis ins Nachwort hinein unhegelianisch in einer
den Leser verwirrenden Weise durchkreuzt. Denn während man von der
zitierten Definition (55) her nicht nur die Bundeszusagen an die Erzväter
(Röm. 9,4), sondern auch den „Alten Bund" (Sinaigesetz, Mosetora) in
diesem dialektischen Sinne nach Grässer auf-gehoben wähnt und darin
durch die Bekräftigung im Nachwort bestätigt wird, durch das Christusereignis sei „der Alte Bund (sc. Sinaigesetz) im Neuen auf-gehoben" (314),
heißt es zwischendurch ganz undialektisch, „der Neue Bund" bedeute die
„Abschaffung und Ersetzung (sc. des Alten) durch die Heilsordnung des
Evangeliums von Christus" (89, mit Ph. Vielhauer), oder es wird ebenso
undialektisch von der „Verwerfung des Alten Bundes" (132) u.ä. gesprochen. Zweitens – und dies erscheint als noch gravierender – dünnt Grässer
die in Röm. 9-11 eingeräumte „Sonderrolle" Israels, theologisch gesprochen: das Verhältnis Gottes zu Israel gerade auch unter Einschluß der
Gegenwart, in einer mit Röm. 9-11 schwerlich vereinbaren Weise aus.

Die von Paulus in Röm. 9,4f. aufgezählten sog. „Privilegien" – er selbst
nennt sie exakt „Gnadengaben" (Röm. 11,29)[7] – dienen nach Grässer
allesamt nur dazu, jenen „‚geschichtlich-kollektiven', nicht eschatologischen Vorzug" zu markieren, daß für Israel als Volk eine „‚kollektive' Heilshoffnung" bestehe, dergestalt nämlich, daß es bei der Parusie an den
„Parusie-Christus" (Röm. 11,25ff.) glauben und so gerettet werden werde
(20 mit Anm. 61)[8]. Die Rechtfertigung aufgrund des Glaubens (an das

---

7. Die Rede von den „Privilegien Israels" ist auch sonst verbreitet. Wenn jedoch von den
   Charismen, die der Gemeinde durch den Geist Gottes bzw. Christi gegeben sind,
   gesprochen wird, kommt niemand auf den Gedanken, hierfür den Begriff „Privilegien"
   heranzuziehen, etwa im Sinne von Apostolat als „Privileg" des Paulus. Es könnte
   lohnen, nach den Gründen zu fragen.
8. Grässer beruft sich mit der Glaubensthese auf Walters Wendung: „dieses Volk als Volk
   von (künftig-endzeitlich!) Glaubenden ..." (a.a.O. [Anm. 2], 181). Allerdings ist zu
   ergänzen, daß Walter sich zuvor, bei der thematischen Erörterung der Frage, sehr viel
   offener äußert: „Auf jeden Fall aber läßt Paulus ganz offen, wie sich die erhoffte Erlösung dieses (und nur dieses einen) Volks zu dem Individualprinzip des Heils verhält,
   also ob er zum Beispiel an eine endzeitliche Verkündigungsaktion an Israel denkt, die
   dann Glauben findet, oder ob er sich auch eine andere Art des Zugangs Israels zu dem
   jetzt von ihm abgewiesenen Heil denken kann" (ebd., 177). Die Deutung auf den
   Glauben als Voraussetzung der Rettungsteilhabe kann sich allenfalls auf die Aussage

Evangelium) richtet nun aber nach Grässer gerade „das Individualprinzip des Heils" auf, und so wird verständlich, warum er in diesem Zusammenhang die Begriffe „geschichtlich-kollektiv" und „kollektiv" in Anführungsstriche setzt. Von seinem Ansatz her kann er – anders als Paulus – die Kollektivität und in diesem Sinne auch die Kontinuität Israels als Volk Gottes nur in dieser eingeschränkten oder gebrochenen Weise auf den Begriff bringen[9]. Obwohl sodann die oft bemerkte christologische Zurückhaltung des Paulus in Röm. 11,25ff. nicht zu rasch verlorgengehen sollte, spricht in der Tat einiges dafür, daß in diesem Text auf die Parusie Jesu Christi angespielt wird. Die Interpretation der Hoffnung für Israel im Sinne des *Glaubens* erscheint demgegenüber nicht nur als eingetragen, sondern vom paulinischen Zeitverständnis (Gegenwart und Zukunft) her als ausgeschlossen: Glaube ist für Paulus die gegenwärtig eröffnete Realität und bezieht sich konstitutiv auf das Evangelium bzw. auf den in ihm gegenwärtigen Christus. Wenn hingegen der Parusie-Christus erscheint, dann ist seine Gegenwart eben die der apokalyptischen Parusie und nicht die der Präsenz im Evangelium. Und ganz in Übereinstimmung damit bringt Paulus die Differenz zwischen Gegenwart und Zukunft durch die Gegenüberstellung von Glauben und Schauen zum Ausdruck (2. Kor. 5,7). Will man also zu dem von Paulus in Röm. 11,25ff. mitgeteilten Mysterium mehr als er selber sagen, dann muß man von seinen eigenen Aussagen her schließen, daß ganz Israel dann, wenn der Christus kommt, ihn als Messias sehen und begrüßen und im Rahmen *dieses Geschehens* endzeitlich *sola gratia* gerettet werden wird[10]. Mit dem Tatbestand, daß

Röm. 11,23 berufen, die ausgerissenen Zweige würden wieder eingepfropft werden, wenn die Juden, die damit gemeint sind, „nicht im Unglauben bleiben". Aber diese Aussage dürfte sich wie die, Paulus ziele mit seinem Dienst an den Völkern darauf, daß er „einige von ihnen (den Juden) rette" (Röm. 11,14), auf die Zeit *bis* zur Parusie beziehen. Beide Aussagen werden dadurch zusammengeschlossen, daß der Apostel jeweils von *tines* spricht (vgl. 11,14 mit 11,17-23). In Röm. 11,25ff. hingegen heißt es gezielt „ganz Israel". Vgl. auch unten, Anm. 15.

9. Auch hier ergibt sich, insofern sich Grässer wiederum an ihn anlehnt, eine entsprechende Anfrage an Walter (a.a.O. [Anm. 2]), 181), obwohl er die Besonderheit Israels sehr viel stärker wahrt (s. unten, 250f.). Einer hier nicht leistbaren Überprüfung wären im übrigen beide Begriffe, der der „Nation-Bezogenheit" und der des „Individualprinzips des Heils", wert, insoweit sie nämlich als jeweils Israel und die Christenheit kennzeichnend gemeint sind. Denn einerseits findet man beide Aspekte bereits in der biblisch-jüdischen Tradition, und andererseits wird das sog. Individualprinzip im Neuen Testament z.B. durch die Vorstellung vom Leib Christi relativiert.

10. Vgl. zum Ganzen meine Arbeit: Grundzüge einer Theologie im christlich-jüdischen Gespräch, München 1982, 132ff., sowie meine Einleitung zu Harders Aufsätzen, a.a.O. (Anm. 2), 15.

Grässer die Hoffnung Israels mit Hilfe des Zusammenhangs Evangelium-Glaube-Rechtfertigung (und nicht als apokalyptisches Handeln im angedeuteten Sinne) interpretiert, dürfte es zusammenhängen, daß die paulinischen Aussagen über das gegenwärtige Verhältnis Gottes zu seinem Volk entweder zu vergangenen werden oder aber zurücktreten.

Für Israel als ganzes besteht demgegenüber nicht nur eine kollektive Hoffnung auf Rettung. Vielmehr steht Gott nach Paulus, obwohl ein Teil Israels, gemessen an ihrem Verhältnis zum Evangelium, „Feinde um euretwillen" sind (Röm. 11,28), dennoch in einem gegenwärtigen Liebesverhältnis zu seinem Volk. Sie *sind* Geliebte um der Väter willen, d.h. aufgrund der Bindung, die er diesem Volk gegenüber mit seiner Zusage an die Väter eingegangen ist (Röm. 11,28). Sie *sind* als Israeliten Volk Gottes[11], und ihnen *gehören* die von Paulus in Röm. 9,4f. aufgezählten Gaben als Gnadengaben. Diese Gaben sind also nicht nur Realitäten, die Israel irgendwann einmal gekennzeichnet haben. Vielmehr sind sie ungeachtet des Verhaltens Israels in der Gegenwart bleibende Gaben eben deshalb, weil Gott diese Charismen und seine Berufung nicht gereuen (Röm. 11,29). Gewißt trifft es, um einen weiteren konstitutiv hierher gehörenden Zusammenhang einzubeziehen, einerseits zu, daß in Röm. 11,17 („Nicht du trägst die Wurzel, sondern die Wurzel trägt dich") die Wurzel nicht einfach das das Evangelium verneinende Israel meint, so daß auch hier die exegetische Anfrage Walters[12] und Grässers (23, Anm. 80) an die rheinische Synodalerklärung zu Recht besteht. Andererseits läßt sich „die Wurzel" allerdings auch nicht zu Gottes „Erwählen und Verheißen und die von ihm ausströmende Heilsgnade" (Grässer mit Walter) abstrahieren[13]. Denn die Gnade manifestiert sich nach Röm. 9-11 konkret. Sie besteht in der bleibenden Erwählung des zuvor ausersehenen Volkes Gottes, die jetzt endzeitlich an den Judenchristen eingelöst ist. Sie sind für Paulus in ihrer Bindung an Jesus Christus die Hebe, die in der Gegenwart den ganzen Teig repräsentiert, und in Entsprechung zur Parallelität der Bilder in Röm. 11,16 sind sie die Wurzel, die die Zweige trägt und die als endzeitliche *pars pro toto* Gottes Unterpfand für die apokalyptische Rettung ganz Israels ist[14]. Die Aussagen

11. Grässer unterstreicht zwar in der Überschrift (17) wie andere vor ihm ebenfalls das Präsens („Sie sind [nicht: waren!] Israeliten"), die nachfolgenden Ausführungen verlieren es jedoch mehr und mehr aus dem Blick (17ff.).
12. A.a.O. (Anm. 2), 180f.
13. Ebd., 180. Ein ähnliches Abstraktionsverfahren begegnet bei Grässer (18) bei seiner ebenso auffälligen wie unbegründeten Übersetzung von *charismata* in Röm. 11,29 mit „Gnade".
14. Vgl. meine Ausführungen a.a.O. (Anm. 10), 147ff., bes. 151f.

des Paulus in Röm. 11 sind deshalb, was die Kontinuität Israels als von Gott erwähltes Volk angeht, sehr viel konkreter, differenzierter und reicher, als die Ausführungen Grässers es erkennen lassen[15].

So läßt sich resümieren: Grässer arbeitet in seiner Untersuchung zwei konträre Bestimmungen des Verhältnisses von Altem Testament und Evangelium heraus: 1. Am Anfang steht die christologisch erschlossene Verheißung an Abraham, die bereits von ihm selbst zu seinem Heil geglaubt worden ist und die jetzt durch Jesus Christus für alle Menschen – Israel in seiner „Sonderrolle" und Heiden – „neu eröffnet" ist (23). Hier dominiert das Modell der im Evangelium zur Erfüllung kommenden Verheißung. 2. Durch Jesus Christus ist eine sog. Heilsordnung durch eine andere ersetzt. Hier dominiert das Modell: Evangelium statt Gesetz (84). Die *crux* der Untersuchung aber besteht darin, daß beide Linien nicht in ihrem Verhältnis zueinander transparent gemacht werden. Dies scheint allerdings auch nicht möglich, wenn man „Gesetz" und „Evangelium" allein als einander ablösende „Heilsordnungen" antithetisiert und wenn man trotz der eigenen Feststellung, daß Alter Bund/Gesetz nicht das ganze Alte Testament repräsentieren (131f.), Gesetz und Evangelium zum Gegensatz von alttestamentlicher Offenbarung und Christusoffenbarung macht (84), nicht aber dem Tatbestand nachgeht, daß das Gesetz theologisch, in der Perspektive Gottes, bei Paulus ganz *im Dienst* dessen steht, daß die an Abraham ergangene Verheißung durch Jesus Christus Israel und den Völkern zugute realisiert wird. Welche Linie bei Grässer dominiert, dürfte hinreichend deutlich geworden sein und wird auch vom Titel des ganzen Buches angezeigt: Da der Alte Bund von Grässer mit dem Sinaibund identifiziert wird und der Neue mit dem im Evangelium bestehenden eschatologischen Sündenvergebungsbund, ist der Titel Umschreibung jenes Schlagwortes der Ablösung des Gesetzes durch das Evangelium.

15. Auch hier kommt Walter (181) Paulus sehr viel näher, wenn er urteilt, Israel sei als Volk „die Erwählung Gottes zuteil geworden und darum auch, kraft der unwandelbaren Treue Gottes, *bleibend zugesichert*" (vgl. ähnlich 189, Kursivierung von mir), und wenn er dies mit der über Röm. 11,1-10 hinausgehenden Argumentation des Paulus in Röm. 11, 11ff. begründet. Um so mehr scheint es freilich fraglich, ob man angesichts dieses Bleibens sagen kann, Israel habe sein Volk-Gottes-Sein „jetzt verwirkt". Wenn Paulus von „Verstockung" spricht (Röm. 11,7), ist selbst darin noch das Volk-Gottes-Sein vorausgesetzt. Und dort, wo er die ausgerissenen Zweige erwähnt, ist es äußerst sprechend, daß er – in diametralem Gegensatz zur zunächst erwarteten Aussage – von „einigen" (*tines*) redet (Röm. 11,17). Wenn man sich hier an empirischen Quantitäten orientiert („der andere, größere Teil Israels", „mehrheitlich", Walter, 174. 189), erhält dies auffällige *tines* nicht das ihm zukommende Gewicht. Es scheint schwerlich anders erklärlich, als daß Paulus gerade den Rückschluß: ‚Mehrheit und in diesem Sinne das Volk' verhindern will.

II.

Ebensowenig wie die an den Anfang gestellte Studie erfüllt das Nachwort die eingangs genährte Erwartung einer Weiterführung der Diskussion. Nach der ohne Frage einschränkungslos zu bejahenden Feststellung, „für die christliche Kirche" sei „die Verhältnisbestimmung von Judenheit und Christenheit ... *die* Frage" (312f.), berührt Grässer eine Fülle außerordentlich komplexer Probleme, ohne ein einziges so weit und so gründlich zu diskutieren, daß seine Ausführungen wirklich eine Hilfe zu sein vermöchten.

Das, was an dem Stichwort „Theologie nach Auschwitz" richtig sei, wird auf den seltsamen Satz gebracht: „Eine fast zweitausendjährige Verhältnislosigkeit (sic!) hat den Juden christlicherseits unermeßliches Leid zugefügt" (313). Grässer fordert zwar, daß die Wurzeln dieser Schuld aufzudecken und Konsequenzen zu ziehen seien, nämlich in Gestalt einer Selbstkorrektur christlicher Haltung gegenüber den Juden. Aber es steht für ihn fest – dies das Falsche an der Theologie nach Auschwitz –, daß die „Theologie als solche" nicht durch das „geschichtliche Versagen" der sie lehrenden Personen „ins Unrecht gesetzt" werde. „Theologie als solche" heißt für ihn Entfaltung der geoffenbarten Wahrheit im Sinne von Joh. 14,6 unter Einschluß – wie die beiden Aufsätze zu Johannes (135-153.154-167) und einschlägige Passagen in der erörterten Studie belegen – des neutestamentlichen Antijudaismus als der unerläßlichen „Kehrseite des solus Christus" (313, mit U. Luz). Der z.B. durch das Lebenswerk von Jules Isaac erbrachte Nachweis, daß dieser permanent wiederholte Antijudaismus die Christen gelehrt hat, die Juden zu verachten und im Gefolge dessen entsprechend zu handeln, ist damit nach Grässer für die Frage nach den Gründen jener „Verhältnislosigkeit" irrelevant[16]. Das hier überall wirksame Apriori lautet: Jener Antijudaismus *kann* keine Wurzel der Schuld sein, *weil* er Teil der geoffenbarten Wahrheit ist. Ins Konkrete gewandt heißt das dann z.B., daß die „antijüdische Polemik" im Johannesevangelium bis hin zur Bezeichnung der Juden als „Söhne des Teufels" im Sinne „stilisierter Typen" (145.164) nichts mit Judenfeindschaft („Antisemitismus irgendwelcher Provenienz", 166) zu tun habe, weil jene antijüdische Polemik „ein Stück johanneischen Dualismus' im Dienste praktischer Gemeindeinteressen" sei (153.166) – so als würde

---

16. *J. Isaac*, Jesus und Israel, Wien/Zürich 1968; *ders.*, Hat der Antisemitismus christliche Wurzeln? in: EvTh 21 (1961), 339-354. Vgl. zum ganzen Zusammenhang auch meinen Beitrag: Leistung und Grenze der johanneischen Kreuzestheologie, in: EvTh 36 (1976), 154-176, bes. 165ff.170ff.

nicht bereits die Rede von „stilisierten Typen" sowie die Unterscheidung zwischen den nicht gemeinten Juden „in ihrem empirischen Bestande" und dem gemeinten jüdischen „Wesen" (165, vgl. 147) die judenfeindliche Struktur des Dargelegten enthüllen, oder als könne man ohne judenfeindliche Wirkung von „der jüdischen Religion" sagen, sie habe „ihr Wissen um Gott pervertiert" (153.167, mit Bultmann). Nirgendwo wird entsprechend bei Grässer im Sinne sach- oder rezeptionskritischer Überlegungen ein Veto gegenüber der Möglichkeit erkennbar, „die Juden" (als „stilisierte Typen") auch heute noch deshalb, weil sie Jesus Christus nicht als den vom Vater gesandten Sohn annehmen, als „Söhne des Teufels" zu bezeichnen. Dies ist allerdings dann „konsequent", wenn man von einem ungeschichtlichen Offenbarungsverständnis her Antijudaismus als Teil der Offenbarung ansieht und in diesem Sinne theologischen Antijudaismus um Christi willen nicht nur in Kauf zu nehmen bereit ist, sondern für schlechterdings unverzichtbar hält. Grässer unterstreicht im übrigen an anderer Stelle die Notwendigkeit der Hilfe jüdischer Gelehrter bei der Überwindung des traditionellen kirchlichen Antijudaismus (274f.). Zu fragen ist allerdings, wie dies wohl geschehen soll, wenn die Stereotypisierung der Juden, um deren Aufhebung willen jüdische Wissenschaftler unter anderem an einer Zusammenarbeit interessiert sind, von vornherein als Teil der geoffenbarten Wahrheit irreversibel gemacht ist. Angesichts einer solchen nicht problematisierten Entfaltung erscheint der Versuch, den Antijudaismus im Neuen Testament durch den Hinweis zu entproblematisieren, daß er dort „nur" als „theologische Kritik am jüdischen Heilsweg" begegne (313), als semantische Verharmlosung, nicht aber der Begriff „Antijudaismus" als „semantischer Einschüchterungsversuch" (G. Klein, vgl. 313f.). Er ist vielmehr durchaus präzise, insofern er den lehrmäßig entfalteten Gegensatz zum Judaismus (*Ioudaïsmos*) meint, d.h. zur jüdischen religiösen Existenz oder Lebensweise nach Maßgabe der schriftlichen und mündlichen Tora[17], und im Rahmen dieser Entfaltung die Legitimität jüdischer Existenz mit der Tora vor Gott bestreitet. Der diesem Antijudaismus innewohnenden Destruktivität läßt sich schwerlich anders heilsam begegnen, als daß erstens die bleibende Liebe Gottes zu Israel (Röm. 9-11) den Horizont oder das Apriori der Aussagen bildet und zweitens die Gründe jüdischen Neins zur christlichen Botschaft gehört, aufgenommen und theologisch verarbeitet werden[18]. Zumal mit

---

17. Vgl. *Y. Amir*, Der Begriff *Ioudaïsmos* – zum Selbstverständnis des hellenistischen Judentums (1969), in: *ders.*, Studien zum antiken Judentum, Frankfurt/Bern/New York 1985, 101-113.
18. Vgl. hierzu *F.-W. Marquardt*, „Feinde um unsretwillen". Das jüdische Nein und die

diesem zweiten Zusammenhang ist dem Tatbestand Rechnung zu tragen, daß antijudaistische Strukturen etwa zur Zeit eines Paulus oder Johannes und heute aufgrund der Differenz der Zeiten und Kontexte vielfach einen ganz anderen Stellenwert haben.

Grässer, der bei anderen beklagt, sie verlören über der Suche nach dem Gemeinsamen die Einsicht in die „Grundverschiedenheit" (M. Buber) von Judentum und Christentum aus dem Blick (288 u.ö.), sieht in dem „eine(n) Gott zweifellos die stärkste Klammer, die Israel und Kirche verbindet" (314). Wer freilich hierin etwas Gemeinsames formuliert zu sehen meint, wird sofort darüber belehrt, daß auch an diesem Punkt allein Grundverschiedenheit herrscht. Denn das Bekenntnis zum einen Gott umfasse auch den Islam und bleibe „so lange eine Leerformel, wie die Inhalte dieses Bekenntnisses nicht geklärt sind". Das jüdische sei „nicht lösbar vom Bewußtsein der Einzigkeit als erwähltes Volk", das christliche nicht „von der Einzigkeit des Sohnes" (314, vgl. zum Ganzen auch 131-158). Die eingangs zumindest rudimentär noch eingeräumte und von Paulus ungeachtet des Unterworfenseins aller unter die Sünde eindeutig festgehaltene Besonderheit Israels als Moment des *christlichen* Glaubens oder Bekenntnisses wird hier endgültig begraben. Und wie gründlich dies geschieht, darüber belehrt gleich anschließend das mit Worten Kleins formulierte Resümee, die Rettung Israels (Röm. 11,25f.) sei „insofern kein spezifisch israel-theologisches Moment der paulinischen Eschatologie, als ihr ja im Zusammenhang von Röm. 11 die Hoffnung auf die Rettung der ganzen Heidenwelt (*to plērōma tōn ethnōn* V.25; *pantas* V.32)" entspreche (314). Denn dies heißt ja nichts anderes, als daß hier auch dem Ganzen der Völkerwelt in ihrem Gegenüber zu Israel eine „‚kollektive' Heilshoffnung" eingeräumt wird, obwohl sie doch ursprünglich das Besondere Israels nach Röm. 9-11 ausmachen sollte. So ist denn hier der zu Beginn von Grässer zur Grundlage gemachte Aufsatz von N. Walter mit Hilfe von Aussagen G. Kleins an einen Punkt geführt, den Walter selbst schwerlich angesteuert hat. Denn ungeachtet der oben notierten Anfragen zum Verständnis der Zukunft Israels (Glauben/Schauen) ist nach Walter die Wendung *to plērōma tōn ethnōn*

---

christliche Theologie, in: Treue zur Thora. Festschr. f. G. Harder, hg. v. *P.v.d. Osten-Sacken,* Berlin [3]1986, 174-193, mit seiner These: „Wir werden den christlichen Antijudaismus erst hinter uns haben, wenn es uns theologisch gelingt, mit dem jüdischen Nein zu Jesus Christus etwas Positives anzufangen" (174), sowie im gleichen Sinne meine Beiträge: Israel als Anfrage an die christliche Theologie, ebd., 72-83, hier 80, und: Katechismus und Siddur, Berlin/München 1984, 264-277.

gerade *nicht* in Entsprechung zu „ganz Israel" zu verstehen[19]; und dementsprechend gilt für ihn, daß Israel diesen Vorzug der Rettung als Gesamtheit
„eschatologisch vor allen übrigen Nationen haben (wieder haben!) wird"[20],
während Grässer ausdrücklich hervorhebt, es handele sich bei dem Vorzug
Israels um einen „nicht eschatologischen"[21].

Grässer schließt sein Nachwort, indem er sich auf Aussagen Bubers in
dem bekannten Zwiegespräch mit Karl Ludwig Schmidt am 14. Januar 1933
im Jüdischen Lehrhaus in Stuttgart bezieht, die von jener Grundverschiedenheit und Grundverbundenheit von Juden und Christen handeln[22]. Eine
Einung von Judenheit und Christenheit sei allein Gottes Werk, doch sei es –
so Grässer in Umschreibung Bubers – „nötig, daß Christen und Juden ihr je
verschiedens Geheimnis anerkennen und sich darüber austauschen" (315).
Es ist nicht zum wenigsten dieser Satz, der aufhorchen läßt. So hat Grässer
in anderem Zusammenhang die – das je verschiedene Geheimnis anerken-
nende – Feststellung, Juden und Christen wandelten „im Namen des einen
Gottes, die einen im Hören auf das Wort der Tora, die anderen in der Bindung an Jesus Christus"[23], gerade der Preisgabe der „Grundverschiedenheit", des „weitgehenden Verzichts auf zentrale christologische Inhalte des
Evangeliums" bezichtigt und geurteilt, jene Feststellung sei Ausdruck eines

19. A.a.O. (Anm. 2), 183.
20. Ebd., 181.
21. Im übrigen bezeugen auch die hermeneutischen Erwägungen Walters am Ende seines
    Aufsatzes (a.a.O. [Anm. 2], 191ff.) mit ihrer tastenden Bewegung ein sehr viel diffe-
    renzierteres Verständnis der Frage nach dem heutigen christlich-jüdischen Ver-
    hältnis. Eine Feststellung wie die Walters gleich zu Beginn (a.a.O., 173), daß „selbst
    wenn wir uns an der Theologie des Paulus orientieren, ... ja damit noch nicht gesagt
    (ist), daß er– der die verhängnisvolle Wirkungsgeschichte mancher Aussagen des
    Neuen Testaments noch nicht kennen konnte – schon das letzte mögliche und nötige
    Wort einer christlich-theologischen Aussage über Israel gefunden hat" – eine solche
    Aussage wird man bei Grässer mit seiner Identifizierung von neutestamentlicher und
    systematischer Theologie vergeblich suchen.
22. *M. Buber/K. L. Schmidt*, Kirche, Staat, Volk, Judentum. Zwiegespräch im Jüdischen
    Lehrhaus in Stuttgart am 14. Januar 1933, in: *K.L. Schmidt*, Neues Testament –
    Judentum – Kirche. Kleine Schriften, hg. v. *G. Sauter*, München 1981, 149-165. Es
    handelt sich bei diesem Text um den Nachdruck der – Bubers leicht variierende Fas-
    sungen seiner Beiträge berücksichtigenden – Form des Gesprächs in: Leben als
    Begegnung. Ein Jahrhundert Martin Buber (1878-1978). Vorträge und Aufsätze, hg.
    v. *P.v.d. Osten-Sacken*, Berlin 1978/2., verb. Aufl. 1982, 119-135. Zum Hintergrund
    des Gesprächs, das fraglos nach wie vor zu den wichtigsten Dokumenten der christ-
    lich-jüdischen Begegnung in diesem Jahrhundert gehört, und zur Deutung s. ebd.,
    116-118.136-144.
23. *P.v.d. Osten-Sacken*, a.a.O. (Anm. 10), 186.

„beschnittenen Evangeliums", bei dem Zweifel „über die alleinige Autorität der das Evangelium von Jesus Christus bezeugenden Schrift" bestünden (288f.). Er hat dies – angesichts dieser gravierenden Vorwürfe nun wohl doch ein bemerkenswerter Tatbestand – im übrigen getan, obwohl jener Satz im Zeichen der Betonung der „Faktizität der je anderen Gewißheit" formuliert war, und indem er verschweigt, daß die Arbeit, um die es geht, als wesentlichen Unterschied zwischen Juden und Christen das Ja und Nein zu Jesus als gekommenem und kommendem Messias nicht nur voraussetzt, sondern entfaltet und daß sie insbesondere thematisiert, was es heißt, daß Jesus Christus für Heiden *und* Juden gestorben und auferweckt ist. Grässer hat weiter gefolgert, jenes „derart beschnittene Evangelium" – nämlich ein solches, das Judenfeindschaft als „Kehrseite des solus Christus" zu überwinden trachtet – werde „niemandem wichtig sein – weder den Juden, denen ihr Judesein etwas gilt, noch den Christen, denen ihr Christsein etwas gilt" (289). Der jüdische Wissenschaftler nun, den Grässer mit besonderer Intensität zitiert, um Theologen auf den vermeintlich richtigen Weg zurückzurufen, ist R. J. Zvi Werblowsky mit seinem Vortrag vor der Landessynode der Evangelischen Kirche im Rheinland vom Januar 1980 (212ff.278, vgl. auch 283). Werblowsky hat darin nicht nur, mit Blick auf die christliche Seite und durchaus völlig zu Recht, hervorgehoben: „Als Christ von Jesus zu reden, hat überhaupt nur Sinn, wenn man von ihm als dem *Christus,* dem *Logos,* dem *Sohn Gottes* spricht"[24]. Vielmehr hat er darin desgleichen den Unterschied zwischen Juden und Christen ebenso knapp mit den Worten zusammengefaßt: „Für den Juden geht es um die Thora, und was dem Juden die Thora ist (sc. *die* Gnaden- und Liebesoffenbarung Gottes), ist für den Christen Jesus als der Christus"[25]. Angesichts der Nähe dieses Satzes zu dem von Grässer bestrittenen erscheint seine These, für ernsthafte Juden werde eine solche Position nicht von Interesse sein, ohne greifbaren Anhalt. Mehr noch überrascht allerdings, daß Grässer selbst die Definition Werblowskys zustimmend zitiert (214, Anm. 1). Man wüßte nur zu gern, ob dies jene im Nachwort ganz unerwartet postulierte Anerkennung des je verschiedenen Geheimnisses ist, und wenn ja, wie sie sich zu Vorhaltungen der zitierten Art verhält[26].

24. *R.J.Z. Werblowsky,* Trennendes und Gemeinsames, in: Handreichung „Zur Erneuerung des Verhältnisses von Christen und Juden", o.O./o.J. (1980), 29-43, Zitat 37.
25. Ebd., 39.
26. Im übrigen divergieren die Ausführungen Werblowskys und Grässers stärker, als es den Anschein haben könnte. Man vgl. z.B. die Ausführungen Grässers zur Frage des neutestamentlichen Antijudaismus mit Werblowskys (a.a.O. [Anm. 24], 32f.): „Es handelt sich (sc. im Zusammenhang der Frage nach dem Umgang mit der Schuld

Leider befriedigt Grässer die Neugier, was die Anerkennung des je verschiedenen Geheimnisses heißen könnte, nicht mit eigenen Worten, sondern in Gestalt eines weiteren Buber-Zitats aus dem erwähnten Gespräch mit K.L. Schmidt: „Nicht indem wir uns jeder um seine Glaubenswirklichkeit drücken, nicht indem wir trotz der Verschiedenheit ein Miteinander erschleichen wollen, wohl aber indem wir unter Anerkennung der Grundverschiedenheit in rückhaltlosem Vertrauen einander mitteilen, was wir wissen von der Einheit dieses Hauses, von dem wir hoffen, daß wir uns einst ohne Scheidewände umgeben fühlen werden von seiner Einheit, dienen wir getrennt und doch miteinander, bis wir einst vereint werden in dem einen gemeinsamen Dienst, bis wir alle werden, wie es in dem jüdischen Gebet am Fest des Neuen Jahres heißt: „ein einziger Bund, um Seinen Willen zu tun" (315). Man könnte sich in den zerstrittenen theologischen Lagern auf der Grundlage dieses Satzes in förderlicher Weise verständigen. Nur – was heißt für Grässer der entscheidende Satz („dienen wir getrennt und doch miteinander"), wenn der Dienst des anderen von der „Wahrheit des Evangeliums" her als Dienst in einem Bund bezeichnet wird, der „seine völlige Nichtigkeit" erweist (75), um nur eine der vielen Disqualifikationen des Alten Bundes zu nennen. Was heißt also Anerkennung des je verschiedenen Geheimnisses, wenn dem Geheimnis des anderen durch das eigene jegliche Grundlage entzogen wird? Auf diese zentrale Frage, die nicht zuletzt aufgrund der eingangs von Grässer wahrgenommenen „Unsicherheit" beantwortet werden müßte, bleibt das Buch die unerläßliche Antwort schuldig. Und so muß er sich in Aufnahme seiner Sorge um den Dialog zumindest fragen lassen, aus welchen Gründen wohl Juden ein Interesse an einem Dialog oder Streit haben sollten, wenn der Gesprächspartner von der Überzeugung bestimmt ist, sie existierten mit ihrem Festhalten am Alten Bund im Bereich des völlig Nichtigen, dessen, was nach dem Anbruch des Endgültigen als Vorläufiges „bedeutungslos" geworden ist (124).

christlicherseits) um die Selbstbefragung des Christenmenschen betreffs seiner eigenen Glaubwürdigkeit und der Glaubwürdigkeit seines Zeugnisses. Und diese Infragestellung beginnt schon mit dem Neuen Testament ..." (32). Desgleichen dürfte Grässer kaum Werblowskys Hinweis darauf willkommen sein, daß „eine markionitische (sc. und damit antijüdische) Linie wie ein roter Faden immer noch durch die christliche Theologie geht – auch Harnack und Bultmann gehören dazu" (ebd., 40). In seinem Beitrag „Antijudaismus bei Bultmann? Eine Erwiderung" (201-211) sucht Grässer meinen Nachweis von Antijudaismus bei Harnack und Bultmann zu entkräften, indem er die Diskussion von der Sachebene, der Frage nach der Struktur der Theologie, auf die Personebene verschiebt, auf der sie von mir gerade nicht angesiedelt war und angesiedelt werden soll.

Das gesamte Nachwort schließt mit wichtigen Sätzen Zimmerlis zum christlich-jüdischen Dialog, in denen er einerseits die Erwartung äußert, daß in einem echten Gespräch „von einem sein Altes Testament ernst nehmenden Israel sehr ernsthafte Fragen gestellt werden" würden, in denen er andererseits darauf beharrt, ebenso dürfe „dem allein am Alten Testament hängenden Israel die im Neuen Testament bezeugte Herrlichkeit seines Königs nicht vorenthalten werden", da der „Christus, über dessen Kreuz im *titulus* stand ‚König der Juden', ... keine aus der Geschichte Israels zu eliminierende Gestalt" sei (315). Wiederum könnte man auf der Grundlage dieses Satzes gemeinsam weiterzukommen suchen. Nur – von jenen „sehr ernsthaften Fragen" geben Grässers übrige Ausführungen kaum etwas zu erkennen[27], und seine Zustimmung zum letzten Satz über den gekreuzigten Jesus Christus als „keine aus der Geschichte Israels zu eliminierende Gestalt" setzt den Leser in Verlegenheit, der sich noch an die Aussagen zu „Diatheke in den Abendmahlstexten" erinnert: „Im NT ist der Bund als

---

27. Eindrückliche Beispiele für die Aufnahme solcher Fragen sind demgegenüber z.B. die oben (Anm. 2) genannten Arbeiten Harders und aus jüngerer Zeit insbesondere der Beitrag von *Chr. Hinz,* „ Entdeckung der Juden als Brüder und Zeugen" (Stationen und Fragestellungen im christlich-jüdischen Dialog seit 1945), in: Zeichen der Zeit 38 (1984), 12-29. 42-47. Zur Auseinandersetzung mit E. Grässer s. im übrigen auch: *B. Klappert,* Kein Dokument der Erneuerung. Antwort auf Erwägungen einiger Bonner Theologen zum Synodalbeschluß der rheinischen Landessynode, in: epd-Dok. Nr. 42/80 v. 29.9.80, 18-43; *E. Brocke/G. Bauer,* Noch keine Denk-Wende. Antwort an E. Grässer: Christen und Juden, in: Pastoraltheologie 72 (1983), 256-266; *P. Fiedler,* Israel und unsere Hoffnung. Bibeltheologische Überlegungen zum Israelabschnitt im Synodalbeschluß „Unsere Hoffnung", in: „Wer Tora vermehrt – mehrt Leben". Festgabe f. H. Kremers, hg. v. *E. Brocke* und *H.-J. Barkenings,* Neukirchen-Vluyn 1986, 15-24 passim.
Eine Rezension des besprochenen Bandes hingegen, in der die Aporien der Ausführungen Grässers als Lösungen referiert werden, ist erschienen in: ThLZ 111 (1986), 738-740. Im Rahmen dieser Besprechung wird u.a. der Neo-Mythos weiter gepflegt, „ernsthafte jüdische Gesprächspartner" würden „theologischen Besitzverzicht" im Sinne der Absage an christlich-theologischen Absolutismus sowie eine Antijudaismus und seine Implikationen „bewußt veränderte Interpretation des Neuen Testaments" nicht begrüßen („honorieren"). Der Rezensent zitiert allerdings wie viele andere vor ihm die markierten Schlagworte, ohne das mit ihnen Bezeichnete zu benennen. Da dieser Mythos schwerlich geeignet ist, die Erneuerung des christlich-jüdischen Verhältnisses zu fördern, mag der oben unverkürzt dargestellten Position Werblowskys das Votum eines weiteren „ernsthaften jüdischen Gesprächspartners" hinzugefügt werden: „... until Christians were prepared to grant ‚completeness' to Judaism, no truly meaningful dialogue could occur" (*M. Signer,* Communitas et Universitas: From Theory to Practice in Judaeo-Christian Studies. Presented at the Sol and Arlene Bronstein Colloquium on Judaeo-Christian Studies, 17 March 1986, Typoskr., 16).

eine radikal eschatologische Größe gedacht. Seine Stifung ist *nicht mehr* wie die des Alten Bundes ein Ereignis der Geschichte Israels. ‚Gestiftet ist er im Tode Christi, und der Einzelne wird in ihn aufgenommen durch die Taufe und die Teilnahme am Herrenmahl ...'" (Bultmann) (127)[28]. So kann man es nur bedauern, daß Grässer sich über die Implikationen der Zitate Bubers und Zimmerlis nicht vor der Abfassung zumindest der neuen Studie hinreichend Rechenschaft abgelegt hat. Sie hätte dann wohl doch anders ausgesehen und so wirklich ein Beitrag zur Weiterführung der Diskussion werden können.

28. Im Zitat Bultmanns ist „Stiftung" und nicht „nicht mehr" kursiviert.

2. Heil für die Juden – auch ohne Christus?*

I.

Welch eine Frage! Wer unter uns möchte sie wirklich und ernsthaft mit einem einfachen Ja oder Nein beantworten, so wie sie es zu wollen scheint? Wer würde rundheraus sein Ja geben, ohne gleich einen Zaun um dies Ja zu ziehen, der es vor Mißverstehen schützte, und wer hier ein Nein sprechen, ohne sofort ein Gleiches zu tun?

Es steht außer Zweifel – die Art der Frage gibt jeder Antwort von vornherein ein konfessorisches Gepräge. Doch allein der Tatbestand, daß sie, so ausgerichtet, einem akademischen Vortrag zur Erörterung gegeben ist, bezeugt auf seine Weise, daß es so wenig mit einem bekräftigenden Ja wie mit einem bestreitenden Nein getan ist. Wie das auffällige Miteinander von Inhalt und Form, so ist die Notwendigkeit neu einsetzender Erwägungen eine Signatur unserer Zeit und Situation. Zu den Faktoren, die sie kennzeichnen, gehören: die gelegentliche Erfahrung der Solidarität einzelner Christen und christlicher Gruppen mit Juden und, von unvergleichlich größerem Ausmaß und größerer Wucht, die Einsicht in Mitschuld von Christen, christlichen Theologen und Kirchen an Judendiffamierung, Judenverfolgung und Judenermordung in den Jahren 1933-1945 sowie in ihre Mitverantwortung hierfür, sodann die Erfahrung neuer Begegnungen nach der Zeit des Schreckens und Ansätze zu einem Gespräch oder Dialog, weiter das Hinzulernen über das jüdische Volk und seine Geschichte und schließlich ein neues Zugehen auf die Geschichte des christlich-jüdischen Verhältnisses und auch auf die Schrift Alten und Neuen Testaments.

Versuchen wir, die Bedeutung dieser Faktoren für einen Moment zu bündeln – ihre Bedeutung für unsere theologische Arbeit wie für unsere christliche Existenz insgesamt, also auch für unser Thema. Sie wäre, ungeachtet

* Vortrag in der Sektion Theologie der Martin-Luther-Universität Halle-Wittenberg am 20.10.1982 im Rahmen der dem Thema „Der ‚eine Gott' – derselbe in Kirche und Synagoge" gewidmeten Theologischen Woche 1982. Der bei seiner Erstveröffentlichung Hans-Joachim Kraus gewidmete Beitrag ist auch in der Zeitschrift „Die Zeichen der Zeit" (DDR) erschienen.

aller offenen Fragen der zurückliegenden Geschichte, wohl ein Stück weit erfaßt, wenn wir in Anlehnung an Paulus sprechen könnten: „... große Trauer und unaufhörlicher Schmerz sind in unseren Herzen", weil wir nicht so, wie es Jesus Christus gebührt, hingehört haben auf die Stimme seiner Brüder, „die doch Israeliten (Kinder Israel) sind, denen die Sohnschaft und der Glanz der göttlichen Gegenwart und die Bundschließungen und die Gabe des Gesetzes und der Gottesdienst und die Verheißungen, denen die Väter gehören und aus denen der Messias seiner irdischen Herkunft nach stammt" (Röm. 9,1-5). Solches Einstimmen wäre nicht nur die vom Evangelium her begründete „Trauerarbeit" und das erste grundlegende Moment der im Thema erfragten Confessio. Es wäre und ist sachlich auch die Voraussetzung für jede weitere Begegnung mit einzelnen oder Gruppen aus dem jüdischen Volk, handle es sich nun, obwohl deren Zeit vorbei ist oder sein sollte, um sog. Mission, oder handle es sich um sog. Dialog: Denn wie sollten *sie* auf *uns* hören, wenn *wir* nicht auf *sie* hören?

An einem einzigen Beispiel aus der Fülle möglicher möchte ich den skizzierten Zusammenhang veranschaulichen – nicht etwa um anzuklagen, sondern um einen vielfach festsitzenden Knoten zu lösen, ja mehr noch, um zu zeigen, was an Gewinn verlorengeht, wenn *nicht* gehört wird. Das Beispiel führt zwar nicht begrifflich, wohl aber sachlich ins Zentrum der Problematik.

In 1. Kor. 8 und 10 verhandelt Paulus die Frage, ob Christen an Mahlzeiten teilnehmen dürfen, bei denen Fleisch serviert wird, das von Opfern für heidnische Götter stammt. Die Weisung des Apostels lautet, man solle in dem Fall nicht essen, daß jemand ausdrücklich darauf hinweist, es handle sich um Opferfleisch. Man solle es nicht um dessentwillen, der den Hinweis gab, und nicht um des Gewissens des schwachen Bruders willen, der dem Ganzen noch eine religiöse Bedeutung beilegen könnte. In einem auch 50 Jahre nach seiner Abfassung noch immer herausragenden Beitrag zu diesen Kapiteln heißt es in diesem Zusammenhang zunächst resümierend: „Sehr beachtlich erscheint es, wie Paulus hier, ohne dies abstrakt auszusprechen, deutlich macht, daß das Gewissen niemals von Dingen (sc. sog. Opferfleisch), sondern von Menschen beansprucht wird. Das Essen als solches konstituiert keinen Gewissensfall, sondern erst das Essen als vor anderen bekundender und bekennender Akt; und darauf, wie dieser Akt verstanden oder mißverstanden wird, nicht wie er gemeint ist, kommt es an"[1]. Im

---

1. *H. Frhr. v. Soden*, Sakrament und Ethik bei Paulus (1931), in: *K. H. Rengstorf* (Hg.), Das Paulusbild in der neueren deutschen Forschung, 1964, S. 338-379, hier S. 352.

Anschluß an dies Resümee zieht der Verfasser mit Billerbeck einen Abschnitt aus dem Mischna-Traktat Avodah Zara (I,5) zum Vergleich heran: „Es lohnt sehr, auf eine jüdische Parallele hinzuweisen, die für eine analoge Situation die Regel geben will. Als Kaufmann darf ein Israelit nichts verkaufen, was heidnischem Kultus dient. Handelt es sich um Gegenstände, die nur für diesen Verwendung finden können (etwa Votivbilder), so darf er sie überhaupt nicht verkaufen; handelt es sich jedoch um Gegenstände, die dafür unter Umständen Verwendung finden können, aber nicht müssen (etwa Lichter oder Rauchwerk), so darf er sie dann nicht verkaufen, wenn er weiß oder erfährt, daß sie für heidnischen Kultus verwendet werden sollen"[2]. Soweit das Referat des Autors unter Bezug auf Billerbeck, und es bedarf gewiß keiner großen Anstrengungen, um den Sinn der beschriebenen jüdischen Anordnungen zu verstehen: Sie suchen dem (ja auch von Christen bejahten) Gebot, keinen anderen Göttern als dem einen zu Diensten zu sein, bis in den Alltag eines Kaufmanns hinein nachzugehen und ihm Weisung für seinen Gehorsam gegenüber dem göttlichen Wort zu geben. Die Auslegung in dem zitierten Beitrag allerdings fällt überraschend anders aus. Die Fortsetzung der bereits wiedergegebenen Sätze lautet: „Wir haben hier (sc. Avodah Zara) möglicherweise eine Rechtstradition, die auch für Paulus gegeben und maßgebend gewesen sein könnte, bemerken aber zugleich die charakteristische ethische Variation:

Die jüdische Weisung gibt an, wie der Fromme sich ohne wirtschaftliche Nachteile vor Befleckung schützen könne,

die paulinische, wie man Gottes Willen erfaßt und erfüllt.

Dort die Aufhebung des Gewissens in der Regel,

hier die schärfste Bindung des Gewissens in seiner vollen Befreiung.

Dort Gesetzeskasuistik,

hier Aufhebung des Rechtes in der Liebe.

Es ist der gleiche Unterschied, der zwischen den ethischen Weisungen Jesu und ihren talmudischen Gegenstücken besteht"[3].

Die Eskalation der Vorurteile, die hier von Satz zu Satz zu beobachten ist, mag aus dem Gefälle der Aussagen selber deutlich genug werden. Trotzdem scheint es nicht überflüssig, darauf hinzuweisen, daß der Abschnitt AZ I,5, man mag ihn wenden, wie man will, weder zum Motiv der Befleckung noch zur Frage der Vermeidung eines wirtschaftlichen Nachteils auch nur das geringste hergibt. Die ganze Brüchigkeit des scheinbar so stringenten

---

2. A.a.O. Vgl. *Billerbeck* III, [3]1961, S. 422.
3. A.a.O., S. 352f. (bei *v. S.* fortlaufender Text).

Schlußverfahrens tritt zusätzlich zutage, wenn man die Aufnahme dieses Abschnittes im babylonischen Talmud hinzunimmt, wenn man sich also noch etwas Zeit für die sog. Gesetzeskasuistik läßt. Nach der Mischna darf ein Kaufmann nicht verkaufen, wenn ein Heide herantritt und sagt: „Ich will diesen weißen Hahn!", weil er in diesem Fall sicher sein kann, daß er für das Opfer zugunsten eines heidnisches Gottes, also für heidnischen Gottesdienst, verwendet wird. Die Weisen des Talmud hingegen lehren, daß selbst diese eindeutige Weisung ihre flexible Ausnahme hat, ohne daß es dadurch zur Stützung fremden Kultes käme (bAZ 14a): „Wenn aber der Nichtjude zu Hause für seinen Sohn ein Gastmahl bereitet oder wenn er zu Hause einen Kranken hat, so ist es erlaubt (zu verkaufen), selbst wenn er sagt: ‚Ich will diesen (weißen) Hahn‘."

„Dort die Aufhebung des Gewissens in der Regel", „dort Gesetzeskasuistik" – das angeführte Beispiel dürfte hinreichend zeigen, in welchem Maß solche vorgefertigten, verallgemeinerenden Schemata zur Verzeichnung des anderen beitragen. Und wem dies eine Beispiel zuwenig ist, der mag demselben Traktat im babylonischen Talmud die allgemeine Weisung entnehmen, daß der, der sich nur mit der Tora, dem sog. Gesetz, befasse und nicht auch mit Liebeswerken, so sei, als hätte er keinen Gott (bAZ 17b).

Es gibt seit einigen Jahren erfreulicherweise Ansätze zu einer anderen Darstellung des Judentums und insbesondere des jüdischen Gesetzesverständnisses[4] – ungeachtet dessen sind die zitierten Schemata in Theorie und Praxis nach wie vor gang und gäbe. Versucht man, solche ebenso ungerechten wie verletzenden Charakterisierungen einen Moment gleichsam mit jüdischen Ohren zu hören, so wird verständlich, daß der jüdische Religionswissenschaftler David Flusser kürzlich sagen konnte, abgesehen von der allerersten Zeit des Anfangs sei Christus bisher den Juden überhaupt noch nicht gepredigt worden! Über diesen Satz läßt sich lange nachsinnen, ohne daß man so schnell zum Ende käme. Es spricht ebenso für die jüdische wie christliche Urteilskraft Flussers, daß sich der ganze Zusammenhang auch durch 1. Kor. 9,19-23 in der Paulus oft eigenen Zuspitzung erfassen läßt. „Denn obwohl ich allen gegenüber frei bin, hab ich doch mich selbst zum Knecht aller gemacht, damit ich möglichst viele gewinne. Den Juden bin ich wie ein

4. Vgl. besonders die Arbeiten von *H.-J. Kraus,* Freude an Gottes Gesetz, EvTh 10, 1950/ 51, S. 337-351; *ders.,* Die Biblische Theologie. Ihre Geschichte und Problematik, 1970; *ders.,* Reich Gottes – Reich der Freiheit. Grundriß systematischer Theologie, 1975, und zuletzt, aus intimer Kenntnis der rabbinischen Literatur, *A. Wittstock,* Toraliebe im jüdischen Volk, 1981.

Jude geworden, damit ich die Juden gewinne. Denen, die unter dem Gesetz stehen, bin ich wie einer unter dem Gesetz geworden – obwohl ich selbst nicht unter dem Gesetz stehe –, damit ich die, die unter dem Gesetz sind, gewinne ... Ich bin allen alles geworden, damit ich auf jeden Fall einige rette (*sōsō*). Alles aber tue ich um des Evangeliums willen, um an ihm teilzuhaben".

„Um des Evangeliums willen", „damit ich einige rette" (*sōzein, sōtēria*) – in diesen Horizont rückt Paulus seinen Katalog ein. Gemessen an seiner Hermeneutik, wie sie hier zum Ausdruck kommt, stellt sich uns von unserem Thema her unabwendbar die Frage: Wann sind wir den Juden Juden geworden? Wann sind wir denen, die unter dem Gesetz stehen, die also in gehorsamer Bindung an den einen Gott das sog. Joch der Gebote auf sich genommen haben, ihresgleichen geworden, obwohl wir nicht auf alle Israel gegebenen Gebote verpflichtet sind? Haben wir nicht gerade im Gegenteil unsere Aufgabe allein darin gesehen, zu zeigen, daß wir eben nicht unter dem Gesetz sind? Wie dem auch sei und wie auch immer die weitere Erörterung ausfalle – ohne den wenn auch noch so rudimentären Versuch, den Juden wie ein Jude zu werden, dürfte der im Thema gestellten Frage schwerlich entsprochen werden können.

Es mag ansatzweise bereits deutlich geworden sein, daß es mit all dem nicht um missionstaktische Fragen geht, sondern um das Bemühen, alle drei Größen gleichermaßen ernst zu nehmen: das Evangelium, d.h. das Wort von Jesus Christus, die Kirche als seine Gemeinde und das jüdische Volk. Solche Ernstnahme, die keine der drei Größen zu einem Objekt macht, sondern als lebendige Realität versteht, schließt folgende in den bisherigen Ausführungen bereits implizierte und für unsere Themafrage fundamentale Unterscheidung ein: Während die Gemeinde Jesu Christi in einem unmittelbaren Verhältnis zum Evangelium und damit zu Jesus Christus lebt, ist die – durch welche Schattierung auch immer gekennzeichnete – Beziehung des jüdischen Volkes zum Evangelium bzw. zu Jesus von Nazaret menschlich gesprochen in eminentem Sinne durch die Kirche vermittelt. Der scharfe Kontrast zwischen mittelalterlichem und nach-aufklärerischem jüdischem Jesusbild ist hierfür noch immer das deutlichste Indiz. Das heißt, die Frage „Heil für die Juden – auch ohne Christus?" ist keine abstrakte christologische bzw. anti-christologische oder als solche zu verhandeln. Sie ist vielmehr in umfassendem Sinne eingebunden in das Dasein der Gemeinde Jesu Christi als Zeugin, vermittelt sich also ekklesiologisch. So wenig wir Christen ohne Jesus Christus überhaupt nach „Heil für die Juden" fragen würden, so legitim ist deshalb jüdisches Nein zum „Heil mit Jesus Christus" ohne die Erfahrung der „Heilsamkeit des Heils"[5], und zwar legitim sowohl nach der Schrift Alten wie Neuen Testaments. Für den Tenach mag der Hinweis auf das Schilfmeerlied Ex. 15, für das Neue Testament der Verweis auf die Chorschlüsse der Wundererzählungen genügen: Der Lobpreis erfolgt hier jeweils *nach* der Erfahrung heilsamer Hilfe.

Die zuletzt getroffenen Unterscheidungen werden später wieder aufzugreifen sein. Ungeachtet der damit erreichten Differenzierung liegen die Dinge, was die Formulierung unseres Themas betrifft, noch einmal komplizierter und bedürfen der Aufschlüsselung, sofern es uns nicht nur um altes Sagen, sondern auch um neues Hören geht. Wir kommen damit zu dem Begriff des Heils.

II.

Tatsächlich wohnt dem Begriff „Heil" eine gleichsam verführerische Selbstverständlichkeit inne, die in der christlich-jüdischen Begegnung zumindest teilweise eher für Unklarheiten sorgt, als Klarheit zu schaffen geeignet ist. Damit meine ich nicht den unzählbaren tagtäglichen Mißbrauch dieses Wortes in den Jahren 1933-1945, obwohl auch dem in unserem Zusammenhang nachzudenken lohnen könnte. Gemeint ist vielmehr folgender Sachverhalt: Das Wort „Heil" klingt so voll und schön, so warm und verheißungsvoll, daß sein Sinn von vornherein klar zu sein scheint, unproblematisch, keiner Erklärung bedürftig. Wer aus gegebenem Anlaß trotzdem nach Definitionen zu suchen beginnt, stößt alsbald auf einen von hier aus nicht mehr ganz überraschenden, aber dennoch bemerkenswerten Tatbestand. Als letzte verzeichnet die 3. Auflage der RE (VII, 1899) einen kurzen Artikel zum Begriff „Heil", alle anderen großen Ausgaben evangelischer Lexika bringen hingegen nur das Stichwort und verweisen dann auf Artikel zu anderen Begriffen: so alle drei Auflagen der RGG sowie das EKL. Anders verhält es sich lediglich auf der katholischen Seite (LThK und SM[D]). Läßt man den an Intensität schwerlich zu übertreffenden Gebrauch des Wortes „Heil" in protestantisch-theologischen Aufsätzen Revue passieren und setzt dazu die skizzierte lexikalische Sachlage ins Verhältnis, so kann man bereits hier auf den Gedanken kommen, daß das deutsche Wort „Heil" kein besonders präziser, vielmehr eher ein plakativer

---

5. Die Wendung ist dem gleichnamigen Aufsatz von *M. Seils* entlehnt, in: Theologische Versuche XII, 1981, S. 91-100.

theologischer Begriff ist. Er bedarf, damit das mit ihm Gemeinte zutage tritt, der Ersetzung durch andere theologische Leitbegriffe. Im Rahmen der christlich-jüdischen Begegnung hat die Unschärfe des Begriffs „Heil" – ob intendiert oder nicht, mag dahingestellt sein – teilweise geradezu destruktive Wirkungen. Auch dafür ein Beispiel.

Die Landessynode der Ev. Kirche im Rheinland hat bekanntlich im Januar 1980 einen Beschluß „Zur Erneuerung des Verhältnisses von Christen und Juden" gefaßt. Unter Punkt 4, Absatz 3, heißt es darin: „Wir bekennen uns zu Jesus Christus, dem Juden, der als Messias Israels der Retter der Welt ist und die Völker der Welt mit dem Volk Gottes verbindet"[6]. Zu diesem Satz des Beschlusses hat H. Hübner unter dem Titel „‚Der Messias Israels' und der Christus des Neuen Testaments" einen Beitrag verfaßt, in dem er dem Beschluß eine irreführende, „schiefe Christologie" vorwirft[7]. In Anlehnung an die Erklärung des Alttestamentlers F. Hesse, „die Behauptung, Jesus sei der Messias Israels", sei „schlicht falsch"[8], bestreitet Hübner, daß es im Sinne des Neuen Testaments überhaupt legitim sei, von einem „Messias Israels", geschweige denn von Jesus als „Messias Israels" zu sprechen, der als solcher der „Retter der Welt" sei. Im Alten Testament komme überhaupt nur eine Stelle für eine konstitutive Beziehung zwischen Messias und Völkern in Betracht, Jes. 11,10. Diese Stelle aber sei nicht jesajanisch, sondern gehe auf einen Redaktor zurück[9]. Hinzu komme, so Hübner mit Georg Fohrer, „daß der Messias im AT nicht das Heil bringt und kein Heiland ist"[10]. Unter großzügiger Umgehung der lukanischen Vorgeschichte und anderer anstößiger Texte (z.B. Röm. 15,12/ Jes. 11,10) sieht Hübner die Verhältnisse im Neuen Testament diametral entgegengesetzt. Durch „die Übertragung des Titels Messias auf Jesus" habe „eben dieser Titel eine Wesensverwandlung durchgemacht"[11], er habe „nur in modifizierter Form aufgegriffen werden"[12] können. Da aber nach Hübner Modifikation „auch Diskontinuität", „auch Bruch"[13]bedeutet und

---

6. Handreichung „Zur Erneuerung des Verhältnisses von Christen und Juden", 1980, S. 10.
7. KuD 27, 1981, S. 217-239.
8. *F. Hesse*, Einige Anmerkungen zum Wort der rheinischen Landes-Synode über das Verhältnis von Christen und Juden, in: *B. Klappert/H. Starck* (Hg.), Umkehr und Erneuerung, 1980, S. 283-286, hier S. 283.
9. *Hübner*, a.a.O., S. 221.
10. *G. Fohrer*, Geschichte der israelitischen Religion, 1969, S. 361.
11. *Hübner*, a.a.O., S. 226.
12. A.a.O., S. 229.
13. A.a.O., S. 223.

er der in diesem Satz eingeräumten Kontinuität („auch") *nicht* nachgeht, ist er fast schon am Ziel. Die angedeuteten Modifikationen hätten bereits in den allerersten Jahren stattgehabt, deshalb werde man „bereits für eine sehr frühe Zeit damit rechnen dürfen, daß das Bekenntnis zu Jesus als dem Messias die gesamte soteriologische Bedeutsamkeit Jesu implizierte"[14]. Es folgt der entscheidende Satz: „‚Jesus ist der Messias' bedeutet dann bereits in der frühesten Zeit ‚Jesus ist die eschatologische Heilsgestalt, in der uns das ganze Heil Gottes zuteil geworden ist'"[15]. An diesem Resümee ist wie an einem Modellfall der unerbittliche Zusammenhang abzulesen: Je mehr wir die Seile, die das Kirchenschiff mit dem biblisch-jüdischen Ufer verbinden, zerhauen, je mehr treibt es auf das gnostische zu: „eschatologische Heilsgestalt", „das *ganze* Heil", „uns zuteil *geworden* ". Hier mag man füglich mit Paulus fragen: „Ihr seid schon geschmückt? Ihr seid schon zu Reichtum gelangt?" (1. Kor. 4,8)[16].

Der Aufsatz Hübners ist kein Einzelfall, bezeugt vielmehr einen in großer Breite zu beobachtenden Sprachgebrauch und Sprachumgang[17]. Nicht in Erklärungen wie dem Beschluß der rheinischen Synode, sondern in Beiträgen wie diesem ist ungeachtet aller Beteuerungen der universalen Bedeutung Jesu die Frage „Heil für die Juden – auch ohne Christus?" *de facto* allemal entschieden. Denn welches Interesse könnten Juden an einer „eschatologischen Heilsgestalt" haben, die nach dem erklärten Willen ihrer Interpreten im Verhältnis des Bruches, der puren Diskontinuität zu *den* Worten steht, die jüdische Gemeinden bis heute hin als an sie gerichtetes Wort Gottes hören, zur Bibel Alten Testaments? *De facto* werden mit einer Christologie, die nicht mehr den Anschluß an die Schrift sucht, wie es noch

14. A.a.O., S. 230 („sehr frühe" und „das Bekenntnis ..." bei *H.* kursiv).
15. Ebd.
16. Und zwar um so mehr, als *Hübner* (vgl. S. 232ff.) in enger Anlehnung an Paulus argumentiert, auch wenn er sich im entscheidenden von ihm trennt, indem er im Gegensatz zum Apostel die Frage, ob der Messias mit Jesus schon gekommen sei, angesichts des unterschiedlichen jüdischen und christlichen Messiasverständnisses als überholt ansehen möchte (S. 239). Vgl. auch unten, Anm. 24.
17. Ähnliches wie an seinen Ausführungen ließe sich, wenn auch aufgrund der längeren Kette von Abstraktionen langwieriger, an einem Beitrag von *G. Sauter* zur Sache zeigen: Jesus der Christus. Die Messianität Jesu als Frage an die gegenwärtige Christenheit, EvTh 42, 1982, S. 324-349. Auch hier erlaubt es eine in ihrer Abstraktheit und Allgemeinheit schwerlich zu übertreffende Definition des Messiasprädikats – „Jesus Christus ist die Verkörperung des Gottesheils, er ist das *neue Werk Gottes"* (S. 329, Hervorh. durch *S.*) – dem Autor, bis zu dem – befreienden? – Satz vorzudringen, Jesus sei im theologischen Sinne „nicht als Jude" gestorben (S. 336).

im Neuen Testament mit aller wünschenswerten Klarheit geschieht, Juden-
christen ein weiteres Mal aus der Kirche hinausgedrängt. Denn zumindest
ihnen erschließt sich der Messias Jesus nur in engster Anlehnung an das
Zeugnis der hebräischen Bibel. Wie aber wollen Christen Juden „Heil *durch*
Jesus Christus" sagen, wenn sie ihre judenchristlichen Schwestern und
Brüder so handfest aus ihren christologischen Reflexionen ausklammern?

Das erörterte Phänomen – und hier beginnt sich ein erster Kreis zu
schließen – steht in einer auffälligen Entsprechung zu dem im ersten Teil
durchleuchteten Sachverhalt. Der pauschalisierende Gebrauch des Be-
griffes „Heil" in christologischem Sinne leistet „positiv" dasselbe, was die
Rede von der die Liebe tötenden sog. jüdischen Gesetzeskasuistik in nega-
tivem Sinne leistet. Jene plakative Verwendung und diese Polemik tragen
beide in fragwürdiger Weise dazu bei, die Kluft zwischen jüdischem Volk
und christlicher Gemeinde, zwischen Tora und Evangelium, aufzureißen
und den oder die wahren Differenzpunkte zwischen Christen und Juden zu
verdecken.

Was also kann präziser gemeint sein, wenn vom „Heil *durch* Jesus Christus" gesprochen wird?

III.

Der griechische Begriff, der mit dem deutschen „Heil" auf den Plan gerufen
wird, ist *sōtēria* . Sein Sinn im Neuen Testament läßt sich am leichtesten über
das Verb (*sōzein*) erschließen. Dessen Bedeutung bewegt sich zwischen den
beiden Polen „helfen" und – intensiviert – „retten": so etwa in der Antwort
„Dein Glaube hat dir geholfen" einerseits (obwohl vielleicht auch hier das
Moment der Rettung mitschwingt) und Aussagen wie Röm. 5,9 andererseits, daß die durch das Blut Jesu Christi Gerechtfertigten um so mehr durch
ihn vor dem Zorn, d.h. vor dem Endgericht, gerettet werden würden. Je
endzeitlicher jeweils der Aussagezusammenhang bestimmt ist, um so
stärker liegt der Ton auf „Rettung" (und nicht einfach „Hilfe"). Dies gilt
auch für das Substantiv *sōtēria* . Beispiele dafür sind im Lukasevangelium
das Benediktus mit der Bezeichnung des Messias, d.h. Jesu, als „Horn der
Rettung", das dem Volk Israel Rettung vor allen Feinden und aus der Hand
aller Hasser bringe (Lk. 1,69.71). Für Paulus mag auf seinen Imperativ Phil.
2,12 verwiesen werden: „Mit Furcht und Zittern seid für eure Rettung tätig"
– wiederum die vor dem endzeitlichen Gericht. Obwohl es lohnend wäre,
auch den lukanischen *sōtēria* -Zusammenhängen nachzugehen, möchte ich

mich, weil sich hier vielleicht mehr in Kürze zeigen läßt, vorwiegend an die paulinischen halten[18]. Wie wird die Beziehung zwischen dem Menschen einerseits und jener Größe *sōtēria* andererseits nach dem Apostel konstituiert? Wir fragen so, um die Zusammenhänge weiter vor Augen zu bekommen, in die der Begriff *sōtēria* (Rettung statt Heil) eingebettet ist – „weiter" deshalb, weil *ein* Spezifikum bereits implizit deutlich geworden sein müßte: Während dem Begriff „Heil" trotz seiner klanglichen Positivität eine gewisse Verschwommenheit eigen ist, hat der Begriff *sōtēria* = Rettung den Vorzug, daß er sofort fragen läßt: wovor oder woraus? Und die Antwort „Feinde" dort (Lk.), „Endgericht" hier (Pls.) verdeutlicht alsbald den Horizont des Redens.

Die vielleicht konzentrierteste paulinische Rettungsaussage nun findet sich, in Anlehnung an traditionelle Wendungen, in Röm. 10,9f.: „Wenn du mit deinem Munde bekennst: Herr (Kyrios) ist Jesus, und (wenn) du mit deinem Herzen glaubst: Gott hat ihn von den Toten erweckt, (dann) wirst du (sc. im Endgericht) gerettet werden; denn mit dem Herzen wird zur Gerechtigkeit geglaubt, mit dem Munde aber zur Rettung bekannt". Folgende Momente dieses kurzen und trotz der Kürze hier nicht auszuschöpfenden Textes möchte ich hervorheben: Grundlegend ist der Glaube, die Annahme der Kunde, daß Gott Jesus von den Toten auferweckt habe, und das heißt zugleich nach Ausweis anderer paulinischer Aussagen: Grundlage ist der Glaube an den weil von Gott auferweckten, darum lebendigen, gegenwärtigen Jesus Christus. Solcher Glaube ist, weil er an dem endzeitlich auferweckten Jesus partizipiert, selber eine endzeitlich bestimmte Realität. Er ist das von Gott jetzt eröffnete und gewollte Verhalten – das Vertrauen zu ihm als dem, der das Werk der Totenerweckung begonnen hat. Darum auch trägt dies dem Menschen durch Gott eröffnete Verhalten das Prädikat endzeitlicher Gerechtigkeit. Wo aber endzeitliche Gerechtigkeit zugesprochen und zuerkannt wird, erfolgt keine Verurteilung im Endgericht. Folgerichtig schließt Paulus: „… dann wirst du gerettet werden". Folgerichtig und doch wieder nicht, denn wenn endzeitliche Gerechtigkeit zuerkannt, konstituiert ist, ließe sich auch folgern, daß die Rettung aus dem Endgericht bereits geschehen und nicht erst eine Sache der Zukunft sei. Wir werden diesen Zusammenhang noch einmal berühren – den auffälligen, im Rahmen seiner ganzen Verkündigung allerdings konsequenten Tatbestand, daß auch für den Apostel das Endgericht erst in der Zukunft zum Abschluß kommt.

---

18. Zur Bedeutung der lukanischen Zusammenhänge s. *P.v.d. Osten-Sacken*, Grundzüge einer Theologie im christlich-jüdischen Gespräch, 1982, S. 113ff.

Zunächst ist ein anderer Sachverhalt in den Vordergrund zu rücken. Das Herzstück der christlichen Gemeinde bildet nach Ausweis des zitierten Textes der Glaube an den Gott Israels als den, der Jesus von den Toten auferweckt hat, und damit zugleich die Bindung an den auferweckten Jesus als Herrn. Einer in Halle entstandenen Arbeit ist der Aufweis zu danken, daß die Wendung „der Jesus von den Toten auferweckt hat" im Neuen Testament „nahezu zu einem Gottesnamen wird", eben weil es hierbei um „das grundlegende Heilshandeln Gottes" gehe[19]. Und mit Recht wird in dieser partizipialen Wendung eine Erinnerung an die alttestamentliche partizipiale Bezeichnung Gottes „als dessen, der Israel aus Ägypten geführt hat", gesehen[20]. Es lohnt, bei dieser Zusammenschau einen Moment zu verweilen. Denn in der Tat: In demselben Maße, in dem für Israel als Volk Gottes die Herausführung aus Ägypten bis heute hin konstitutiv ist, in demselben Maß ist es für die Gemeinde aus Juden und Griechen die Auferweckung Jesu Christi von den Toten durch – wie wir bekennen –*denselben* Gott. Und eben dies – das Nein zur Auferweckung Jesu Christi dort, das Ja zu ihr hier – ist der wahre Differenzpunkt zwischen Christen und Juden, ich möchte zugespitzt ergänzen: Es ist zugleich der einzige. Alle übrigen haben hierin ihren Grund und ihr Maß und sind entweder sachgemäße oder unsachgemäße Entfaltungen dieser einen Differenz. So ist z.B. das, was Paulus von dem jüdischen Verhältnis zum Gesetz sagt, kein isolierter Glaubensgegenstand, sondern ein auf jenes Zentrum zurückzubeziehender Versuch, diese eine Differenz auszulegen, und darum auch durchaus prinzipiell be- und hinterfragbar. Und noch früher muß sich deshalb jeder Schriftausleger, der, Paulus vergröbernd, gegen jene so oft beschworene sog. jüdische Gesetzeskasuistik zu Felde zieht, fragen oder sich fragen lassen, ob er nicht vielleicht – ohne zu wissen, was er tut – auf Umwegen einen Beweis für die Auferweckung Jesu zu zimmern trachtet, die doch nur geglaubt werden kann.

„Er ist wahrhaftig auferweckt" – in diesem gemeindegründenden Handeln Gottes ist das Fundament zu dem gelegt, was mit dem Stichwort „Heil" bzw. „Rettung durch Jesus Christus" benannt wird. Nach dem gemeindegründenden Zeugnis des Neuen Testaments ist die Auferweckung Jesu

---

19. *G. Delling,* Geprägte partizipiale Gottesaussagen in der urchristlichen Verkündigung, in: *ders.,* Studien zum Neuen Testament und zum hellenistischen Judentum. Gesammelte Aufsätze 1950-1968, hg. v. *F. Hahn/T. Holtz/N. Walter,* 1970, S. 401-416, hier S. 407. Vgl. auch *ders.,* Die Bedeutung der Auferstehung Jesu für den Glauben an Jesus Christus, a.a.O., S. 347-370.

20. A.a.O., S. 407.

Juden *und* Heiden zugute geschehen, ist der Auferweckte für beide da. Wie könnte man schon allein deshalb christlich die Frage „Heil für die Juden – auch ohne Christus?" in dieser Pauschalität bejahen, ohne den Auferweckten selber zu verletzen? Von *demselben* Gewicht und unablösbar hierzu gehörig ist freilich unser Umgang mit jener Gewißheit, daß Gott Jesus Juden und Griechen zugute auferweckt habe und er beiden zugute lebe. Obwohl es nach wie vor das authentische Zeugnis ist, wenn die christliche Gemeinde diese ihre Gewißheit bekundet, indem sie sie als Gemeinde *lebt,* gibt es auch hier im Verhältnis zum jüdischen Volk bedrückende Hilfskonstruktionen. So wird z.B. in einer breiten christlichen Überlieferung jüdisches Nein zum Evangelium (also zur Kunde von der Auferweckung des Gekreuzigten) als Schuld ausgelegt und verbal eingeklagt. Kann man aber überhaupt jemandem als Schuld vorwerfen, er glaube nicht, daß Gott Jesus von den Toten auferweckt habe, und damit auch nicht an den auferweckten Jesus? Paulus hat dies jedenfalls gegenüber Israel nicht getan, es dürfte zum Glück nur wenige Seelsorger geben, die dies heute Zweiflern gegenüber tun, und wir selbst dürften uns schwerlich diese Richterfunktion zuschreiben, wenn wir nur bedenken, daß unser Glaube an den lebendigen Jesus von dem Gebet lebt: „Herr, ich glaube – hilf meinem Unglauben!"

Unter den Inklusionen, die die Botschaft von der Auferweckung des Gekreuzigten hat, möchte ich eine weitere besonders hervorheben. Das Ja der christlichen Gemeinde zu dieser Botschaft und das Nein der jüdischen bilden keine antithetische Symmetrie, sie sind vielmehr asymmetrisch[21]. Das heißt in der wichtigsten Hinsicht folgendes: Wenn die christliche Gemeinde bekennt, Gott habe Jesus von den Toten auferweckt, so schließt dies Bekenntnis – wie ja bereits aus dem Thema der Tagung deutlich wird[22] – die Gewißheit ein, daß dies derselbe Gott ist, der Abraham erwählt, der Israel aus Ägypten geführt und zu ihm am Sinai geredet hat. Die Preisgabe dieser Glaubensgewißheit schlösse die Preisgabe der Verheißung ein, auch der Verheißung: „...dann wirst du gerettet werden". Das jüdische Volk hingegen ist als Volk Gottes nicht erst *post Christum resurrectum* konstituiert, sondern hat einen sehr viel längeren Weg der Verheißung hinter sich. Und auch wenn es für sich nein sagt zur Botschaft von der Auferweckung Jesu Christi, so sind und bleiben sie doch Kinder Israel und die ihnen zugesagten Gaben und Verheißungen so unumstößlich wie das Paulus offenbarte

---

21. Vgl. hierzu *P. Lenhardt,* Auftrag und Unmöglichkeit eines legitimen christlichen Zeugnisses gegenüber den Juden, 1980.
22. „Der ‚eine Gott' – derselbe in Kirche und Synagoge". Vgl. oben, S. 256.

Mysterium: „Und so – wenn die Vollzahl der Völker da ist – wird ganz Israel gerettet werden" (Röm. 11,26); auch wenn Israel jetzt nein zu Jesus Christus sagt, so wird ihm doch im Endgericht durch Gottes Barmherzigkeit Rettung widerfahren. *Mehr* ist auch der christlichen Gemeinde nicht verheißen: „Im Modus der Hoffnung sind wir gerettet" (Röm. 8,24)! In diesem spezifischen Sinn läßt sich die Frage "Heil für die Juden – auch ohne Christus?" durchaus bejahen. Es ist freilich ein partieller Sinn, denn selbst diese Gewißheit, daß Israel trotz seines Nein zu Jesus Christus gerettet werden wird, ist von Paulus durch Jesus Christus gewonnen und bekräftigt.

Dieses Nein Israels läßt sich noch einmal ein Stück weiter präzisieren, wenn wir in den Blick fassen, daß Israel ungeachtet dieses Nein nach seinen eigenen Aussagen durchaus in einer lebendigen Beziehung zum totenerweckenden Gott steht. In dem täglich gebeteten und in seiner Bedeutung dem Vaterunser vergleichbaren Achtzehnbittengebet heißt es in der zweiten Lobpreisung Gottes:

> „Du bist voll Macht in Ewigkeit, Herr!
> Der die Toten belebt, bist du – reich an Rettung.
> Der den Wind wehen läßt und den Regen herabkommen,
> der die Lebenden in Gnade erhält,
> die Toten belebt in großer Barmherzigkeit,
> die Fallenden stützt,
> die Kranken heilt
> und die Gefangenen löst
> und seine Treue wirksam werden läßt an denen,
> die im Staube schlafen.
> Wer ist wie du, Herr voll Machttaten,
> und wer ist dir gleich, König,
> der tötet und lebendig macht und Rettung (Heil) sprossen läßt!
> Und treu bist du, die Toten wieder zu beleben.
> Gelobt seist du, Herr, der die Toten lebendig macht"[23].

Dort, wo die Bezeichnung Gottes als Totenerwecker im Neuen Testament erörtert wird, wird in der Regel stets auch dieser Text herangezogen. Und in der Tat ist die Nähe zwischen dem griechischen *ho egeirōn tous nekrous* und dem hebräischen *mechajjeh metim* unverkennbar. Bei solchem exegetischen Verweis auf die Verwandtschaft bestimmter Wendungen gerät

---

23. Übersetzung durch *Verf.;* zugrunde gelegt ist der hebräische Text des Sidur Sefat Emet, Nachdr. 1978.

freilich leicht der Reichtum des ganzen Textes aus dem Blick – das, was alles noch von „dem, der die Toten wieder belebt", ausgesagt wird. Der Gott, dem solches Handeln zugetraut wird, ist nach dieser Beracha oder Eulogie nicht erst irgendwann heilsam am Werk, sondern manifestiert dieselbe Stärke (*gevurah*), die in der Belebung der Toten zum Ausdruck kommen wird, bereits jetzt: in dem Segen, den er mit Wind und Regen über das Land bringt, in der Hilfe für Strauchelnde, der Heilung für Kranke, der Auslösung von Gefangenen. Die Erfahrung von *jeschuah* (Hilfe/Rettung) in solchen Geschehnissen, die hierdurch bekräftigte Gewißheit der Treue Gottes, ist der Grund der festen Hoffnung: „...und treu bist du, die Toten wieder zu beleben".

Was sich zuletzt in Umrissen an Differenz und Gemeinsamkeit abgezeichnet hat, läßt sich mit einigen Sätzen Martin Bubers bündeln, die dieser am 14. Januar 1933 in dem bewegenden Stuttgarter Religionsgespräch dem Neutestamentler Karl Ludwig Schmidt erwidert hat: „Wenn wir die Scheidung zwischen Juden und Christen, zwischen Israel und der Kirche, auf eine Formel bringen wollen, können wir sagen: ‚Die Kirche steht auf dem Glauben an das Gekommensein Christi, als an die der Menschheit durch Gott zuteil gewordene Erlösung. Wir Israel *vermögen* das nicht zu glauben.'... Wir verstehen die Christologie des Christentums durchaus als wesentliche Begebenheit zwischen Oben und Unten. Wir sehen das Christentum als etwas, dessen Kommen über die Völkerwelt wir in seinem Geheimnis zu durchdringen nicht imstande sind. Wir wissen aber auch, ...daß die Weltgeschichte nicht bis auf ihren Grund aufgebrochen, daß die Welt noch nicht erlöst ist. Wir *spüren* die Unerlöstheit der Welt ...

Erlösung der Welt ist uns unverbrüchlich eins mit der Vollendung der Schöpfung, mit der Aufrichtung der durch nichts mehr behinderten, keinen Widerspruch mehr erleidenden, in all der Vielfältigkeit der Welt verwirklichten Einheit, eins mit dem erfüllten Königtum Gottes. Eine Vorwegnahme der *vollzogenen* Welterlösung zu irgendeinem Teil, etwa ein Schonerlöstsein der Seele, vermögen wir nicht zu fassen, wiewohl sich auch uns, in unsern sterblichen Stunden, Erlösen und Erlöstwerden kundtut"[24].

---

24. *K.L. Schmidt/M. Buber,* Kirche, Staat, Volk, Judentum. Zwiegespräch im Jüdischen Lehrhaus in Stuttgart am 14. Januar 1933 (1933), in: *K.L. Schmidt,* Neues Testament – Judentum – Kirche. Kleine Schriften, hg. v. *G. Sauter,* 1981, S. 149-165, hier S. 158f. (Hervorh. durch *B.*). Zur bemerkenswerten Kommunikabilität dieser Aussagen mit dem paulinischen Verständnis von Rettung („Heil") vgl. *W. Foerster,* Art. *sōzō ktl.,* in: ThWbNT VII, 1964, S. 1004. Er weist mit Recht darauf hin, daß „das Schwergewicht der beiden Begriffe *sōzō und sōtēria* auf der Zukunft" liege.

IV.

Demselben Gespräch zwischen Buber und Schmidt entstammen die nahezu prophetischen Worte:

„Wenn die Kirche christlicher wäre, wenn die Christen mehr erfüllten, wenn sie nicht mit sich selbst rechten müßten, dann würde, meint Karl Ludwig Schmidt, eine schärfere Auseinandersetzung zwischen ihnen und uns kommen.

Wenn das Judentum wieder Israel würde, wenn aus der Larve das heilige Antlitz hervorträte, dann gäbe es, erwidere ich, wohl die Scheidung unabgeschwächt, aber keine schärfere Auseinandersetzung zwischen uns und der Kirche, vielmehr etwas ganz anderes, das heute noch unaussprechbar ist"[25].

Karl Ludwig Schmidt hat wenige Jahre nach diesem Gespräch den tiefreichenden Satz geprägt, die Kirche umschließe die „einzigen und wirklichen Freunde" des jüdischen Volkes[26]. Dieser Satz ist in jenen Jahren hier und da bewahrheitet, unzählbar oft jedoch widerlegt worden. „Wenn die Kirche christlicher wäre ..." – dies dürfte wohl im christlich-jüdischen Verhältnis zuallererst heißen, jene tiefe und verschüttete Wahrheit, daß die Kirche die „einzigen und wirklichen Freunde" des jüdischen Volkes berge, in der Bindung an Jesus Christus zu leben. Und wenn solches Leben einmal über eine nicht terminierbare Zeit hin aufgeblüht ist, dann wird sich auch die Frage „Heil für die Juden – auch ohne Christus?", in Bubers Wendungen gesprochen, noch einmal „ganz anders" stellen, „heute noch unaussprechbar". Denn es könnte ja sein, daß wir uns dann nicht mehr ekklesiologisch mit dem Gedanken abplagten, wenn Israels Erwählung trotz seines Nein bleibe, gebe es zwei Gottesvölker, obwohl es doch nur eins geben dürfe, es könnte sein, daß wir uns nicht mehr theologisch mit dem Zweifel herumschlügen, Gott selber sei angesichts seines Ja zur Völkerwelt und seines bleibenden Ja zu Israel trotz dessen Nein zu Jesus Christus in sich selber unschlüssig oder widersprüchlich. Denn – um nur dies eine anzudeuten: Wenn es uns denn gegeben ist, den nahen und den fernen, den offenbaren und den verborgenen Gott vertrauensvoll zusammenzuglauben, warum sollte es uns dann nicht gegeben werden können, den geheimnisvollen Weg Gottes mit seinem Volk Israel und mit uns zusammenzuglauben, zusammenzuleben und zusammenzudenken?

25. A.a.O., S. 165.
26. *K.L. Schmidt*, Die Judenfrage im Lichte der Kapitel 9-11 des Römerbriefes, 1943, S. 18.

Doch bleiben wir bei dem Aussprechbaren. Weil das Thema eine Confessio intendiert, möchte ich mit ihr auf den Schluß zugehen: Ich glaube, daß Jesus Christus, der gestorben, ja vielmehr auferweckt worden und zur Seite Gottes ist, nicht nur für uns, die wir uns zu ihm bekennen, sondern für Gottes Volk Israel eintritt und daß deshalb nichts das jüdische Volk von der Zuwendung Gottes trennen kann, die in Jesus Christus ist – auch sein Nein nicht[27]. Diese Gewißheit eröffnet die Kraft zu beidem, was uns aufgetragen ist und was die Stunde fordert: das Ja Gottes als Gemeinde Jesu Christi zu leben und das Nein Israels zu Jesus Christus – uns selber hilfreich[28] – zu verstehen.

Das, was ich aufzuzeigen versucht habe, wird wie in einem Brennpunkt durch ein Beispiel aus Ihrer Nähe zusammengefaßt, dessen Kenntnis ich einem der Anwesenden danke: In Halberstadt lebt noch eine einzige Jüdin, die die Zeit des Schreckens und des Mordens überlebt hat – ohne Glaubensgenossen, ohne Gemeinde, ohne Rabbiner. Sie wird seit Jahren von einem der dortigen Pfarrer besucht, der mit ihr Chanukka feiert und das Schma Jisrael betet. Dieser gelebten Antwort auf unser Thema und unseren *kairos* ist schwerlich etwas hinzuzufügen.

---

27. Vgl. hierzu Röm. 8,31-39 und den engen Anschluß von Röm. 9-11, besonders von 9,1ff., an diesen Text.
28. Vgl. hierzu *F.-W. Marquardt,* „Feinde um unsretwillen". Das jüdische Nein und die christliche Theologie, 1977, in: *ders.,* Verwegenheiten. Theologische Stücke aus Berlin, 1981, S. 311-336.

3. Staat Israel und christliche Existenz*
Möglichkeit, Grenze und Bewährung
theologischer Aussagen

I. Der Staat Israel als Zeichen der Treue Gottes zu seinem Volk

Im Januar 1980 hat die Landessynode der Evangelischen Kirche im Rheinland einen bedeutsamen „Synodalbeschluß zur Erneuerung des Verhältnisses von Christen und Juden" gefaßt[1]. In den Vorarbeiten und im Beschluß selbst hat sich die Synode ihren eigenen Worten gemäß „der geschichtlichen Notwendigkeit" gestellt, „ein neues Verhältnis der Kirche zum jüdischen Volk zu gewinnen"[2]. Unter den Gründen, die sie dabei bestimmt haben, wird die Einsicht genannt, „daß die fortdauernde Existenz des jüdischen Volkes, seine Heimkehr in das Land der Verheißung und auch die Errichtung des Staates Israel Zeichen der Treue Gottes gegenüber seinem Volk sind"[3]. Es ist für das Verständnis wichtig, diesen Satz langsam zu lesen und sich die verwendeten Begriffe bewußt zu machen. Es wird nicht abstrakt vom „Judentum", sondern sehr viel konkreter vom „jüdischen Volk" geredet; das Land Israel wird nicht mit einem politischen, sondern mit einem theologischen Begriff umschrieben, indem vom „Land der Verheißung" gesprochen wird; schließlich erscheint als dritte Größe der „Staat

---

* Diesem Aufsatz liegt ein Vortrag zugrunde, der auf der Tagung „Der Staat Israel als Herausforderung an die christliche Theologie" der Bischöflichen Akademie des Bistums Aachen am 16./17.4.1983 gehalten wurde. Für die Drucklegung ist er vor allem um einige Passagen erweitert worden, in denen neuere Beiträge zur Sache aufgenommen und diskutiert sind.
1. Zur Erneuerung des Verhältnisses von Christen und Juden. Handreichung, (o.O.) 1980, 9-11 (Beschluß). 11-28 (Thesen), nachgedr. in: *B. Klappert/H. Starck* (Hgg.), Umkehr und Erneuerung. Erläuterungen zum Synodalbeschluß der rheinischen Landessynode 1980 „Zur Erneuerung des Verhältnisses von Christen und Juden", Neukirchen 1980, 264-266. 267-281. Im folgenden wird nach der Handreichung zitiert.
2. Handreichung, 9.
3. Ebd.

Israel". Alle drei Größen werden durch die Deutung als „Zeichen der Treue Gottes gegenüber seinem Volk" zusammengeschlossen; und indem in dieser Wendung von „seinem Volk" gesprochen wird, kommt zugleich ein weiterer tragender Begriff hinzu – der des „Volkes Gottes", angewandt auf das jüdische Volk. Dieser Vorgang, d.h. vom jüdischen Volk als Volk Gottes zu sprechen, ist im Rahmen christlicher Theologie ja keineswegs selbstverständlich, so beklagenswert dies auch erscheint.

Der Synodalbeschluß verweist zu den zitierten Ausführungen auf die Studie „Christen und Juden" des Rates der EKD aus dem Jahr 1975[4], in deren Nachfolge er sich sieht[5], und Berthold Klappert hat diesen Zusammenhang in seiner Erläuterung dieses Teiles des Beschlusses noch einmal kräftig unterstrichen[6]. Er resümiert, der Synodalbeschluß sei „in der Kennzeichnung der drei konstitutiven Momente der Geschichte des jüdischen Volkes (sc. fortdauernde Existenz, Heimkehr, Errichtung des Staates) als Zeichen der Treue Gottes an der EKD-Studie orientiert" und gehe „über die Studie hinaus, insofern er diese Einsicht als eine solche bezeichnet, die von dem Holocaust als einem Wendepunkt in der Beziehung zum jüdischen Volk herkommt"[7]. Ob diese Feststellungen in allen Teilen einer näheren Prüfung standhalten, scheint freilich fraglich. Denn die Aussagen der Studie sind im wesentlichen Referat über jüdisches Selbstverständnis, und selbst dort, wo das Stichwort „Zeichen der Treue Gottes" erscheint, begegnet es lediglich im Rahmen der Aussage, von „vielen Christen" werde das Fortbestehen des jüdischen Volkes post Christum als „Zeichen der unwandelbaren Treue Gottes" angesehen[8]. So besteht zwischen der EKD-Studie und dem Synodalbeschluß in diesem Zusammenhang theologisch wohl doch ein größerer Unterschied – dem Erwägen und Erwähnen verschiedener Sachver-

4. Christen und Juden. Eine Studie des Rates der Evangelischen Kirche in Deutschland, Gütersloh 1975 (=[4]1982).
5. Handreichung, 9. Der Beschluß verweist ebd. auf die Abschnitte III, 2 („Die beiden Formen jüdischer Existenz") und III, 3 („Der Staat Israel") der Studie (=27f. 28-30).
6. B. Klappert, Zeichen der Treue Gottes, in: Klappert/Starck, Umkehr und Erneuerung, 73-88, hier: 73f. Der Beitrag erläutert diesen Teil des Beschlusses von der Position her, die Klappert in dem Bändchen begründet hat: Israel und die Kirche. Erwägungen zur Israellehre Karl Barths, München 1980. Die Erläuterungen 74-88 sind, ausgenommen die Bezüge auf den Synodalbeschluß, im wesentlichen identisch mit dem Schlußkapitel („Die christliche Theologie und Israels Land") dieses Bändchens (66-76).
7. Klappert, Zeichen der Treue Gottes, 74.
8. Christen und Juden, 27. Dieser Satz findet sich dazu in Abschnitt II, 1, d.h. vor den beiden Abschnitten, auf die der Synodalbeschluß verweist (vgl. oben, Anm. 5).

halte dort steht die eigene eindeutig theologische Stellungnahme oder Aussage hier gegenüber. Die zitierten Ausführungen aus dem Synodalbeschluß, die im Unterschied zur EKD-Studie den Staat Israel bzw. seine Errichtung in das Verständnis als Zeichen der Treue Gottes einbeziehen, gehen deshalb auf andere Quellen und Orientierungspunkte als die Studie zurück. Zu nennen sind in diesem Zusammenhang etwa die Namen von Walther Zimmerli[9] und Günther Harder[10], die bereits vor mehr als zwanzig Jahren die Existenz des Staates Israel mit Hilfe der Kategorie „Zeichen der Treue Gottes" gedeutet haben, oder aber auch die von Klappert selbst mit Recht hervorgehobene, wichtige Handreichung „Israel: Volk, Land und Staat" der Nederlandse Hervormde Kerk von 1970[11].

Wie es sich auch im einzelnen damit verhalten mag, in jedem Fall dürfte dies Stichwort „Zeichen der Treue Gottes gegenüber seinem Volk" die entscheidende Orientierungshilfe für die Erörterung der Frage sein, ob und inwieweit der Staat Israel eine Herausforderung für die christliche Theologie bzw. wie das Verhältnis von Staat Israel und christlicher Existenz theologisch zu bestimmen ist. Zum einen ist in dieser stichwortartigen Deutung der Staat Israel überhaupt als eine Größe ernst genommen, die zum christlichen Glauben ins Verhältnis zu setzen ist. Und zum anderen ist dies Ver-

---

9. *W. Zimmerli*, Der Staat Israel – Erfüllung biblischer Verheißungen? (1962), in: ders., Israel und die Christen. Hören und Fragen, Neukirchen 1964 (=[2]1981), 61-81, hier: 80.

10. *G. Harder*, Thesen zum Thema: „Was bedeutet der Staat Israel für die Christenheit? (Der Staat Israel und das Israel Gottes)", zuerst veröffentlicht im Rahmen meines Beitrags: Israel als Anfrage an die christliche Theologie, in: *P.v.d. Osten-Sacken* (Hg.), Treue zur Thora. Beiträge zur Mitte des christlich-jüdischen Gesprächs (Festschrift zum 75. Geb. v. G. Harder), Berlin 1977 (=[2]1979), 72-83, hier: 76f.

11. Israel: Volk, Land und Staat. Handreichung für eine theologische Besinnung der Niederländischen Reformierten Kirche (1970), in: FrRu 23/1971, 19-27; vgl. den Hinweis bei *Klappert*, Zeichen der Treue Gottes, 80. Der in diesem Zusammenhang wichtigste Satz dieser Handreichung dürfte die Bekräftigung sein, daß „in der Rückkehr (sc. ins Land Israel) die Gnade der fortdauernden Erwählung Gottes sichtbar geworden" sei (25). Zum möglichen Zusammenhang zwischen der zur Debatte stehenden Deutung Israels und der Theologie *Karl Barths* s. *Klappert* in seinem zweiten in Anm. 6 genannten Beitrag. In Anlehnung an einen frühen Beitrag von *I. M. Congar* (Sens de la restauration politique d'Israël aù regard de la pensée Chrétienne, in: Session d'Information sur divers aspects du Mystère d'Israël, Paris 1955, bes. 207-209) hat sich vor den genannten Arbeiten bereits *E. H. Flannery* (Theological Aspects of the State of Israel, in: The Bridge. A Yearbook of Judaeo-Christian Studies 3, 1958, 301-324) auf der Linie der oben dargelegten Deutung bewegt, indem er folgert, Israels Rückkehr ins Land der Verheißung könne als „a distant preparation for her final encounter with grace" verstanden werden (324).

hältnis – und zwar unter Voraussetzung des Evangeliums, also nicht einfach in Übernahme jüdischen Selbstverständnisses – grundsätzlich positiv bestimmt. Der Gewinn, der hierin liegt, läßt sich unter Rückbezug auf die christliche Tradition wie folgt umschreiben: Theologie und Kirche haben über Jahrhunderte hin das folgenreiche geschichtliche Datum der Zerstörung Jerusalems und des Zweiten Tempels theologisch gedeutet, also ein historisches Ereignis. In welchem Sinne und mit welchen Folgen, ist bekannt. Läßt man sich auf eine solche Deutung ein, so muß man damit rechnen, daß die Geschichte sich eines Tages in neuer Gestalt präsentiert und nun dieselbe Frage stellt: Wie hältst du's mit der Religion, d.h. mit der theologischen Deutung dieses Ereignisses? Diese neue Gestalt war in dem Augenblick gegeben, da Jerusalem nicht mehr oder nicht mehr nur „von den Heiden zertreten" war (Lk. 21,24), mithin spätestens im Jahr 1948, mit der Gründung des Staates Israel[12]. Es mag dahingestellt bleiben, ob der angedeutete Zusammenhang (wenn Deutung der Zerstörung, dann auch Deutung des Aufbaus) den genannten Theologen oder der rheinischen Synode vor Augen gestanden hat. Jedenfalls ist mit der Deutung des Staates Israel als Zeichen der Treue Gottes zu seinem Volk die Anfrage angenommen, die die Existenz des Staates allein schon vor dem Hintergrund jener jahrhundertealten Deutung stellt. Umgekehrt läßt es sich nur als einen Akt der Willkür oder der Verdrängung bezeichnen, wenn zwar die Zerstörung Jerusalems im Jahre 70 theologisch interpretiert wird, der Aufbau der Stadt als einer jüdischen im Staat Israel jedoch nicht.

12. Vgl. hierzu *Flannery,* Aspects, bes. 302 (303f. zahlreiche Beispiele aus der Kirchengeschichte); ferner die entsprechenden, von *Klappert* (Zeichen der Treue, 77) aufgenommenen Erwägungen von *H.H. Henrix,* Ökumenische Theologie des Judentums. Gedanken zur Nichtexistenz, Notwendigkeit und Zukunft eines Dialogs, in: FrRu 28/1976, 16-27, hier: 21: „Eine lange Tradition der Theologie hat Gottes Strafen und Verwerfen angesichts des Landverlustes und der Zerstreuung der Juden in alle Welt konkretisiert. Das Anliegen, den Gottesgedanken anhand geschichtlicher Realitäten zu konkretisieren, bietet eine Anknüpfung. Aber daß die Theologie ihr Anliegen an Phänomenen des Leidens und des Todes verifizierte, nahm ihm den Charakter einer Explikation einer Frohbotschaft. Anknüpfung im Widerspruch wäre es, wenn die Theologie das Thema des Landes und Staates Israel als eine Chance wahrnimmt, ihr Denken Gottes, seines Erwählens und Berufens, seines Bundes und Verheißens aufgrund und angesichts einer zeitlich und räumlich angebbaren Wirklichkeit der Gegenwart zu konkretisieren. Gibt es methodologisch eine Sicherung, dabei die Skylla ideologischer Verbrämung politischer Realitäten und die Charybdis billiger Unverbindlichkeit abstrakter Theologie zu vermeiden?" Bei *Flannery* (301, Anm. 2; 303, Anm. 6) und *Henrix* (17, Anm. 8) ist zugleich wichtige ältere Literatur zum Thema zu finden – beides um so hilfreichere Zusammenstellungen, als die im folgenden einbezogene neuere Arbeit von *W. Kickel* leider kein Literaturverzeichnis einschließt.

Obwohl die hier vorgetragenen Überlegungen einerseits darauf zielen, das Verständnis des Staates Israel als Zeichen für die Treue Gottes zu bekräftigen, tendieren sie andererseits nicht etwa dahin, die Deutung der Zerstörung der Heiligen Stadt im ersten Jahrhundert als Gerichtsakt Gottes zu verteidigen, zu stützen oder zu wiederholen. Dies ist nur scheinbar ein Widerspruch. Denn es dürfte bei dieser unterschiedlichen Aufnahme geschichtlicher Ereignisse im Großen gelten, was wir im Kleinen vermutlich weithin praktizieren. Wer von uns käme dann, wenn jemand in seinem Freundes-, Bekannten- oder Verwandtenkreis von einer schweren Krankheit betroffen wird oder eines frühen Todes stirbt, auf den Gedanken, dies Geschehen als ein Strafgericht Gottes zu deuten, womöglich noch gegenüber den nächsten Angehörigen? Wir werden uns sehr viel eher darum mühen, zu bezeugen und nach Möglichkeit zu leben, daß der Betroffene ungeachtet dessen, was er erleidet, nicht von der Zuwendung Gottes getrennt ist. Ein Betroffensein als Gericht Gottes zu deuten, kommt demgegenüber einem Bekenntnisakt gleich, der in erster Linie mich selber betrifft, indem ich etwas mich Betreffendes als richtende Anrede Gottes begreife. Entsprechend ist es eines, wenn Israel in seiner Überlieferung die Zerstörung Jerusalems als Gerichtsakt Gottes deutet[13], und ein anderes, wenn dies Christen von außen tun. So wenig es uns deshalb zukommt, bestimmte Ereignisse im Leben des jüdischen Volkes als Ausdruck göttlichen Gerichts zu deuten, so sehr steht es uns an, Israel in Situationen, in denen es von Leid betroffen ist, durch unser Reden und Leben zu bezeugen, daß es nichts von der Zuwendung Gottes zu trennen vermag. So, wie wir sodann für Leib und Leben danken und, wenn es uns gegeben ist, andere dahin führen mögen, daß auch sie für die Gaben ihres Lebens als Zeichen der Güte Gottes danken, so scheint es nur folgerichtig, wenn wir als Christen die Gabe des Staates Israel als Lebensmöglichkeit für das jüdische Volk mit Dank und Mitfreude begleiten. Damit ist noch nicht alles gesagt, das Ganze aber vielleicht doch aus einer Perspektive verdeutlicht, die verstehbarer ist als ein abstrakter theologischer Zusammenhang, wie wir ihn uns nun allerdings auch vor Augen zu führen haben[14].

Das, was ich in den letzten Überlegungen vor allem am Beispiel existentieller Erfahrungen zu verdeutlichen versucht habe, wird durchaus durch lange vergessene biblische, vor allem auch neutestamentliche Zusammen-

---

13. Vgl. etwa die Beispiele bei *P. Billerbeck,* Kommentar zum Neuen Testament aus Talmud und Midrasch, Bd. III, München 1926 (=³1961), 253f.
14. Zur Frage des Umgangs mit den theologischen Kategorien „Gericht" und „Gnade" bzw. „Treue" s. auch unten, 283f.

hänge gestützt. So hat der bereits erwähnte Günther Harder in Erinnerung gerufen, daß Jesus Christus nach dem Verständnis des Apostels Paulus das Ja auf *alle* Verheißungen Gottes ist (2. Kor. 1,20). Israel gemahne uns daran, daß zu diesen Verheißungen auch das Wohnen des Gottesvolkes in seinem Lande gehöre, daß also keineswegs schon alles durch Kreuz und Auferweckung Jesu erfüllt sei; Israel habe vielmehr auch nach dem Neuen Testament Gegenwart und Zukunft[15]. Besonders deutlich wird dies, wenn es in Röm. 11,26 heißt, ganz Israel werde in Übereinstimmung mit seiner bleibenden Erwählung durch Gott (Röm. 11,1f.) in Gottes Zukunft gerettet werden – es ist also keineswegs passé, wie immer wieder behauptet worden ist. Die von Harder u.a. bis hin zur Evangelischen Kirche im Rheinland vertretene stichwortartige Deutung des Staates Israel als „Zeichen der Treue Gottes gegenüber seinem Volk" dürfte mit dem durch 2. Kor. 1,20/Röm. 11,1f. 26 bezeichneten Grund ihr festestes Fundament haben und gerade als christlich-theologische Aussage erkennbar werden. Denn wenn ganz Israel gerettet werden soll (wie der bibel- und evangeliumstreue Paulus offenbart), dann schließt dies das Versprechen der Bewahrung eben dieses Volkes Israel ein, der Bewahrung im Zeichen der Verheißung, damit sich Gottes Treue an ihm erweise, nicht etwa damit die Kirche es „bekehrt". Die Bewahrung Israels aber ist in biblischer Tradition immer wieder an das Land gebunden. Ebenso wie die Bibel zeigt die Leidensgeschichte des jüdischen Volkes, daß Israel ohne sein Land, die Diaspora ohne Anlehnung an das Land Israel, ohne diese Heim- und Zufluchtsstätte, einem zerstörerischen Kreislauf ausgesetzt ist: Die Selbstaufgabe als Volk durch die Assimilierung an die jeweiligen Heimatländer hat ebenso wie die Wahrung der Identität als Volk in der Diaspora durch das Leben in der religiösen Tradition immer wieder tödliche Bedrohung anstatt eines Lebens in Frieden mit und unter den Völkern mit sich gebracht[16]. Zwar läßt sich in diesem Zusammenhang fragen, ob es denn nicht, wenn die Bewahrung Israels und sein Leben in

---

15. *Harder,* Thesen, 76f.
16. Vgl. *J. Bloch,* Unglückliches Judentum. Bemerkungen zur Geschichte der Deutschen Juden, in: ders., Selbstbehauptung. Zionistische Aufsätze, Hamburg 1972, 11-19. Die Darstellung oben im Text nimmt im übrigen in diesem Absatz bis hierher den Kern meiner Ausführungen in dem Anm. 10 genannten Aufsatz auf, in dem ich *Harders* Ansatz weiterzuführen gesucht habe; die letzten Sätze sind jenem Beitrag wörtlich entlehnt (79). Zum Zusammenhang von Volk und Land Israel seit biblischer Zeit s. *R. Rendtorff,* Israel und sein Land, München 1975; *F.-W. Marquardt,* Die Juden und ihr Land, Hamburg 1975; *Klappert,* Zeichen der Treue Gottes, 74ff., sowie den Beitrag von *Y. Amir,* Platz des Landes Israel im Verständnis des Judentums, in: BThZ 2/1985, 64-73.

besonderer Weise an das Land gebunden sind, ausreichen würde, sehr viel
zurückhaltender davon zu sprechen, daß das Wohnen Israels in seinem
Land ein Zeichen der Treue Gottes sei. Aber wenn dies auch vorsichtiger
wäre, so wäre es zugleich dem Leben Israels viel weniger dienlich. Denn im
vordergründigen Sinne im Lande wohnen könnte Israel auch unter arabi-
scher Herrschaft – aber wie? Wer vermöchte dafür einzustehen, daß das
Land dann wirklich Ort der Bewahrung Israels wäre? Da dies schwerlich
jemand vermag, reicht es nicht aus, nur vom Land bzw. vom Wohnen im
Lande als Zeichen der Treue Gottes zu reden, darum ist vielmehr konkreter, situationsbezogener vom *Staat* Israel als Zeichen der Treue Gottes
zu sprechen. Die bloße Rede vom Wohnen im Land könnte geradezu zu
einem Argument der Bestreitung des Existenzrechts des Staates Israel
werden. Sie wäre damit genauso unzureichend, wie eine Identifizierung des
Staates mit einer bestimmten Regierung oder gar Partei abwegig wäre. Es ist
deshalb der Staat Israel, der als Heim- und Zufluchtsstätte im Dienst der
Bewahrung Israels als Volk Gottes steht, und in diesem von christlichen
Voraussetzungen und unter Einbeziehung der politischen Situation
bestimmten Sinne ist er jenes Zeichen der Treue Gottes zu seinem Volk.
Gerade das Miteinander dieser beiden Aspekte – die christlichen Voraussetzungen und die Einbeziehung der Realität – läßt den für den Glaubenden
eindeutigen und doch zugleich behutsamen Begriff des Zeichens als besonders angemessen erscheinen.

II. Erhobene Einwände

Gegen diese Deutung des Staates Israel sind seit dem rheinischen Synodalbeschluß Einwendungen ganz unterschiedlicher Art, mit völlig verschiedenen Begründungen und Zielsetzungen, erhoben worden.

So hat Walter Kickel in einer kürzlich erschienenen, beachtenswerten
Monographie über die religiöse Bedeutung des Staates Israel in jüdischer
und christlicher Sicht[17] das Verständnis des Staates als Zeichen der Treue
Gottes zwar im Ansatz positiv gewürdigt[18]. Mit dieser Wertung verknüpft er

---

17. *W. Kickel,* Das gelobte Land. Die religiöse Bedeutung des Staates Israel in jüdischer
    und christlicher Sicht. Mit einem Vorwort von *H. Gollwitzer,* München 1984. S. 207-
    220 des Buches sind nachgedruckt im Rahmen von *Kickels* Beitrag: Der Staat Israel –
    eine Verheißung Gottes? in: Jud 40/1984, 28-41, hier: 29-41.
18. Ebd., 194ff., bes. 201f.

jedoch eine Kritik derjenigen, nach deren Auffassung „dem Staat Israel die Qualität der Verheißungserfüllung abzusprechen und ihm *nur* Zeichencharakter zuzusprechen" ist, von denen also „der Gedanke einer direkten und endgültigen Erfüllung der Landverheißung ausgeschlossen" wird[19]. Kickel geht deren Argumente im einzelnen durch und nimmt sie insofern ernst, als er einräumt, daß „die Erfüllung der Verheißung ...sicherlich vorläufig und unvollkommen und von innen und außen gefährdet" sei. Dennoch gilt seiner Auffassung nach: „Trotz aller Unvollkommenheit, Vorläufigkeit und Gefährdung ist durch die Rückkehr eines Teiles des jüdischen Volkes in sein Land, durch die Inbesitznahme des Landes und das Wohnen im Land die biblische Landverheißung real wiedererfüllt, und der Staat Israel ist die notwendige geschichtliche Form dieser Heilsgabe Gottes an sein Volk"[20]. Die theologische Schlüssigkeit dieses Urteils bleibt allerdings problematisch. Kickel selbst lehnt zwar im Anschluß an die zitierte These eine ansatzweise messianische Deutung des Staates Israel, wie sie hier und da in jüdischen Kreisen vertreten wird, ab[21]. Demgegenüber ist jedoch zu bezweifeln, daß man *christlich-theologisch* von einer (wenn auch teilweisen) Verheißungs*erfüllung* sprechen kann, ohne nicht zugleich das so gedeutete Phänomen tatsächlich auch messianisch zu qualifizieren. Die Schwierigkeiten, in die Kickel in diesem Sinne gerät, zeigen sich an seinen eigenen Folgerungen:

„Der Staat Israel ist sicher nicht der Anbruch des messianischen Zeitalters, auf den die Wiederkunft Christi oder die Ankunft des Messias in naher Zukunft folgen müßte. Aber die Staatsgründung Israels kann, wenn sie eine teilweise Erfüllung der Verheißung darstellt, als ein Zeichen der Hoffnung gewertet werden, als ein Zeichen, das die jüdische wie die christliche Hoffnung auf die Zukunft des Reiches Gottes und auf die endgültige Erfüllung aller Heilszusagen Gottes bekräftigt[22] ... So ist der Staat Israel zwar nicht der Beginn der messianischen Endzeit, wohl aber ein eschatologisches Zeichen der Hoffnung auf die letztgültige Erfüllung aller Heilszusagen im kommenden Reich Gottes", „die menschlich unvollkommene, aber nichtsdestoweniger reale Erfüllung der biblischen Verheißung" und „Unterpfand der Hoffnung auf die Vollendung des Reiches Gottes"[23].

Ließe sich der relativ zurückhaltenden Deutung des Staates Israel als Zeichen, das die jüdische und christliche Hoffnung auf die Erfüllung der Zusagen Gottes bekräftigt, noch folgen, so tritt in den weiteren Aussagen

19. Ebd., 215.
20. Ebd., 218.
21. Ebd., 218f.
22. Ebd., 219.
23. Ebd., 220.

eben jener Tatbestand zutage, daß eine Deutung wie die Kickels nahezu notwendig in die Bahnen messianischer Interpretation gerät: „Zeichen der Hoffnung" wird zum „eschatologischen (also messianischen) Zeichen", der Staat Israel wird als „reale Erfüllung der biblischen Verheißung" zum *„Unterpfand* der Hoffnung". Dieser Begriff aber ist im Neuen Testament klar messianisch geprägt, indem er z.B. den auferstandenen Jesus als *pars pro toto,* den heiligen Geist als Grund christlicher Existenz und Hoffnung oder aber die Judenchristen als Gewähr der Rettung ganz Israels bezeichnet[24]. Der Tatbestand, daß Kickel diesen christologisch und pneumatologisch bestimmten Begriff zur Deutung des Staates Israel verwendet, zeigt vielleicht am klarsten die Grenze seiner Deutung an. (Eschatologisches oder messianisches) Unterpfand endzeitlicher Wirklichkeiten können für Christen nachweislich des paulinischen Evangeliums nur Jesus Christus, der Geist und die Gruppe der Judenchristen sein[25]. Man kann deshalb von hier aus lediglich fragen, in welchem Verhältnis diese Unterpfänder und die mit ihnen verbundenen Aussagen zur Realität des Staates Israel als Heimstätte des Volkes Israel in seinem Land stehen, wie es im ersten Teil darzulegen versucht ist, nicht aber den Staat Israel selber in die Position des oder eines Unterpfandes einrücken[26].

Völlig anderer Art sind die „Erwägungen", die dreizehn Bonner Theologieprofessoren im Jahre 1980 zu der Handreichung angestellt haben, die

24. Siehe die Rede vom *„arrabōn* des Geistes" in 2. Kor. 5,5, aufgenommen in Röm. 8,23 durch *aparchē* des Geistes"; zum auferweckten Jesus als *„aparchē* der Entschlafenen" wiederum s. 1. Kor. 15,20, zu den Judenchristen als *aparchē* Röm. 11,16 und hierzu die nächste Anm.

25. Die wichtige Frage nach der Bedeutung der Existenz judenchristlicher Gemeinden im Lande Israel und ihrer Teilhabe am Selbstverständnis Israels als Staat kann hier nicht weiter entfaltet werden. Siehe dazu die Ausführungen in meiner Arbeit: Grundzüge einer Theologie im christlich-jüdischen Gespräch, München 1982, 164ff., s. ebd., 151f., auch den Nachweis, daß bei *aparchē* in Röm. 11,16 in erster Linie an Judenchristen gedacht ist.

26. *Kickel* geht in seiner im ganzen sehr einfühlsamen Darstellung auch darin zu weit, daß er meinen in der *Harder*-Festschrift veröffentlichten und oben (277) einbezogenen Beitrag zur Sache dahingehend bündelt, ich hätte den Staat Israel „christologisch begründet" (200, Anm. 37; desgleichen 199). *Klappert* hat diese vermeintliche Begründung im Zusammenhang der Rezeption dieses Beitrags entgegen *Kickels* Auffassung durchaus nicht „übersehen". Auch die Wiedergabe meiner Aussagen durch den Satz, Israel werde letztlich (Röm. 11,26 gemäß) „durch den Glauben an Christus" gerettet, wird nicht durch den Beitrag gedeckt, der eine solche Bestimmung gerade vermeidet – die Zeit, die Röm. 11,26 ins Auge faßt, ist nach 2. Kor. 5, 7 nicht (mehr) „Zeit des Glaubens", sondern „Zeit des Schauens". Vgl. hierzu auch meine Arbeit: Grundzüge, 120ff.132ff. u.ö.

im Zusammenhang mit dem Synodalbeschluß erschienen ist, und damit zum Synodalbeschluß der rheinischen Landessynode selbst[27]. Dort heißt es zu den Aussagen des Beschlusses über Volk, Land und Staat:

„Nicht beachtet wurde, daß die spezifisch alttestamentlichen Verheißungsinhalte und Heilsgüter Landbesitz und Volkwerdung bzw. ethnische Existenz für Jesus und die (!) neutestamentlichen Christuszeugen – unbeschadet der bleibenden irdischen Dimension des in Christus geschenkten Heils – ihre Bedeutung verloren haben. Das Charakteristische der Auffassung Jesu (und des Täufers) von der Gottesherrschaft ist dies, daß die Zugehörigkeit zur jüdischen Nation noch keinen Anspruch auf Teilnahme am kommenden Heil begründet. Der Jude als solcher hat keine Heilsgarantie. Gott kann dem Abraham aus Steinen Kinder erwecken (Lk. 3,8). Für Christen können also (!) die alttestamentlichen Verheißungsinhalte Land und Volkwerdung keine Heilsgüter mehr sein angesichts des in Christus schon geschenkten Heils der Freiheit von Gesetz, Sünde und Tod (Phil. 3,7f.)"[28].

So plausibel dies alles auf Anhieb erscheint, so formelhaft und fragwürdig erweist sich die Art der Argumentation bei näherer Betrachtung. Die These lautet, bei Jesus und in Jesus Christus seien die „Verheißungsinhalte und Heilsgüter" „Landbesitz und Volkwerdung bzw. ethnische Existenz" bzw. „Land und Volkwerdung" bedeutungslos; als Begründung bzw. Begründungen werden angeführt:

1. Die Zugehörigkeit zur jüdischen Nation (!) begründe keinen Anspruch auf Teilnahme an der Gottesherrschaft.

2. Der Jude als solcher habe keine Heilsgarantie.

3. Gott könne dem Abraham aus Steinen Kinder erwecken.

Die Wertigkeit dieser Argumente kommt am besten in den Blick, wenn man im Gegenzug fragt:

– Begründet denn die Zugehörigkeit zur *Kirche* einen Anspruch (!) auf Teilnahme an der Gottesherrschaft?

– Hat denn der *Christ* als solcher eine Heilsgarantie?

– Kann denn Gott jetzt *nicht mehr* dem Abraham aus Steinen Kinder erwecken?

Wer hier überall abwehrend die Hände hebt und bekräftigt, daß es sich natürlich anders verhalte, hat bereits implizit über die Fadenscheinigkeit der Bonner Erwägungen zu unserem Zusammenhang befunden. Denn wenn wir als Christen bekennen, daß wir keine Heils*garantie* haben und daß

---

27. Erwägungen zur kirchlichen Handreichung zur Erneuerung des Verhältnisses von Christen und Juden, in: epd-Dokumentation 42/1980, 14-17.
28. Ebd., 14f.

die Zugehörigkeit zur Kirche noch keinen *Anspruch* auf die Teilnahme am kommenden Heil begründe, dann schließt das durchaus nicht die Auffassung ein, damit seien die Verheißungen Gottes außer Kraft gesetzt. Dieselben Feststellungen im Hinblick auf Juden (kein Anspruch, keine Heilsgarantie) können deshalb genausowenig als Aufhebung der Volk und Land betreffenden Verheißungen gedeutet werden. Wenn es aber umgekehrt doch einzelne Juden oder jüdische Gruppen geben sollte, die die Zugehörigkeit zum jüdischen Volk als eine Art Garantieschein betrachten, so beseitigt auch dies Verständnis die Verheißungen Gottes nicht generell – genausowenig, wie wenn einzelne Christen oder christliche Gruppierungen die Zugehörigkeit zur Kirche für einen solchen Garantieschein halten. Die Bonner Erwägungen verfahren mithin nach der Richtschnur: Wenn einige oder eine Gruppierung oder – sehr weit gegriffen – vielleicht sogar der überwiegende Teil einer ganzen Generation etwas mißversteht oder verfehlt, dann ist das Ganze dahin. Wenn es wirklich so wäre, so dürfte nicht viel für die Kirche und von Kirche überhaupt übrigbleiben[29].

Die Bonner „Erwägungen" sollen an späterer Stelle erneut aufgenommen werden. Zunächst gilt es jedoch einige weitere Einwände einzubeziehen, die in ähnlicher Grundsätzlichkeit gegen die zitierten Aussagen des rheinischen Synodalbeschlusses erhoben worden sind. So hat Franz Hesse in sog. „Anmerkungen" zu diesem Beschluß jener Deutung des Staates Israel als Zeichen der Treue Gottes zu seinem Volk einige kräftige Schläge zuteil werden lassen, die ihr ebenso rasch wie effektiv den Boden zu entziehen scheinen[30]. Hesse urteilt in einem ersten Zugriff, hier werde „ein politisches Ereignis der jüngeren Vergangenheit heilsgeschichtlich-theologisch aufgewertet" und damit in sträflicher Barmen-Vergessenheit die dort verworfene Lehre praktiziert, „daß neben dem einen Wort Gottes andere Ereignisse als *Gottes Offenbarung* anerkannt werden könnten oder müßten"[31]. Dreierlei scheint hier gleichermaßen bemerkenswert:

–Das dritte Glied „Errichtung des Staates Israel" wird von den übrigen der Aufzählung, nämlich „fortdauernde Existenz des jüdischen Volkes" und

---

29. Zur Kritik weiterer Implikationen der „Erwägungen" in diesem Zusammenhang s. *B. Klappert*, Kein Dokument der Erneuerung! Antwort auf Erwägungen von einigen Bonner Theologen zum Synodalbeschluß der rheinischen Landessynode, in: epd-Dokumentation 72/1980, 19-43, hier: 25.32f.

30. *F. Hesse*, Einige Anmerkungen zum Wort der rheinischen Landessynode über das Verhältnis von Juden und Christen, in: *Klappert/Starck*, Umkehr und Erneuerung, 283-286.

31. Ebd., 286 (unter Verweis auf These I der Barmer Theologischen Erklärung).

„seine Heimkehr ins Land der Verheißung", abgetrennt und damit seines Zusammenhangs beraubt – anscheinend hätte der Einbezug dieser beiden anderen eine differenzierte Stellungnahme unausweichlich gemacht.

–Das Stichwort „Zeichen der Treue Gottes" wird ohne einsichtige Begründung auf den Leisten der Deutung gespannt, hier werde die Gründung des Staates Israel zur Offenbarungsquelle – wer aber käme in anderen Zusammenhängen auf den Gedanken, z.B. einer christlichen Gemeinde, die ihre Existenz dankbar als Ausdruck der Treue Gottes versteht, zu unterstellen, sie wolle sich als Offenbarungsquelle etablieren?

–Hesses Ausführungen schließen *de facto* das Urteil ein, die Synode habe sich mit dieser Deutung Israels Auffassungen der erklärtermaßen antisemitischen Deutschen Christen zu eigen gemacht, gegen deren Ideologie die Barmer Erklärung und besonders deren erster Punkt bekanntlich vor allem gerichtet gewesen sind. Tatsächlich ist es aber Hesse selbst, der wie die in der Barmer Erklärung Bekämpften den biblisch begründeten Unterschied zwischen Israel als Volk Gottes und den übrigen Völkern verkennt.

Man kann gewiß fragen, ob die Synode die betreffende These nicht hätte weiter ausführen müssen. Zu den Anwürfen Hesses gibt sie jedoch schwerlich begründeten Anlaß. Die zitierten Wendungen sind freilich nur der Auftakt seiner Glossen. Er fährt, wiederum in seiner Sprache, nicht der der Synode, fort:

„Wenn denn die Etablierung des Staates Israel eine Tat Gottes ist, die seine Treue zu Israel manifestiert, was ist dann – so wird man weiter fragen müssen – Auschwitz? Wenn man weiterhin dessen eingedenk ist, daß nach biblischer Auffassung das Heilshandeln Gottes stets ohne menschliche Vorleistung geschieht, während sein Unheilshandeln immer Reaktion auf vorangehendes menschliches Fehlverhalten ist, dann wird die Frage noch peinlicher: Worin besteht jenes Fehlverhalten Israels, das das als Unheilshandeln Gottes zu verstehende Auschwitz zur Folge hatte? Man sehe wohl zu, auf welch gefährlichen Weg man sich begibt, wenn man beginnt, bestimmte geschichtliche Ereignisse theologisch zu qualifizieren!"[32]

Es ist vor allem dieser zweite folgernde Zusammenhang in Hesses „Anmerkungen", demgegenüber noch einmal die einleitend getroffene Unterscheidung zwischen der Deutung der eigenen und der fremden Existenz im Zeichen des Gerichts geltend zu machen ist. Es gibt durchaus Stimmen im jüdischen Volk, die die Schrecken von Auschwitz in der Kategorie des Gerichtshandelns zur Sprache bringen. Und es gibt die Gegenstimmen, die auf-

32. Ebd.

weisen, daß Kategorien dieser Art an diesem Geschehen zerbrechen[33]. So
wichtig es ist, beide Stimmen zu hören, so klar ist es in Übereinstimmung mit
den eingangs entfalteten Überlegungen christlicher Theologie verwehrt, in
die Deutung des Grauens als Gerichtshandeln einzustimmen. Diese Folgerung läßt sich noch einmal durch die Beobachtung stützen, daß dies theologische Verhalten zum Leiden, besonders zum Leiden anderer, nicht nur im
Hinblick auf das Verhältnis zum jüdischen Volk gilt, sondern darüber
hinaus. Fraglos haben frühere Zeiten sehr viel weniger gezögert, bestimmte
unheilvolle Ereignisse und Schicksale als Ausdruck göttlichen Gerichts zu
deuten. Und gewiß stehen in einem spezifisch theologischen Sinne alle Menschen unter dem Gericht Gottes. Aber von dieser Überzeugung bis hin zu
dem Schritt, bestimmte Ereignisse als Ausdruck dieses Gerichts zu verstehen, ist es ein weiter, im allgemeinen unmöglicher Schritt geworden, es
sei denn in jenem dargelegten Sinne, daß ein einzelner oder eine Gemeinschaft einmütig ein bestimmtes Ereignis in diesem Sinne als Zeichen verstehen und sich von ihm her auf den Weg der Umkehr führen lassen. Was
aber andere betrifft – und nur zu oft auch, was uns selber im engeren
Umkreis unseres Lebens angeht – werden Ereignisse jener Art nicht mehr
wie zu anderen Zeiten theologisch in der Kategorie des Gerichts begriffen.
Vielmehr bewegen sich solche Geschehnisse für uns im Bereich gerade des
Unbegreiflichen, des Nichterklärbaren, des Schweigens, des Rätselhaften,
und das, was als Antwort bleibt, ist keine theologische Erklärung, sondern
sind Klagen und Bitten und die Frage, was zu tun sei. Die Anstrengungen,
zu erklären, richten sich entsprechend darauf, herauszufinden, was gegebenenfalls menschlicherseits versäumt worden ist, um ein bestimmtes
Geschehen zu verhindern. So ist unsere theologische und kirchliche Praxis
in einem schwerlich revidierbaren Prozeß durch folgenden Zusammenhang
gekennzeichnet: Einerseits ist uns die Möglichkeit verschlossen, fremdes
Leben im Zeichen des Gerichts zu deuten, andererseits sehen wir uns jedoch
nicht der Zusage entzogen und dem Auftrag enthoben, das Leben anderer
wie das eigene im Zeichen der Zuwendung Gottes zu verstehen und dazu
einzuladen, es als ein mit Dank zu lebendes zu begreifen. Es ist vor allem
diese Verschiedenheit der Rede vom Gericht und von der Treue Gottes, die
in Hesses Folgerungen unbeachtet ist, und es ist dies Defizit, das ihren
Mangel an Schlüssigkeit begründet.

---

33. Siehe hierzu die Nachweise bei *A.* und *A. R. Eckardt*, Christentum und Judentum:
    Die theologische und moralische Problematik der Vernichtung des europäischen
    Judentums, in: EvTh 36/1976, 406-426.

III. Die Bewahrung des ganzen Israel
und die Verantwortlichkeit des einzelnen

Kehren wir noch einmal zu den Bonner Erwägungen zurück, weil sie eine Position darstellen, die sich in erheblicher Breite findet. Läßt man sich von den Ausführungen der Bonner leiten, so kommt man notwendig zu dem Schluß, es sei ein Spezifikum der Juden, ihre Zugehörigkeit zu ihrem Volk als „Heilsgarantie" zu verstehen. Wer sich die Mühe macht, ein wenig im jüdischen Gebetbuch oder anderer religiöser Literatur Israels zu blättern, wird schwerlich den Eindruck vermeiden können, daß es sich bei diesem Urteil um eine verzerrende Darstellung des anderen handelt[34]. In den Bonner Erwägungen heißt es sodann, „für Christen" könnten Land und Volkwerdung keine „Heilsgüter" mehr sein. Im wörtlichen Sinne ist dies insofern eine Selbstverständlichkeit, als Christen aus den Völkern in der Tat nicht das Land Israel verheißen ist. Aber zum einen verhält es sich bereits anders, wenn man die Aussagen über die Stadt Gottes in der Johannesapokalypse und im Hebräerbrief hinzunimmt; und zum anderen geht es genauer um die Frage, nicht ob das Land Israel im direkten Sinne für Christen aus den Völkern bedeutsam ist, sondern ob ihm *nach christlichem Verständnis* eine *legitime Bedeutung für Juden* zukommt, damit freilich auch für Judenchristen und in diesem Sinne dann auch für Christen[35].

Von hier aus ergibt sich ein unmittelbarer Zugang zu einem weiteren, besonders wichtigen Aspekt. In der Tat, für Christen aus den Völkern ist im Hinblick auf sie selbst ethnische Existenz, d.h. Existenz als Volk im politischen Sinne, kein „Heilsgut" oder besser kein Verheißungsgut. Aber – und dies wird von den Bonnern leider ausgeklammert – Israel als *Volk* ist für den „Christen" Paulus, auf den sie sich in ihrem ganzen Papier sonst so nachhaltig berufen, von schwerlich zu übertreffender Bedeutung. Dort, wo Paulus in Röm. 9 thematisch von den nicht ans Evangelium glaubenden Juden spricht, nennt er sie „Israeliten", *bᵉnê Jiśrael*. Er bezeichnet sie auf diese Weise als Volk Gottes und bekennt von ihnen, daß ihnen nicht weniger als die Sohnschaft, der Glanz der göttlichen Gegenwart, die Bündnisse, die Gesetzgebung, der Gottesdienst und die Verheißungen gehören,

---

34. Als ein Beispiel für viele mag die bekannte Stelle Sanhedrin X (bzw. XI),1 stehen, in der es ähnlich wie in Röm. 11,26 generell heißt, ganz Israel habe Anteil an der kommenden Welt, dann jedoch gleich anschließend aufgezählt wird, wer davon ausgeschlossen ist.
35. Siehe hierzu den Literaturhinweis in Anm. 25.

dazu die Erzväter, und daß aus ihnen der Messias seiner irdischen Herkunft nach stammt (Röm. 9,4f.). In Röm. 11,1f. wehrt der Apostel entsprechend entsetzt die Auffassung ab, Gott könne sein *Volk* verstoßen haben. Und in Röm. 11,26 mündet er folgerichtig in den bereits zitierten Satz ein, „ganz Israel" – stehender Ausdruck für das Gottesvolk – werde in Gottes Zukunft gerettet werden. Es ist durchaus nichts zu korrigieren – es gibt keine „Heilsgarantien"; aber es steht ebenso unverrückbar fest und damit anscheinend auf einem anderen Blatt: *Israel* ist als *Volk* Empfänger und Träger der Verheißungen Gottes, denn – so nochmals Paulus – die Gnadengaben und Berufung Gottes sind unumstößlich (Röm. 11,29), zum Trost zuerst den Juden und dann auch den Griechen. Für Paulus bedeutet demnach die Rede von den Israeliten, von Israel als Volk bzw. als Volk Gottes oder von ganz Israel keinen Heilsautomatismus und keine Heilsgarantie für den einzelnen, d.h. für den einzelnen Juden. Der Apostel verdeutlicht dies aufs klarste in demselben Römerbrief, lange vorher, in Kap. 2,17ff. Hier handelt er nicht von den Kindern Israel insgesamt, vielmehr von dem einzelnen Juden; ja, er handelt nicht von ihm, sondern er redet ihn an und behaftet ihn als einzelnen bei seiner Verantwortung. Außerordentlich aufschlußreich ist es zu sehen, *wie* er dabei vorgeht. Er hält dem einzelnen Juden nicht, wie man vielleicht erwartet, das ihm bekannte oder unbekannte, einladende oder fremde Evangelium vor. Vielmehr nimmt er ihn mit der ihm bekannten Tora beim Wort, auf die hin er auch wirklich ansprechbar ist:

„Wenn du dich aber Jude nennst und verläßt dich auf die Tora und rühmst dich Gottes und weißt seinen Willen und prüfst, aus der Tora unterrichtet, was das Beste zu tun sei, und bist deiner gewiß, ein Führer der Blinden zu sein, ein Licht derer, die in Finsternis wandeln, ein Erzieher der Törichten, ein Lehrer der Einfältigen, jemand, der in der Tora vor Augen hat, was zu erkennen und wahr ist – du lehrst nun andere und lehrst dich selber nicht?"

So fragt der Apostel und fährt dann fort, indem er jenen Teil der Tora heranzieht, der allenthalben am geläufigsten ist, d.h. einzelne Aussagen aus dem Dekalog, den Zehn Geboten oder Zehn Worten. Das, was nach demselben Kapitel (Röm. 2,6) für jedermann gilt, daß nämlich Gott Ps. 62,13 gemäß einem jeden nach seinen Werken vergelten wird, dies gilt nach Paulus auch für den einzelnen Juden. So ist niemand anders als der Apostel selber Zeuge dafür, wie sehr dies beides auch vom Evangelium her zusammengeht: die Zusage von Bewahrung und Rettung ganz Israels, des Volkes Gottes, und die Verantwortlichkeit des einzelnen, also auch des einzelnen Juden[36].

---

36. Vgl. zu den hier gebündelten Zusammenhängen ausführlicher meine Arbeit: Grundzüge, 103ff. 137. *N. Walter* hat jüngst in einem wichtigen Beitrag „Zur Interpretation

IV. Christliche Gemeinde und Volk Israel

Notwendigkeit und Bedeutung von theologischen Überlegungen zur Größe „Staat Israel" liegen vor allem darin begründet, daß sie in eminentem Sinne mit dem Verhältnis von christlicher Gemeinde und jüdischem Volk, von Kirche und Israel, zu tun haben. Im Staat Israel lebt ein beträchtlicher Teil des jüdischen Volkes, des Volkes Gottes. Die Einschränkung – ein Teil – allein schon verhindert, etwa den Staat Israel mit dem Volk Gottes zu identifizieren. Ungeachtet dessen präsentiert sich im Staat Israel das jüdische Volk in einer sonst nicht begegnenden Dichte, dazu auf eigenem Grund und Boden, zum Teil auch auf fremdem. Diese Konstellation ist für Kirche und Theologie neu, auch wenn es gewisse Verbindungsfäden zurück gibt. Denn auch vor der Gründung des Staates Israel haben es Kirche und Theologie nicht nur mit einzelnen Juden, sondern zugleich auch immer mit Juden als einem größeren Ganzen, als Gemeinde, Gemeinschaft, und jüdischem wie christlichem Sprachgebrauch gemäß als Volk zu tun gehabt. Sucht man das Verhältnis von Theologie und Kirche zu den Juden auf einen Nenner zu bringen, so läßt sich für beträchtliche Bereiche und Zeiten sagen: dem einzelnen Juden alles, den Juden als Volk nichts oder doch nur irgendwann, in einer fernen Zukunft, etwas. Das politische Spiegelbild dieser Einstellung ist bekannt: Gegenüber „den Juden" ist man abweisend, sie macht man verächtlich, aber jeder kennt seinen oder seine Juden, die die Ausnahme bilden. Damit ist letztlich umschrieben, was man religiös als Antijudaismus, politisch als Antisemitismus bezeichnet. Vor dem Hintergrund dieser Einstellung läßt sich die vielleicht bedeutsamste Herausforderung, die Volk und Staat Israel an Theologie und Kirche stellen, wie folgt bestimmen: Es ist

von Röm. 9-11" (ZThK 81/1984, 172-195) ähnlich unterstrichen, was in der traditionellen Exegese des Textes nur zu oft ignoriert oder als vermeintliche paulinische Inkonsequenz dargetan wird: Israel „ – und keinem anderen Volk – ist *als Volk* die Erwählung zuteil geworden und darum auch, kraft der unwandelbaren Treue Gottes, bleibend zugesichert" (181, Hervorh. durch W.). *Walter* kommt am Schluß seines Aufsatzes (195) zu bedenkenswerten Folgerungen, auch wenn sie eher ein Programm als bereits eine Lösung in der theologischen Verhältnisbestimmung von Kirche und Israel darstellen. Schwerlich überzeugend ist hingegen die Leichtigkeit, mit der er (193f.) die Frage eines impliziten Antijudaismus bei Paulus abtut. Das Urteil „absurd" ist kein Argument und läßt sämtliche Fragen unbeantwortet, die sich nicht aus der Tendenz, wohl aber aus der Struktur des paulinischen Evangeliums ergeben. Vgl. z.B. meine Analyse: Das paulinische Verständnis des Gesetzes im Spannungsfeld von Eschatologie und Geschichte. Erläuterungen zum Evangelium als Faktor von theologischem Antijudaismus, in: EvTh 37/1977, 549-587 = oben, 159–196.

die Frage, ob Christen nach langen Zeiten bereit sind, umzukehren und ihre Einstellung zum jüdischen Volk, wie es in Gestalt des Staates Israel als ein Stück Ganzheit präsent ist, gewissermaßen vom Kopf auf die Füße zu stellen. Diese Kehre, diese Wende wäre erreicht, wenn jemand sagte: Ich kenne Juden, die das und das getan haben, aber von den Juden oder dem jüdischen Volk als Ganzheit gilt, was ich in der Gemeinde Jesu Christi von mir selber bekenne und hoffe: bleibend in der Zuwendung Gottes verankert zu sein. Paulus beschreibt diese bleibende Verankerung Israels mit der Wendung „geliebt um der Väter willen" (Röm. 11,28). Sie wird durch das Nein Israels zum Evangelium nicht ungültig gemacht, weil dies dem Evangelium selber widerspräche. Es macht Gottes Zusage nicht hinfällig, sondern bringt sie zur Geltung. Folgerichtig lautet das sachlich letzte Wort des Apostels, am Ende werde, obwohl sich „ein Teil" Israels dem Evangelium verschließt, *ganz* Israel gerettet werden (Röm. 11,26). Will man das, was Paulus in Röm. 9-11 über Israel als Volk Gottes, über ganz Israel darlegt, auf den theologischen Begriff bringen, so kann man deshalb sagen: Er legt die Zukunft Israels (als Volk) von dem Zentrum des Evangeliums her aus, wie es ihn in besonderer Weise kennzeichnet. Dies Zentrum ist geläufig und besagt, daß Gott „allein aus Gnade" (*sola gratia*) annimmt, bewahrt und rettet, nicht aufgrund dessen, was man vorzuweisen hat. So wie das *sola gratia* von dem einzelnen Menschen gegenwärtig in der Begegnung mit dem Evangelium gilt, so wird Gott Israel in seiner Zukunft retten allein deshalb, weil er sein der erwählten Gemeinschaft gegebenes Wort hält. Es steht also die Existenz ganz Israels vor Gott in keiner Weise in Frage, und zwar deshalb, weil sie in Gottes Willen und seiner bleibenden Zuwendung ihren Grund hat. Und eben weil ganz Israel nach den Aussagen des paulinischen Evangeliums trotz seines Nein zu diesem Evangelium in demselben Gott wurzelt, an den auch die christliche Gemeinde glaubt, kann deren Verhältnis zum Gottesvolk, recht verstanden, grundsätzlich nur ein brüderliches sein. Wenn aber ein Christ, die Kirche oder eine christliche Gemeinde meint, im Rahmen dieses brüderlichen Verhältnisses eine jüdische Gruppe oder einen Juden kritisch, im Sinne einer heilsamen Krisis, mit dem Wort Gottes konfrontieren zu müssen, dann scheint auch hier die Spur durch Paulus gelegt – durch jenen Rückgriff auf die Tora, wie ihn der Apostel in Röm. 2 unternimmt. Und man mag hier ohne Mühe neben der Tora die Propheten nennen: Hat Israel nicht die schärfsten Kritiker allemal im eigenen Haus? Im Horizont der konkreten Geschichte des christlich-jüdischen Verhältnisses wird man freilich – was Kritik durch Kirchen betrifft – für lange Zeit zu fragen haben, wann man sich in solchem Fall um den Splitter beim anderen müht und den Balken bei sich selbst außer acht läßt[37].

V. Christliche Gemeinde und Staat Israel

Die zuletzt vorgetragenen Überlegungen zum Verhältnis von christlicher Gemeinde und jüdischem Volk deuten zugleich die Bahnen an, in denen – in angemessener Übertragung – der Herausforderung zu begegnen ist, die der *Staat* Israel für Christen darstellt[38]. Wird er als Zeichen der Treue Gottes zu seinem Volk begriffen, so ist darin enthalten, daß die Existenz dieses Staates von uns mit derselben Selbstverständlichkeit bejahend vorausgesetzt wird, wie wir unser Leben bzw. die Legitimität unseres Lebens in unserem Land auch nicht einen Augenblick in Zweifel ziehen. Desgleichen schließt die erörterte endzeitliche Gewißheit eine politisch aussagbare Dimension ein: So wenig das Volk Israel als Volk Gottes nach christlicher Auffassung endzeitlich anders als „allein durch Gnade", d.h. durch Gottes Barmherzigkeit

---

37. Vgl. hierzu etwa die Anfragen in dem Beitrag von *M. Marcus,* T'filah lischlom hamedina (Gebet für den Frieden des Staates). Gedanken zu einem Gebet, in: Jud 40/1984, 16-27, hier bes. 27, Anm. 21. 25. 27. Aus demselben Grund gilt im Zusammenhang christlicher Rezeption der hebräischen Bibel der von *M. Stöhr* (Ein Christ über Israel, ebd., 3-15) formulierte Leitfaden (14): „Wenn Christen und Juden eine Bibel gemeinsam haben, die sie kontrovers lesen, dann darf folgendes Ritual nicht eintreten: Was an Israelkritik in der Bibel geäußert wird (kein Geschichtsbuch ist mit seinen Machthabern so kritisch wie die Bibel mit den Machthabern Israels!), darf von Nichtjuden nicht auf Israel projiziert werden, um der Kirchenkritik der Bibel zu entgehen. Wenn wir eine gemeinsame Bibel haben, wenn wir sagen, wir hätten über das Volk Israel Zugang zu dem einen Gott gefunden, dann ist alles das, was es an kritischen Äußerungen an Gottes Volk gibt, zuerst einmal auf Christen zutreffende Kirchenkritik." *Stöhrs* Ausführungen sind auch darin von Bedeutung, daß sie die Frage nach dem Verhältnis von Christen zu Israel in einen globalen Bezugsrahmen einzeichnen und Israel selber in diesem Rahmen verorten, so daß seiner Isolierung in der Völkerwelt entgegengearbeitet wird. Von hier aus vermag *Stöhr* begründete, hilfreiche Fragen nach Israels eigenem Verhältnis zu diesem Rahmen zu stellen.

38. *Klappert* hat die auf der Basis paulinischer Texte und in Anlehnung an *Harder* (s. oben Anm. 10) erarbeitete Deutung des Staates Israel als Institution der Bewahrung Israels im Zeichen der Verheißung und insofern als Zeichen für die Treue Gottes auf den Begriff der „zeichenhaften Entsprechung" bzw. der „zeichenhaften Analogie" gebracht (Zeichen der Treue Gottes, 87f.). Es könnte lohnen zu überlegen, ob sich die nachfolgenden Beispiele, zu denen bereits auch das in Abschnitt IV erörterte des Antijudaismus bzw. Antisemitismus gehört, ähnlich systematisch verorten lassen; am ehesten dürfte dies von dem zweiten und dritten der nachfolgenden Beispiele gelten, während das erste eher eine Folgerung aus jener Deutung zieht.

(Röm. 11,30-32), gerettet werden wird, so wenig muß Israel als Staat sein
Existenzrecht rechtfertigen. Und nicht zuletzt läßt sich aus den Aussagen in
Röm. 2 ein entsprechender politischer Aspekt erschließen. Wie jeder einzelne Jude vor Gott verantwortlich ist, so ist jede Regierung und jede politische Institution im Staat Israel auf das hin befragbar, was sie im Lande, für
das Land und im Verhältnis zu anderen tut, handle es sich um die Besetzung
im Südlibanon, um fragwürdige Westbank-Politik oder vergleichbare Phänomene. Dabei gilt es auch hier zweierlei zu bedenken: Wo solche Befra-
gung intentional aus der Bestreitung des Existenzrechtes herkommt oder *de
facto* in sie übergeht, verfehlt sie sich selber. Sodann hat Israel religiös mit
der Tora – ähnlich der Struktur von Röm. 2 – und politisch mit seiner Verfas-
sung die Kriterien, denen das Handeln seiner Verantwortlichen ausgesetzt
ist, in seinem eigenen Gepäck, und es hat auch die Gruppen, die sie zu hand-
haben wissen[39].

Um die zuletzt entfaltete, vielleicht wichtigste Unterscheidung noch
einmal hervorzuheben und damit Mißverständnissen vorzubeugen: Das
Volk Israel (zusammen mit dem von ihm nicht abtrennbaren Land) ist aus
christlicher, an Paulus orientierter Perspektive eine theologische Größe,
der Staat Israel ist es nicht. Aus diesem Grunde sind sämtliche zuletzt vorgetragenen Folgerungen zum Thema „Christliche Gemeinde und Staat Israel"
konsequent Aussagen politischer Art. Da der Staat Israel jedoch im Dienst
der Bewahrung des Volkes Israel und seines Lebens im Lande steht und
diese Bewahrung des Volkes der Verheißung Gottes entspricht, läßt er sich
als Zeichen für die Treue Gottes verstehen. In diesem Sinne partizipiert er
an der Treue Gottes, die in der Existenz des Volkes Israel als Volk Gottes
Ausdruck findet.

VI. Mißlungene Probe aufs Exempel

Die Herausforderung, die der Staat Israel für christliche Theologie und
Kirche bedeutet, läßt sich nach Aufweis der zuletzt erörterten Zusammenhänge als die eines wirklich geschwisterlichen Begreifens, Lehrens und

---

39. Zu nennen sind hier etwa die Bewegungen: Schalom Achschaw, Os We-Schalom,
Nevè Schalom, außerdem aus dem publizistischen Bereich z.B. die deutschsprachige,
wöchentlich erscheinende „Wochenzeitung des Irgun Olej Merkas Europa" (Tel
Aviv, Rambam Street 15), die einen mustergültigen politischen Journalismus praktiziert.

Lebens der Implikationen des eigenen Evangeliums zusammenfassen. Konkret kann dies je eine besondere Gestalt annehmen, auch eine unerwartete. Ein Beispiel dafür liegt nur kurze Zeit zurück. Gemeint ist die Zeit des Libanonkrieges im Sommer 1982. Zur Debatte steht nicht etwa der Versuch, den Krieg zu rechtfertigen oder irgendwelche Verfehlungen zu beschönigen, in die israelisches Militär verwickelt gewesen ist. Das heißt: Zur Debatte steht nicht Israel, sondern eben die Herausforderung, die der Staat Israel für uns in Gestalt dieses Krieges seiner Regierung dargestellt hat. Um es vorweg zu bündeln: Die Anfrage, die er indirekt an uns gerichtet hat, ist bereits in erschreckend wenigen Tagen verspielt gewesen. Noch war der Litani nicht erreicht, wurde in Zeitungen von „Genozid" gesprochen, wurden „die Juden" nicht an die Tora, sondern an den Holocaust erinnert, wurde – dies noch mehr mündlich als schriftlich – fast mit einer Art Erleichterung festgestellt, daß angeblich nun auch die Opfer die Wege ihrer Henker beschritten. Dies alles geschah zwar vermeintlich, um die Ausweitung des Krieges einzudämmen – aber eben nur vermeintlich, denn die Unmäßigkeit des gebrauchten Vokabulars und der verwendeten Vergleiche war Indiz, daß es in der Tiefenschicht gar nicht um den Libanonkrieg, sondern um einen ganz anderen ging: den Krieg der verdrängten Vergangenheit bzw. der Verdränger der Vergangenheit gegen die Opfer von einst. Denn wäre es wirklich um den Libanon, um die Eindämmung dieses Krieges gegangen, dazu in politischer Kompetenz, so hätten diejenigen, die meinten reden und so reden zu müssen, sich sagen müssen, daß in dem Augenblick, da der erste der Vergleiche mit der Zeit des Holocaust fiel, jedes weitere Reden sinnlos sein würde. Denn kein Israeli würde – und dies mit Recht – auf solche Stimmen hören, so ablehnend er auch von sich aus diesem Krieg gegenüber eingestellt war.

So sind zur Zeit des Libanonkrieges in erschreckender Schnelligkeit bei Christen, Theologen und nicht konfessionell Gebundenen äußerst sublime Prozesse der Selbstrechtfertigung abgelaufen. Sie bezeugen, daß der Staat Israel als Herausforderung an Theologie und Kirche, oder einfach an Christen, eine höchst aktuelle Aufgabe darstellt. Jene Selbstrechtfertigungsprozesse selbst in christlichen Kreisen, die doch gerade von der Rechtfertigung „allein aus Gnaden" leben wollen, haben gezeigt, wie sehr wir noch oder immer wieder am Anfang stehen, unser eigenes Evangelium zu begreifen.

VII. Ausblick

In der Zeit seit der Belagerung Beiruts und dem Rückzug der Israelis in den Südlibanon sind die kriegerischen Handlungen im übrigen Libanon auch ohne Israelis mit keineswegs verminderter Heftigkeit, wohl aber mit erheblich verminderter Klage und Anklage hierzulande wie überhaupt in der Weltöffentlichkeit weitergegangen. Sodann haben nach der rheinischen Landessynode zwei weitere Regionalsynoden und die Hauptversammlung des Reformierten Bundes Erklärungen zum christlich-jüdischen Verhältnis verabschiedet.

Die Erklärung der Badischen Landessynode vom 3. Mai 1984 hat die Frage nach dem Staat Israel und dem Verhältnis zu ihm ganz ausgeklammert[40]. Die Erklärung der Regionalsynode der Evangelischen Kirche in Berlin-Brandenburg (Berlin West) ist desgleichen hinter dem rheinischen Synodalbeschluß zurückgeblieben, insofern sie das Stichwort vom „Zeichen der Treue Gottes" nicht aufgenommen und eine theologische Deutung umgangen hat. Der betreffende Abschnitt lautet:

„Unser Verhältnis zum jüdischen Volk steht auch im Zeichen der Gründung und Existenz des Staates Israel in unserer Zeit. Unsere Bejahung der Existenz dieses Staates verbindet sich mit der Sorge um eine Friedenslösung im Nahen Osten, die das Recht auch der arabischen Palästinenser und der Christen unter ihnen einschließt. Nur in dem Maße, in dem die besonderen Umstände der Entstehung des Staates Israel, die Differenziertheit der israelischen Gesellschaft und die Schwierigkeiten eines Urteils von außen im Blick bleiben, werden Diskussionen in christlichen Kreisen bei der politischen Urteilsbildung und für die betroffenen Menschen in Israel und im Nahen Osten überhaupt eine Hilfe sein"[41].

Auch wenn man das Fehlen einer theologischen Deutung vermissen mag, vermögen diese Sätze angesichts der beschriebenen Reaktionen im Zusammenhang mit dem Libanonkrieg 1982 zumindest eine Orientierungshilfe für das angemessene politische Verhalten zu sein. Die dritte 1984 verabschiedete Erklärung bewegt sich noch einmal stärker in der Richtung des rheinischen Synodalbeschlusses. Es handelt sich um den sechsten der „Leitsätze zum Thema ‚Wir und die Juden – Israel und die Kirche'", die die Hauptversammlung des Reformierten Bundes am 29. September 1984 angenommen hat. Der tragende erste Abschnitt – ihm folgen zwei Schriftzitate (Jer. 23,3;

---

40. Text in: EK 17/1984, 335, und in: Allgemeine Jüdische Wochenzeitung vom 18. Mai 1984 – ebd. auch eine Würdigung der ganzen Erklärung durch *N.P. Levinson*.
41. „Orientierungspunkte zum Thema ‚Christen-Juden'", in: BThZ 1/1984, 368-370.

Sach. 2,8) und ein Aufruf, für das Leben des jüdischen Volkes einzutreten und dem Staat Israel in Gebet und politischer Verantwortung zugewandt zu sein – hat den Wortlaut:

„Dankbar preisen wir die Treue Gottes, der sein Volk erwählt hat. Wir erkennen, daß die Landverheißung untrennbar mit der Erwählung verbunden ist. Diese Verheißung ist vom Volk Israel festgehalten worden im Land und in der Diaspora, im Festkalender und in der Liturgie. Aufgenommen vom politischen Zionismus, hat dies zur Gründung und Entwicklung des Staates Israel geführt. In unserer Zeit sehen wir in der Rückkehr der Juden ins Land eine Bestätigung der Treue Gottes. In dem allen werden die irdisch-geschichtlichen Dimensionen der Verheißung Gottes den Christen und allen Völkern nachhaltig vor Augen und ins Bewußtsein gerückt"[42].

Nicht zuletzt nach den gerade verabschiedeten Leitsätzen des Reformierten Bundes bleibt zu hoffen, daß die verschiedenen genannten Erklärungen in der kommenden Zeit nachhaltig dazu beitragen, jene Herausforderung sachgemäß aufzunehmen, die der Staat Israel an Christen, ihr Denken und Handeln, im bereits angedeuteten Sinne stellt: nämlich das eigene Evangelium mit seinen politischen Implikationen im Verhältnis zum jüdischen Volk in Israel geschwisterlich zu begreifen, zu leben und zu lehren.

---

42. Zitiert nach dem von der betreffenden Kommission vorgelegten Separatdruck der Leitsätze und ihrer Erläuterungen durch einzelne Kommissionsmitglieder, (o.J.) 15. Zum Verständnis der Leitsätze s. *H. Keller,* Auf dem Weg – Juden und Christen lernen Gottes gute Weisung. Hundert Jahre Reformierter Bund – Fünfzig Jahre Barmer Bekenntnis, in: 100 Jahre Reformierter Bund – Beiträge zur Geschichte und Gegenwart, hg. v. *J. Guhrt,* Bad Bentheim, 146-154.

4. Römer 9-11 als Schibbolet christlicher Theologie*

I. Das Problem: Die traditionelle Sicht der Judenchristen

Zwei Ereignisse haben die Geschichte des Urchristentums in herausragendem Maße bestimmt. Das erste ist der sog. Apostelkonvent in Jerusalem, wahrscheinlich im Jahre 48. Damals einigten sich die Antiochener Paulus und Barnabas einerseits, die Jerusalemer Jakobus, Petrus und Johannes andererseits auf ein scheinbar schiedlich-friedliches Neben- und Miteinander. Die Apostel aus Antiochien sollten das Evangelium unter den nichtjüdischen Völkern verkündigen, ohne sie auf die jüdische Lebensweise festzulegen, die Jerusalemer dies im jüdischen Volk tun, ohne es von seiner Lebensweise zu trennen (Gal. 2,1-10). In einer neueren Geschichte des frühen Christentums nimmt sich die Entscheidung, die damit gefallen war, wie folgt aus:

„Das ist das Große am Apostelkonzil: Paulus und die Heidenchristen hatten die engen Grenzen des Alten Bundes längst hinter sich gelassen und verkündeten überall schon die ganze Botschaft Jesu, auch in der Frage des Gesetzes und der Gesetzesfreiheit, und sie besaßen doch so viel Liebe, daß sie den engen, unevangelischen Standpunkt der Judenchristen um der Einheit der Kirche willen tolerierten. Die Zukunft gehörte dem Heidenchristentum – dennoch arbeitete man mit dem Judenchristentum zusammen und stieß es nicht aus der Kirche aus"[1].

* Nachstehender Beitrag wurde im Oktober 1980 als Rektoratsrede an der Kirchlichen Hochschule Berlin gehalten. Für den Druck sind die Teile II, IV und V.3 ergänzt. Der Aufsatz vertritt eine längere Studie über Röm. 9-11, von deren ursprünglich geplanter Aufnahme in diesen Band aus Rücksicht auf seinen Umfang und angesichts dessen Abstand genommen wurde, daß Arbeiten zu Röm. 9-11 zur Zeit wie Pilze aus dem Boden schießen. Die Einbeziehung der wichtigsten Sekundärliteratur mag darum auch einer denkbaren späteren Veröffentlichung der Studie vorbehalten bleiben. Carsten Colpe danke ich für hilfreiche Hinweise nach der Lektüre des Manuskripts..
1. *M. Bauer*, Anfänge der Christenheit, Berlin/DDR ³1974, 107. Zu einer anderen Würdigung des Apostelkonvents s. die im Vorwort erwähnten Paulusstudien.

Man sollte nach dieser Darstellung erwarten, daß nicht Paulus und Barnabas nach Jersusalem zogen, um sich der Anerkennung ihres Evangeliums durch die Muttergemeinde zu vergewissern, vielmehr die Jerusalemer nach Antiochien, um eine Art – letztlich schon anachronistischen – Toleranzedikts aus Liebe zu erwirken. Nicht minder fragwürdig ist – gemessen an Paulus, den der Verfasser gerade zur Geltung bringen will – die Klassifizierung des judenchristlichen Standpunktes als eines „unevangelischen". Für den Völkerapostel aus Tarsus war nach Ausweis jener Vereinbarung das Zeugnis der Jerusalemer Judenchristen keinen Deut weniger Evangelium als sein eigenes, nur eben „Evangelium für die Beschnittenen". In den zitierten Sätzen ist dennoch unverkennbar nicht die paulinische Position für das Urteil maßgebend, vielmehr der tatsächliche Verlauf der Geschichte: „Die Zukunft gehörte dem Heidenchristentum ...". Noch deutlicher tritt dies in jenem Zusammenhang zutage, in dem der Verfasser auf das zweite einschneidende Ereignis jener Frühzeit zu sprechen kommt, die Zerstörung Jerusalems durch die Römer im Jahre 70. Dort heißt es unter dem Titel „Die Ausklänge des Judenchristentums":

„Der jüdische Krieg endete mit der Zerstörung Jerusalems und des Tempels im Jahre 70. Nach diesen Ereignissen trat die Urgemeinde, die im Anfang die Mutter aller Kirchen gewesen war, völlig zurück. Das Judenchristentum war innerlich gebrochen und konnte auch von Pella aus keinen Einfluß mehr auf die sich machtvoll ausbreitende Kirche ausüben. Die judenchristliche Idee war gescheitert. Aber das reine, unverkürzte Evangelium Jesu, wie Paulus und viele andere mit ihm es verbreitet hatten, erbaute die große heidenchristliche Kirche der Ökumene, die bald vom Euphrat bis nach Spanien den Völkern der Antike das Licht der Welt brachte"[2].

Wie sehr hier heidenchristlicher Triumphalismus das Wort führt, nicht aber jenes „Evangelium, wie Paulus und viele andere mit ihm es verbreitet hatten", läßt niemand anders als der angerufene Apostel selber erkennen. Wer wie Paulus nach Jerusalem reist, um der Einheit der Gemeinde Gottes aus Juden und Heiden willen, weil andernfalls sein gesamtes Missionswerk nichtig wäre (Gal. 2,2), und wer wie er bis zu seinem Lebensende Jerusalem

---

2. *Bauer*, Anfänge (A.1), 109; in ähnlichem Sinne z.B. *W. G. Kümmel*, Artik. Judenchristentum I, in: RGG 3 ([3]1959), 971. Zu anderen Stimmen s. unten, A. 5.24. Zum Verhältnis der Großkirche zum Judenchristentum s. *H. Lietzmann*, Geschichte der Alten Kirche I, Berlin [3]1953, 199: „Der Ausgang des Judenchristentums ist überall der eines stillen Sterbens in der Einsamkeit. Die kräftig emporstrebende Kirche des siegreichen Weltchristentums hat vom Tode ihrer älteren Schwester keine Kenntnis genommen."

als Zentrum auch der Völkergemeinde betrachtet (Röm. 15,24-32), hätte
schwerlich die Schwestergemeinde im Lande Israel über den Leisten einer
„judenchristlichen Idee" geschlagen. Noch weniger aber hätte er „das reine
unverkürzte Evangelium Jesu" einerseits und die Existenz einer rein heidenchristlichen Kirche andererseits für vereinbare Möglichkeiten gehalten.
Die Kluft, die sich damit zwischen vermeintlich paulinisch orientiertem
christlichem Verständnis von urchristlicher Geschichte, von Kirche und
Evangelium einerseits und Paulus selber andererseits abzeichnet, wird in
ihrer ganzen Tiefe erkennbar, wenn der Text zu Gehör kommt, der hier
allein authentisch Auskunft zu geben vermag, Röm. 9-11. Bevor dies allerdings möglich ist, ist eine Frage zu klären, deren Ausklammerung eine
unvertretbare Verkürzung bedeutete. Sie betrifft den Begriff „Judenchristen" und seine Verwendung.

II. Zur Bestimmung des Begriffs „Judenchristen"

Im engeren Sinne versteht man unter „Judenchristen" erstens die Glieder
der Jerusalemer Urgemeinde und anderer Gemeinden im Lande Israel,
die von ihren Volksgenossen im wesentlichen das Bekenntnis zu Jesus von
Nazareth unterschied, die also sowohl – zumindest teilweise – dem Tempel
als auch dem Gesetz treu blieben. Zweitens rechnet man ihnen jene
Gruppen in der Zeit nach der Zerstörung des Tempels zu, die – in welch
lockerer Verbindung auch immer – in der Tradition jener ersten
Gemeinden standen, die Bindung an das Gesetz nicht aufgaben und –
gewiß in wechselseitiger Reaktion – dem Weg in die sich ausbildende
Großkirche fernblieben[3]. Die Erforschung dieser Nachfolgegruppen, also
des Judenchristentums der Zeit nach 70, gehört zu einem der schwierigsten
Kapitel der neutestamentlichen Wissenschaft und älteren Kirchengeschichte. Begründet ist dies vor allem darin, daß diese Gruppen weithin
nur durch Nachrichten bei den Kirchenvätern bekannt sind, die sie gros-
senteils nicht aus eigener Anschauung geschöpft und dazu unter dem Vorzeichen überliefert haben, es handele sich bei diesen Gemeinschaften um

---

3. Vgl. den gedrängten Überblick über die Diskussion des Begriffs bei *M. Simon,* Le
   judéo-christianisme, in: *ders. / A. Benoit,* Le judaisme et le christianisme antique, Paris
   [2]1985, 258-274, hier: 258ff. Zur judenchristlichen Gemeinde vor 70 s. jetzt *C. Colpe,*
   Die älteste judenchristliche Gemeinde, in: *J. Becker* u.a., Die Anfänge des Christentums, Stuttgart 1987, 59-79.

Häretiker[4]. Erst im Rahmen eines mühsamen Forschungsprozesses hat man Überlieferungen rekonstruiert, die sich als Quellen im engeren Sinne, d.h. als Selbstzeugnisse bezeichnen lassen, zumindest für einen Teil dieser Gruppen[5]. Erwähnenswert ist aus der Forschungsgeschichte sodann, daß man das Bild von den judenchristlichen Gemeinschaften an einem wesentlichen Punkt hat korrigieren müssen. Die früher gängige Auffassung, seit dem Ende des 2. Jahrhunderts gehöre das Judenchristentum der Vergangenheit an, trifft allein auf den westlichen Bereich des römischen Weltreiches, nicht für den Orient zu. Hier begegnen lebendige judenchristliche Gemeinden bis ins 3. und 4.[6], ja teilweise bis ins 6. und 7. Jahrhundert und darüber hinaus[7].

Allein schon ein flüchtiger Blick auf die Berichte über den Apostelkonvent in Gal. 2,1-10 und Apg. 15 lehrt – ungeachtet aller Differenzen im einzelnen –, daß die Judenchristen bereits in der Frühzeit durchaus keine Einheit bildeten. Neben den Jerusalemer Autoritäten, die dem beschneidungsfreien Evangelium des Paulus zustimmen, melden sich andere Judenchristen zu Wort, die auf der Übernahme des Ritus auch durch die Heidenchristen bestehen. Noch im 2. Jahrhundert unterscheidet Justin nachweislich seines „Dialogs mit dem Juden Tryphon" (47,1-4) zwischen Juden, die sich zu Jesus als Messias bekennen, das Gesetz (Beschneidung, Sabbat, Feste, Reinigungsgebote) halten und es ablehnen, mit (Heiden-) Christen zu verkehren, die das Gesetz nicht für sich übernehmen, und solchen, die ebenfalls halachisch leben, doch dies nicht von (Heiden-) Christen verlangen. Unschwer sind hier die beiden auf dem Apostelkonvent von judenchristli-

---

4. Siehe hierzu vor allem *A. Hilgenfeld*, Die Ketzergeschichte des Urchristentums, Leipzig 1884/Nachdr. Darmstadt 1966, 421-446; ders., Judentum und Judenchristentum. Eine Nachlese zu der Ketzergeschichte des Urchristentums, Leipzig 1886/ Nachdr. Hildesheim, 1966, sowie die Quellensammlung von *A.F.J. Klein/G.J. Reinink*, Patristic Evidence for Jewish-Christian Sects, Leiden 1973.

5. Zu erwähnen sind in diesem Zusammenhang vor allem die Forschungen von *H.J. Schoeps*, Theologie und Geschichte des Judenchristentums, Tübingen 1949; ders., Aus frühchristlicher Zeit, Tübingen 1950, und von *G. Strecker*, Das Judentum der Pseudo-Clementinen, Berlin 1958; ders., Zum Problem des Judenchristentums, in: Nachtrag zur 2., durchges. Aufl. von *W. Bauer*, Rechtgläubigkeit und Ketzerei im ältesten Christentum, Tübingen 1964, 245-287; ders., Artik. Elkesai, in: RAC 4(1959), 1171-1186. Siehe auch *F. Manns*, Bibliographie du judéo-christianisme, Jerusalem 1979.

6. Vgl. *Strecker*, Problem (A. 5), 285.

7. Siehe *S. Pines*, The Jewish Christians of the Early Centuries of Christianity According to a New Source, Jerusalem 1966; *C. Colpe*, Die Mhagrāyē – Hinweise auf ein arabisches Judenchristentum?, in: IKZ 76 (1986), 203-217.

cher Seite in Jerusalem vertretenen Positionen wiederzuerkennen, wie immer auch der Zusammenhang historisch sein mag.

Das Bild wird noch einmal vielfältiger, wenn man Stephanus und seinen Kreis (Apg. 6,1-8,3) sowie Paulus selbst und Barnabas einbezieht, d.h. jesusgläubige Juden, die aus der Diaspora kommen und in Verbindung mit Jerusalem stehen, die jedoch zu Tempel und Gesetz ein von der einheimischen Jesusgemeinde verschiedenes Verhältnis haben. Zu diesem Zweig des Judenchristentums lassen sich aus der späteren Zeit exponierte Judenchristen wie der Verfasser des Matthäusevangeliums, im Grunde aber mehr oder weniger alle Verfasser der im Neuen Testament vereinigten Zeugnisse aufgrund ihrer judenchristlichen Herkunft zählen.

Weitet man den Begriff in diesem Sinne aus, so werden freilich die Grenzen fließend, und es entsteht das Problem, daß die Sonderstellung der Judenchristen im engeren Sinne verloren geht. Man hat deshalb dafür plädiert, den Begriff strikt auf diesen engeren Kreis der Jerusalemer Urgemeinde und der in Distanz zur werdenden Großkirche lebenden Nachfolgegruppen zu begrenzen[8]. Doch so bedeutsam die Unterschiede zwischen den einzelnen Gruppen und Positionen auch sind und so wenig sie nivelliert werden sollen, erscheint eine solche begriffliche Trennung dennoch als problematisch[9]. Um das Beispiel der von Justin erwähnten beiden Gruppen zu nehmen: Jene, die zwar selbst nach dem Gesetz, also halachisch leben, aber dies nicht von Heidenchristen verlangen, gehören auch nach jener engeren Definition fraglos zu den Judenchristen, insofern sie die Halacha als für sich selbst als bindend ansehen. Und doch besteht auch hier gegenüber dem sonstigen jüdischen Verständnis insofern eine erhebliche Spannung, als die

8. *Simon* (Le judéo-christianisme [A. 3], 268) faßt den Begriff sogar noch enger, indem er ihn für die Gruppen reserviert, die sich halachisch jenseits der Grenzen des Aposteldekrets bewegt haben. Zur Zusammengehörigkeit von älterer judenchristlicher Gemeinde und den Nachfolgegruppen s. jedoch *Colpe*, Gemeinde (A. 3), 258.

9. Zur Frage nach einem angemessenen Umgang mit dem Begriff, bei dem dieser selbst nicht auf die Jerusalemer Gruppe und ihre Nachfolger begrenzt, jedoch anhand der sprachlichen Implikationen des deutschen Wortes „Judenchristen" idealtypisch in drei Bedeutungen differenziert wird, s. jetzt *Colpe*, Gemeinde (A. 3), 259; *ders.*, Das deutsche Wort „Judenchristen", in: Festschr. f. Z. Werblowsky, Leiden 1987(im Druck). *Colpe* vermag über den oben bezeichneten Kreis hinaus solche heidenchristliche Theologen (wie z.B. Tertullian) einzubeziehen, die erkennbar an judenchristliche Traditionen anknüpfen und sie zur Geltung bringen (s. dazu auch *J. Daniélou*, The Theology of Jewish Christianity, London 1964). Allerdings erscheint sein Vorschlag, auf den Begriff angesichts seiner Bedeutungsvielfalt vorerst zu verzichten, bis er vielleicht in eindeutigem Sinne wiedergewonnen ist (so Colpe in seinem Beitrag zur Werblowsky-Festschr.), als problematisch.

Übernahme der Halacha im Hinblick auf Heidenchristen nicht als conditio sine qua non der Zugehörigkeit zum Gottesvolk betrachtet wird. Zwar ist für diese Gruppe das Verhältnis zum Gesetz konstitutiv, und doch handelt es sich um eine erheblich modifizierte Beziehung. Ist dies Kriterium einer positiven oder konstitutiven Beziehung zum Gesetz dennoch für die Definition des Begriffs „Judenchristen" gültig, dann rücken freilich Theologen wie Paulus und Matthäus gerade erneut in den Horizont ein. Denn je auf *ihre* – durchaus jeweils unterschiedliche und gegenüber sonstigem jüdischen Verständnis beträchtlich modifizierte – Weise haben sie beide an der Gültigkeit des Gesetzes festgehalten. Für einen umfassenderen Gebrauch des Begriffs „Judenchristen" spricht des weiteren auch die Perspektive, in der die Judenchristen insgesamt auf jüdischer Seite gesehen worden sind. Als Ende des 1. Jahrhunderts im Lande Israel in die Verwünschung der Häretiker im Achtzehngebet die „Nozrim" eingefügt werden, sind alle jesusgläubigen Juden miteinander von ihr betroffen – nur sie, nicht auch die Heidenchristen, und zwar ganz ungeachtet ihres jeweiligen spezifischen Verhältnisses zum Gesetz.

Gravierender scheinen freilich die theologischen Gründe, die gegen die engere Definition sprechen. Nach deren Maßgabe wäre es nicht sinnvoll, Paulus oder später etwa Matthäus als Judenchristen zu bezeichnen. Der Apostel selbst richtet jedoch in Röm. 11,1f. an entscheidender Stelle sein Israelit –, also Judenchristsein als Bollwerk gegen die These auf, Gott könne sein Volk verstoßen haben. Eine Bestimmung des Begriffs „Judenchristen", die Paulus ausschlösse, dürfte deshalb mit dem theologisch höchst relevanten Selbstverständnis des Apostels schwerlich vereinbar sein. Doch greift dies bereits auf die Auslegung von Röm. 9-11 vor.

III. Exegetischer Grundriß von Röm. 9-11: Die paulinische Sicht der Judenchristen in ihrem Verhältnis zu Israel und den Völkern[10]

In Röm. 9-11 verhandelt Paulus in einer Vielfalt von Einzelüberlegungen eine einzige Frage: Was ist mit Israel, dem jüdischen Volk, sofern es sich dem Evangelium versagt? Er erörtert sie mit dem einen, in Kap. 11

---

10. Vgl. zum Folgenden die einschlägigen Passagen in meiner Arbeit: Grundzüge einer Theologie im christlich-jüdischen Gespräch, München 1982, 39ff.103ff.108ff.137ff.151f. Hier sind wesentliche Stellen wie 9,1-5 und die Deutung von „Hebe" und „Wurzel" in 11,16 breiter entfaltet.

erklärtem Ziel, die Christen in Rom in ein evangeliumsgemäßes Verhalten zum Volk Gottes einzuweisen. Im Rahmen dieser Erörterung kommt er zu Beginn des 11. Kapitels thematisch auf die Judenchristen zu sprechen, bevor er anschließend Vergangenheit, Gegenwart und Zukunft des sich Jesus Christus versagenden Israel deutet. Jene Gruppe der Judenchristen ist damit für ihn integraler Teil des übergeordneten Themas „Israel und die Völker" bzw. „Kirche und jüdisches Volk", um das es ihm in Röm. 9-11 geht.

Mit diesen hier nur anzudeutenden Beobachtungen ist der im weiteren einzuschlagende Weg vorgezeichnet. In einem ersten Schritt wird die Gesamtstruktur von Röm. 9-11 zu verdeutlichen sein. Dies kann im wesentlichen anhand des Rahmens geschehen, in den der Zusammenhang von Paulus gefaßt ist. Sodann werden die wesentlichen Perspektiven der paulinischen Darlegungen in Röm. 11 zu kennzeichnen sein. Erst im Schlußteil soll die Frage nach möglichen Konsequenzen der biblischen Rückfrage für Theologie und Kirche aufgenommen werden. Um den Umfang dieses Teils mit seinem Bezug auf drei Kapitel in Grenzen zu halten, soll der exegetische Grundriß im wesentlichen in Form von thesenähnlichen Abschnitten erfolgen.

1. Die Struktur der Einleitung Röm. 9,1-5 nimmt in gewissem Sinne die des gesamten Zusammenhangs Kap. 9-11 vorweg. Die kleine Einheit zielt auf eine Erinnerung an die Gnadengaben und Verheißungen Gottes an Israel (9,4.5a) und mündet in einen Lobpreis Gottes ein (9,5b). In Übereinstimmung damit beteuert Paulus gegen Ende des Ganzen die Unwiderruflichkeit der Gnadengaben und der Berufung durch Gott, um dessen bleibende, auch die Zukunft einschließende Liebe zu Israel zu begründen (11,25-29), und schließt die gesamte Erörterung mit einem Hymnus auf ihn ab (11,33-36). 9,1-5 und 11,25-36 lassen sich von hier aus auch als Klammern um die gesamte Erörterung bezeichnen.

2. Der Zweck der einleitenden Verse besteht somit nach der Abwehr von Verdächtigungen des Apostels (9,1-3) darin, die Perspektive auf alle drei Kapitel zu eröffnen. In ihr erscheint Röm. 11 mit seinem verheißungsvollen Höhepunkt als das von vornherein angesteuerte, bereits in den ersten Versen vorweg berührte Ziel des Ganzen: „Und so wird ganz Israel gerettet werden" (11,26). Dies Ganze ließe sich von seiner Intention her auch als Traktat über die unverbrüchliche Treue Gottes bezeichnen.

3. Durch die genannten Klammern (9,1-5; 11,25-36) wird all das begrenzt, was Paulus dazwischen an israelkritischen Aussagezusammenhängen ent-

faltet: die Freiheit Gottes zum Erbarmen und Verhärten (9,6-29), der Ungehorsam Israels gegenüber dem Evangelium (9,30-10,21) sowie sein Straucheln und das Abhauen einiger Zweige (11,1-24). Alle drei Zusammenhänge dienen dazu, die eine Gewißheit einzuprägen, daß Israel und die Völker gleichermaßen von der Barmherzigkeit Gottes leben (11,32).

4. Am Ende von Kap. 9 fixiert Paulus den gegenwärtigen, in Gottes freiem Erbarmen begründeten Stand des endzeitlichen Gottesvolkes. Es besteht aus Heiden, die aus "Nicht-mein-Volk" zu „mein Volk" wurden, und aus Juden als dem gnädig übriggelassenen Rest Israels – beides in Übereinstimmung mit der Schrift (9,24-29). Aus diesem Stand resultieren zwei zusammengehörige Fragen: 1. Warum ist nur ein Rest Israels dabei? 2. Was ist mit den übrigen? Es sind diese beiden Fragen, die in Kap. 10 (bzw. 9,30-10,21) und 11 nacheinander verhandelt werden.

5. In Kap. 9,30-10,21 entfaltet Paulus den Ungehorsam Israels gegenüber dem Evangelium als Antwort auf jene Frage, warum nur ein Rest übrig gelassen ist, und erweist die Widerspenstigkeit Israels als schriftgemäß.

6. Zu Beginn von Kap. 11 läßt Paulus aus der Feststellung am Ende von Kap. 9, nur ein Rest sei übrig gelassen, und aus dem Aufweis der Gründe dafür in Kap. 10 die Frage folgen, ob Gott sein Volk verstoßen habe. Er begründet sein umgehendes Nein, indem er auf sich selbst als Israeliten verweist und sich dem in der Schrift verheißenen, jetzt gnädig ausgewählten Rest zuordnet (11,1-10). Er verweist damit de facto auf die Existenz der Judenchristen als Widerlegung der These von der Verstoßung des Gottesvolkes. Das nicht diesem Rest zugehörige Israel („die übrigen", 11,7) bezeichnet er als von Gott verstockt – wiederum in Konformität mit der Schrift.

Es ist das unverwechselbare Kennzeichen der Lehre des Apostels, daß er diese Beschreibung der gegenwärtigen Situation nicht das letzte Wort sein läßt, vielmehr im folgenden weit über sie hinausführt. Der Zusammenhang 11,11-24 soll deshalb detaillierter aufgenommen werden. Hauptmerkmal dieses Abschnitts ist die überall leitende Intention, eine Mißdeutung des gegenwärtigen Standes Israels (der „übrigen") seitens der Heidenchristen auszuschließen. Und da Kap. 11 fraglos der Höhepunkt des ganzen Zusammenhangs ist, fällt auf diesen „kirchenkritischen" Aspekt entsprechendes Gewicht.

7. Paulus leitet den zweiten Abschnitt in Kap. 11 mit der Frage ein, ob die nicht ans Evangelium glaubenden Juden etwa deshalb gestrauchelt seien, „*damit* sie zu Fall kämen" (11,11). Dies läßt darauf schließen, daß es bereits in seiner Zeit spezifisch heidenchristliches Gelüst war, vom Ende Israels zu reden. Die nach 11,1f. erneute Abwehr dieser Auffassung begründet er mit der Gegenthese, daß durch ihren – aus dem Straucheln am Eckstein resultierenden (9,33) – Fall die Rettung zu den Völkern gekommen sei, damit dadurch wiederum Israel eifersüchtig gemacht würde. Dies indirekte Werben um Israel hat freilich nicht allein Bedeutung für das jüdische Volk selbst. Vielmehr ist es nach Paulus wiederum von weitreichender Relevanz für die Heiden bzw. die Heidenchristen: „Denn wenn schon ihr Fall zum Reichtum der Welt und ihr Mangel zum Reichtum der Völker geworden ist, um wieviel mehr wird dann ihre (Israels) Vollzahl (Reichtum für die Völker bedeuten)" (11,12). Ohne Israel bringen sich die Völker damit um ihre eigene Zukunft.

8. Um die Bedeutung dieser Perspektive zu unterstreichen, verherrlicht Paulus seinen Dienst als Apostel für die Völker, weil er ihm Gelegenheit gibt, seine leiblichen Geschwister „eifersüchtig zu machen und einige von ihnen zu retten" (11,13). In einem zu 11,12 parallelen Kal-Wachomer-Schluß führt Paulus begründend aus, inwiefern gerade in diesem Dienst sein Amt als Völkerapostel zum Tragen kommt: „Denn wenn ihre Ablehnung (Jesu Christi) zur Versöhnung der Welt geworden ist, was (wird dann) ihre Annahme (anderes bedeuten) als Leben aus den Toten", nämlich auch hier für die Welt? (11,15). Denn eben die Auferweckung von den Toten ist das, worauf die mit Gott versöhnten Völker noch hoffen, und die Erfüllung dieser Hoffnung ist damit nach Röm. 11 abhängig von dem Hinzukommen Israels. Man mag dabei an die einzelnen Hinzukommenden denken, die sich durch Paulus reizen lassen – so scheint es der vorangehende Kontext nahezulegen; oder aber an das, was Paulus wenig später die Rettung ganz Israels nennt (11,26) – darauf deutet der nachfolgende Zusammenhang hin. Aber vermutlich besteht hier im letzten keine Alternative. Deutlich ist in jedem Fall durch das Hin und Her zwischen Nein Israels – Rettung/Versöhnung der Völker – Ja Israels – Auferweckung von den Toten für die Völker, wie eng das Leben Israels und das der Völker bis zum wirklichen Ende der Geschichte nach Paulus ineinander verwoben sind. Genauer: die Völker (Heidenchristen) verdanken in gewissem Sinne sowohl ihre Gegenwart als auch ihre Zukunft Israel und sind in diesem Sinne bleibend auf es angewiesen. Ihre Gegenwart danken sie Israels Nein und ihre Zukunft seinem Ja.

Der Abschnitt 11,11-15 ist dadurch gekennzeichnet, daß Paulus hier – vom Nein Israels in der Gegenwart ausgehend – den Bogen bis zum Ende der Tage spannt.

In 11,16-24 nimmt er seinen Ausgang von zwei solch umfassenden Aussagen, um anschließend den Akzent auf die Erörterung der Frage zu legen, wie das sich gegenwärtig Jesus Christus versagende Israel von den Heidenchristen zu sehen sei. Der Abschnitt ist von dem sog. Ölbaumgleichnis beherrscht. Gleich vom zweiten Vers an (11,17) und bis zum Ende (11,24) dominiert das Motiv der ausgerissenen Zweige.

9. „Wenn aber die Hebe (Erstlingsgabe) heilig ist, dann auch der Teig. Und wenn die Wurzel heilig ist, dann auch die Zweige" (11,16). Diese beiden adversativ angeschlossenen Feststellungen zu Beginn sind zwar ähnlich wie 11,12 und 11,15 Folgerungen im Rahmen von Bedingungssätzen. Sie haben jedoch keinen unmittelbaren Anknüpfungspunkt in ihnen. Denn gleich im Anschluß nennt Paulus diejenigen, die Jesus Christus ablehnen und von denen er zuletzt gesprochen hat, gerade ausgerissene Zweige. Den einzigen Anknüpfungspunkt in Röm. 11 bilden vielmehr die Judenchristen, und sofern man beide, Hebe und Wurzel, auf sie bezieht, wird das Verhältnis von 11,11-15 und 11,16 transparent: Dort, in 11,11-15, folgert Paulus nicht etwa aus dem jetzigen Nein Israels das künftige Ja, sondern er setzt dies Ja voraus und deutet seine Implikationen für die Völker an. Auf diese Weise macht er den Heidenchristen klar, daß die Auffassung, es sei mit Israel zu Ende, sie um ihre eigene Zukunft bringt. Hier, in 11,16, begründet er mit Hilfe der beiden Metaphern, *warum* das bisher lediglich vorausgesetzte Hinzukommen Israels gewiß ist. So wie Christus als „Hebe (Erstling) der Entschlafenen" die Gewähr der Auferstehung aller anderen ist (1. Kor. 15,20f.) und der Geist als „Hebe (Erstling)" die Gewähr für die Erlösung des ganzen Menschen (Röm. 8,23), so sind die Judenchristen das Unterpfand der Heiligkeit auch der übrigen bzw., wie es wenig später heißt, der Rettung ganz Israels (11,26).

Paulus kann dies so unmittelbar wie in 11,26 in der Tat erst dort sagen, weil er andernfalls die in der Gegenwart für die Rettung entscheidende Differenz von Glauben und Unglauben einebnen würde. In 11,17ff. bringt er entsprechend die seinem Evangelium konstitutiv innewohnende Überzeugung zur Geltung: „Aufgrund von Unglauben (gegenüber Jesus Christus) wurden sie ausgerissen, du aber bestehst durch den Glauben" (11,20). Und es scheint kaum ein Zweifel, daß Paulus das Bild von der Wurzel und den Zweigen eben deshalb dem von der Hebe hat folgen lassen, weil sich die

Gerichtsthematik an ihm sehr viel besser erörtern ließ. Allerdings sind zwei
Feststellungen von ebensolchem bzw. noch größerem Gewicht. Der
gesamte Abschnitt ist erstens gegen heidenchristlichen Hochmut angesichts
der ausgebrochenen Zweige gerichtet (11,21). Und er schließt zweitens mit
dem Kal-Wachomer-Schluß, daß Gott, wenn er schon die Heidenchristen
als wilde Reiser aufgepfropft hat, um so mehr die von Natur aus hinzugehö-
rigen nicht nur aufpfropfen kann (11,23), sondern daß er es auch tun wird
(11,24). Und in dieser letzten Zuspitzung ist nicht einmal mehr vom
Glauben als Bedingung die Rede. Der Abschnitt 11,16-24 gipfelt damit in
einer Zusage, die sachlich exakt dem in 11,26 enthüllten Mysterium entspricht.

10. Die theologische Leistung des Paulus in Röm. 11 läßt sich damit wie folgt
präzisieren: Der Apostel interpretiert die Judenchristen als „heiligen Rest"
Israels und wehrt damit die – mögliche oder tatsächliche – Behauptung ab,
Gott habe sein Volk verstoßen. Damit ist freilich noch nicht die Folgerung
ausgeschlossen, es sei mit dem übrigen Israel aus. Diese scheinbare Konsequenz widerlegt Paulus, indem er die als „heiligen Rest" identifizierte
Gruppe der Judenchristen mit Begriffen deutet, die sie nicht als Ende des
übrigen Israel, sondern umgekehrt gerade als seinen Neuanfang interpretieren. Die Judenchristen sind als Hebe und als Wurzel nicht eine vom
übrigen Israel geschiedene Auswahl, sondern sie bilden den Anfang, der die
Rettung des Ganzen verbürgt. Bleibt dabei in Erinnerung, wie sehr nach
11,11-15 die Rettung ganz Israels wiederum die Zukunft der Heidenchristen
bedingt, so dürfte sich folgender Schluß schwerlich von der Hand weisen
lassen: Bricht man die Judenchristen aus der heilsgeschichtlichen Konzeption des Paulus heraus, so fällt nicht nur seine Gewißheit der Rettung ganz
Israels, sondern es fällt nach Röm. 11 auch seine Gewißheit des „Lebens aus
den Toten" für die Völker. In diesem Sinne dürfte eine Kirche ohne Judenchristen für Paulus genauso unvorstellbar gewesen sein wie die Auferstehung Jesu Christi ohne Auferstehung der Toten.

IV. Der historische Paulus und der Apostel der Kirche

Hält man sich triumphale Aussagen über den Untergang der Judenchristen
wie die eingangs zitierten vor Augen, so wird von Röm. 9-11 her deutlich,
wie weit sie – ungeachtet aller Berufungen auf Paulus – tatsächlich von der
Sicht des Apostels entfernt sind. Nicht der historische Paulus wird mit ihnen

zur Geltung gebracht, sondern der Apostel der Kirche, der vermeintlich den tatsächlichen Weg legitimiert, den sie ohne judenchristlichen Teil genommen hat. Diese Differenz zwischen dem historischen und dem kirchlich-theologisch adaptierten Paulus und damit die Fremdheit des Apostels im Verhältnis zu den nachfolgenden Zeiten läßt sich durch einige weitere Beobachtungen präzisieren.

Noch auf der Linie der bisherigen Feststellungen liegt der Tatbestand, daß sich die Heidenkirche vom 2. Jahrhundert an als „wahres" und „neues" Israel" bezeichnet hat [11]. Paulus hingegen hat den Begriff „Israel" in Röm. 9-11 eindeutig für das Volk Israel reserviert. Er hätte ihn auf die gesamte Kirche allenfalls auf der Grundlage ihres judenchristlichen Teils übertragen [12].

Die weiteren Beobachtungen betreffen vor allem den auffälligen Umgang des Apostels mit Quantitäten.

Die Größe der Gemeinden zur Zeit des Apostels dürfte, um welchen Ort auch immer es sich handeln mag, durchweg ausgesprochen überschaubar gewesen sein. Man vermag sich selbst in Städten noch als *eine* Gemeinde zu treffen, miteinander das Herrenmahl zu feiern und Gemeindeangelegenheiten zu regeln, ohne daß der jeweiligen Gruppe mehr als ein geräumiges Privathaus zur Verfügung gestanden hätte [13]. Die Anzahl der Judenchristen in diesen Gemeinden wird zu Beginn relativ hoch gewesen sein, von den rein judenchristlichen Gemeinden im Lande Israel ohnehin ganz zu schweigen. Doch selbst wenn man hier überall von den größtmöglichen Zahlenvorstellungen ausgeht und sich z.B. von den allenthalben als übertrieben angesehenen Angaben der Apostelgeschichte leiten läßt [14], haben alle Judenchristen zusammen trotzdem nur einen Bruchteil des jüdischen Volkes gebildet. Von hier aus erscheint es fast als zwingend, daß Paulus in 9,31, obwohl er doch zuvor gerade die Gemeinde aus Völkern *und* Juden erwähnt hat, verallgemeinernd fortfährt, Israel sei nicht zum Ziel gekommen. Um so auffälliger ist der Wandel in Röm. 11. Obzwar der Apostel das Gros vor Augen hat, redet er doch von dem Augenblick an, da er auf das Gerichtshandeln Gottes aufgrund der Ablehnung Jesu Christi zu sprechen kommt, gezielt davon, es seien *einige* der Zweige ausgebrochen. Und wie wenig es sich hier um einen

---

11. Siehe hierzu *P. Richardson,* Israel in the Apostolic Church, Cambridge 1969.
12. So möglicherweise in Gal. 6,16, falls dort nicht das jüdische Volk gemeint ist. Vgl. *Richardson,* Israel (A. 11), 74ff., bes. 83; *H. Kuhli,* Artik. *Israēl,* in: EWNT 2 (1981), 495-501, hier 500f.
13. Vgl. Apg. 18,7; 1. Kor. 11,18ff.
14. Apg. 2,41; 4,4,21,20.

Zufall handelt, belegt wenig später die Aussage, Israel sei *teilweise* Verstok-
kung widerfahren[15]. Beide Distinktionen stehen in einem bemerkenswerten
Gegensatz zu der bis heute gängigen Rede von *„der* Schuld *der* Juden", von
der „Verstockung Israels" und dergleichen. Auch hier dürfte neben allen
Vorurteilsmechanismen der Verlust der Judenchristen und das fehlende
Bewußtsein dieses Verlustes zu den Gründen gehören, die diesen Sprachge-
brauch gefördert haben. Wenn man den Rest Israels bzw. die Erstlingsgabe
Israels nicht mehr unter sich weiß und auch nicht vermißt, dann rückt „ganz
Israel" ohne Differenzierung auf die Seite der „Feinde nach Maßgabe des
Evangeliums" (11,28).

Wie sehr eine unkritische Identifizierung mit dem Weg der Heidenkirche
zu einer Behinderung *historischen* Verstehens führt, zeigt insbesondere ein
letzter Zusammenhang, der sich mit dem gerade Erörterten teilweise
berührt. Die Zeit der apostolischen Tätigkeit des Paulus ist seinem eigenen
Verständnis nach die kurze Spanne zwischen Kreuz und Auferweckung Jesu
und seiner Parusie, ihr Ort die ganze Ökumene, ausgenommen Jerusalem
und das Land Israel. Unter Ökumene versteht Paulus dabei den nördlichen
Mittelmeergürtel von Israel über Illyrien bis hin nach Spanien. In ihm
gründet und betreut bzw. besucht (Rom) und plant (Spanien) er Gemeinden
(Röm. 15,19.24). So als hinge, wenn man so sagen darf, das römische Ver-
kehrswesen mehr oder weniger eng mit der providentia Dei zusammen, hält
er sich immer wieder an die von den Römern angelegten Straßen und zieht
weiter, sobald in einer der Städte – oft allein die Provinzhauptstadt – eine
Gemeinde gegründet ist. Als Beispiel mag die ihm besonders teure
Gemeinde in Philippi dienen. Paulus hält zu ihr engen und bleibenden Kon-
takt, aber das thrakische Hinterland, keineswegs ein undurchdringlicher
Urwald, liegt außerhalb seines Interesses. Davon, daß Philippi den Vorpo-
sten für eine weiter ausgreifende Mission gebildet hätte, wie es an anderen
Orten der Fall gewesen zu sein scheint, ist nichts bekannt[16]. Paulus kann
nach etwa zwanzig Jahren einer unvorstellbar intensiven Tätigkeit, in denen
aber dennoch die Zahl der von ihm gegründeten und betreuten Gemeinden

---

15. Siehe hierzu auch oben, 244f., A. 8 und 247, A. 15.
16. *G. Bornkamm* (Paulus, Stuttgart [5]1983, 73) sieht im Fall dieser Gemeinde Phil. 4,15
    als Beleg dafür an, daß jede Gemeinde, „kaum zum Leben erwacht", „für ihn jeweils
    für eine ganze Landschaft" steht und damit als ein Zeugnis neben anderen für die
    „Gewißheit des Apostels", „daß das Evangelium, wenn es nur irgendwo verkündigt
    ist, selbst seinen Weg weiterfinden und von einzelnen Städten aus das ganze umlie-
    gende Land erreichen und durchdringen werde". Phil. 4,15 gibt jedoch schlechter-
    dings nichts von all dem her.

zählbar geblieben ist, resümieren, er habe jetzt keinen Raum mehr im Bereich von Jerusalem bis Illyrien (Röm. 15,23). Eine solche Aussage ist überhaupt nur vorstellbar unter der Voraussetzung, daß seine Tätigkeit ein Einsammeln des *plērōma tōn ethnōn* (Röm. 11,25), der Vollzahl, d.h. der vorausbestimmten Zahl der Heiden oder Gojim ist.

Die skizzierten Fakten sind durchaus bekannt, und doch fragt sich, ob nicht im Hinblick auf sie die bald hundert Jahre alte Feststellung William Wredes in besonderer Weise Geltung hat: „Unter den zahllosen kirchlichen Christen, die die Anschauungen des Paulus zu teilen glauben, gibt es heute keinen, der sie wirklich in dem Sinne verstünde, wie sie gemeint sind; und das gleiche gilt von denen, die gegenüber dem Apostel ihre Vorbehalte machen. Höchstens einige Glieder gewisser kleinerer Gemeinschaften nähern sich einem getreuen Verständnisse"[17]. Zu ihnen wird man in übertragenem Sinne Ernst Käsemann rechnen können, wenn er urteilt, daß eine solche Konzeption der Tätigkeit des Apostels überhaupt nur als Ausdruck apokalyptischen Denkens verständlich ist[18]. Implikationen und Sinn dieser Konzeption gerade in israeltheologischer Hinsicht dürften dann zutage treten, wenn man sie noch einmal konkreter zu den berührten Tatbeständen ins Verhältnis setzt. Durch sein rettendes Handeln in Jesus Christus und dessen Präsenz im Evangelium hat Gott jetzt den heiligen Rest Israels konstituiert. Auf seinen Arbeitsreisen rund um das nördliche Mittelmeer sammelt Paulus durch die Verkündigung des Evangeliums die kleine Zahl aus den Heiden ein, die als „Vollzahl der Völker" mit dem heiligen Rest zusammen das endzeitliche Gottesvolk bilden bis – in so naher Zeit, daß Paulus von einem *Jetzt* sprechen kann (11,31), und mit dem heiligen Rest als Unterpfand dafür – „ganz Israel gerettet werden wird", wenn kommen wird der Retter aus Zion (11,26f.). Und selbst die Völkermission dient in dieser Zwischenzeit dazu, das sich gegenwärtig versagende Israel eifersüchtig zu machen. Das heißt aber, daß sowohl das Gefälle der Aussagen in Röm. 11 als auch die Realität des paulinischen Wirkens ein ganz anderes als das gewohnte Bild ergeben: Auch wenn dies, menschlich gesprochen, den Stolz der Völkerwelt verletzt, so bleibt doch gerade auch endzeitlich, im Zeichen des Evangeliums, der Weg, den Gott mit der Welt geht, bestimmt von der

---

17. *W. Wrede,* Paulus (1904), in: *K.H. Rengstorf* (Hg.), Das Paulusbild in der neueren deutschen Forschung, Darmstadt 1964, 1-97, hier 46.
18. *E. Käsemann,* Zum Thema der urchristlichen Apokalyptik (1962), in: *ders.,* Exegetische Versuche und Besinnungen II, Göttingen 1964, 105-131, hier 125 (unter Hinweis auf *G. Sass,* Apostelamt und Kirche, 1939); *ders.,* An die Römer, Tübingen³1974, 294 u.ö.

Durchsetzung seiner Verheißung für Israel. Selbst auf dieser letzten, durch
die Auferweckung Jesu Christi endzeitlich eingeläuteten Etappe, bleibt – in
Gestalt des Restes und in Gestalt ganz Israels – das A und O der Weltgeschichte das um der Väter willen bleibend geliebte Volk (11,28), mit dem die
eingesammelten Heiden stehen und fallen[19].

Wenn die in Röm. 11,25ff. von Paulus offenbarte Zukunft Israels als Ausdruck „spekulierender Phantasie" bezeichnet worden ist[20], so zeigt diese
Wertung mehr als alles andere, wie fremd der historische Paulus mit diesem
scheinbar ganz und gar konventikelhaften Denken geworden ist und wie
groß die Kluft zwischen ihm selbst und seiner kirchlich-theologischen
Rezeption. Die Kirche mit ihrem tatsächlichen Weg und mit ihrer Gestalt
als reine Heidenkirche ist vom Evangelium des Apostels her so wenig
denkbar, daß sich die Frage nach einem vergleichbar konstitutiven Ort für
die Judenchristen und für ganz Israel als Schibbolet christlicher, sich auf
Paulus berufender Theologie und Kirche darstellt[21].

V. Folgerungen

1. Paulus unterscheidet in Röm. 9-11 zwischen Israel als heiligem Rest der
Endzeit, den sog. Judenchristen, und den übrigen Israels, die sich dem
Evangelium von Jesus Christus versagen. Er stellt den unlöslichen Zusammenhang zwischen beiden Gruppen als dem einen Israel her, indem er den
heiligen Rest apokalyptisch-geschichtlich als – durch Jesus Christus konsti-
tuierte – messianische pars pro toto, als messianische Antezipation ganz
Israels interpretiert (Erstlingsgabe, Wurzel). Die Übertragung des verheißungsvollen Begriffs „Israel" auf die heidenchristliche Kirche – etwa in
Gestalt der Wendung „neues" oder „wahres" Israel – hat deshalb an Paulus
nicht nur keinen Anhalt. Sie steht vielmehr in striktem Gegensatz zu der von
ihm in Röm. 9-11 entfalteten Sicht. Hat Paulus das Wort, so können der
Begriff „Israel" und die mit ihm verbundenen Zusagen Gottes nur in dem

---

19. Vgl. *G. Harder,* Kirche und Israel. Arbeiten zum christlich-jüdischen Verhältnis.
    Eingel. und hg. v. *P.v.d. Osten-Sacken,* Berlin 1986, 222. 238f.
20. *R. Bultmann,* Theologie des Neuen Testaments, Tübingen ³1958, 484.
21. Vgl. *Käsemann,* Römer (A. 18), 297: „Eine Kirche allein aus Heidenchristen gibt es
    für Paulus nicht. Sie wäre Welt neben Welt und deren Ausschnitt, nicht Ziel des gött-
    lichen Heilsplans mit der Welt." Siehe desgleichen auch die Feststellung (ebenda,
    294), daß Röm. 9-11 „eine diakritische Funktion gegenüber der Geschichte der Pls-
    Exegese (haben), so unangenehm diese Aussage heute sein mag".

Maße mit der Kirche verbunden werden, als in ihr Juden, d.h. Judenchristen, in unangetasteter Identität leben. Eine Kirche, die sich von dieser ihrer Wurzel trennt, steht nach Paulus unter dem Gericht, im Bilde gesprochen: Sie macht sich zum abgehauenen Zweig am Lebensbaum Gottes. Die Trennung vom Judenchristentum seit dem 2. Jahrhundert kann deshalb, um unmittelbar auf die Einleitung Bezug zu nehmen, nicht Grund theologischer Siegesfreude sein, vielmehr allein zu Trauer und Klage führen. Die Rezeption des paulinischen Evangeliums geschieht seit jener Zeit schon immer unter völlig verwandelten und theologisch höchst problematischen Voraussetzungen. Es erscheint zweifelhaft, daß ein im beschriebenen Sinne entwurzeltes Christentum Paulus – gerade auch historisch – überhaupt angemessen zu begreifen, aufzunehmen und darzustellen vermag[22].

Über die genannten Beispiele hinaus ist ein besonders klares Indiz dafür die einseitige Orientierung eines Großteils der Paulusrezeption am Galaterbrief. In diesem Schreiben wendet sich Paulus polemisch gegen irrende Judenchristen und macht ihnen gegenüber unmißverständlich klar: Der Beschluß des Apostelkonvents heißt beschneidungs- und in diesem Sinne gesetzesfreies Evangelium für die Völker. Im Römerbrief wendet sich der Apostel gegen irrende Heidenchristen und stellt ihnen gegenüber mit gleichem Nachdruck heraus: Treue zum Evangelium heißt unveräußerliche Bindung der Heidenchristen an die Jerusalemer Judenchristen und damit zugleich der Völker an Israel. All das, was Paulus im Rahmen seiner Polemik im Galaterbrief als „Wahrheit des Evangeliums" entfaltet, wird bis heute hin als zweifelsfrei konstitutives Kennzeichen der paulinischen Theologie betrachtet und darüber hinaus im Gefolge Luthers als Identitätszeichen protestantischer Theologie und Kirche[23]. Demgegenüber hat der Römerbrief mit *seiner* Polemik und vor allem mit den in ihr zur Geltung gebrachten Inhalten unvergleichlich viel weniger Gehör gefunden. Zur Wirkung gelangt ist damit ein äußerst verkürzter Paulus.

Verstummt jene Siegesfreude und greifen Klage und Trauer über die

---

22. Gemessen am paulinischen Evangelium ist deshalb der Bruch zwischen Urchristentum und späterer, rein heidenchristlicher Kirche sehr viel größer als der zwischen dem biblischen Israel und dem nachbiblischen Judentum. Vielleicht sollte man dessen theologisch selbstkritischer eingedenk sein, wenn man die Juden „die *Nachfahren* des von Gott erwählten Volkes" nennt, wie es in den „Erwägungen zur kirchlichen Handreichung zur Erneuerung des Verhältnisses von Christen und Juden" von dreizehn Bonner Theologieprofessoren geschieht (epd – dokumentation Nr. 42/1980, 14-17, hier 17; Hervorhebung von mir).

23. Vgl. die im Vorwort genannten Paulusstudien.

Trennung von der Wurzel seit dem 2. Jahrhundert Platz, so heißt dies andeutungsweise im Hinblick auf die Kirchengeschichte, die jene Kluft zwischen Paulus und der Gegenwart nur scheinbar überbrückt: Es ist erstens ganz neu auf die judenchristliche Stimme in dieser Geschichte zu hören, wie sie in ihrer ganzen Vielfalt laut geworden ist, um sie in ihrem Recht und Reichtum zu würdigen[24]. Es ist zweitens auf judenchristliches Zeugnis heute acht zu geben, wie es im Land Israel und hier und da in der Diaspora neu und zum Trost für Theologie und Kirche laut wird. Sosehr dies Konsequenzen für traditionelle Formen der Theologie hat, so resultieren aus der Aufnahme von Röm. 9-11 Anfragen auch an den neubegonnenen Dialog zwischen Juden und Christen. Die psychologische Notwendigkeit, das Gespräch über eine im einzelnen schwer bestimmbare Zeit hin ohne Judenchristen zu führen, darf nicht zur theologischen Begründung und Legitimierung ihres neuerlichen Ausschlusses führen. Die jüdischen Partner in diesem Gespräch sollten mißtrauisch werden, falls Christen begännen, sich von neuem der Judenchristen in ihrer Mitte zu schämen oder sie theologisch zu opfern. Denn Theologie und Kirche werden in ihrem Verhältnis zum jüdischen Volk stets (nur) von derselben Güte sein wie im Verhältnis zu den judenchristlichen Gliedern am Leibe Christi. Dies läßt sich theologie- und kirchengeschichtlich zeigen, aber nirgendwo sonst so wie in Röm. 9-11 lernen.

2. Dieser zuletzt skizzierte Zusammenhang ist freilich nachweislich desselben Textes wechselseitig: Theologie und Kirche werden umgekehrt in ihrem Verhältnis zu ihrem judenchristlichen Teil stets (nur) von derselben Güte sein wie in ihrem Verhältnis zum Gottesvolk Israel insgesamt. So wenig die Judenchristen auf irgendeine Weise zu bedrängen oder zu zwingen sind, sich der heidenchristlichen Theologie und Kirche zu amalgamieren, genausowenig ist auf das jüdische Volk insgesamt ein noch so sublimer Zwang auszuüben. Dieser Zwang beginnt bereits dort, wo man sein Leben vor Gott durch Schlagworte wie „Leistungsreligion" und andere Unterstellungen, die ohne Rücksicht auf sein Selbstverständnis erfolgen, zu bezeichnen beginnt. Wie vielmehr im Verhältnis zu den Judenchristen kann das Gebot der Stunde im Verhalten zum jüdischen Volk allein Hören, Lernen und Verstehen sein – als Ausdruck des Ausgesöhntseins mit der an-

---

24. Vgl. *Colpe*, Gemeinde (A. 3), 78: „Die Geschichte der Judenchristen im Orient, die nun (sc. 70 n.Chr.) beginnt, wird eine unauffällige, aber reiche praxis pietatis zeitigen, von der die Welt bisher erst das Wenigste gelernt hat."

stößigen und unumstößlichen Liebe Gottes zu seinem Volk Israel, deren Gewißheit Röm. 9-11 von Anfang bis Ende bestimmt[25]. Jede Bedingung, ja auch jede judenmissionarische Absicht, die hier ins Spiel käme, würde nur zeigen, daß Theologie und Kirche ihr eigenes Evangelium von der unzerstörbaren Liebe Gottes zu seinem Volk nicht aufgenommen hätten, das nicht auf heidenchristliche Judenmission, sondern auf – endlich – gelebtes Zeugnis zielt. Israel *muß* nicht an Jesus Christus glauben, um in der Liebe Gottes zu bleiben. Sie *sind* Israeliten (9,4) und bleiben auch in ihrem Nein zum Evangelium „Geliebte um der Väter willen" (11,28)[26]. Wohl aber sind die Judenchristen, d.h. die Juden, die sich zu Jesus Christus bekennen, die Gegenwart Israels in seiner Gemeinde als dem endzeitlichen Gottesvolk in der Zeit[27]. Und für die Gemeinde sind sie Unterpfand der bleibenden, ganz Israel und die Völker einschließenden Zuwendung.

Fraglos gibt es Christen, die mit aufrichtigem Herzen und aus tiefer Überzeugung den unaufhörlichen Schmerz des Paulus teilen und wünschen, daß alle Juden sich zu Jesus Christus bekennen möchten. Und ebenso fraglos können sie sich dabei auf das Neue Testament berufen, das zwar keine Verkündigung des Evangeliums durch Nichtjuden unter Juden, wohl aber eine solche durch Juden unter Juden kennt (Gal. 2,8f.). Das aufrichtige Herz und die tiefe Überzeugung bilden freilich keine Legitimation dafür, darüber hinwegzugehen, wie die Geschichte des Verhältnisses von Christen zu Juden verlaufen ist, und nicht zu vernehmen, was Juden sowohl als Zeugnis vom biblischen Gott wie auch zur Judenmission selbst sagen und zu sagen haben. Das Evangelium ist in sich Ruf zur Umkehr. Bleibt dies vor Augen, dann bekommt die Frage sehr viel eher ihren angemessenen Stellenwert. Denn wer im Horizont des christlich-jüdischen Verhältnisses mit seinem tatsächlichen Verlauf in erster Linie dieses Rufes zur Umkehr bedarf, scheint schwerlich eine Frage. Ohne über lange Zeit hin glaubwürdig gelebte Auf-

---

25. Vgl. ausführlicher Grundzüge (A. 10), 100ff.
26. Siehe hierzu den Beitrag "Heil für die Juden – auch ohne Christus?" oben, 256-271. Zum Klischee der „zwei Heilswege", das er zu überwinden trachtet, s. auch die wichtigen Beiträge *Harders* in seinem Briefwechsel mit *Ernst Ludwig Ehrlich,* in: *Harder, Kirche und Israel* (A. 19), 222-245, hier 224.228f., sowie die Einleitung ebenda, 16. Zur Frage der christlichen Identität im Rahmen der Erneuerung des christlich-jüdischen Verhältnisses s. das ergänzte Schlußkapitel in der englischen Ausgabe der in A. 10 genannten Arbeit: Christian-Jewish Dialogue. Theological Foundations, Philadelphia 1986, 159-175.
27. Vgl. *P. Lenhardt,* Auftrag und Unmöglichkeit eines legitimen Zeugnisses gegenüber den Juden, Berlin 1980, 122ff., sowie Grundzüge (A. 10), 144ff.

nahme dieses Rufes, die auch ein gegenüber der Vergangenheit neues theologisches Denken und Reden vom jüdischen Volk einschließt, dürfte die Kirche für Juden in jeder Hinsicht ohne Reiz sein – und auch hierin der Absicht des Paulus schwerlich entsprechen[28].

3. Die zuletzt vorgetragenen Überlegungen dürften um so mehr gelten, als man mit einigem Recht bezweifeln kann, daß sich in der Breite in christlicher Einstellung zu Juden und Judenchristen Grundlegendes geändert hat. Die Probe aufs Exempel dafür läßt sich z.B. an drei Zusammenhängen vornehmen, an denen man sie vermutlich nicht erwartet und die darum vielleicht um so überzeugender sind.

Zwar sollte man denken, daß die Frage nach der Selbigkeit Gottes im Alten und Neuen Testament seit der Zeit Marcions im 2. Jahrhundert ausgestanden ist. Doch so, wie der Versucher – in Anlehnung an Goethe gesprochen – von Zeit zu Zeit gern vor Gottes Thron erscheint, so rumort diese Frage in Abständen und unterschiedlichen Graden in den Herzen von Theologen und anderen Christen. So ist die Frage nach der Identität Gottes in beiden Testamenten erneut im Anschluß an den rheinischen Synodalbeschluß von 1980 aufgeworfen und teils ausdrücklich verneint[29], teils so gewendet worden, daß die Antwort praktisch auf eine Bezweiflung hinausläuft[30]. Wäre man wirklich der Judenchristen als Teil des Leibes Christi und als Brücke zu ganz Israel[31] eingedenk, so würde man schwerlich diese Frage überhaupt aufwerfen, geschweige denn, sie so beantworten.

Man würde sie freilich auch nicht stellen, um mit ihr als vermeintlicher

---

28. Vgl. Röm. 11,14. Überliefernswert ist auch hier die ebenso humorvolle wie bemerkenswerte Glosse des Hauptrabbiners Dr. Albert *Friedländer*/London auf der Badener Synode im November 1980: „Ich bin immer dazu bereit, Eifersucht zu haben, aber im Moment spüre ich es noch nicht." (Christen und Juden. Eine Schwerpunkttagung der Landessynode der Evangelischen Landeskirche in Baden 10./11. November 1980 in Bad Herrenalb. Berichtsheft, Karlsruhe 1981, 59.).
29. So *F. Hesse*, Einige Anmerkungen zum Wort der rheinischen Landessynode über das Verhältnis von Christen und Juden, in: *B. Klappert/H. Starck* (Hgg.), Umkehr und Erneuerung. Erläuterungen zum Synodalbeschluß der rheinischen Landessynode 1980 „Zur Erneuerung des Verhältnisses von Christen und Juden", Neukirchen-Vluyn 1980, 283-286, hier 284f. Zur Fortführung der Diskussion des Synodalbeschlusses s. auch den Band: *E. Brocke/J. Seim* (Hgg.), Gottes Augapfel. Beiträge zur Erneuerung des Verhältnisses von Christen und Juden, Neukirchen-Vluyn 1986.
30. Siehe oben, 250.
31. Siehe hierzu *H.D. Leuner*, Zwischen Israel und den Völkern. Vorträge eines Judenchristen, Berlin 1978.

Essenz von Röm. 9-11 das Geheimnis von 11,25 durch die Frage für abgetan zu erklären, ob Bultmanns Urteil, das Mysterium entstamme der „spekulierenden Phantasie", nicht doch „ein Moment der Wahrheit in sich birgt", und um zweitens „die konkrete heilsgeschichtliche Reflexion des Paulus in Röm. 9-11" als „zeitbedingt" einzustufen[32]. Denn es würden Judenchristen (und vielleicht auch manche Juden) als Betroffene wohl doch darauf hinweisen, daß so gesehen *alles* im Neuen Testament zeitbedingt ist, oder die entsprechende Frage stellen, mit welchem Recht die offenbarte Rechtfertigungsverkündigung paulinischer Prägung als konstitutive christliche Wahrheit, das dieser Verkündigung innewohnende Verständnis bzw. das offenbarte Mysterium 11,25 hingegen als zeitbedingt angesehen wird[33].

In der Debatte über den genannten Beschluß ist des weiteren behauptet worden, die Bezeichnung Jesu als „Messias Israels" sei kein angemessener christologischer Begriff. Man solle sich an andere, ebenfalls im Neuen Testament bezeugte halten und den des Messias dem jüdischen Volk gewissermaßen zurückgeben[34]. Die Implikationen dieses Plädoyers liegen wiederum auf der Hand: Nachhaltiger kann man den Judenchristen schwerlich den Sinn ihrer Existenz in der Kirche bestreiten. Dies ist ganz gewiß nicht die Intention solcher Voten. Aber sie offenbaren doch eine Gedankenlosigkeit im Hinblick auf eine Gruppe, die Paulus jedenfalls als die Wurzel bezeichnet hat.

Im Rahmen protestantischer Theologie ist sodann die Formel „Christus des Gesetzes Ende" fast zu einem Bestandteil des Bekenntnisses geworden. Sie gilt in solchem Maße als Eckstein christlicher Identität, daß man sich schwerlich des Gedankens wehren kann: Könnte man sich für diese Formel nicht mit einem Schein des Rechts auf das Neue Testament berufen, so hätte sie erfunden werden müssen. Auffällig an dieser Wahl ist nicht zuletzt, daß mit ihr ein umfassender negativer Satz anstatt eines der vielen positiven Sätze im Neuen Testament zum Identitätszeichen gemacht wird. Denkbar und sehr viel biblischer wäre z.B. eine Gewißheitsaussage wie Röm. 8,38f. mit ihrer Fortführung in Röm. 9-11: daß nichts „uns von der Liebe Gottes in Jesus Christus unserem Herrn zu trennen vermag" – und auch Israel nichts. Jedenfalls scheinen die Klänge des Evangeliums hier sehr viel hörbarer. Angesichts der Wahl der Formel „Christus des Gesetzes Ende" und der mit ihr gegebenen Engführung erscheint es wiederum als äußerst bedeutsam,

---

32. Siehe hierzu auch oben, 240.
33. Vgl. hierzu die wichtige Arbeit von *Chr. Müller,* Gottes Gerechtigkeit und Gottes Volk. Eine Untersuchung zu Römer 9-11, Göttingen 1964.
34. Siehe oben, 262f.

daß Judenchristen sich im allgemeinen nicht in ihr, wohl aber in dem Jesuswort bei Matthäus aufgehoben wissen: „Meint nicht, ich sei gekommen, Gesetz und Propheten aufzulösen; nicht aufzulösen bin ich gekommen, sondern zu erfüllen" (Mt. 5,17). Wiederum würde man vielleicht doch, wäre man der Judenchristen eingedenk, zumindest etwas behutsamer mit jener Formel umgehen, wenn sie denn schon als unveräußerlicher Besitz betrachtet wird, und zweitens könnte die Aufgeschlossenheit dafür wachsen, daß der Judenchrist Paulus, der sie angeblich geprägt hat (Röm. 10,4), eben doch das Gegenteil an dieser Stelle sagt und von Jesus Christus als „Ziel und Erfüllung des Gesetzes" spricht. Aber hierüber ist bereits in hinreichender Ausführlichkeit gehandelt[35].

Die Judenchristen sind überall – sei es in Israel, sei es in der Diaspora – kleine Gruppen. Ihre Zahl ist weltweit um vieles geringer als allein die der Fachtheologen. Auch bilden sie keine einheitliche Gruppierung[36], und ebensowenig ist etwas allein schon deshalb richtig oder wichtig, weil es von einem Judenchristen gesagt ist, vielmehr sind auch hier wie sonst die Geister zu scheiden. Vor allem angesichts ihrer kleinen Zahl und auch der Mühsamkeit ihres Weges wird man von ihnen schwerlich Arbeiten erwarten dürfen, für die auf heidenchristlicher Seite ganze Heere von Fachleuten zur Verfügung stehen. Doch könnte schon viel gewonnen sein, wenn überhaupt der Tatbestand ihrer Existenz erneut Teil christlichen Bewußtseins würde. Wie die zuletzt berührten Beispiele zeigen, könnte allein dies helfen, *biblischer* zu denken, zu leben und zu hoffen. Und in diesem Sinne würde dann gelten: „Nicht du trägst die Wurzel, sondern die Wurzel trägt dich ..."

35. Vgl. meine Arbeit: Römer 8 als Beispiel paulinischer Soteriologie, Göttingen 1975, 256ff., sowie die im Vorwort erwähnten Paulusstudien.
36. Vgl. *C. Kvarme / K. Kjaer-Hansen*, Messianische Juden, Erlangen 1983; *S. Schoon*, Christliche Präsenz im jüdischen Staat, Berlin 1986, sowie auch *Leuner*, Israel (A. 31), und Grundzüge (A. 10), 144ff.

ANHANG

AUTORENVERZEICHNIS

BIBELSTELLENREGISTER

DATE DUE
